Second Edition

French

T H R E E   Y E A R S

BLUME • STEIN

Second Edition
French
THREE YEARS

WORKBOOK

ELI BLUME
Former Chairman of the Foreign Language Department
Forest Hills High School
New York City

GAIL STEIN
Foreign Language Department
New York City Schools

AMSCO SCHOOL PUBLICATIONS, INC.,
a division of Perfection Learning®

Cover and text design by A Good Thing, Inc.
Cover photograph: Waterfront in Etretat, © Photodisk—Media Bakery
Illustrations and maps by Susan Detrich
Additional illustrations by Hadel Studio
Electronic composition by Compset, Inc.

Please visit our Web sites at: www.amscopub.com and www.perfectionlearning.com

When ordering this book, please specify either **13451** or
BLUME/STEIN FRENCH THREE YEARS WORKBOOK

ISBN 978-1-56765-331-1

Preface

The new BLUME/STEIN, FRENCH THREE YEARS, Second Edition, is designed to give students a comprehensive review and thorough understanding of the elements of the French language and the highlights of French culture. The book was revised to incorporate and reflect the National Standards for Foreign Language Learning in the 21st century, also known as the 5 C's: cultural competence, comparisons. connections, communities, and communication. This book demonstrates how the acquisition of French is connected and interwoven with the principles of critical thinking, learning strategies, and the mastery of other subject areas. It also reflects how French is used not only in France but throughout the world.

ORGANIZATION

For ease of study and reference, the book is divided into five parts. Parts One to Three are organized around related grammatical topics. Part Four, Word Study, covers synonyms and antonyms and thematic vocabulary. An updated Part Five, Civilization, covers contemporary and pop culture of France, dealing with language, geography, history, lifestyle, literature, art, music, architecture, science, and *La Francophonie* (French as it is spoken and used throughout the world).

GRAMMAR

Each grammatical chapter deals fully with one major grammatical topic or several closely related ones. Explanations of structure are brief and clear. All points of grammar are illustrated by many examples, in which key elements are typographically highlighted.

A book intended for third-level review assumes that students have completed a basic sequence. Care has been taken, however, especially in the critical *Part One: Verb Structures*, to avoid the use of complex structural elements that are treated in other parts of the book. To enable students to concentrate on the structural practice, the vocabulary has been carefully controlled, updated, and systematically "recycled" throughout the grammatical chapters.

In order to enrich the scope of the book, a number of grammatical elements not usually found in books of this type are included. In Chapter 1, there are lists of -*er*, -*ir*, and -*re verbs*. Chapter 11 contains lists of reflexive verbs. Also among these elements are special uses of verbs and verbal idioms (Chapter 16), expressions with prepositions (Chapter 23) comparative and superlative expressions (Chapter 25), and fractions and multiple numbers (Chapter 26).

EXERCISES

For maximum efficiency in learning, the exercises directly follow the points of grammar to which they apply. Carefully graded, the exercises proceed from simple assimilation to more challenging manipulation of elements and communication. To provide continuity of a grammatical topic, the exercises are set in communicative contexts. Many are also personalized to stimulate student response.

While the contents of the exercises afford extensive oral practice and cultural information, the book's format also encourages reinforcement through written student responses. The English to French exercises, once included in the student's book, have now been moved to the Teacher's Manual to allow for more extensive updated exercises. The grammatical chapters conclude with Mastery Exercises, in which all grammatical aspects in the chapter are again practiced in recombinations of previously covered elements. All directions to exercises are in French

FLEXIBILITY

The topical organization and the integrated completeness of each chapter permit the teacher to follow any sequence suitable to the objectives of the course and the needs of the students. This flexibility is facilitated by the detailed table of contents at the front of the book and the comprehensive grammatical index at the back. Teachers as well as students will also find the book useful as a reference source.

CULTURE

The modernized cultural chapters in Part Five are entirely in French. Every effort was made to keep the narratives clear and readable. In addition to the wealth of contemporary and pop information, these narratives provide extensive reinforcement of structural and syntactical elements reviewed in Parts One through Three. To encourage students to read for comprehension with minimal interference from footnote referencing, footnotes have been eliminated and unusual words have been translated or explained where they occur. Each cultural chapter includes new and improved exercises designed to test comprehension.

OTHER FEATURES

The Appendix features complete model verb tables and the principal parts of common irregular verbs, common verbs, prepositions, popular French search engines and Web sites, and basic rules of French punctuation and syllabication as well as a guide to pronunciation. French-English and English-French vocabularies, a glossary of grammatical terms, and a comprehensive index complete the book. Optional Verb Review Quizzes, on pp. 230–234, are new Mastery exercises.

The BLUME/STEIN, FRENCH THREE YEARS, Second Edition, is a thoroughly revised and updated edition. With its comprehensive coverage of the elements of French, clear and concise explanations, extensive practice materials, functional vocabulary, and readable cultural narratives, the book clearly incorporates the National Standards for Foreign Language Learning in the 21st century, thus enabling students to improve and strengthen their skills in the French language. As students pursue proficiency, they will also gain valuable insights into the culture of France and the other *francophone* nations.

Gail Stein

Contents

Part One
Verb Structures

Part Two
Noun / Pronoun Structures; Prepositions

Part Three
Adjective / Adverb and Related Structures

Part Four
Word Study

Part Five
Civilization

Part One

Verb Structures

Chapter 1
Present Tense

A verb is a word that expresses an action or state of being.

[1] REGULAR VERBS

a. Affirmative

The present tense of regular verbs is formed by dropping the infinitive ending (-*er*, -*ir*, -*re*) and adding the personal endings.

parler	choisir	vendre
I speak	*I choose*	*I sell*
je parl**e**	Je chois**is**	je vend**s**
tu parl**es**	tu chois**is**	tu vend**s**
il/elle parl**e**	il/elle chois**it**	il/elle vend
nous parl**ons**	nous chois**issons**	nous vend**ons**
vous parl**ez**	vous chois**issez**	vous vend**ez**
ils/elles parl**ent**	ils/elles chois**issent**	ils/elles vend**ent**

Common *-er* verbs

accompagner *to accompany*
adorer *to adore*
aider *to help*
aimer *to like, love*
ajouter *to add*
allumer *to light, turn on*
apporter *to bring*
arracher *to pull out*
arrêter *to stop*
arriver *to arrive*
attraper *to catch*
baigner *to bathe*
baisser *to lower*
bavarder *to chat*
blâmer *to blame*
blesser *to wound, hurt*
briller *to shine*
briser *to break, smash*
brosser *to brush*

brûler *to burn*
cacher *to hide*
camper *to camp*
casser *to break*
causer *to chat*
cesser *to stop*
chanter *to sing*
chasser *to chase, hunt*
chauffer *to heat*
chercher *to look for*
collectionner *to collect*
commander *to command, order*
composer *to composer*
compter *to count*
conseiller *to advise*
couper *to cut*
coûter *to cost*
crier *to shout*
critiquer *to criticize*

cuisiner *to cook*
danser *to dance*
déchirer *to tear*
déclarer *to declare*
décoller *to take off*
   (plane)
décorer *to decorate*
déjeuner *to eat lunch*
demander *to ask (for)*
demeurer *to live*
dépenser *to spend*
   (money)
désirer *to desire*
dessiner *to draw*
dîner *to dine*
distribuer *to distribute*
diviser *to divide*
donner *to give*
douter *to doubt*

3

durer   *to last*

échouer   *to fail*

éclater   *to burst*

écouter   *to listen (to)*

emballer   *to wrap up*

embrasser   *to kiss*

empêcher   *to prevent*

emprunter   *to borrow*

enchanter   *to delight*

enregistrer   *to record*

enseigner   *to teach*

entourer   *to surround*

entrer   *to enter*

envelopper   *to wrap*

épouser   *to marry*

éternuer   *to sneeze*

étonner   *to astonish*

étudier   *to study*

éveiller   *to awaken*

éviter   *to avoid*

expliquer   *to explain*

exprimer   *to express*

fabriquer   *to manufacture*

fatiguer   *to tire*

féliciter   *to congratulate*

fermer   *to close*

fêter   *to celebrate*

fonctionner   *to function*

frapper   *to hit, knock*

frotter   *to rub*

fumer   *to smoke*

gagner   *to win, earn*

garder   *to keep, watch*

gaspiller   *to waste*

gâter   *to spoil*

glisser   *to slip, slide*

goûter   *to taste*

gronder   *to scold*

habiter   *to live (in)*

hésiter   *to hesitate*

ignorer   *to ignore, be unaware of*

indiquer   *to indicate*

intéresser   *to interest*

inviter   *to invite*

jouer   *to play*

jurer   *to swear*

laisser   *to leave (behind), let*

laver   *to wash*

louer   *to rent, praise*

mâcher   *to chew*

manquer   *to lack, miss*

marcher   *to walk*

mêler   *to mix*

mériter   *to deserve*

monter   *to go up*

montrer   *to show*

nommer   *to name*

noter   *to note, observe*

ordonner   *to order*

organiser   *to organize*

oser   *to dare*

ôter   *to remove*

oublier   *to forget*

pardonner   *to pardon, excuse*

parler   *to speak*

participer   *to participate*

passer   *to pass, spend* (time)

patiner   *to skate*

pêcher   *to fish*

peigner   *to comb*

penser   *to think*

pleurer   *to cry*

porter   *to wear, carry*

poser   *to place, ask*

pousser   *to push*

pratiquer   *to practice*

préparer   *to prepare*

présenter   *to introduce*

prêter   *to lend*

prier   *to pray, beg*

prouver   *to prove*

quitter   *to leave*

raconter   *to tell*

ramasser   *to pick up, collect*

regarder   *to look at, watch*

regretter   *to regret*

remarquer   *to notice*

remercier   *to thank*

remporter   *to bring back*

rencontrer   *to meet*

rentrer   *to return*

réparer   *to repair*

repasser   *to review, iron*

réserver   *to reserve*

respecter   *to respect*

rester   *to stay, remain*

retourner   *to return*

réveiller   *to wake (up)*

rêver   *to dream*

saluer   *to greet*

sauter   *to jump*

sauver   *to save*

séjourner   *to stay*

sembler   *to seem*

siffler   *to whistle*

signer   *to sign*

signifier   *to mean*

soigner   *to take care of*

sonner   *to ring*

souhaiter   *to wish*

souligner   *to underline*

stationner   *to park*

surveiller   *to watch*

tâcher   *to try*

téléphoner   *to telephone*

terminer   *to end*

tirer   *to pull, shoot*

tomber   *to fall*

toucher   *to touch, cash* (check)

tourner   *to turn*

tousser   *to cough*

travailler   *to work*

traverser   *to cross*

tremper   *to soak, dip*

tromper   *to deceive*

trouver   *to find*

tuer   *to kill*

vider   *to empty*

visiter   *to visit*

voler   *to fly, steal, rob*

Common -*ir* verbs

accomplir *to accomplish*	établir *to establish*	obéir (à) *to obey*
agir *to act*	finir *to finish*	punir *to punish*
applaudir *to applaud*	garantir *to guarantee*	ravir *to delight*
atterrir *to land (plane)*	garnir *to garnish*	réfléchir *to reflect, think*
avertir *to warn*	grandir *to grow (up)*	remplir *to fill*
bâtir *to build*	grossir *to become fat*	réussir *to succeed*
bénir *to bless*	guérir *to cure*	rôtir *to roast*
blanchir *to bleach, whiten*	jouir (de) *to enjoy*	rougir *to blush*
choisir *to choose*	maigrir *to become thin*	saisir *to seize*
désobéir (à) *to disobey*	nourrir *to nourish, feed*	trahir *to betray*

Common -*re* verbs

attendre *to wait (for)*	entendre *to hear*	répondre (à) *to answer*
correspondre *to correspond*	interrompre *to interrupt*	rompre *to break*
défendre *to defend, prohibit*	perdre *to lose*	tondre *to mow*
descendre *to go (come) down*	rendre *to give back, return*	vendre *to sell*

NOTE: **The third person singular of *rompre* and *interrompre* ends in –*t*.**

> il romp*t*   il interromp*t*

EXERCICE A

Décrivez ce qui se passe dans la classe de français de M. Leclerc.

EXEMPLE: le professeur / expliquer la leçon
Le professeur explique la leçon.

1. nous / étudier le vocabulaire

_____

2. Hubert / regarder le tableau

_____

3. je / saluer le professeur

_____

4. les garçons / poser des questions

_____

5. vous / chanter «Frère Jacques»

_____

6. Anne / parler français

_____

7. tu / goûter des spécialités françaises

_____

8. les filles / écouter des CD français

_____

EXERCICE B

Aujourd'hui, la classe de français déjeune dans un restaurant français. Qu'est-ce que les élèves remarquent ?
Complétez chaque phrase avec un verbe approprié de la liste suivante.

choisir	grossir	remplir	rougir
finir	maigrir	rôtir	garnir

1. Le serveur _____ les verres.

2. Le chef _____ un poulet.

3. Nous _____ des plats français.

4. Tu _____ parce que tu manges très peu.

5. Les garçons _____ parce qu'ils mangent beaucoup.

6. Le serveur _____ les tables avec des fleurs.

7. Je _____ parce que je suis embarrassée.

8. Vous _____ le dessert rapidement.

EXERCICE C

Votre voisine, Mme Laforêt est malade. Elle demande à votre famille de l'aider. Décrivez ce qui se passe.

EXEMPLE: Mme Laforêt / attendre le médecin
          Mme Laforêt attend le médecin.

1. je / entendre le médecin sonner à la porte

_____

2. tu / descendre ouvrir la porte

_____

3. Mme Laforêt / répondre aux questions du médecin

_____

4. vous / interrompre le médecin

_____

5. Mme Laforêt / perdre patience

_____

6. nous / attendre la fin de la visite médicale

_____

7. mes parents / rompre le silence

_____

8. Mme Laforêt / entendre le diagnostic avec soulagement

_____

    b. Negative

    In the negative, *ne* (*n'* before a vowel or vowel sound) precedes the conjugated verb and *pas* follows it.

    Je **ne** joue **pas** au tennis.   *I don't play tennis.*

    Ils **ne** rougissent **pas**.   *They aren't blushing.*

EXERCICE D

Votre petite sœur est très obstinée. Elle dit toujours le contraire de ce que vous dites. Exprimez ses réponses à vos remarques.

EXEMPLE: Jean-Luc joue bien de la guitare.
             Jean-Luc **ne joue pas** bien de la guitare.

1. Pierre réussit toujours aux examens.

_____

2. Nous déjeunons à midi.

_____

3. Il embrasse la fille.

_____

4. Les Dumont attendent leurs enfants.

_____

5. Le professeur rend les examens aujourd'hui.

_____

6. Elle désobéit à ses parents.

_____

7. Elles restent à la maison.

_____

8. Nous vendons nos jouets.

_____

    c. Interrogative with *est-ce que*

    A question may be formed by beginning a sentence with *est-ce que*. *Est-ce que* becomes *est-ce qu'* before a vowel or vowel sound.

    Elles dansent bien.   **Est-ce qu'elles dansent** bien ?

    C'est ton manteau.   **Est-ce que c'est** ton manteau ?

    Tu arrives tôt.   **Est-ce que tu arrives** tôt ?

EXERCICE E

Un nouvel élève arrive dans votre classe. Posez-lui des questions en utilisant est-ce que.

EXEMPLE: tu / danser bien
> **Est-ce que tu danses** bien ?

1. vous / aimer les États-Unis

_____

2. nous / finir les devoirs

_____

3. ta sœur / travailler à la bibliothèque

_____

4. je / répondre bien à tes questions

_____

5. Pierre / t'attendre après l'école

_____

6. tes parents / perdre souvent patience

_____

7. les filles / te parler souvent

_____

8. tu / réussir dans tous tes cours

_____

d. Interrogative with inversion

A question may also be formed by inverting the subject pronoun and the verb and joining them with a hyphen. If the subject pronoun is *il, elle*, or *on*, and the verb ends in a vowel, a *-t-* is inserted between the verb and the pronoun.

Inversion with the subject pronoun *je* is limited to a few verbs : *ai-je* ? (*have I?*), *puis-je* ? (*can I?*), *sais-je* ? (*do I know?*), *suis-je* ? (*am I?*).

Tu travailles beaucoup.	**Travailles-tu** beaucoup ?
Ils finissent tard.	**Finissent-ils** tard ?
Elle présente son ami.	**Présente-t-elle** son ami ?
On parle anglais ici.	**Parle-t-on** anglais ici ?

When the subject of a question is a noun, the noun is retained before the inverted verb and pronoun.

Jean quitte la classe.	**Jean quitte-t-il** la classe ?
Les fleurs poussent.	**Les fleurs poussent-elles** ?

NOTES:

1. In spoken French, as in spoken English, a question is often asked with regular word order and interrogative intonation.

Tu travailles beaucoup ?   *Do you work hard?*
Jean quitte la classe ?   *Jean is leaving the class?*

2. Interrogative adverbs like *où*, *quand*, *pourquoi*, or *comment* are used either with inversion or with *est-ce que* to form questions, or with intonation usually at the end of the sentence.

Quand faites-vous vos devoirs ?
Quand est-ce que vous faites vos devoirs ?   } *When do you do your homework?*
Vous faites vos devoirs quand ?

Comment Paul va-t-il ?
Comment est-ce que Paul va ?   } *How is Paul doing?*
Comment va Paul ?

EXERCICE F

Vous commencez l'année scolaire dans une nouvelle école et vous voulez mieux connaître les élèves. Posez les questions suivantes.

EXEMPLE   Pierre / étudier beaucoup
Pierre étudie-t-il beaucoup ?

1. Marie / finir toujours son travail scolaire

2. Marianne / gaspiller son temps

3. vous / attendre toujours votre sœur à la sortie des cours

4. Sylvie et Aline / obéir à leurs parents

5. Marie / conseiller ses amies

6. Jacques / interrompre souvent ses professeurs

7. tu / trahir tes amis

8. Robert / cacher la vérité

9. vous / travailler dur

10. les élèves / défendre leurs idées

EXERCICE G

Votre sœur parle avec son amie Anne au téléphone. Vous n'entendez que les réponses de votre sœur. Exprimez les questions qu'Anne lui pose en vous servant de **quand, où, comment** *ou* **pourquoi.**

EXEMPLES: ANNE: **Comment vas-tu ?**
             VOTRE SŒUR: Je vais très bien.

             ANNE: **Pourquoi ton téléphone est-il toujours occupé ?**
             VOTRE SŒUR: Le téléphone est toujours occupé parce que je suis bavarde.

1. ANNE: _____

VOTRE SŒUR: La surprise-partie a lieu chez Nicole.

2. ANNE: _____

VOTRE SŒUR: Elle habite près du parc.

3. ANNE: _____

VOTRE SŒUR: Je vais chez elle avec Irène en métro.

4. ANNE: _____

VOTRE SŒUR: Je rencontre Irène à la station de métro.

5. ANNE: _____

VOTRE SŒUR: Je pense rentrer avant minuit.

6. ANNE: _____

VOTRE SŒUR: Je suis triste parce que Philippe ne vient pas.

e. Negative interrogative

In negative questions using inversion, *ne* and *pas* surround the inverted phrase.

Révisent-ils la leçon ?   *Do they review the lesson?*
Ne révisent-ils pas la leçon ?   *Don't they review the lesson?*

Parle-t-elle français ?   *Does she speak French?*
Ne parle-t-elle pas français ?   *Doesn't she speak French?*

Negative questions may also be expressed with regular word order and interrogative intonation or with *est-ce que.*

Elle ne parle pas français ?
Est-ce qu'elle ne parle pas français ?   } *She doesn't speak French?*

Negative questions generally expect the answer *yes* in a yes/no question, *si* in French.

EXERCICE H

Avec un(e) camarade de classe menez le dialogue suivant.

1. VOUS: Quels sports n'aimes-tu pas regarder à la télévision ?

CAMARADE: _____

2. VOUS: Dans quel sport n'es-tu pas bon(ne) ?

CAMARADE: _____

3. VOUS: Quel programme de télévision n'aimes-tu pas ?

CAMARADE: _____

4. VOUS: À qui ne téléphones-tu pas souvent ?

CAMARADE: _____

5. VOUS: Pourquoi n'étudies-tu pas l'espagnol ?

CAMARADE: _____

6. VOUS: Quel genre de musique n'aimes-tu pas écouter ?

CAMARADE: _____

7. VOUS: Quelle nourriture ne manges-tu pas du tout ?

CAMARADE: _____

8. VOUS: En quelle matière n'es-tu pas fort(e) ?

CAMARADE: _____

EXERCICE I

Il y a un malentendu entre Luc et Jean-Paul et vous voulez savoir pourquoi. Posez des questions pour trouver ce qui se passe.

EXEMPLE: Jean-Paul / parler à Luc
Jean-Paul **ne parle-t-il pas** à Luc ?

1. Luc / défendre sa position

_____

2. les garçons / écouter leurs amis

_____

3. vous / téléphoner aux garçons

_____

4. les filles / agir trop vite

_____

5. leurs amis / entendre la dispute

_____

6. Jean-Paul / trahir son ami

_____

7. vous / donner tout de suite votre opinion

_____

8. Jean-Paul et Luc / réussir à faire la paix

_____

[2] SPELLING CHANGES IN CERTAIN -*ER* VERBS

a. Verbs ending in -*cer* change *c* to *ç* before *o* to keep the soft *c* sound.

prononcer *to pronounce:*   je prononce, tu prononces, il/elle prononce,
nous prononçons, vous prononcez, ils/elles prononcent

Like *prononcer*:

annoncer   *to announce*   menacer   *to threaten*
avancer   *to advance; be fast* (clocks, watches)   placer   *to place, set*
commencer   *to begin*   remplacer   *to replace*
effacer   *to erase, efface*   renoncer à   *to give up, renounce*
lancer   *to throw, launch*

EXERCICE J

Pendant la journée le directeur entre dans votre classe et vous pose des questions. Exprimez ses questions et les réponses des élèves.

EXEMPLES: prononcer bien les mots français (oui)

LE DIRECTEUR: **Prononcez-vous** bien les mots français ?
LES ÉLÈVES: Oui, **nous prononçons** bien les mots français.

menacer le professeur (non)

LE DIRECTEUR: **Menacez-vous** le professeur ?
LES ÉLÈVES: Non, **nous ne menaçons pas** le professeur.

1. lancer des avions en papier (non)

LE DIRECTEUR: _____

LES ÉLÈVES: _____

2. placer les livres sur la table (oui)

LE DIRECTEUR: _____

LES ÉLÈVES: _____

3. annoncer le résultat du match en classe (non)

LE DIRECTEUR: _____

LES ÉLÈVES: _____

4. effacer le tableau (oui)

LE DIRECTEUR: _____

LES ÉLÈVES: _____

5. commencer tout de suite la leçon (oui)

LE DIRECTEUR: _____

LES ÉLÈVES: _____

6. avancer l'horloge (non)

LE DIRECTEUR: _____

LES ÉLÈVES: _____

b. Verbs ending in *-ger* insert a mute *e* between the *g* and the *o* to keep the soft *g* sound.

voyager *to travel:* je voyage, tu voyages, il/elle voyage,
  nous voya*g*eons, vous voyagez, ils/elles voyagent

Like *voyager*:

arranger *to arrange*	manger *to eat*
ranger *to put away, put in order*	nager *to swim*
changer *to change*	neiger *to snow*
corriger *to correct*	obliger *to oblige*
déménager *to move* (to another residence)	partager *to share, divide*
déranger *to disturb*	plonger *to plunge, dive*
diriger *to direct*	songer (à) *to think* (of)
exiger *to require*	

EXERCICE K

Votre ami Grégoire vous demande ce que vous et votre famille faites en vacances. Utilisez les suggestions suivantes pour décrire vos activités.

arranger le voyage d'avance	nager dans la piscine
changer d'habitudes	partager la même chambre
changer souvent de vêtements	ranger les affaires de tout le monde
déranger tout le monde	songer à apprendre un nouveau sport
diriger les excursions	voyager en avion
manger beaucoup	

EXEMPLE: **Ma mère change** d'habitudes.

1. Je _____ .

2. Nous _____ .

3. Mes cousins _____ .

4. Mon père _____ .

5. Mes parents _____ .

6. Ma famille et moi, nous _____ .

7. Ma sœur _____ .

8. Mon frère et moi, nous _____ .

9. Ma cousine _____ .

10. Nous _____ .

c. Verbs ending in *-yer* change y to *i* before mute *e*.

employer *to use:* j'emploie, tu emploies, il/elle emploie,
  nous employons, vous employez, ils/elles emploient

Like *employer*:

ennuyer	*to bore, bother*	nettoyer	*to clean*
envoyer	*to send*	renvoyer	*to fire, send back, postpone*
essuyer	*to wipe*		

NOTE: Verbs ending in *-ayer* may or may not change the *y* to *i* in all present-tense forms except *nous* and *vous*:

essayer *to try:* j'essaye *or* essaie, tu essayes *or* essaies, il/elle essaye *or* essaie
nous essayons, vous essayez, ils/elles essayent *or* essaient

EXERCICE L

Nicolas aide Mme Junot. Exprimez les questions de Mme Junot et les réponses de Nicolas.

EXEMPLES: nettoyer les chambres (oui)

MME JUNOT: **Nettoyez-vous** les chambres ?
NICOLAS: Oui, **je nettoie** les chambres.

envoyer Joseph faire les courses (non)

MME JUNOT: **Envoyez-vous** Joseph faire les courses ?
NICOLAS: Non, **je n'envoie pas** Joseph faire les courses.

1. essuyer les tables (non)

MME JUNOT: _____

NICOLAS: _____

2. employer un balai (oui)

MME JUNOT: _____

NICOLAS: _____

3. renvoyer le jardinier (non)

MME JUNOT: _____

NICOLAS: _____

4. essayer de tout faire aujourd'hui (oui)

MME JUNOT: _____

NICOLAS: _____

5. ennuyer le chat (non)

MME JUNOT: _____

NICOLAS: _____

6. payer le livreur (oui)

MME JUNOT: _____

NICOLAS: _____

d. Verbs with mute -*e* in the syllable before the infinitive ending change mute *e* to *è* when the next syllable contains another mute *e*.

mener *to lead:*   je *mène,* tu *mènes,* il/elle *mène,*
nous menons, vous menez, ils/elles *mènent*

Like *mener:*

acheter *to buy*	enlever *to remove, take off*
achever *to complete*	geler *to freeze*
amener *to bring, lead to*	lever *to raise, lift*
élever *to bring up, raise*	peser *to weigh*
emmener *to lead away, take away*	promener *to walk*

NOTE: Verbs with mute *e*, like *appeler* and *jeter,* double the consonant instead of changing *e* to *è.*

appeler   *to call:*   j'*appelle,* tu *appelles,* il/elle *appelle,*
nous appelons, vous appelez, ils/elles *appellent*

jeter   *to throw:*   je *jette,* tu *jettes,* il/elle *jette,*
nous jetons, vous jetez, ils/elles *jettent*

Like *appeler* and *jeter:*

épeler *to spell*	projeter *to project*	rejeter *to reject*
feuilleter *to leaf through*	rappeler *to recall*	renouveler *to renew*

EXERCICE M

Madame Constant est le chef du personnel dans une grande société. Exprimez ce qu'elle demande à Philippe, son secrétaire et ce qu'il lui répond.

EXEMPLE: jeter toujours les papiers inutiles

MME CONSTANT: **Jetez-vous** toujours les papiers inutiles ?
PHILIPPE: **Oui, je jette** toujours les papiers inutiles.

1. enlever toujours votre chapeau

MME CONSTANT: _____

PHILIPPE: _____

2. acheter de nouveaux stylos

MME CONSTANT: _____

PHILIPPE: _____

3. peser les paquets

MME CONSTANT: _____

PHILIPPE: _____

4. appeler souvent le directeur

MME CONSTANT: _____

PHILIPPE: _____

5. achever toujours le travail à faire

MME CONSTANT: _____

PHILIPPE: _____

6. amener les employés dans la salle de conférence

MME CONSTANT: _____

PHILIPPE: _____

e. Verbs with *é* in the syllable before the infinitive ending change *é* to *è* when the next syllable contains a mute *e*.

> **espérer**   *to hope:*   j'*espère*, tu *espères*, il/elle *espère*,
> nous espérons, vous espérez, *ils/elles espèrent*

Like *espérer:*

célébrer	*to celebrate*	préférer	*to prefer*
compléter	*to complete*	protéger	*to protect*
interpréter	*to interpret*	répéter	*to repeat, rehearse*
posséder	*to possess, own*	révéler	*to reveal*

NOTE: Verbs ending in *-éer* keep the *é:*

> **créer**   *to create:*   je *crée*, tu *crées*, il/elle *crée*,
> nous créons, vous créez, ils/elles *créent*

EXERCICE N

Le professeur pose des questions à la classe. Exprimez les réponses des élèves en utilisant le verbe de la question.

EXEMPLE: —Que créez-vous pour la fête française à l'école ?
   —**Je crée** un nouveau dessert français.
   —**Nous créons** un spectacle de chansons.

1. — Quelle sorte de film préférez-vous ?

— Je _____ les histoires d'amour.

— Nous _____ la science-fiction.

2. — Que répétez-vous ?

— Je _____ ma chanson.

— Nous _____ les phrases en français.

3. — Que célébrez-vous ?

— Je _____ mon anniversaire.

— Nous _____ la victoire de notre équipe.

4. — Quel cadeau espérez-vous recevoir ?

— J'_____ recevoir de l'argent.

— Nous _____ recevoir des vêtements.

5. — Qui protégez-vous ?

     — Je _____ mon petit frère.

     — Nous _____ nos amis.

6. — Quelle voiture possédez-vous ?

     — Je _____ une Ferrari.

     — Nous _____ une Renault.

[3] VERBS IRREGULAR IN THE PRESENT TENSE

The following verbs have irregular forms in the present tense.

aller *to go:*   je *vais*, tu *vas*, il/elle *va*
                 nous allons, vous allez, ils/elles *vont*

asseoir *to seat, sit:*   j'*assieds*, tu *assieds*, il/elle *assied*
                 nous *asseyons*, vous *asseyez*, ils/elles *asseyent*
                 or
                 j'*assois*, tu *assois*, il/elle *assoit*
                 nous *assoyons*, vous *assoyez*, ils/elles *assoient*

avoir *to have:*   j'*ai*, tu *as*, il/elle *a*
                 nous *avons*, vous *avez*, ils/elles *ont*

battre *to beat:*   je *bats*, tu *bats*, il/elle *bat*
                 nous battons, vous battez, ils/elles battent

Like *battre:*   abattre *to knock down,*   combattre *to fight*

boire *to drink:*   je bois, tu bois, il/elle *boit*
                 nous *buvons*, vous *buvez*, ils/elles *boivent*

conduire *to lead, drive:*   je conduis, tu conduis, il/elle *conduit*
                 nous *conduisons*, vous *conduisez*, ils/elles *conduisent*

Like *conduire:*   construire *to construct,*   instruire *to instruct,*   produire *to produce,* traduire *to translate*

connaître *to know:*   je connais, tu *connais*, il/elle *connaît*
                 nous *connaissons*, vous *connaissez*, ils/elles *connaissent*

Like *connaître:*   disparaître *to disappear,*   paraître *to appear,*   reconnaître *to recognize*

courir *to run:*   je *cours*, tu *cours*, il/elle *court*
                 nous *courons*, vous *courez*, ils/elles *courent*

craindre *to fear:*   je *crains*, tu *crains*, il/elle *craint*
                 nous *craignons*, vous *craignez*, ils/elles *craignent*

Like *craindre:*   atteindre *to reach, attain,*   éteindre *to extinguish, turn off,* joindre *to join,*   peindre *to paint,*   plaindre *to pity*

croire *to believe:*   je crois, tu crois, il/elle *croit*
                 nous *croyons*, vous *croyez*, ils/elles croient

cueillir *to pick:*   je *cueille*, tu *cueilles*, il/elle *cueille*
                 nous *cueillons*, vous *cueillez*, ils/elles *cueillent*

Like *cueillir:*   accueillir *to welcome,*   recueillir *to collect*

devoir *to owe, have to, be (supposed) to:*   je *dois,* tu *dois,* il/elle *doit*
nous *devons,* vous *devez,* ils/elles *doivent*

dire *to say, tell:*   je dis, tu dis, il/elle *dit*
nous *disons,* vous *dites,* ils/elles *disent*

Like *dire:*   interdire *to forbid*

dormir *to sleep:*   je *dors,* tu *dors,* il/elle *dort*
nous *dormons,* vous *dormez,* ils/elles *dorment*

Like *dormir:*   endormir *to put to,* mentir *to lie,* partir *to go away, leave,*
sentir *to feel, smell,* servir *to serve,* sortir *to go out, leave*

écrire *to write:*   j'écris, tu écris, il/elle *écrit*
nous *écrivons,* vous *écrivez,* ils/elles *écrivent*

Like *écrire:*   décrire *to describe,* inscrire *to enroll, to register*

être *to be:*   je *suis,* tu *es,* il/elle *est*
nous *sommes,* vous *êtes,* ils/elles *sont*

faire *to do, make:*   je fais, tu fais, il/elle *fait*
nous *faisons,* vous *faites,* ils/elles *font*

falloir *to be necessary:*   il *faut*

lire *to read:*   je lis, tu lis, il/elle *lit*
nous *lisons,* vous *lisez,* ils/elles *lisent*

Like *lire:*   relire *to reread*

mettre *to put, put on:*   je *mets,* tu *mets,* il/elle *met*
nous mettons, vous mettez, ils/elles mettent

Like *mettre:*   admettre *to admit,* permettre *to permit,* promettre *to promise,*
remettre *to put back, postpone; deliver*

mourir *to die:*   je *meurs,* tu *meurs,* il/elle *meurt*
nous mourons, vous mourez, ils/elles *meurent*

ouvrir *to open:*   j'*ouvre,* tu *ouvres,* il/elle *ouvre*
nous *ouvrons,* vous *ouvrez,* ils/elles *ouvrent*

Like *ouvrir:*   couvrir *to cover,* découvrir *to discover,* offrir *to offer,* souffrir *to suffer*

plaire *to please:*   je plais, tu plais, il/elle *plaît*
nous *plaisons,* vous *plaisez,* ils/elles *plaisent*

Like *plaire:*   déplaire *to displease*

pleuvoir *to rain:*   il *pleut*

pouvoir *to be able:*   je *peux,* tu *peux,* il/elle *peut*
nous *pouvons,* vous *pouvez,* ils/elles *peuvent*

prendre *to take:*   je prends, tu prends, il/elle prend
nous *prenons,* vous *prenez,* ils/elles *prennent*

Like *prendre:*   apprendre *to learn, teach,* comprendre *to understand, include,*
reprendre *to take back,* surprendre *to surprise*

recevoir *to receive:*   je *reçois,* tu *reçois,* il/elle *reçoit*
nous *recevons,* vous *recevez,* ils/elles *reçoivent*

Like *recevoir:*   apercevoir *to notice,* concevoir *to conceive*

rire *to laugh:*   je ris, tu ris, il/elle *rit*

                                      nous rions, vous riez, ils/elles rient

Like *rire:*   sourire *to smile*

savoir *to know:*   je *sais,* tu *sais,* il/elle *sait*

                                        nous *savons,* vous *savez,* ils/elles *savent*

suivre *to follow:*   je *suis,* tu *suis,* il/elle *suit*

                                        nous suivons, vous suivez, ils/elles *suivent*

Like *suivre:*   poursuivre *to pursue, chase*

taire *to hush up, to conceal:*   je tais, tu tais, il/elle *tait*

                                        nous *taisons,* vous *taisez,* ils/elles *taisent*

tenir *to hold:*   je *tiens,* tu *tiens,* il/elle *tient*

                                        nous *tenons,* vous *tenez,* ils/elles *tiennent*

Like *tenir:*   appartenir à *to belong to,*   obtenir *to obtain,*   retenir *to hold back*

valoir *to be worth:*   je *vaux,* tu *vaux,* il/elle *vaut*

                                        nous *valons,* vous *valez,* ils/elles *valent*

venir *to come:*   je *viens,* tu *viens,* il/elle *vient*

                                        nous *venons,* vous *venez,* ils/elles *viennent*

Like *venir:*   devenir *to become,*   revenir *to come back*

vivre *to live:*   je *vis,* tu *vis,* il/elle *vit*

                                        nous vivons, vous vivez, ils/elles vivent

Like *vivre:*   survivre *to survive*

voir *to see:*   je *vois,* tu *vois,* il/elle *voit*

                                        nous *voyons,* vous *voyez,* ils/elles *voient*

Like *voir:*   revoir *to see again*

vouloir *to wish, want:*   je *veux,* tu *veux,* il/elle *veut*

                                        nous *voulons,* vous *voulez,* ils/elles *veulent*

EXERCICE O

Vous conversez avec des camarades de classe. Complétez les phrases de chaque dialogue avec la forme correcte du verbe de la première phrase.

EXEMPLE: Voulez-vous nous accompagner au cinéma ?

               Non. **Nous ne voulons pas** vous y accompagner.

               Moi, **je veux** bien vous y accompagner.

1. — Pouvez-vous nous prêter votre livre de français ?

    — Non. Je ne _____ pas.

    — Alors nous ne _____ pas faire nos devoirs.

2. — Connaissez-vous cette fille ?

    — Non. Je ne la _____ pas.

    — Nous ne la _____ pas non plus.

3. — Qu'est-ce que vous promettez à vos parents ?

    — Je leur _____ de réussir.

    — Et nous, nous leur _____ d'étudier beaucoup.

4. — Voulez-vous aller au parc aujourd'hui ?

    — Non. Je _____ rester à la maison.

    — Nous, nous _____ jouer au base-ball, mais eux, ils _____ jouer au basket.

5. — À quelle heure partez-vous ?

    — Je _____ à 2 heures.

    — Nous ne _____ pas avant 2h15.

6. — Qu'est-ce que tu écris ?

    — J'_____ une lettre à mes grands-parents.

    — Pierre et moi, nous _____ une lettre à nos parents.

7. — Quand est-ce qu'il revient ?

    — Je ne sais pas. Moi, je _____ à midi.

    — Nous, nous _____ à midi et demi.

8. — Qu'est-ce que vous prenez pour aller à l'école ?

    — Moi, je _____ le métro.

    — Pierre et Luc _____-ils le métro aussi ?

9. — Quel cadeau ouvres-tu d'abord ?

    — J'_____ d'abord le cadeau de mon petit ami.

    — Nous _____ le cadeau de notre cousin.

10. — De quel instrument sais-tu jouer ?

    — Je _____ jouer de la guitare.

    — Nous ne _____ pas jouer de la guitare.

11. — Est-ce que tu dis toujours la vérité ?

    — Bien sûr que je _____ toujours la vérité! Et vous,

    Richard et Bernard, _____-vous toujours la vérité ?

    — Nous ne _____ jamais de mensonges !

12. — Qu'est-ce que vous buvez le matin ?

    — Nous _____ du jus d'orange. Qu'est-ce que vos frères _____ ?

    — Henri _____ du lait et André _____ du café.

13. — Quel livre lis-tu pour le cours de littérature ?

    — Je _____ *Le Rouge et le noir.*

    — Nous, nous _____ *Le Père Goriot.*

14. — Avec qui sortez-vous ?

    — Nous _____ avec Hughes et Monique.

    — Quelle coïncidence! Je _____ avec eux aussi !

EXERCICE P

Vous écrivez une composition intitulée «Une journée ennuyeuse». Complétez la composition avec la forme correcte du verbe.

Il _____ aujourd'hui et je _____ d'ennui. Ma mère me
    1. (pleuvoir)   *2. (mourir)*

_____ : « Tu te _____ toujours. Tu te _____ comme un
  3. (dire)   *4. (plaindre)*   *5. (conduire)*

bébé ! » Elle a raison. Je me _____ et je réfléchis. Tout d'un coup, une idée formidable
                         6. (taire)

me _____ à l'esprit. Je téléphone aussitôt à Louis et je lui _____ : « Tu
  7. (venir)   *8. (dire)*

_____ au cirque avec moi ? » Louis répond : « Tu _____ ? » J'insiste telle-
  9. (venir)   *10. (croire)*

ment qu'il accepte. Il dit : « Je _____ chez toi. Nous _____ prendre le
                      11. (courir)   *12. (pouvoir)*

métro pour aller en ville. Je _____ d'arriver en retard. N'oublie pas ton argent. Il te
                     13. (craindre)

_____ au moins vingt-cinq dollars. À tout de suite ! » Quelle bonne idée! Mais avant de
  14. (falloir)

partir, je _____ faire mon lit. Enfin, je _____ mon manteau puis j'attends
       15. (devoir)   *16. (mettre)*

Louis. Il sonne et j'_____ la porte. Nous _____ au revoir à ma mère et
              17. (ouvrir)   *18. (dire)*

nous _____ . Ça _____ parfois la peine de sortir quand il pleut.
    19. (partir)   *20. (valoir)*

[4] USES OF THE PRESENT TENSE

The present tense may have the following meanings in English.

Paul chante.	*Paul sings (is singing).*
Je ne parle pas français.	*I do not speak French. (I am not speaking French.)*

a. The present tense is used to express an action taking place in the present.

La famille dîne.   *The family is eating dinner.*

b. The present tense is used to describe a present state.

Aujourd'hui il pleut.   *Today it rains.*

c. The present tense is used to express a general truth.

En été il fait du soleil.	*In the summer the sun shines.*
On mange quand on a faim.	*People eat when they are hungry.*

d. The present tense is used to express an habitual action in the present.

Elle va au cinéma le samedi soir.   *She goes to the movies on Saturday night*

e. The present tense is often used instead of the future to ask for instructions or to refer to an action that will take place in the immediate future.

Je le mets ici ?	*Shall I put it here?*
Je te téléphone dans quinze minutes.	*I'll call you in 15 minutes.*

f. The present tense + *depuis* + an expression of time expresses an action or event that began in the past and continues in the present. In such situations, the question is expressed by *Depuis combien de temps... ?* + present tense or *Depuis quand... ?* + present tense.

Je cherche Marc **depuis vingt minutes**.	*I have been looking for Marc for twenty minutes.*
J'habite ici **depuis 1979**.	*I have been living here since 1979.*
Depuis combien de temps cherchez-vous Marc ?	*How long have you been looking for Marc?*
Depuis quand habitez-vous ici ?	*Since when have you been living here?*

NOTES:

1. The construction *il y a* + expression of time + *que* + the present tense also expresses a past action or event that continues in the present. In such situations, the question is expressed by *Combien de temps y a-t-il + que... ?* + present tense.

Combien de temps y a-t-il que vous cherchez Marc ?	*How long have you been looking for Marc?*
Il y a vingt minutes que je cherche. Marc.	*I have been looking for Marc for twenty minutes*

2. The constructions *voilà... que* and *cela (ça) fait... que* + present tense may also be used in place of *depuis*.

Voilà dix ans que j'habite ici.	*I have been living here for ten years*
Ça fait une heure que j'attends.	*I have been waiting for an hour.*

EXERCICE Q

Vous êtes le témoin d'un accident et vous aidez les victimes. Un journaliste arrive et vous pose des questions. Répondez-y.

EXEMPLE: Depuis quand êtes-vous ici ? (20 minutes)
    Je suis ici *depuis* vingt minutes.

1. Depuis quand travaillez-vous dans ce quartier ? (4 ans)

_____

2. Depuis quand attendez-vous la police ? (20 minutes)

_____

3. Depuis quand connaissez-vous les victimes ? (3 mois)

_____

4. Depuis quand réconfortez-vous les victimes ? (un quart d'heure)

_____

5. Depuis quand essayez-vous d'appeler un docteur ? (5 minutes)

_____

6. Depuis quand êtes-vous là ? (45 minutes)

_____

EXERCICE R

Vous rencontrez un ami pour la première fois depuis longtemps. Posez-lui des questions en utilisant **combien de temps y a-t-il que.**

EXEMPLE: habiter ici
     Combien de temps y a-t-il que tu **habites** ici ?

1. travailler dans cette société.

_____

2. apprendre le français

_____

3. étudier à l'université

_____

4. conduire une voiture de sport

_____

5. faire du karaté

_____

6. vivre là-bas

_____

EXERCICE S

Vous dites à un ami depuis quand vous avez abandonné certaines habitudes.

EXEMPLES: sucer mon pouce (dix ans)
     Il y a dix ans que je ne suce plus mon pouce.
     Je **ne suce plus** mon pouce **depuis dix ans.**

     boire du soda (six semaines)
     Il y a six semaines que je ne bois pas de soda.
     Je ne bois pas de soda **depuis six semaines.**

1. dormir avec la lumière allumée (onze ans)

_____

_____

2. faire des farces au téléphone (six mois)

_____

_____

3. mâcher du chewing-gum (un an)

_____

_____

4. manger des bonbons (trois semaines)

_____

_____

5. arriver en retard (un mois)

_____

_____

6. jeter des papiers par terre (quatre mois)

_____

_____

MASTERY EXERCISES

EXERCICE T

Tu es une personne très curieuse. Demande à un(e) camarade de classe de répondre à tes questions.

1. TOI: Qui nettoie ta maison ?

CAMARADE: _____

2. TOI: Qu'est-ce que tu aimes manger ?

CAMARADE: _____

3. TOI: Combien pèses-tu ?

CAMARADE: _____

4. TOI: Combien d'argent gagnes-tu en été ?

CAMARADE: _____

5. TOI: Qui emmènes-tu au cinéma ?

CAMARADE: _____

6. TOI: Où est-ce que tu achètes tes vêtements ?

CAMARADE: _____

7. TOI: Quand ranges-tu ta chambre ?

CAMARADE: _____

8. TOI: Combien paies-tu un cadeau d'anniversaire pour tes amis ?

CAMARADE: _____

9. TOI: Quel sport préfères-tu ?

      CAMARADE: _____

10. TOI: Combien de temps y a-t-il que tu étudies le français ?

      CAMARADE: _____

EXERCICE U

Vos parents reviennent de la réunion de parents d'élèves. Exprimez ce qu'ils vous demandent en rentrant.

EXEMPLE: sortir avec Lucie (deux mois)

         VOS PARENTS: **Combien de temps y a-t-il que tu sors** avec Lucie ?
         VOUS: **Il y a deux mois que je sors** avec Lucie.

1. recevoir de mauvaises notes (un mois)

      VOS PARENTS: _____

_____

      VOUS: _____

_____

2. faire partie de l'équipe de basket (trois mois)

      VOS PARENTS: _____

_____

      VOUS: _____

_____

3. faire les devoirs de tes amis (quatre jours)

      VOS PARENTS: _____

_____

      VOUS: _____

_____

4. manquer le cours de maths (une semaine)

      VOS PARENTS: _____

_____

      VOUS: _____

_____

5. acheter ton déjeuner à l'école ? (un an)

      VOS PARENTS: _____

_____

      VOUS: _____

_____

EXERCICE V

Il y a une heure que vous attendez votre ami(e). Finalement vous décidez de partir. Laissez un message sur la porte où vous expliquez pourquoi vous n'attendez pas davantage et ce que vous allez faire.

_____

_____

_____

_____

_____

_____

_____

_____

Chapter 2
Imperative

The imperative is a verb form used to give commands or make requests.

[1] IMPERATIVE OF REGULAR VERBS

The forms of the imperative (*l'impératif*) are the same as the corresponding forms of the present indicative, except for the omission of the subject pronouns *tu*, *vous*, and *nous*.

SECOND PERSON		FIRST PERSON
FAMILIAR	FORMAL / PLURAL	PLURAL
travaille *work*	**travaillez** *work*	**travaillons** *let's work*
choisis *choose*	**choisissez** *choose*	**choisissons** *let's choose*
attends *wait*	**attendez** *wait*	**attendons** *let's wait*

Travaille bien ! *Work well!*
Choisissez de bons amis. *Choose good friends.*
Attendons la semaine prochaine. *Let's wait till next week.*

NOTE:

1. The familiar imperative of *-er* verbs drops the final *s*, except when linked to the pronouns *en* and *y*.

   Explique la règle. *Explain the rule.*
   Regarde ce livre. *Look at this book.*
   Manges-en davantage. *Eat more of it.*

2. In the negative imperative, *ne* and *pas* surround the verb.

   N'attends *pas* **les autres.** *Don't wait for the others.*
   Ne **travaillez** *pas* **si tard.** *Don't work so late.*
   Ne **partons** *pas* **tout de suite.** *Let's not leave right away.*

EXERCICE A

Votre meilleur(e) ami(e) va passer l'été dans une colonie de vacances. Exprimez ce que vous lui conseillez de faire.

EXEMPLE: (jouer) **Joue** bien avec les autres.

1. (écouter) _____ les moniteurs.

2. (nager) _____ toujours avec un ami.

3. (profiter) _____ de chaque jour.

4. (répondre) _____ poliment.

5. (réfléchir) _____ avant d'agir.

6. (téléphoner) _____ de temps en temps.

7. (choisir) _____ des activités sportives.

8. (manger) _____ bien.

EXERCICE B

Exprimez ce que vous conseillez à votre ami(e) de ne pas faire.

EXEMPLE: (fumer)   **Ne fume pas.**

1. (désobéir) _____ .

2. (perdre) _____ tes vêtements.

3. (téléphoner) _____ tous les jours.

4. (pleurer) _____ .

5. (interrompre) _____ les moniteurs.

6. (choisir) _____ de souvenirs très chers.

7. (jurer) _____ .

8. (dépenser) _____ tout ton argent.

EXERCICE C

Vos frères n'arrêtent pas de vous embêter pendant que votre amie vous rend visite. Exprimez ce que vous leur suggérez de faire pour qu'ils vous laissent tranquilles.

EXEMPLE: (jouer)   **Jouez au basket !**

1. (finir) _____ vos devoirs !

2. (regarder) _____ un film !

3. (descendre) _____ en ville !

4. (profiter) _____ du beau temps !

5. (choisir) _____ un livre !

6. (écouter) _____ la radio !

7. (téléphoner) _____ à vos amis !

8. (dessiner) _____ quelque chose !

EXERCICE D

Exprimez ce que vous demandez à vos frères de ne pas faire.

EXEMPLE: (embêter) **N'embêtez pas** mon amie.

1. (toucher) _____ à mes affaires.

2. (rester) _____ dans ma chambre.

3. (prendre) _____ mon baladeur.

4. (agir) _____ comme des enfants.

5. (songer) _____ à rester avec nous.

6. (regarder) _____ la télévision ici.

7. (utiliser) _____ mon téléphone.

8. (crier) _____ si fort.

EXERCICE E

Votre ami vous demande le chemin pour aller à la plage. Donnez-lui les instructions suivantes.

EXEMPLE: (commencer) **Commence** au carrefour des rues Jacques et Lacoste.

1. (remonter) _____ la rue Jacques.

2. (prendre) _____ la rue Royale jusqu'au parc.

3. (traverser) _____ le parc.

4. (continuer) _____ jusqu'au boulevard Printemps.

5. (tourner) _____ à droite au feu.

6. (passer) _____ devant l'église.

7. (choisir) _____ la rue à gauche.

8. (descendre) _____ jusqu'au bout de la rue et tu verras la plage.

EXERCICE F

Aujourd'hui il pleut et vous ne savez pas quoi faire. Votre ami fait quelques suggestions, mais elles ne vous plaisent pas. Exécutez le dialogue suivant avec un(e) camarade de classe.

EXEMPLE: rester à la maison
    VOTRE AMI(E): **Restons** à la maison.
    VOUS: Non, **ne restons pas** à la maison.

1. écouter ces cassettes

VOTRE AMI(E): _____

VOUS: _____

2. regarder la télévision

VOTRE AMI(E): _____

VOUS: _____

3. préparer le dîner

VOTRE AMI(E): _____

VOUS: _____

4. visiter le musée

VOTRE AMI(E): _____

VOUS: _____

5. étudier nos leçons

VOTRE AMI(E): _____

VOUS: _____

6. aider nos parents

VOTRE AMI(E): _____

VOUS: _____

7. téléphoner à Janine

VOTRE AMI(E): _____

VOUS: _____

8. finir notre travail

VOTRE AMI(E): _____

VOUS: _____

[2] IMPERATIVE OF IRREGULAR VERBS

The imperative of irregular verbs generally follows the same pattern as regular verbs.

aller: *va, allez, allons*	**ouvrir:** *ouvre, ouvrez, ouvrons*
dire: *dis, dites, disons*	**recevoir:** *reçois, recevez, recevons*

NOTE:

1. Verbs conjugated like *-er* verbs in the present indicative drop the final *s* in the familiar imperative, except when linked to the pronouns *en* or *y*.

Offre un cadeau à ta mère.	*Offer a present to your mother.*
Ouvre la fenêtre.	*Open the window.*
Vas-y !	*Go there!*

2. The verbs *avoir*, *être*, and *savoir* have irregular imperatives.

avoir:	*aie, ayez, ayons*
être:	*sois, soyez, soyons*
savoir:	*sache, sachez, sachons*

N'aie pas peur.	*Don't be afraid.*
Soyons heureux.	*Let's be happy.*
Sachez bien votre leçon.	*Know your lesson well.*

EXERCICE G

Vous allez passer un examen oral important et votre frère aîné vous donne quelques conseils. Complétez les phrases avec la forme correcte des verbes entre parenthèses :

EXEMPLE: (être) **Ne sois pas** nerveux.

1. (aller) _____ directement à la salle des examens.

2. (faire) _____ de ton mieux.

3. (offrir) N' _____ pas de détails superflus.

4. (dire) Ne _____ pas de bêtises.

5. (avoir) _____ de la patience.

6. (être) Ne _____ pas intimidé.

7. (faire) _____ attention à ta prononciation.

8. (être) _____ poli.

EXERCICE H

C'est la rentrée des classes. La mère d'Étienne lui fait certaines recommandations. Exprimez ce qu'elle dit à son fils.

EXEMPLE: arriver à l'heure
         Arrive à l'heure.

1. aller tout de suite en classe

_____

2. faire ce qu'on te dit

_____

3. dire « Bonjour » au professeur

_____

4. ouvrir vite ton cahier

_____

5. écrire bien

_____

6. lire à voix basse

_____

7. recevoir de bonnes notes

_____

8. apprendre tes leçons

_____

9. voir tes amis dans la cour

_____

10. revenir à la maison à 3 heures

_____

EXERCICE I

Exprimez ce que la mère d'Étienne lui dit de ne pas faire.

EXEMPLE: mentir
                 Ne mens pas.

1. prendre le métro

_____

2. courir dans les couloirs

_____

3. manger pendant les cours

_____

4. rire en classe

_____

5. craindre le professeur

_____

6. dormir durant les leçons

_____

7. perdre patience

_____

8. être timide

_____

9. ouvrir la porte avant la fin de la classe

_____

10. avoir peur

_____

EXERCICE J

M. Renoir est à l'hôpital. Vous êtes aide-soignant(e). Exprimez ce que vous lui dites de ne pas faire.

EXEMPLE: manger trop vite
   Ne mangez pas trop vite.

1. boire beaucoup de café

   _____

2. courir

   _____

3. lire beaucoup

   _____

4. avoir peur

   _____

5. être inquiet

   _____

6. faire trop d'efforts physiques

   _____

7. sortir de votre chambre

   _____

8. aller dehors

   _____

9. recevoir trop de visites

   _____

10. craindre le docteur

   _____

EXERCICE K

Exprimez ce que vous lui dites de faire.

EXEMPLE: boire du thé
   Buvez du thé.

1. ouvrir la fenêtre

   _____

2. savoir quand vous reposer

   _____

3. écrire des cartes postales

   _____

4. prendre tous vos médicaments

_____

5. croire le docteur

_____

6. dire la vérité au docteur

_____

7. suivre les conseils des infirmières

_____

8. écrire à vos amis

_____

9. promettre de bien manger

_____

10. rire souvent

_____

EXERCICE L

Vous faites une excursion à la campagne avec votre amie qui est très indécise. Exprimez ses réponses quand vous lui suggérez certaines activités. Exécutez le dialogue suivant avec un(e) camarade de classe.

EXEMPLE: courir dans le champ
          VOUS: **Courons** dans le champ.
          VOTRE AMIE: Oui, mais **ne courons pas** dans le champ tout de suite.

1. faire une promenade

    VOUS: _____

    VOTRE AMIE: _____

2. aller dans le bois

    VOUS: _____

    VOTRE AMIE: _____

3. déjeuner en plein air

    VOUS: _____

    VOTRE AMIE: _____

4. suivre ce chemin

    VOUS: _____

    VOTRE AMIE: _____

5. monter à cheval

    VOUS: _____

    VOTRE AMIE: _____

EXERCICE M

Pour savoir comment utiliser les téléphones publics en France, complétez les instructions en mettant les verbes entre parenthèses à l'impératif.

1. (lire) _____ le message écrit sur l'écran.

2. (décrocher) _____ le récepteur.

3. (introduire) _____ la télécarte dans la fente.

4. (faire) _____ attention. Regardez sur l'écran si vous avez du crédit.

5. (patienter) _____ un peu.

6. (composer) _____ le numéro.

7. (attendre) _____ que la personne appelée parle.

8. (répondre) _____ à la personne.

9. (raccrocher) _____ le récepteur.

10. (voir) _____ sur l'écran le crédit qui reste sur votre télécarte.

11. (reprendre) _____ votre télécarte.

M A S T E R Y   E X E R C I S E S

EXERCICE N

Utilisez les suggestions entre parenthèses pour exprimer vos réponses aux situations suivantes.

EXEMPLE: ANNE: Il est déjà 8 heures et j'ai un rendez-vous à 8 heures 15.
　　　　　　 VOUS: (marcher plus vite) **Marche plus vite.**

1. ROBERT: Regarde! Ton chien s'échappe.

   VOUS: (venir ici, Fifi) _____

2. MARIE: Papa a préparé un nouveau plat exotique.

   VOUS: (en goûter un peu) _____

3. CHARLES: Je n'ai pas cassé la fenêtre. Ce n'est pas ma balle.

   VOUS: (ne pas mentir) _____

4. RÉGINE: L'école prépare un voyage en France.

   VOUS: (y aller avec ta classe) _____

5. SUZETTE: Il y a un chien méchant par ici.

   VOUS: (ne pas avoir peur) _____

6. PAULINE: Je ne sais pas si je veux sortir avec Frédéric.

   VOUS: (ne pas être timide) _____

7. LILIANE: Les bonbons que Paul t'a donnés sont délicieux.

   VOUS: (en manger un autre) _____

8. GILLES: Qu'est-ce que je dois faire de tout cet argent ?

   VOUS: (mettre cet argent sur la table) _____

EXERCICE O

Vos ami(e)s ont envie d'écrire une excellente composition. Donnez-leur des conseils pour réussir.

EXEMPLE: procéder lentement
            Procédez lentement.

1. lire soigneusement les instructions

   _____

2. choisir votre sujet

   _____

3. faire un plan détaillé

   _____

4. écrire votre composition

   _____

5. faire attention au vocabulaire

   _____

6. relire ce que vous avez écrit

   _____

7. vérifier votre grammaire

   _____

8. corriger les fautes

   _____

Chapter 3
Passé composé

The *passé composé* (past indefinite) expresses an action or event completed in the past. The passé composé of most verbs is formed by combining the present tense of *avoir* and the past participle of the verb.

[1] VERBS CONJUGATED WITH *AVOIR*

expliquer *to explain*	**réussir** *to succeed*	**répondre** *to answer*
I (have) explained	*I (have) succeeded*	*I (have) answered*
j' ai expliqué	j' ai réussi	j' ai répondu
tu as expliqué	tu as réussi	tu as répondu
il/elle a expliqué	il/elle a réussi	il/elle a répondu
nous avons expliqué	nous avons réussi	nous avons répondu
vous avez expliqué	vous avez réussi	vous avez répondu
ils/elles ont expliqué	ils/elles ont réussi	ils/elles ont répondu

NOTES:

1. The past participle of regular verbs is formed by dropping the infinitive endings, and adding *é* for -*er* verbs, *i* for -*ir* verbs and *u* for -*re* verbs.

2. In a negative sentence in the passé composé, *ne* precedes and *pas* follows the helping verb.

   Je n'ai pas fini mon travail.　　　　*I haven't finished my work.*

   Ils n'ont pas attendu les filles.　　　*They didn't wait for the girls.*

3. In an interrogative sentence in the passé composé, the subject pronoun and the helping verb are inverted.

   As-tu fini la leçon ?　　　　　　　*Have you finished the lesson?*

   La fille a-t-elle copié son adresse ?　*Has the girl copied his address?*

4. In a negative interrogative sentence in the passé composé, *ne* and *pas* surround the inverted helping verb and subject pronoun.

   N'avez-vous pas dansé ?　　　　　　*Didn't you dance?*

   N'as-tu pas oublié quelque chose ?　　*Haven't you forgotten something?*

EXERCICE A

Le week-end dernier, Joël et ses amis ont organisé un pique-nique. Exprimez ce qu'ils ont fait.

EXEMPLE:　je / parler à mes amies
　　　　　J'ai parlé à mes amies.

1. je / allumer le feu

_____

2. tu / griller des hamburgers

_____

3. vous / préparer de bonnes salades

_____

4. Christian / nager dans le lac

_____

5. nous / raconter des histoires drôles

_____

6. Lucie / participer à une course de bicyclettes

_____

7. les filles / marcher dans le bois

_____

8. Gilbert et Viviane / jouer au frisbee

_____

EXERCICE B

Chaque élève de votre classe a présenté un exposé oral. Exprimez les réactions de chacun en vous servant des suggestions données.

saisir l'occasion	réagir aux commentaires
applaudir	choisir un sujet intéressant
remplir son but	accomplir beaucoup de recherches
finir tout de suite	établir la liste des événements
réussir cet exposé	

EXEMPLE: Henri **a fini tout de suite.**

1. J' _____ .

2. Nous _____ .

3. Les garçons _____ .

4. Cécile _____ .

5. Vous _____ .

6. Les filles _____ .

7. Le professeur _____ .

8. Tu _____ .

EXERCICE C

Vous avez passé le week-end à faire du ski en montagne. Malheureusement, votre amie Colette s'est cassé la jambe. Exprimez ce qui est arrivé.

EXEMPLE: je / entendre du bruit
          J'ai entendu du bruit.

1. tu / tendre l'oreille

_____

2. vous / entendre les cris de Colette

_____

3. je / interrompre ma conversation avec Paul

_____

4. les garçons / répondre à son appel tout de suite

_____

5. les instructeurs / défendre à Colette de bouger

_____

6. elle / perdre un ski

_____

7. nous / attendre l'ambulance

_____

8. le directeur / rendre le prix de l'excursion à Colette

_____

EXERCICE D

Vous partez en voyage avec vos amis. Vous devez arriver à l'aéroport à l'heure. Exprimez ce que chaque personne n'a pas encore fait.

EXEMPLE: vous / téléphoner à votre grand-mère
          Vous n'avez pas téléphoné à votre grand-mère.

1. Thierry / finir le ménage

_____

2. tu / terminer tes valises

_____

3. les garçons / confirmer le vol

_____

4. nous / descendre les poubelles

_____

5. Liliane / trouver son passeport

_____

6. je / sortir le chien

_____

7. vous / vérifier l'horaire du bus pour l'aéroport

_____

8. elles / entendre la météo

_____

EXERCICE E

Votre mère vous demande de faire certaines choses à la maison pendant qu'elle fait les courses. Répondez négativement aux questions qu'elle vous pose en rentrant. Exécutez le dialogue suivant avec un(e) camarade de classe.

EXEMPLE: préparer le dîner
           VOTRE MÈRE: As-tu préparé le dîner ?
           VOUS: Je regrette, **mais je n'ai pas encore préparé** le dîner.

1. repasser les chemises

VOTRE MÈRE: _____

VOUS: _____

2. finir tes devoirs

VOTRE MÈRE: _____

VOUS: _____

3. répondre à la lettre de ta tante

VOTRE MÈRE: _____

VOUS: _____

4. ranger ta chambre

VOTRE MÈRE: _____

VOUS: _____

5. brosser le chien

VOTRE MÈRE: _____

VOUS: _____

6. couper les légumes

VOTRE MÈRE: _____

VOUS: _____

EXERCICE F

Vos amis et vous discutez d'une surprise-partie à laquelle vous avez assisté. Posez des questions au sujet de cette fête.

EXEMPLE: Paul / laisser tomber son verre d'eau
           Paul a-t-il laissé tomber son verre d'eau ?

1. tu / chanter en français

_____

2. Chantal / jouer de la guitare

_____

3. vous / perdre votre bracelet

_____

4. Robert et Simon / écouter de la musique

_____

5. nous / embarrasser l'hôtesse

_____

6. Olivier / crier

_____

7. Agnès et Irène / finir le gâteau

_____

8. je / répondre poliment à l'hôtesse

_____

EXERCICE G

Il y a un examen d'histoire aujourd'hui. Vous en discutez avec un(e) ami(e) et vous lui posez des questions.

EXEMPLE: Hancock / signer la Déclaration d'Indépendance
Hancock n'a-t-il pas signé la Déclaration d'Indépendance ?

1. Abraham Lincoln / libérer les esclaves

_____

2. Jeanne d'Arc / délivrer la France des Anglais

_____

3. Benedict Arnold / trahir son pays

_____

4. Alexander Graham Bell / inventer le téléphone

_____

5. Pierre et Marie Curie / consacrer leur vie à l'étude du radium

_____

6. Les Français / bâtir Notre-Dame de Paris en quatre-vingt-deux ans

_____

7. Jonas Salk et Pierre Lépine / trouver un vaccin contre la polio

_____

8. Neil Armstrong / explorer la lune

_____

[2] IRREGULAR VERBS CONJUGATED WITH *AVOIR*

The following verbs and verbs conjugated like them (see Chapter 1) have irregular past participles.

a. Past participles ending in *-u*:

avoir :	*eu*	lire :	*lu*	taire :	*tu*
boire :	*bu*	plaire :	*plu*	tenir :	*tenu*
connaître :	*connu*	pleuvoir :	*plu*	valoir :	*valu*
courir :	*couru*	pouvoir :	*pu*	vivre :	*vécu*
croire :	*cru*	recevoir :	*reçu*	voir :	*vu*
devoir :	*dû*	savoir :	*su*	vouloir :	*voulu*
falloir :	*fallu*				

NOTE: The following past-participle forms of *devoir* do not take a circumflex accent: *due, dues, dus.*

b. Past participles ending in *-i:*

rire :	*ri*	suivre :	*suivi*

c. Past participles ending in *-is:*

asseoir :	*assis*	mettre :	*mis*	prendre :	*pris*

d. Past participles ending in *-it:*

conduire :	*conduit*	dire :	*dit*	écrire:	*écrit*

e. Irregular past participles:

craindre :	*craint*	faire :	*fait*	offrir :	*offert*
être :	*été*				

EXERCICE H

Exprimez ce que ces personnes ont fait et n'ont pas fait hier.

EXEMPLE: il (dire un mensonge / finir ses devoirs)
   Il a dit un mensonge. **Il 'a pas fini** ses devoirs.

1. je (lire un livre / voir le film)

2. nous (courir / conduire la voiture)

_____

3. il (recevoir une mauvaise note / ouvrir son livre)

_____

4. vous (être triste / avoir le temps de jouer)

_____

5. elles (vouloir marcher / prendre le taxi)

_____

6. tu (devoir rester chez toi / ne pas pouvoir sortir)

_____

7. il (craindre la réaction du professeur / faire ses devoirs)

_____

8. elle (écrire une lettre / mettre les timbres sur l'enveloppe)

_____

EXERCICE I

Complétez la composition de Jean-Claude intitulée: «**Une mauvaise idée**» *avec le passé composé des verbes entre parenthèses.*

Hier, malgré la pluie, j'_____ envie d'aller au cinéma. J'_____ une
                        1. (avoir)   *2.* (boire)

tasse de thé puis j'_____ un mot à mes parents. J'_____ au revoir à
                     3. (écrire)   *4.* (dire)

mon frère et, enfin, j'_____ mon imperméable. J'_____ les clés de
                     5. (mettre)   *6.* (prendre)

ma voiture. (J'_____ cette voiture pour mon anniversaire.) J'_____
              7. (recevoir)   *8.* (courir)

à ma voiture, j'_____ la porte et j'_____ démarrer tout de suite.
                9. (ouvrir)   *10.* (pouvoir)

J'_____ conduire très lentement. J'_____ toujours _____ que la pluie
    11. (devoir)   *12.* (croire)

n'était pas dangereuse, mais j'avais tort. J'_____ ma route habituelle. Mais, tout à coup,
                                      13. (suivre)

je n'_____ pas _____ le virage (*turn*). Je n'_____ pas _____ tourner
             14. (voir)   *15.* (pouvoir)

à temps et ma voiture n'_____ pas _____ la route. J'_____ pris de
                            16. (tenir)   *17.* (être)

panique. J'_____ éviter une autre voiture, mais je n'_____ pas _____
           18. (vouloir)   *19.* (savoir)

comment et j'_____ un accident. Je ne savais pas quoi faire. Paniqué,
                20. (avoir)

j'_____ le pire. Il m'_____ aller aider l'autre conducteur. Heureuse-
  21. (craindre)   *22.* (falloir)

ment, l'accident n'était pas grave, sa voiture était un peu abîmée, mais il n'était pas blessé. Il

_____ ce qui s'était passé. Je lui _____ de faire plus attention et, finale-
   23. (comprendre)   *24.* (promettre)

ment, j'_____ la route de la maison. Après tout, il y avait un bon film à la télévision !
   25. (reprendre)

[3] AGREEMENT OF PAST PARTICIPLES

Past participles of verbs conjugated with *avoir* agree in gender and number with a preceding direct object. The preceding direct object can be a noun or a pronoun.

Combien de **livres** as-tu **lus ?**	*How many books have you read?*
Quelle **chanson** avez-vous **chantée ?**	*Which song did you sing?*
Voici **les cadeaux** qu'elle a **reçus.**	*Here are the gifts she received.*
Elle va remplacer **la bague** qu'elle a **perdue.**	*She is going to replace the ring she lost.*
Il a lavé **sa chemise** et il **l'a repassée.**	*He washed his shirt and he ironed it.*
Les cerises ? Non, je ne **les** ai pas **prises.**	*The cherries? No, I didn't take them.*
Il a essayé **les pantalons** et il **les a achetés.**	*He tried on the pants and he bought them.*
Il **nous a vus** au cinéma.	*He saw us at the movies.*
Laquelle avez-vous **vue ?**	*Which one did you see?*

NOTES:

1. Past participles already ending in *-s* remain unchanged when preceded by a masculine plural direct object.

    Il a mis le gant.   Il **l'a mis.**
    Il a mis les gants.   Il **les a mis.**

2. There is no agreement with preceding indirect objects, or with a direct object placed after the verb, or with the pronoun *en*.

Il a écrit **à Marie. Il lui a écrit.**	*He wrote to her.*
Il a téléphoné **à Jean et à moi. Il nous a téléphoné.**	*He called us on the phone.*
Elle a acheté des fleurs. **Elle en a acheté.**	*She bought flowers. She bought some.*

3. The past participle of a verb conjugated with *avoir* remains unchanged before an infinitive with its own direct object.

Cette chanson, **je l'ai entendue.**	*That song, I have heard it.*

    But:

Cette chanson, **je l'ai entendu chanter.**	*That song, I have heard it sung.*
C'est **la fille que j'ai cru voir.**	*It's the girl that I thought I saw.*
Voici **la maison que** ma mère **a décidé d'acheter.**	*Here is the house that my mother decided to buy.*

In the last three examples the direct object belongs to the infinitive, not to the conjugated verb.

EXERCICE J

Vos parents rentrent ce soir d'un séjour en Europe et votre frère et vous essayez de remettre la maison en ordre. Votre frère vous demande si vous avez tout fait. Répondez à ses questions.

EXEMPLE: As-tu fait la vaisselle ?
Oui, je *l'ai faite*.

1. As-tu rangé ta chambre ?

_____

2. As-tu acheté les journaux ?

_____

3. As-tu fait les courses ?

_____

4. As-tu monté tes vêtements dans ta chambre ?

_____

5. As-tu nettoyé la maison ?

_____

6. As-tu ouvert les fenêtres ?

_____

7. As-tu lavé la voiture ?

_____

8. As-tu mis les provisions dans le frigo ?

_____

EXERCICE K

Tout le monde est fier du travail accompli. Exprimez ce que chaque personne dit.

EXEMPLE: voici les dessins / il a peint
Voici les dessins **qu'il a peints.**

1. voici les CD / Pierre a enregistré

_____

2. as-tu lu les livres / elle a écrit

_____

3. montrez-moi les photos / vous avez pris

_____

4. c'est l'histoire / nous avons traduit

_____

5. on parle des lois / ils ont établi

_____

6. où sont les médailles / tu as reçu

_____

7. avez-vous écouté le morceau de musique / j'ai composé

_____

8. nous avons goûté les gâteaux / elles ont préparé

_____

EXERCICE L

M. Rouleau aide tout le monde. Expliquez comment en complétant les phrases avec la forme correcte du verbe au passé composé.

1. (envoyer)   Voici le cadeau qu'il m'_____ .

2. (écrire)   Il nous _____ une carte postale de Paris.

3. (réparer)   Il a emprunté ma bicyclette puis il l'_____ .

4. (écouter)   Il t'_____ quand tu avais beaucoup de problèmes.

5. (conduire)   Il nous _____ à l'hôpital.

6. (donner)   Ce sont les bonbons qu'il vous _____ .

7. (planter)   As-tu vu les fleurs qu'il _____ ?

8. (enseigner)   Il lui _____ la natation.

9. (conseiller)   Il m'_____ de finir mes études.

10. (vendre)   Il leur _____ sa voiture.

EXERCICE M

Exprimez ce que vous avez fait dans les circonstances suivantes.

EXEMPLE: Votre camarade de classe a laissé tomber ses livres. (les ramasser)
        Je _les_ ai ramassés.

1. Une vieille dame est tombée dans la rue. (l'aider tout de suite)

_____

2. Votre ami est allé à l'hôpital. (l'accompagner)

_____

3. Vos sœurs ont voulu manger. (leur préparer un sandwich)

_____

4. Votre père a perdu ses clefs. (les chercher)

_____

5. Hier, votre meilleure amie a célébré son anniversaire. (lui envoyer des fleurs)

_____

6. Votre sœur a annoncé qu'elle va épouser Jean. (l'embrasser)

_____

[4] VERBS CONJUGATED WITH *ÊTRE*

a. Some verbs are conjugated with the auxiliary verb *être*. Their *passé composé* is formed by combining the present tense of *être* and the past participle of the verb. Most of these verbs express motion or change of place, state, or condition.

Il *est* rentré très tard.	*He came home very late.*
Nous *sommes* allés au cinéma samedi soir.	*We went to the movies Saturday night.*

b. Agreement of past participles of verbs conjugated with *être* : They agree in gender and number with the subject.

MASCULINE SUBJECTS		FEMININE SUBJECTS	
je	suis tombé	je	suis tombée
tu	es tombé	tu	es tombée
il	est tombé	elle	est tombée
nous	sommes tombés	nous	sommes tombées
vous	êtes tombé(s)	vous	êtes tombée(s)
ils	sont tombés	elles	sont tombées

Sa femme est née en Afrique.	*His wife was born in Africa.*
Quand **sont-ils sortis ?**	*When did they leave?*

c. Verbs conjugated with *être:*

INFINITIVE		PAST PARTICIPLE	INFINITIVE		PAST PARTICIPLE
aller	*to go*	*allé*	**revenir**	*to come back, return*	*revenu*
venir	*to come*	*venu*	**retourner**	*to go back, return*	*retourné*
			rentrer	*to go in again, return*	*rentré*
arriver	*to arrive*	*arrivé*			
partir	*to leave, go away*	*parti*	**tomber**	*to fall*	*tombé*
entrer	*to go in, enter*	*entré*	**rester**	*to remain, stay*	*resté*
sortir	*to go out, leave*	*sorti*	**devenir**	*to become*	*devenu*
monter	*to go (come) up*	*monté*	**naître**	*to be born*	*né*
descendre	*to go (come) down*	*descendu*	**mourir**	*to die*	*mort*
passer	*to come, pass (by)*	*passé*			

NOTE: The interrogative and negative forms of the *passé composé* of verbs conjugated with *être* are as follows:

Elle **n'est pas** arrivée.	*She didn't arrive.*
Est-elle arrivée ?	*Did she arrive?*
N'est-elle pas arrivée ?	*Didn't she arrive?*

EXERCICE N

Hier, il a beaucoup neigé et toutes les routes étaient bloquées. En vous servant des suggestions données, exprimez ce qui est arrivé.

tomber	retourner chez Michel
descendre du bus	arriver à l'école en retard
revenir plus tôt	partir pour l'école de bonne heure
entrer dans un café	sortir du lycée avant trois heures
rentrer à la maison	

EXEMPLE: **Nous sommes arrivés** à l'école en retard.

1. Lucien _____ .

2. Vous _____ .

3. Alice _____ .

4. André et Richard _____ .

5. Nous _____ .

6. Je _____ .

7. Élise et Colette _____ .

8. Tu _____ .

EXERCICE O

Vous venez de rentrer d'une colonie de vacances. Votre ami(e) veut savoir si vous avez passé de bonnes vacances. Exprimez ses questions et vos réponses.

EXEMPLE: aller à la campagne
VOTRE AMI(E): **Es-tu allé(e)** à la campagne ?
VOUS: **Non, je ne suis pas allé(e)** à la campagne.

1. partir en avion

VOTRE AMI(E): _____

VOUS: _____

2. sortir sans les autres

VOTRE AMI(E): _____

VOUS: _____

3. descendre à la plage tous les jours

VOTRE AMI(E): _____

VOUS: _____

4. tomber amoureux (amoureuse)

VOTRE AMI(E): _____

VOUS: _____

5. devenir expert(e) en planche à voile

VOTRE AMI(E): _____

VOUS: _____

6. arriver à apprendre à nager

VOTRE AMI(E): _____

VOUS: _____

7. rester au camp tout le temps

VOTRE AMI(E): _____

VOUS: _____

8. revenir par le train

VOTRE AMI(E): _____

VOUS: _____

EXERCICE P

Vous discutez avec vos amis d'une fête qui a eu lieu samedi dernier et vous n'êtes pas sûr de certains détails. Exprimez vos questions en utilisant la forme négative.

EXEMPLE: tu / revenir tout de suite avec Anne
    N'es-tu pas revenu(e) tout de suite avec Anne ?

1. nous / partir avant minuit

_____

2. il / rester avec ses amis

_____

3. elles / monter pour chercher des CD

_____

4. vous / sortir avant les autres

_____

5. ils / venir avec leurs cousines

_____

6. tu / aller à la fête avec Michelle

_____

7. elle / rentrer de bonne heure

_____

[5] SPECIAL VERBS

Descendre, monter, passer, rentrer, retourner, and _sortir_ are conjugated with _avoir_ when they are used with a direct object. Note the changed meanings.

Il est descendu du train.	_He got off the train._
Il a descendu sa valise.	_He took his suitcase downstairs._
Il a descendu l'escalier.	_He came downstairs._
Elle est montée dans sa chambre.	_She went up to her room._
Elle a monté l'escalier.	_She went upstairs._
Elle a monté ses vêtements.	_She took her clothes upstairs._
Elles sont rentrées tard.	_They came home late._
Elles ont rentré le chien.	_They brought in the dog._
Je suis retourné(e) en France.	_I returned to France._
J'ai retourné la viande sur le gril.	_I turned the meat over on the grill._
Quand es-tu sorti(e) avec Paul ?	_When did you go out with Paul?_
Quand as-tu sorti ton argent ?	_When did you take out your money?_
Je suis passé(e) chez toi.	_I passed by your house._
J'ai passé un mois en France.	_I spent a month in France._

EXERCICE Q

Exprimez ce que Martine a fait aujourd'hui.

1. (descendre) Martine _____ et elle _____ ses affaires en même temps.

2. (sortir) Elle _____ ses gants et elle _____ de la maison.

3. (rentrer) Elle _____ parce qu'il a commencé à neiger et elle _____ son chien du jardin.

4. (retourner) Elle _____ dans la cuisine et elle _____ les crêpes dans la poêle.

5. (monter) Elle _____ se coucher et elle _____ l'escalier en courant.

6. (passer) Elle _____ l'après-midi chez moi , et après elle _____ à la bibliothèque.

MASTERY EXERCISES

EXERCICE R

Vous rentrez de l'école, mais votre mère n'est pas à la maison. Vous trouvez une liste de ce qu'elle devait faire pendant la journée. Exprimez ce qu'elle a fait.

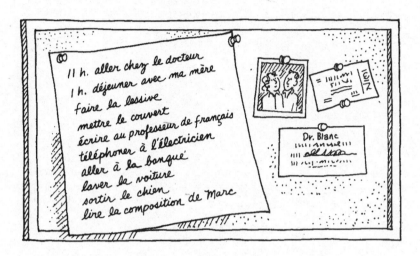

11 h. aller chez le docteur
1 h. déjeuner avec ma mère
faire la lessive
mettre le couvert
écrire au professeur de français
téléphoner à l'électricien
aller à la banque
laver la voiture
sortir le chien
lire la composition de Marc

Dr. Blanc

1. _____

2. _____

3. _____

4. _____

5. _____

6. _____

7. _____

8. _____

9. _____

10. _____

EXERCICE S

Exprimez ce que ces personnes ont fait en écrivant les verbes au passé composé.

1. Il _____ sa valise et il l'_____ rapidement.
      (descendre)   (faire)

2. Nous _____ des sandwiches et nous les _____ .
        (préparer)   (manger)

3. Vous _____ dans votre chambre et vous _____ vos devoirs.
      (monter)   (faire)

4. Elles _____ en ville et elles_____ au cinéma.
      (conduire)   (aller)

5. Ils _____ et ils _____ le journal.
      (rentrer)   (lire)

6. Tu _____ des chemises et tu les _____ dans le tiroir.
      (acheter)   (mettre)

Chapter 4
Imperfect Tense

The imperfect tense expresses a continuing state or an incomplete action in the past.

[1] FORMS OF THE IMPERFECT

a. The imperfect tense (*l'imparfait*) of regular verbs is formed by dropping the *-ons* ending of the *nous* form of the present tense and adding the personal endings *-ais, -ais, -ait, -ions, -iez, -aient.*

chanter	finir	répondre
I sang *I was singing* *I used to sing*	*I finished* *I was finishing* *I used to finish*	*I answered* *I was answering* *I used to answer*
je chant*ais* tu chant*ais* il/elle chant*ait* nous chant*ions* vous chant*iez* ils/elles chant*aient*	je finiss*ais* tu finiss*ais* il/elle finiss*ait* nous finiss*ions* vous finiss*iez* ils/elles finiss*aient*	je répond*ais* tu répond*ais* il/elle répond*ait* nous répond*ions* vous répond*iez* ils/elles répond*aient*

Quand **j'étais** petite, **je chantais**
  à la chorale.

When I was young I used to (would) sing
  in a choir.

Il finissait ses devoirs avant le dîner.

He finished (used to finish) his homework
  before dinner.

Vous répondiez toujours à ses questions.

You always answered his questions.

b. The imperfect of irregular verbs, with few exceptions, is formed in the same way:

INFINITIVE	PRESENT *nous* FORM	IMPERFECT
boire	buvons	je buv*ais*, tu buv*ais*, il/elle buv*ait*, ...
craindre	craignons	je craign*ais*, tu craign*ais*, il/elle craign*ait*, ...
faire	faisons	je fais*ais*, tu fais*ais*, il/elle fais*ait*, ...
voir	voyons	je voy*ais*, tu voy*ais*, il/elle voy*ait*, ...

NOTES:

1. The imperfect forms of *être, falloir,* and *pleuvoir* are as follows:

   être : **j'étais**   **falloir** : **il fallait**   **pleuvoir** : **il pleuvait**

53

2. Verbs that end in –i*er* in the infinitive and -i*ons* in the present indicative have forms ending in -i*ions* and -i*iez* in the imperfect: nous étudi*ions*, vous étudi*iez*; nous ri*ions*, vous ri*iez*

EXERCICE A

Exprimez ce que chacune de ces personnes était en train de faire à six heures hier soir.

EXEMPLE: nous / regarder la télévision
            Nous regardions la télévision.

1. tu / attendre ton ami

_____

2. Daphnée / préparer le dîner

_____

3. Henri / descendre du train

_____

4. nous / étudier pour un examen

_____

5. Marie et Hélène / travailler

_____

6. je / nourrir le bébé

_____

7. vous / jouer du piano

_____

8. Philippe et Paul / finir leurs devoirs

_____

EXERCICE B

Exprimez ce que ces personnes avaient l'habitude de faire quand elles étaient jeunes :

EXEMPLE: Nous préparons les gâteaux le samedi.
            Nous préparions les gâteaux le samedi.

1. Nous travaillons dur tout le temps.

_____

2. Je finis toujours mes devoirs.

_____

3. Vous étudiez chaque après-midi.

_____

4. Lise et Marc rentrent souvent tard.

_____

5. Les garçons perdent souvent leurs affaires.

_____

6. Les filles choisissent des vêtements à la mode.

_____

7. Tu défends toujours tes frères.

_____

8. Suzanne joue au tennis tous les jours.

_____

9. J'obéis généralement à mes parents.

_____

10. Paul et Henriette réussissent chaque examen.

_____

EXERCICE C

Vous parlez à votre grand-père de sa vie dans les années trente. Choisissez un camarade de classe pour jouer le rôle de votre grand-père et exécutez le dialogue suivant selon l'exemple.

EXEMPLE: tu / danser la valse
                VOUS: **Dansais-tu la valse ?**

                je / danser le Charleston
                VOTRE GRAND-PÈRE: Non, **je dansais le fox-trot.**

1. tu / voyager souvent en avion

    VOUS: _____

    les avions / être rares

    VOTRE GRAND-PÈRE: _____

2. tu / regarder beaucoup la télévision

    VOUS: _____

    la télévision / ne pas exister

    VOTRE GRAND-PÈRE: _____

3. tu / que faire / pour passer le temps

    VOUS: _____

    je / écouter la radio

    VOTRE GRAND-PÈRE: _____

4. tu / où acheter / ton lait

    VOUS: _____

    le laitier / livrer le lait avec une charrette

    VOTRE GRAND-PÈRE: _____

5. combien coûter / les vêtements

VOUS: _____

un costume / valoir vingt dollars

VOTRE GRAND-PÈRE: _____

6. tu / combien payer / un hamburger

VOUS: _____

je / acheter un hamburger pour cinq cents

VOTRE GRAND-PÈRE: _____

7. ta famille / avoir une chaîne stéréo

VOUS: _____

nous / avoir un gramophone

VOTRE GRAND-PÈRE: _____

8. combien coûter / un billet de cinéma

VOUS: _____

on / aller au cinéma pour dix cents

VOTRE GRAND-PÈRE: _____

9. tu / que faire / avec tes amis après l'école

VOUS: _____

nous / jouer aux quilles

VOTRE GRAND-PÈRE: _____

10. combien gagner / les jeunes gens

VOUS: _____

beaucoup de jeunes gens / ne gagner que dix dollars par semaine

VOTRE GRAND-PÈRE: _____

[2] SPELLING CHANGES IN CERTAIN -ER VERBS

a. Verbs ending in -cer change c to ç before a or o to keep the soft c sound.

prononcer: je prononçais, tu prononçais, il/elle prononçait,
nous prononcions, vous prononciez, ils/elles prononçaient

b. Verbs ending in -ger insert mute e between g and a or o to keep the soft g sound.

voyager: je voyageais, tu voyageais, il/elle voyageait,
nous voyagions, vous voyagiez, ils/elles voyageaient

EXERCICE D

Henri, Luc et Anne se rappellent leur classe de français au lycée il y a dix ans. Exprimez leurs souvenirs.

EXEMPLE: la classe / commencer à dix heures
La classe commençait à dix heures.

1. nous / menacer toujours Paul Jaubert

_____

2. je / placer les livres sur les tables

_____

3. Jacqueline / effacer le tableau tous les jours

_____

4. Maurice et Serge / lancer des avions en papier

_____

5. vous / prononcer mal les mots de vocabulaire

_____

6. le professeur / annoncer les résultats des exercices de contrôle

_____

7. tu / avancer ta montre

_____

8. les filles / commencer les devoirs tout de suite

_____

EXERCICE E

D'après les faits donnés, exprimez ce que les membres de la famille Morpeau faisaient habituellement.

EXEMPLE: M. Morpeau allait souvent en Europe. (voyager beaucoup)
    Il voyageait beaucoup.

1. Nous parlions beaucoup. (déranger nos parents)

_____

2. Jean et Louis allaient souvent à la plage. (nager tous les jours)

_____

3. J'étais très généreux. (partager mes bonbons avec mon frère)

_____

4. Vous nettoyiez bien la maison. (ranger toutes les chambres)

_____

5. Maman voulait maigrir. (manger très peu)

_____

6. Tu étais inconstant. (changer souvent d'opinion)

_____

7. Annick et Odette voulaient réussir. (songer à devenir riches)

_____

8. Papa était le gérant d'une grande entreprise. (diriger toutes les affaires)

_____

[3] USES OF THE IMPERFECT TENSE

The imperfect tense expresses continuous, habitual, or repeated past actions, events, or situations. It is also used to describe the circumstances surrounding a past action or event.

a. The imperfect is used to describe what was happening, used to happen, or happened repeatedly in the past.

Les oiseaux chantaient.	*The birds were singing.*
Nous habitions ce quartier.	*We used to live in that neighborhood.*
Il arrivait souvent en retard.	*He would (used to) often arrive late.*
Je lisais pendant qu'il écrivait.	*I was reading (read) while he was writing (wrote).*
D'habitude, j'allais en France tous les étés.	*Usually, I went to France every summer.*

b. The imperfect is used to describe persons, things, or conditions in the past.

Elle était blonde et avait les yeux bleus.	*She was blond and had blue eyes.*
Il faisait du vent et il neigeait.	*It was windy and it was snowing.*
La neige recouvrait la terre.	*The snow covered the earth.*

c. The imperfect expresses a physical or mental state or condition in the past without indicating when it began or ended. The imperfect is often used with the verbs *aimer, croire, désirer, espérer, être, penser, pouvoir, préférer, regretter, savoir, vouloir,* and similar verbs.

Ils croyaient (pensaient, savaient) que c'était important.	*They believed (thought, knew) that it was important.*
Nous voulions acheter une voiture.	*We wanted to buy a car.*
Je savais bien danser.	*I could dance well.*
Vous préfériez lire des poèmes.	*You used to prefer (preferred) reading poems.*
Elle espérait devenir docteur.	*She hoped to become a doctor.*

d. The imperfect expresses the day, the month, and the time of day in the past:

C'était jeudi.	*It was Thursday.*
C'était le mois de janvier.	*It was January.*
Il était deux heures.	*It was 2 o'clock.*

e. The imperfect describes a situation that was going on in the past when another past action or event occurred; that second action is specific and expressed in the *passé composé*:

Je **quittais** la maison quand le téléphone **a sonné.**	*I was leaving the house when the phone rang.*
Pendant que **j'attendais** le bus, **j'ai vu** un accident.	*While I was waiting for the bus, I saw an accident.*

NOTE: Two actions going on simultaneously in the past are both expressed in the imperfect.

Elle **chantait** pendant que je **jouais** du piano.	*She sang (was singing) while I played (was playing) the piano.*

EXERCICE F

Vos amis parlent du temps qu'il faisait pendant leur voyage. Exprimez ce qu'ils disent

EXEMPLE:

Il faisait beau.

1. _____

2. _____

3. _____

4. _____

5. _____

6. _____

EXERCICE G

Décrivez les noces de Madeleine Vartan et Roger Bonnard.

EXEMPLE: Madeleine / porter une jolie robe blanche
Madeleine portait une jolie robe blanche.

1. il / faire beau

_____

2. les oiseaux / chanter

_____

3. tout le monde / complimenter le jeune couple

_____

4. Mme Vartan / pleurer de joie

_____

5. M. Bonnard / sourire

_____

6. je / avoir ma caméra vidéo

_____

7. vous / vouloir embrasser les jeunes mariés

_____

8. tu / espérer attraper le bouquet

_____

EXERCICE H

En vous servant des suggestions données, exprimez ce que chacun était en train de faire avant la panne d'électricité.

dormir	préparer le dîner
lire le journal	étudier pour un examen
aller sortir	conduire sa voiture
faire le ménage	manger une pomme
écrire une lettre	

EXEMPLE: **Luc préparait** le dîner.

1. Marianne _____ .

2. Nous _____ .

3. Je _____ .

4. Gilles et Christophe _____ .

5. Vous _____ .

6. Raymond _____ .

7. Gisèle et Isabelle _____ .

8. Tu _____ .

EXERCICE I

Imaginez que vous avez été le témoin d'un vol dans une bijouterie et que la police vous demande de décrire le crime et le criminel.

EXEMPLE: il / être grand   **Il était grand.**

1. ce / être mardi

_____

2. il / être trois heures de l'après-midi

_____

3. le soleil / briller

_____

4. il / faire très chaud

_____

5. le voleur / vouloir voler des bijoux

_____

6. je / être dans le magasin

_____

7. il / porter un pantalon bleu et une chemise blanche

_____

8. il / paraître une vingtaine d'années

_____

9. il / porter des lunettes

_____

10. il / avoir les yeux marron et les cheveux blonds

_____

11. il / peser à peu près cent kilos

_____

12. il / avoir une cicatrice sur la joue

_____

13. je / vouloir me sauver

_____

14. je / craindre d'être blessé

_____

15. je / espérer m'en sortir sain et sauf

_____

[4] THE IMPERFECT WITH EXPRESSIONS OF TIME

The imperfect tense is used with _depuis_ + an expression of time to describe an action or event that began in the past and continued for some time in the past. In such situations, the question is expressed by _Depuis combien de temps… ?_ + imperfect tense or _Depuis quand… ?_ + imperfect tense.

Je cherchais le livre **depuis vingt minutes** quand je l'ai finalement trouvé.	_I had been looking for the book for twenty minutes when I finally found it._
Depuis combien de temps est-ce que **tu habitais** en France avant ton mariage ?	_How long had you been living in France before your marriage?_
Depuis quand est-ce que **tu attendais** la lettre que tu as reçue aujourd'hui ?	_Since when had you been waiting for the letter you received today?_

NOTES:

1. The construction *il y avait* + expression of time + *que* + the imperfect tense is also used to express an action begun and continued in the past. In such situations, the question is expressed by *Combien de temps y avait-il + que...?* + imperfect tense.

Il y avait vingt minutes que je cherchais le livre.

I had been looking for the book for twenty minutes.

Combien de temps y avait-il que tu cherchais son adresse ?

How long had you been looking for his address?

2. The constructions *cela (ça) faisait... que* + imperfect tense may also be used in place of *depuis*.

Ça faisait dix ans que j'habitais Paris.

I had been living in Paris for ten years.

EXERCICE J

Antoine veut savoir depuis quand ses amis faisaient certaines choses. Exprimez les questions d'Antoine en employant les expressions **Depuis quand...?** *et* **Combien de temps y avait-il que...?**

EXEMPLE: Marie / jouer du violon
Depuis quand jouait-elle du violon ?
Combien de temps y avait-il qu'elle jouait du violon ?

1. Georges / travailler dans un supermarché

2. Étienne / conduire sa propre voiture

3. Anne et Yvette / voyager ensemble

4. tu / courir le marathon

5. nous / être amis

6. Alice / partager une chambre avec Lucie

7. vous / suivre un régime

_____

_____

8. Alain et Bernard / adopter les animaux perdus

_____

_____

EXERCICE K

Répondez aux questions de l'exercice J en employant les renseignements donnés.

EXEMPLE: (cinq ans)   **Elle jouait** du violon **depuis cinq ans.**
Il y avait cinq ans qu'elle jouait du violon.

1. (trois mois)

_____

_____

2. (une semaine)

_____

_____

3. (un an)

_____

_____

4. (deux ans)

_____

_____

5. (dix ans)

_____

_____

6. (un mois)

_____

_____

7. (quatre semaines)

_____

_____

8. (sept mois)

_____

_____

M A S T E R Y E X E R C I S E S

EXERCICE L

En employant les expressions données, décrivez ce que ces personnes faisaient.

tous les jours	le samedi après-midi
chaque week-end	le dimanche
tous les soirs	deux fois par semaine

EXEMPLE:

Arthur et Jean jouaient au tennis chaque week-end.

1. M. Dubellay _____ .

2. Suzanne et Marie _____ .

3. Robert _____ .

4. Les enfants _____ .

5. Les frères Dupin _____ .

6. Maman _____ .

EXERCICE M

Imaginez que vous êtes un auteur célèbre. Répondez aux questions qu'un journaliste vous pose.

1. VOUS: Quel âge aviez-vous quand vous êtes arrivé dans ce pays ?

AUTEUR: _____

2. VOUS: Où habitiez-vous ?

AUTEUR: _____

3. VOUS: Saviez-vous parler anglais avant d'arriver ?

AUTEUR: _____

4. VOUS: Étudiiez-vous beaucoup ?

AUTEUR: _____

5. VOUS: Étiez-vous un élève sérieux ?

AUTEUR: _____

6. VOUS: Alliez-vous souvent dans les musées ?

AUTEUR: _____

7. VOUS: Depuis quand vouliez-vous être écrivain ?

AUTEUR: _____

8. VOUS: Qu'écriviez-vous quand vous étiez jeune ?

AUTEUR: _____

9. VOUS: Cherchiez-vous l'aide de vos professeurs ?

AUTEUR: _____

10. VOUS: Où trouviez-vous les sujets de vos romans ?

AUTEUR: _____

11. VOUS: Comment gagniez-vous votre vie avant de devenir célèbre ?

AUTEUR: _____

12. VOUS: Depuis combien de temps écriviez-vous avant de publier votre premier livre ?

AUTEUR: _____

Chapter 5

Passé composé and Imperfect Tenses Compared

The basic uses of the **passé composé** and the imperfect tenses are summarized in the chart below.

PASSÉ COMPOSÉ	IMPERFECT
1. Expresses specific actions or events that were started and completed at a definite point in the past.	**1.** Describes ongoing or continuous actions or events in the past.
Elle a préparé le dîner. *She prepared dinner.*	Elle préparait le dîner. *She was preparing dinner.*
2. Expresses a specific action or event at a specific time in the past.	**2.** Describes habitual or repeated actions or events in the past.
Aujourd'hui il est sorti à 8 heures. *Today he went out at 8 o'clock.*	Il sortait d'habitude à 8 heures. *He usually went out at 8 o'clock.*
Elle a joué du piano hier matin. *She played the piano yesterday morning.*	Elle jouait du piano chaque jour. *She played (would play) the piano every day.*
3. States a particular action in the past.	**3.** Describes the circumstances or conditions surrounding an action.
Il est allé chez le dentiste. *He went to the dentist.*	Il avait mal aux dents. *He had a toothache.*
	4. Describes persons, things, or a state of mind.
	Il était triste. *He was sad.*
	Le ciel était bleu. *The sky was blue.*

NOTES:

1. The *passé composé* is usually equivalent to an English simple past and the imperfect to the English *was (were) . . . ing, used to,* and *would* (meaning *used to*).

Hier il a plu toute la journée.	*Yesterday it rained all day.*
Il pleuvait pendant qu'ils jouaient au tennis.	*It was raining while they played (were playing) tennis.*
Il pleuvait beaucoup en avril.	*It used to rain (would rain) a lot in April.*
Il a beaucoup plu en avril.	*This past April it rained a lot.*

2. The *passé composé* expresses an action or event repeated a specific number of times in the past.

La semaine dernière Henri est allé au cinéma quatre fois.	*Last week Henry went to the movies four times.*

Pendant ses vacances Henri est allé au cinéma tous les dimanches.	*During his vacation Henri went to the movies every Sunday. (the three Sundays during his vacation, for example)*

But:

Henri allait au cinéma tous les dimanches.	*Henri went (used to go) to the movies every Sunday.*

3. The *passé composé* is often used with the following words and expressions.

l'année passée (dernière)	*last year*	hier	*yesterday*
avant-hier	*the day before yesterday*	hier soir	*last night*
d'abord	*at first*	l'autre jour	*the other day*
enfin	*finally*	ce jour-là	*that day*
ensuite	*then, next*	un jour	*one day*
l'été (l'hiver) passé	*last summer (winter)*	le mois passé (dernier)	*last month*
finalement	*finally*	la semaine passée (dernière)	*last week*
une (deux...) fois	*once, one (two) time(s)*	soudain	*suddenly*
plusieurs fois	*several times*	tout à coup	*suddenly, all of a sudden*

4. The imperfect is often used with the following adverbial expressions, which may imply repetition or an action in progress.

autrefois	*formerly*	fréquemment	*frequently*
chaque jour (semaine, mois, année)	*each day (week, month, year)*	généralement	*generally*
		habituellement	*habitually*
de temps à autre	*from time to time*	parfois	*sometimes, every now and then*
de temps en temps	*from time to time*	quelquefois	*sometimes*
d'habitude	*usually*	souvent	*often*
d'ordinaire	*usually, ordinarily*	toujours	*always*
en ce temps-là	*at that time*	tous les jours (mois)	*every day (month)*
en général	*generally*	tout le temps	*all the time*

5. The imperfect tense is used to describe an action or event that was going on in the past when another action or event took place. The action or event that took place is specific and expressed in the *passé composé*:

Je faisais mes devoirs quand le téléphone a sonné.	*I was doing my homework when the telephone rang.*

6. The imperfect is generally used with verbs that express a state of mind in progress over a period of time in the past. When these verbs express a state of mind occurring at a specific point in the past, the *passé composé* is used.

aimer	*to like, love*	pouvoir	*to be able, can*
croire	*to believe*	préférer	*to prefer*
désirer	*to desire*	regretter	*to regret, to be sorry*
espérer	*to hope*	savoir	*to know (how)*
être	*to be*	vouloir	*to wish, want*
penser	*to think*		

Il pensait toujours à elle.	*He always thought of her.*
Je savais qu'il ne pouvait pas venir.	*I knew he could not come.*
But:	
Pour ce travail, il a tout de suite pensé à elle.	*For this job, he immediately thought of her.*
J'ai bien aimé le restaurant où nous avons dîné hier.	*I rather liked the restaurant where we had dinner yesterday.*

EXERCICE A

Qu'est-ce qui s'est passé à la fête de Régine ? Lisez l'histoire et choisissez la forme correcte du verbe, au passé composé ou à l'imparfait.

C'_____ samedi soir. Tout le monde _____ à la fête de Régine.
    1. (a été, était)   2. (a été, était)

Je/J'_____ avec Roger quand tout d'un coup j'_____ quelqu'un son-
    3. (ai dansé, dansais)   4. (ai entendu, entendais)

ner à la porte. Je _____ et je/j'_____ répondre. Quand
    5. (me suis excusée, m'excusais)   6. (suis allée, allais)

j'_____ la porte, je/j'_____ le garçon de mes rêves. Il
    7. (ai ouvert, ouvrais)   8. (ai vu, voyais)

_____ grand et mince. Il _____ des cheveux blonds bouclés et les
    9. (a été, était)   10. (a eu, avait)

yeux verts. Je l'_____ à entrer et je/j'_____ à lui parler.
    11. (ai invité, invitais)   12. (ai commencé, commençais)

J'_____ qu'il s'_____ Paul et qu'il _____ le cousin de
    13. (ai appris, apprenais)   14. (est appelé, appelait)   15. (a été, était)

Régine. Il me/m'_____ si je/j'_____ danser et, naturellement,
    16. (a demandé, demandais)   17. (ai voulu, voulais)

je/j'_____ oui. Nous _____ ensemble toute la soirée. À minuit
    18. (ai répondu, répondais)   19. (sommes restés, restions)

il me/m'_____ chez moi et nous _____ nos numéros de
    20. (a raccompagnée, raccompagnait)   21. (avons échangé, échangions)

téléphone. Cette nuit-là, je me _____ si amoureuse que je _____
    22. (suis sentie, sentais)   23. (n'ai pas pu, ne pouvais pas)

dormir.

EXERCICE B

Complétez cette composition de Marie avec la forme correcte du passé composé ou de l'imparfait.

Quand je/j'_____ petite, je/j'_____ l'été chez ma tante Mathilde qui
    1. (être)   2. (passer)

_____ un petit village en Bretagne. Tous les vendredis je/j'_____ à la bib-
    3. (habiter)   4. (aller)

liothèque pour emprunter des livres. Je/J'_____ toujours des livres de science-fiction
    5. (choisir)

parce qu'ils me/m'_____ . Mais un jour, j'en _____ assez de ce sujet. Le
    6. (passionner)   7. (avoir)

vendredi suivant, je/j'_____ mon petit déjeuner puis je _____ pour la
    8. (prendre)   9. (partir)

bibliothèque. Quand j'y _____ , le bibliothécaire _____ en train de
    10. (entrer)   11. (être)

ranger les best-sellers. Je lui _____ quels livres il _____ me recommander.
    12. (demander)   13. (pouvoir)

D'abord, il _____ un livre d'Isaac Asimov. Je lui _____ que je/j'en
          14. (suggérer)   15. (expliquer)

_____ assez des histoires de science-fiction. Alors il me/m'_____ une
       16. (avoir)   17. (proposer)

histoire d'amour ridicule que je/j'_____ . Les livres qu'il me/m'_____
                                    18. (refuser)   19. (montrer)

ensuite _____ trop érudits. Finalement, il me/m'_____ un recueil de
         20. (être)   21. (offrir)

poèmes ennuyeux. Du coup, je/j' _____ par choisir un livre de science-fiction comme
                                 22. (finir)

d'habitude.

EXERCICE C

Décrivez la journée de Luc et de son ami Paul. Mettez les verbes en caractères gras au passé composé ou à l'imparfait.

C'**est** une belle journée d'été. Il **fait** beau. Le soleil **brille**. Je n'**ai** pas grand-chose à faire quand, tout d'un coup, le téléphone **sonne**. J'y **réponds**. C'**est** mon ami Paul. Il me **demande** si je **veux** aller à la plage avec lui. Je **dis**: « Oui, avec plaisir ! » Alors je **pars** le chercher à 11h chez lui et nous **allons** à la plage en voiture. Le ciel **est** bleu et l'eau **est** très claire. Nous **trouvons** un endroit pour nous installer et nous **allons** dans l'eau tout de suite. Nous **passons** tout l'après-midi à nager, à parler de nos amis et à nous amuser. L'après-midi **est** formidable.

_____

_____

_____

_____

_____

_____

_____

_____

EXERCICE D

Expliquez pourquoi chaque personne a fait les choses suivantes. Combinez les phrases en utilisant le passé composé et l'imparfait.

EXEMPLE: Je reste chez moi. Je suis malade.
          Je suis resté chez moi parce que **j'étais** malade.

1. Arthur tombe. Il ne fait pas attention.

_____

2. Tu téléphones à Marc. Tu as envie d'aller au parc.

_____

3. Elle achète un billet. Elle veut voir la pièce.

_____

4. Je vais chez le dentiste. J'ai mal aux dents.

_____

5. Nous plongeons dans le lac. Il fait chaud.

_____

6. Ils écrivent à leurs parents. C'est leur anniversaire de mariage.

_____

7. Elles demandent pardon. Elles regrettent leurs actions.

_____

8. Il sort sa luge. Il neige beaucoup.

_____

9. Je travaille chez moi. C'est samedi.

_____

10. Elle gagne la compétition. Elle est la meilleure.

_____

EXERCICE E

Décrivez la malchance des personnes suivantes. Utilisez le passé composé ou l'imparfait. Attention à l'accord du participe passé.

EXEMPLE: (partir / éclater) Janine **partait** en vacances quand un orage **a éclaté**.

1. (rouler / arrêter)   Denis _____ très vite quand la police l'_____ .

2. (sortir / attaquer)   Les Pierrot _____ de la banque quand un voleur les

_____ .

3. (gronder / ouvrir)   Michelle _____ sa sœur au moment où sa mère

_____ la porte.

4. (monter / sonner)   Tu _____ l'escalier quand le téléphone _____ .

5. (manger / trouver)   Je _____ dans un bon restaurant quand j'_____

une mouche dans ma soupe.

6. (voyager / éclater)   Mes cousins _____ en Europe au moment où la guerre

_____ .

7. (courir / tomber)   Vous _____ quand vous _____ .

8. (aller / perdre)   Nous _____ acheter des vêtements quand j'_____

mon porte-monnaie.

9. (couper / piquer)   Louise _____ des fleurs lorsqu'une abeille l'_____ .

10. (lire / remarquer)   Paul _____une bande dessinée en classe quand le professeur

l'_____ .

EXERCICE F

Répondez aux questions que votre père vous pose au sujet d'une fenêtre brisée chez un voisin.

1. Où étais-tu cet après-midi ?

_____

2. Avec qui jouais-tu ?

_____

3. Tes amis et toi, à quoi jouiez-vous ?

_____

4. À qui était la balle ?

_____

5. As-tu vu la balle casser la fenêtre ?

_____

6. Qu'est-ce que tu as fait ensuite ?

_____

7. Pourquoi ne m'as-tu rien dit quand je suis rentré cet après-midi ?

_____

8. Qui a cassé la fenêtre ?

_____

MASTERY EXERCISES

EXERCICE G

Vous avez eu la grippe et vous ne pouviez pas sortir. Décrivez comment vous avez passé le temps. Mettez les verbes au passé composé ou à l'imparfait.

EXEMPLE: je/ ne pas pouvoir sortir
Je ne pouvais pas sortir.

1. je / décider d'ouvrir la fenêtre pour regarder dehors

_____

2. il / faire chaud

_____

3. tous mes amis / être dans la rue

_____

4. ils / jouer au football américain

_____

5. ils / essayer d'attraper le ballon

_____

6. tout d'un coup Lucien / pousser Nicolas

_____

7. Nicolas / tomber

_____

8. il / ne pas arriver à se lever

_____

9. il / commencer à pleurer

_____

10. il / être furieux contre Lucien

_____

11. il / ne plus pouvoir marcher

_____

12. une ambulance / arriver

_____

13. les infirmiers / emmener Nicolas à l'hôpital

_____

14. cet accident / interrompre leur partie de football

_____

EXERCICE H

Dix ans après avoir achevé vos études, vous allez à une réunion des anciens élèves du lycée. Racontez à vos amis ce que vous avez fait pendant ces dix ans. Écrivez votre composition sur une feuille de papier ou dans votre cahier pour que votre professeur puisse la corriger.

Chapter 6
Passé simple

[1] PASSÉ SIMPLE OF REGULAR VERBS

The *passé simple* occurs primarily in formal, literary, and historical writings, expressing a completed past action. In conversation and informal writing, the *passé composé* is used to express a completed past action.

The *passé simple* (past definite) is formed by dropping the infinitive ending and adding the personal endings: for all *-er* verbs: *-ai, -as, -a, -âmes, -âtes, -èrent*; for regular *-ir* and *-re* verbs: *-is, -is, -it, -îmes, -îtes, -irent*

parler	finir	perdre
I talked	*I finished*	*I lost*
je parl*ai*	je fin*is*	je perd*is*
tu parl*as*	tu fin*is*	tu perd*is*
il/elle parl*a*	il/elle fin*it*	il/elle perd*it*
nous parl*âmes*	nous fin*îmes*	nous perd*îmes*
vous parl*âtes*	vous fin*îtes*	vous perd*îtes*
ils/elles parl*èrent*	ils/elles fin*irent*	ils/elles perd*irent*

EXERCICE A

Exprimez les accomplissements de ces artistes français en changeant le passé composé en passé simple.

EXEMPLE: Claude Monet a saisi dans sa peinture de multiples effets de lumière.
Claude Monet **saisit** dans sa peinture de multiples effets de lumière.

1. David a défini le style néo-classique.

   _____

2. Ingres a exécuté de splendides portraits.

   _____

3. Delacroix a employé des couleurs extraordinaires.

   _____

4. Degas a choisi comme sujet les danseuses de l'Opéra.

   _____

5. Picasso et Braque ont lancé le cubisme.

   _____

6. Gauguin a représenté des scènes tahitiennes.

   _____

7. Watteau a créé de nombreuses scènes pastorales.

_____

8. Toulouse-Lautrec a vendu des affiches de music-hall.

_____

9. Houdon a sculpté les bustes de personnages célèbres.

_____

10. Bartholdi a réalisé _la Liberté éclairant le monde._

_____

11. Rodin a exprimé dans ses sculptures les émotions et la force de la vie.

_____

12. Le Corbusier, architecte célèbre, a cherché des solutions pour l'habitat moderne.

_____

[2] SPELLING CHANGES IN THE _PASSÉ SIMPLE_

a. Verbs ending in _-cer_ change _c_ to _ç_ before _a_ to keep the soft _c_ sound.

prononcer: je prononçai, tu prononças, il/elle prononça,
nous prononçâmes, vous prononçâtes, ils/elles prononcèrent

b. Verbs ending in _-ger_ insert mute _e_ between _g_ and _a_ to keep the soft _g_ sound.

voyager: je voyageai, tu voyageas, il/elle voyagea,
nous voyageâmes, vous voyageâtes, ils/elles voyagèrent

EXERCICE B

La littérature du dix-huitième siècle est une littérature militante et philosophique. Exprimez ce qui s'est passé à cette époque en utilisant le passé simple.

EXEMPLE: Voltaire / voyager
Voltaire voyagea.

1. François Marie Arouet / changer son nom en Voltaire

_____

2. Voltaire / dénoncer des erreurs judiciaires

_____

3. Jean-Jacques Rousseau / avancer des idées nouvelles sur l'éducation

_____

4. Montesquieu / rédiger _Les Lettres persanes_

_____

5. Diderot et d'Alembert / diriger la publication de _l'Encyclopédie_

_____

6. les philosophes / exercer une grande influence sur le peuple

_____

[3] VERBS IRREGULAR IN THE _PASSÉ SIMPLE_

avoir:	_j'eus, tu eus, il/elle eut, nous eûmes, vous eûtes, ils/elles eurent_
boire:	_je bus, tu bus, il/elle but, nous bûmes, vous bûtes, ils/elles burent_
connaître:	_je connus, tu connus, il/elle connut, nous connûmes, vous connûtes, ils/elles connurent_
construire:	_je construisis, tu construisis, il/elle construisit, nous construisîmes, vous construisîtes, ils/elles construisirent_
courir:	_je courus, tu courus, il/elle courut, nous courûmes, vous courûtes, ils/elles coururent_
croire:	_je crus, tu crus, il/elle crut, nous crûmes, vous crûtes, ils/elles crurent_
devoir:	_je dus, tu dus, il/elle dut, nous dûmes, vous dûtes, ils/elles durent_
dire:	_je dis, tu dis, il/elle dit, nous dîmes, vous dîtes, ils/elles dirent_
écrire:	_j'écrivis, tu écrivis, il/elle écrivit, nous écrivîmes, vous écrivîtes, ils/elles écrivirent_
être:	_je fus, tu fus, il/elle fut, nous fûmes, vous fûtes, ils/elles furent_
faire:	_je fis, tu fis, il/elle fit, nous fîmes, vous fîtes, ils/elles firent_
lire:	_je lus, tu lus, il/elle lut, nous lûmes, vous lûtes, ils/elles lurent_
mettre:	_je mis, tu mis, il/elle mit, nous mîmes, vous mîtes, ils/elles mirent_
mourir:	_je mourus, tu mourus, il/elle mourut, nous mourûmes, vous mourûtes, ils/elles moururent_
naître:	_je naquis, tu naquis, il/elle naquit, nous naquîmes, vous naquîtes, ils/elles naquirent_
plaire:	_je plus, tu plus, il/elle plut, nous plûmes, vous plûtes, ils/elles plurent_
pouvoir:	_je pus, tu pus, il/elle put, nous pûmes, vous pûtes, ils/elles purent_
prendre:	_je pris, tu pris, il/elle prit, nous prîmes, vous prîtes, ils/elles prirent_
recevoir:	_je reçus, tu reçus, il/elle reçut, nous reçûmes, vous reçûtes, ils/elles reçurent_
savoir:	_je sus, tu sus, il/elle sut, nous sûmes, vous sûtes, ils/elles surent_
tenir:	_je tins, tu tins, il/elle tint, nous tînmes, vous tîntes, ils/elles tinrent_
traduire:	_je traduisis, tu traduisis, il/elle traduisit, nous traduisîmes, vous traduisîtes, ils/elles traduisirent_
venir:	_je vins, tu vins, il/elle vint, nous vînmes, vous vîntes, ils/elles vinrent_
vivre:	_je vécus, tu vécus, il/elle vécut, nous vécûmes, vous vécûtes, ils/elles vécurent_
voir:	_je vis, tu vis, il/elle vit, nous vîmes, vous vîtes, ils/elles virent_
vouloir:	_je voulus, tu voulus, il/elle voulut, nous voulûmes, vous voulûtes, ils/elles voulurent_

EXERCICE C

Exprimez les travaux réalisés par ces Français en mettant les verbes des phrases suivantes au passé composé.

1. Jacques Cartier découvrit le Saint-Laurent. _____

2. Ferdinand de Lesseps construisit le canal de Suez. _____

3. Jacques Daguerre perfectionna la photographie. _____

4. Pierre et Marie Curie découvrirent le radium. _____

5. Irène et Frédéric Joliot-Curie poursuivirent des recherches sur la structure de l'atome. _____

_____

6. Jean-François Champollion traduisit les hiéroglyphes égyptiens de la pierre de Rosette. _____
_____

7. Louis Pasteur mit au point le vaccin contre la rage. _____

8. Jean-Baptiste Lully créa l'opéra français. _____

9. Jean-Philippe Rameau aida à définir la science de l'harmonie. _____

10. Jean de La Fontaine écrivit des fables. _____

EXERCICE D

Vous écrivez une rédaction sur la vie d'Albert Camus. Complétez les phrases avec les verbes suivants au passé simple.

attraper	donner	faire	naître
consacrer	écrire	fonder	perdre
devenir	élever	mourir	recevoir

Albert Camus _____ en Algérie en 1913. Il _____ son père pendant
     1.   2.

la première guerre mondiale et sa mère l'_____ dans un quartier populaire
                             3.

d'Alger. Il _____ son diplôme d'études supérieures en 1936. Malheureusement, il
     4.

_____ ensuite la tuberculose. Une fois guéri, il _____ une troupe de
    5.   6.

théâtre. Il _____ ensuite journaliste à Alger, puis à Paris. Il _____
     7.   8.

partie de la résistance sous l'occupation allemande. Après la guerre, il se _____ à sa
                             9.

carrière d'écrivain. Camus _____ *L'Étranger* en 1942 et *La Peste* en 1947. On lui
         10.

_____ le Prix Nobel de littérature en 1957. Il _____ en 1960 dans un
   11.   12.

accident de voiture.

EXERCICE E

Exprimez au passé simple ce qui se passa lors de l'interview de Daniel pour un poste de professeur dans une école privée.

Tout d'abord, l'école me _____ immense. Une cloche _____ et
       1. (sembler)   2. (sonner)

j'_____ des bruits de pas indiquant la fin des classes. Le portier _____ vers
  3. (entendre)   4. (venir)

moi et me _____ de le suivre. Nous _____ un grand escalier. Le portier
      5. (demander)   6. (monter)

me _____ que le directeur était très exigeant. Quelques minutes plus tard, nous nous
    7. (dire)

_____ devant la porte du bureau du directeur. Le portier _____ à la porte
  8. (arrêter)   9. (frapper)

et le directeur _____ aussitôt. Nous _____ . Le portier me
                    10. (répondre)   *11.* (entrer)

_____ puis il _____ . Le directeur s'_____ vers moi.
12. (présenter)   *13.* (partir)   *14.* (avancer)

Il s'_____ : « Comme vous êtes jeune ! » Je _____ peur. Je
        15. (écrier)   *16.* (prendre)

_____ que je n'avais aucune chance d'obtenir ce poste. Mais le directeur
        17. (croire)

_____ ma lettre de recommandation, me _____ plusieurs questions et
        18. (lire)   *19.* (poser)

m'_____ le poste. En fait, ce _____ très facile.
    20. (offrir)   *21.* (être)

EXERCICE F

Récrivez les paragraphes suivants au passé composé.

1. Après avoir vécu dans la misère pendant des années, les habitants de Paris commencèrent à se révolter
contre Louis XVI et sa femme, Marie-Antoinette. Le 14 juillet 1789, ils attaquèrent la Bastille et
prirent d'assaut cette prison qui fut longtemps le symbole du pouvoir absolu. Cet événement historique marqua le début de la Révolution française. En 1793, le roi et la reine furent condamnés à
être guillotinés.

_____

_____

_____

_____

_____

_____

_____

_____

2. Napoléon Bonaparte naquit en Corse en 1769. Il commença sa carrière comme capitaine, puis devint
général. Il participa à un coup d'État qui lui permit de devenir Premier consul. Plus tard, il fut
couronné Empereur des Français. Il essaya de conquérir l'Europe, mais il perdit la guerre en 1814 et
les ennemis envahirent la France. Le Sénat obligea Napoléon à abdiquer et il partit pour l'île d'Elbe.
Quelques mois plus tard, il revint en France. Il fut vaincu à Waterloo en 1815 et les Anglais l'exilèrent
à Sainte-Hélène où il mourut en 1821.

_____

_____

_____

_____

_____

_____

_____

_____

_____

_____

MASTERY EXERCISES

EXERCICE G

Il était une fois un petit prince qui habitait une toute petite planète et qui voulait visiter la terre. Exprimez au passé composé ses préparatifs pour le départ.

EXEMPLE: Je décidai de quitter ma planète.
           J'ai décidé de quitter ma planète.

1. Je mis ma planète en ordre.

_____

2. Je nettoyai ma maison.

_____

3. Je ramonai mes volcans.

_____

4. J'arrachai les dernières pousses des mauvais arbres.

_____

5. Tous ces travaux familiers me rendirent nostalgique.

_____

6. J'arrosai une dernière fois ma meilleure amie, la fleur.

_____

7. Je la mis sous un globe.

_____

8. Je lui dis au revoir.

_____

9. Elle toussa un peu.

_____

10. Puis elle me répondit: « Je t'aime ».

_____

11. Je répétai « au revoir ».

_____

12. Elle me sourit.

_____

13. Je fus surpris par sa réaction.

_____

14. Je profitai d'une migration d'oiseaux sauvages pour partir.

_____

EXERCICE H

Récrivez les paragraphes suivants au passé simple.

1. Charlemagne, ou Charles 1er le Grand, a été le souverain le plus puissant du Moyen Âge. En 800, à Rome, le pape l'a couronné empereur d'Occident. Il a gouverné un empire immense en Europe occidentale. Il a promulgué des lois bonnes et justes. Protecteur des arts et des lettres, il a encouragé l'enseignement en créant de nombreuses écoles. Malheureusement, après sa mort, son vaste empire a été démembré.

_____

_____

_____

_____

_____

_____

_____

2. Héroïne nationale de la France, Jeanne d'Arc est née en 1412 à Domrémy, en Lorraine. Elle a cru entendre des voix qui lui ont ordonné de délivrer la France de l'invasion anglaise. À la tête de l'armée française, elle a battu les Anglais à Orléans. Puis elle a fait couronner Charles VII roi de France. Mais elle a été trahie et vendue aux Anglais qui l'ont brûlée vive à Rouen en 1431. Après sa mort, les Français ont chassé les Anglais de France.

_____

_____

_____

_____

_____

_____

_____

_____

_____

3. Le cardinal Richelieu a été un grand homme d'État qui a établi l'absolutisme royal. Il a amélioré l'économie et réformé les finances et la législation françaises. Richelieu a fondé l'Académie française en 1635. Il a fait de la France une nation puissante.

_____

_____

_____

_____

_____

_____

_____

_____

Chapter 7
Future Tense

The future tense expresses an action that will take place in future time.

[1] FUTURE TENSE OF REGULAR VERBS

travailler	finir	répondre
I will work	*I will finish*	*I will answer*
je travaille*rai*	je fini*rai*	je répond*rai*
tu travaille*ras*	tu fini*ras*	tu répond*ras*
il/elle travaille*ra*	il/elle fini*ra*	il/elle répond*ra*
nous travaille*rons*	nous fini*rons*	nous répond*rons*
vous travaille*rez*	vous fini*rez*	vous répond*rez*
ils/elles travaille*ront*	ils/elles fini*ront*	ils/elles répond*ront*

NOTES:

1. The future tense of regular verbs is formed by adding the following personal endings to the infinitive: *-ai, -as, -a, -ons -ez, -ont.*

2. *-re* verbs drop the final *e* before the future endings.

3. These endings resemble the present tense of *avoir.*

EXERCICE A

Exprimez ce que ces personnes accompliront demain.

EXEMPLE: (assister) Lucie **assistera** à une conférence.

1. (téléphoner) Pierre _____ à Sophie.

2. (répondre) Ma mère _____ au courrier.

3. (accomplir) Suzanne _____ les travaux ménagers.

4. (disputer) Mes amis _____ un match de football.

5. (finir) Je _____ mes devoirs.

6. (descendre) Tu _____ en ville.

7. (obéir) François et moi, nous _____ en classe.

8. (regarder) Régine et Anne _____ les feuilletons à la télé.

9. (choisir)   Mon père _____ une nouvelle voiture.

10. (vendre)   Les enfants _____ de la citronnade.

EXERCICE B

Utilisez les suggestions données pour exprimer quand vous comptez réaliser les choses suivantes.

finir l'école	dans deux ans
voyager à l'étranger	l'année prochaine
travailler	dans dix ans
gagner beaucoup d'argent	dans huit ans
louer mon propre appartement	l'été prochain
prendre des vacances	dans un mois
choisir une profession	dans cinq ans

EXEMPLE: **Je travaillerai** dans cinq ans.

1. _____

2. _____

3. _____

4. _____

5. _____

6. _____

[2] SPELLING CHANGES IN CERTAIN -*ER* VERBS

a. Some verbs with an infinitive ending in -*yer* change y to *i* in the future.

employer: j'emploierai, tu emploieras, il/elle emploiera,
nous emploierons, vous emploierez, ils/elles emploieront

NOTE: Verbs ending in −*ayer* may or may not change the *y* to *i* in all future-tense forms.

essayer (*to try*):   **j'essayerai** or **j'essaierai,** etc.

b. Verbs with mute *e* in the syllable before the infinitive ending change mute *e* to *è* in the future.

mener: je mènerai, tu mèneras, il/elle mènera,
nous mènerons, vous mènerez, ils/elles mèneront

Verbs with mute *e* like *appeler* and *jeter* double the consonant in the future.

appeler: j'appellerai, tu appelleras, il/elle appellera,
nous appellerons, vous appellerez, ils/elles appelleront

jeter: je jetterai, tu jetteras, il/elle jettera,
nous jetterons, vous jetterez, ils/elles jetteront

EXERCICE C

Vous travaillez au pair chez les Vincent. Exprimez ce que vous accomplirez demain.

EXEMPLE: préparer les repas
            Je préparerai les repas.

1. commencer à travailler à 7 heures

_____

2. nettoyer la maison

_____

3. payer le boucher

_____

4. appeler quelques amis

_____

5. jeter les vieux journaux

_____

6. acheter de la nourriture

_____

7. ranger la chambre de Jacques

_____

8. avancer vite dans mon travail

_____

9. changer les draps

_____

10. emmener les enfants à l'école

_____

11. essuyer la vaisselle

_____

12. essayer de me reposer

_____

EXERCICE D

Exprimez ce qui se passera à votre fête.

EXEMPLE: (emmener) **J'emmènerai** les chiens dehors.

1. (célébrer)   Je _____ mon anniversaire.

2. (commencer)   La fête _____ à six heures.

3. (manger)   Nous _____ beaucoup de bonnes choses.

4. (amener) Jacques _____ des amis sympathiques.

5. (essayer) Pierre _____ de danser avec Gisèle.

6. (lever) Mon frère _____ son verre.

7. (rappeler) Il nous _____ quelques bons souvenirs.

8. (achever) Ma sœur _____ ce toast.

9. (jeter) Tu _____ les papiers d'emballage.

10. (répéter) Chacun me _____ ses souhaits d'anniversaire.

[3] VERBS IRREGULAR IN THE FUTURE

The following verbs have irregular stems in the future. However, the personal endings are regular in all cases.

INFINITIVE	FUTURE	INFINITIVE	FUTURE
aller	j'*irai*	mourir	je *mourrai*
asseoir {	j'*assiérai*	pleuvoir	il *pleuvra*
	j'*assoirai*	pouvoir	je *pourrai*
avoir	j'*aurai*	recevoir	je *recevrai*
courir	je *courrai*	savoir	je *saurai*
devoir	je *devrai*	tenir	je *tiendrai*
envoyer	j'*enverrai*	valoir	je *vaudrai*
être	je *serai*	venir	je *viendrai*
faire	je *ferai*	voir	je *verrai*
falloir	il *faudra*	vouloir	je *voudrai*

NOTE: The irregularities in the future of the listed verbs also occur in related verbs: *renvoyer, refaire, retenir, revenir, revoir,* and the like.

EXERCICE E

Votre sœur vient d'avoir un bébé dont elle est très fière. Exprimez ce qu'elle prédit pour son enfant.

EXEMPLE: Il _____**sera**_____ grand et beau.
　　　　　　　　(être)

Il _____ les yeux bleus et les cheveux noirs. Comme il _____ très
　　　1. (avoir)　　　　　　　　　　　　　　　　　　　　　　　　　　　　　　　2. (être)

intelligent, il _____ à l'une des meilleures universités où il _____ de
　　　　　　　3. (aller)　　　　　　　　　　　　　　　　　　　　　　　　4. (recevoir)

nombreux diplômes. Il _____ beaucoup de sport et _____ très vite.
　　　　　　　　　　　5. (faire)　　　　　　　　　　　　　　　　　6. (courir)

Il _____ gagner des compétitions. Bien sûr, il _____ s'entraîner.
　　7. (pouvoir)　　　　　　　　　　　　　　　　　　　　　　8. (devoir)

_____-il devenir médecin, avocat ou ingénieur ? On _____ . J'espère
    9. (vouloir)   *10.* (voir)

qu'il _____ très riche et qu'il nous _____ de l'argent !
     11. (devenir)   *12.* (envoyer)

EXERCICE F

Laure va chez une voyante pour connaître son avenir. Exprimez ce que cette voyante lui prédit.

EXEMPLE: vous / être heureuse
              Vous serez heureuse.

1. un garçon / vous envoyer des lettres d'amour

   _____

2. il / être beau

   _____

3. il / aller à l'université

   _____

4. il / falloir qu'il étudie loin de chez vous

   _____

5. vous / devoir attendre son retour

   _____

6. cela / valoir la peine de l'attendre

   _____

7. vous / mourir d'ennui pendant son absence

   _____

8. il / revenir quatre ans plus tard

   _____

9. il / venir vous voir tout de suite

   _____

10. vous / courir dans ses bras

   _____

11. il / vouloir vous épouser

   _____

12. vous / être heureuse d'accepter

   _____

13. il / pleuvoir le jour de votre mariage

   _____

14. vous / recevoir beaucoup de cadeaux

   _____

15. vous / pouvoir trouver un bon travail

_____

16. vous / avoir deux enfants

_____

17. ils / faire de belles études

_____

18. vous / faire beaucoup de voyages

_____

[4] USES OF THE FUTURE

a. The future tense is used in French, as in English, to express what will happen.

Il travaillera demain.   _He will work tomorrow._

Quand partirez-vous ?   _When will you leave?_

b. The future is used after _quand_ (when), _lorsque_ (when), **aussitôt que** (as soon as), and _dès que_ (as soon as), if the action refers to the future, even though the present tense may be used in English.

Faites-lui mes amitiés **lorsque vous la verrez.**   _Give her my regards when you see her._

Nous partirons **aussitôt qu'ils arriveront.**   _We shall leave as soon as they arrive._

Quand j'irai en France, je visiterai ma famille.   _When I go to France, I will visit my family._

NOTE: **Aller** + infinitive may be used to express the near future.

Je vais bientôt partir.   _I am going to leave soon._

Ils vont faire leurs devoirs après   _They are going to do their homework_
le dîner.   _after dinner._

EXERCICE G

Expliquez ce que Nicole fera quand elle ira en France rendre visite à sa correspondante.

1. Je _____ quand je _____ mon passeport.
      (partir)   (recevoir)

2. Aussitôt que j'_____ assez d'argent, j'_____ mon billet d'avion.
         (avoir)   (acheter)

3. Dès que je _____ la date de mon départ, je vous _____ .
         (savoir)   (téléphoner)

4. Je t'_____ quand j'_____ à l'aéroport.
      (appeler)   (arriver)

5. Je _____ français lorsque je _____ en France.
      (parler)   (être)

6. Dès que tu _____ , tu m'_____ visiter Paris.
            (pouvoir)   (emmener)

7. Nous _____ à Versailles dès que nous _____ de Paris.
            (aller)   (revenir)

8. Nous _____ beaucoup quand nous _____ ensemble.
            (rire)   (être)

9. Lorsque je _____ ,je _____ tes parents.
    (partir)   (remercier)

10. Je t'_____ une lettre aussitôt que je _____ chez moi.
    (écrire)   (rentrer)

EXERCICE H

Combinez les éléments avec **quand, dès que, lorsque,** *et* **aussitôt** **que** *pour exprimer ce que chaque personne fera.*

je	parler au téléphone	finir ses devoirs
nous	aider ses parents	avoir le temps
mes amis	faire le ménage	arriver à la maison
tu	dormir	être libre(s)
ma sœur	regarder la télé	être couché(e)(s)
mon frère	manger	rentrer
vous	partir	recevoir le télégramme
elles	envoyer ce paquet	descendre en ville
ma mère	aller au magasin	acheter des timbres

EXEMPLE: **J'aiderai mes parents dès que je rentrerai.**

1. _____

2. _____

3. _____

4. _____

5. _____

6. _____

7. _____

8. _____

M A S T E R Y   E X E R C I S E S

EXERCICE I

Exprimez ce que vous ferez dans les circonstances suivantes.

EXEMPLE: Que ferez-vous quand vous rentrerez ?
           (regarder la télévision, écouter la radio, manger une glace)

           Quand je rentrerai, je regarderai la télévision, j'écouterai la radio et je mangerai une glace.

1. Que ferez-vous dès que vous finirez vos cours ?

   (rentrer à la maison, faire mes devoirs, étudier)

   _____

   _____

2. Que ferez-vous quand vous serez à la campagne ?

   (faire du camping, dormir dans un sac de couchage, cuisiner en plein air)

   _____

   _____

3. Que ferez-vous aussitôt que vous arriverez à la plage ?

   (prendre un bain de soleil, nager, mettre de la crème solaire)

   _____

   _____

4. Que ferez-vous lorsque vous irez à la discothèque ?

   (acheter un billet d'entrée, rencontrer mes amis, danser)

   _____

   _____

5. Que ferez-vous dès que vous arriverez à l'aéroport ?

   (enregistrer mes bagages, réserver ma place, aller à la porte d'embarquement)

   _____

   _____

EXERCICE J

Comment sera le monde quand vous aurez trente ans ? Répondez aux questions.

1. En quelle année aurez-vous trente ans ?

   _____

2. Quel cadeau voudrez-vous recevoir lors de cet anniversaire ?

   _____

3. Où habiterez-vous ?

   _____

4. Comment gagnerez-vous votre vie ?

   _____

5. Quelle sorte de vêtements porterez-vous ?

   _____

6. Quelle sorte de musique sera à la mode ?

   _____

7. Pour quelles maladies y aura-t-il une cure ?

   _____

8. Vers quelles planètes voyagera-t-on ?

_____

9. Quel travail feront les robots ?

_____

10. Quel genre de nourriture mangera-t-on ?

_____

Chapter 8
Conditional

The conditional expresses or implies what would happen given a certain condition or supposition.

[1] CONDITIONAL OF REGULAR VERBS

The conditional of regular verbs is formed with the same stem used for the future tense (the infinitive of the verb). The conditional personal endings are the same as those of the imperfect indicative: *-ais, -ais, -ait, -ions, -iez, -aient.*

travailler	finir	répondre
I would work	*I would finish*	*I would answer*
je travailler*ais*	je finir*ais*	je répondr*ais*
tu travailler*ais*	tu finir*ais*	tu répondr*ais*
il/elle travailler*ait*	il/elle finir*ait*	il/elle répondr*ait*
nous travailler*ions*	nous finir*ions*	nous répondr*ions*
vous travailler*iez*	vous finir*iez*	vous répondr*iez*
ils/elles travailler*aient*	ils/elles finir*aient*	ils/elles répondr*aient*

NOTE: Remember that *-re* verbs drop the final *e* before the conditional ending.

attendr*e*   j'attendr*ais*

EXERCICE A

Qu'est-ce que vos amis et vous feriez si vous ne deviez plus aller à l'école ?

EXEMPLE: (visiter)   Je **visiterais** le Japon.

1. (nourrir)   Tu _____ ceux qui ont faim.

2. (travailler)   Janine et Laure _____ en ville.

3. (participer)   Jean-Paul _____ à toutes les compétitions.

4. (aider)   Nous _____ les personnes âgées.

5. (suivre)   Je _____ des cours de musique.

6. (ouvrir)   Vous _____ une boutique élégante.

7. (choisir)   Claude et Lisette _____ d'apprendre à danser.

8. (défendre)   Marie _____ les droits des enfants pauvres.

9. (dormir)   Joseph et Paul _____ tard tous les jours.

10. (vivre)   Mélanie _____ à la campagne.

EXERCICE B

Vous n'avez pas entendu le bulletin de la météo. Exprimez ce que vous feriez ou non s'il faisait beau ou s'il faisait mauvais demain. Utilisez les suggestions données.

regarder la télévision	marcher dans le parc
rouler à bicyclette	jouer au tennis
travailler au jardin	ranger votre chambre
nager dans la piscine	lire un roman
étudier pour un examen	dormir jusqu'à midi
descendre en ville	finir les devoirs

EXEMPLES: S'il faisait beau, **je ne rangerais pas ma chambre,**
je nagerais dans la piscine.

S'il faisait mauvais, **je ne descendrais pas en ville,**
je finirais mes devoirs.

1. S'il faisait beau, _____

_____ .

2. S'il faisait beau, _____

_____ .

3. S'il faisait beau, _____

_____ .

4. S'il faisait mauvais, _____

_____ .

5. S'il faisait mauvais, _____

_____ .

6. S'il faisait mauvais, _____

_____ .

[2] SPELLING CHANGES IN CERTAIN *-ER* VERBS

-er verbs with spelling changes in the future have similar spelling changes in the conditional.

a. Verbs with infinitives ending in *-yer* change *y* to *i* in the conditional.

employer: j'emplo*i*erais, tu emplo*i*erais, il/elle emplo*i*erait,
nous emplo*i*erions, vous emplo*i*eriez, ils/elles emplo*i*eraient

NOTE: Verbs ending in *–ayer* may or may not change the *y* to *i* in all conditional forms.

essayer: j'essayerais or j'essaierais, etc.

b. Verbs with mute *e* in the syllable before the infinitive ending change mute *e* to *è* in the conditional.

mener: je mènerais, tu mènerais, il/elle mènerait,
nous mènerions, vous mèneriez, ils/elles mèneraient

Verbs with mute *e* like appeler and jeter double the consonant instead of adding the grave accent.

appeler: j'appellerais, tu appellerais, il/elle appellerait,
nous appellerions, vous appelleriez, ils/elles appelleraient

jeter: je jetterais, tu jetterais, il/elle jetterait,
nous jetterions, vous jetteriez, ils/elles jetteraient

EXERCICE C

Si vous aviez une dispute avec votre meilleur ami, que feriez-vous pour vous réconcilier ?

EXEMPLE: (partager)   Je **partagerais** la responsabilité.

1. (commencer) Je _____ par penser aux conséquences.

2. (rappeler)   Je me _____ nos bons moments ensemble.

3. (peser)   Je _____ le pour et le contre.

4. (rejeter)   Je _____ l'idée de ne plus être amis.

5. (essayer)   J'_____ d'aller lui parler.

6. (espérer)   J'_____ me réconcilier avec lui.

7. (emmener)   J'_____ mon ami au café pour discuter.

8. (acheter)   Je lui _____ un cadeau.

EXERCICE D

Complétez les phrases avec les verbes donnés pour exprimer ce que M. Michel exigerait des membres de sa famille s'il voulait garder sa maison dans un parfait état de propreté.

achever   employer   jeter
commencer   enlever   nettoyer
essayer   essuyer   ranger

EXEMPLE: Chacun **nettoierait** la maison tous les jours.

1. Ma femme _____ par la cuisine.

2. Mes enfants _____ leurs chambres.

3. Je _____ les restes du repas.

4. Marianne _____ la poussière des meubles.

5. Paul _____ la vaisselle.

6. Tu _____ ton temps à nettoyer.

7. Vous _____ de garder la maison propre.

8. Nous _____ vite les travaux ménagers.

[3] VERBS IRREGULAR IN THE CONDITIONAL

The following verbs have irregular stems in the conditional. Note that these verb stems are the same as those of the future tense and the personal endings are regular in all cases.

INFINITIVE	CONDITIONAL	INFINITIVE	CONDITIONAL
aller	j'*ir*ais	mourir	je *mourr*ais
asseoir {	j'*assiér*ais	pleuvoir	il *pleuvr*ait
	j'*assoir*ais	pouvoir	je *pourr*ais
avoir	j'*aur*ais	recevoir	je *recevr*ais
courir	je *courr*ais	savoir	je *saur*ais
devoir	je *devr*ais	tenir	je *tiendr*ais
envoyer	j'*enverr*ais	valoir	je *vaudr*ais
être	je *ser*ais	venir	je *viendr*ais
faire	je *fer*ais	voir	je *verr*ais
falloir	il *faudr*ait	vouloir	je *voudr*ais

NOTE: The irregularities in the conditional of the listed verbs also occur in related verbs: *renvoyer, refaire, retenir, revenir, revoir,* and the like.

EXERCICE E

Que feriez-vous si vous aviez le choix ? Exprimez votre choix en utilisant le conditionnel.

EXEMPLE: faire un voyage en Afrique ou en Europe ?
Je ferais un voyage en Afrique.

1. avoir une voiture de sport ou une villa sur la Côte d'Azur ?

_____

2. savoir danser ou chanter ?

_____

3. être beau (belle) ou intelligent(e) ?

_____

4. voir un film d'amour ou un film de science-fiction ?

_____

5. faire du ski ou du bateau à voiles ?

_____

6. envoyer des fleurs ou des chocolats à votre amie ?

_____

7. aller à un concert ou au théâtre ?

_____

8. devenir médecin ou joueur de base-ball ?

_____

9. recevoir un Prix Nobel ou un Oscar ?

_____

10. pouvoir conduire une voiture ou piloter un avion ?

_____

11. vouloir étudier l'histoire ou la musique ?

_____

12. courir le marathon ou le cent mètres ?

_____

EXERCICE F

Expliquez ce que vous feriez si vous aviez un million de dollars. Employez les suggestions données ou vos propres idées.

les mettre à la banque   partager l'argent avec votre famille
faire don de l'argent   aider les pauvres
voyager à l'étranger   vivre sur une île tropicale
acheter une grande maison

EXEMPLE: **J'aiderais les pauvres.**

1. _____

2. _____

3. _____

4. _____

5. _____

6. _____

EXERCICE G

Que feriez-vous, vous et votre meilleur ami(e), si vous pouviez faire tout ce que vous vouliez ? Utilisez les suggestions données ou vos propres idées.

aller à travers le monde   rentrer très tard le soir
acheter un château   devenir riche

sortir tout le temps   avoir votre propre appartement
conduire une voiture de sport

EXEMPLE: **Nous aurions notre propre appartement.**

1. _____

2. _____

3. _____

4. _____

5. _____

6. _____

EXERCICE H

Expliquez ce que vous feriez dans les cas suivants.

EXEMPLE: Si votre mère attendait des invités et avait besoin d'aide (mettre la table)
          Je mettrais la table.

1. Si c'était l'anniversaire d'un de vos amis et vous vouliez le lui souhaiter (lui envoyer un cadeau)

   _____

2. Si vous comptiez aller à la plage avec vos amis, mais il commençait à pleuvoir (ne pas aller à la plage)

   _____

3. Si votre grand-mère ne pouvait pas aller en ville aujourd'hui parce qu'elle était malade (faire les courses pour elle)

   _____

4. Si vos parents vous demandaient de rentrer chez vous avant dix heures (revenir de bonne heure)

   _____

5. Si vos parents sortaient et ne voulaient pas laisser votre petite sœur toute seule (devoir la surveiller)

   _____

[4] USES OF THE CONDITIONAL

a. The conditional expresses what would happen if certain conditions were fulfilled.

J'irais peut-être en France.	*I would perhaps go to France.*
Je dormirais si j'avais le temps.	*I would sleep if I had the time.*

b. The conditional also expresses what will happen in the future from a point of view in the past.

Il a dit **qu'il viendrait** le lendemain.	*He said he would come the next day.*
Il disait **qu'il serait riche.**	*He said he would be rich.*

c. The conditional is also used to make a request or a demand more polite.

Je voudrais vous voir. — *I would like to see you.*
Elle aimerait partir. — *She would like to leave.*
Pourriez-vous m'aider ? — *Could you help me?*

d. The conditional is used after *au cas où* to indicate an eventuality.

Prenez un manteau au cas où il ferait froid. — *Take a coat in case it gets cold.*

NOTES:

1. The conditional should not be confused with *would* meaning *used to*, to describe a repeated action in the past. In this case, the imperfect is used in French.

   Elle nous rendait souvent visite. — *She would (used to) visit us often.*

2. When *would* has the sense of *to be willing (to want)*, the imperfect or *passé composé*, or sometimes the conditional of the verb *vouloir* is used in French.

   Il ne voulait pas payer la facture. — *He wouldn't (wasn't willing to) pay the bill.*
   Il n'a pas voulu payer la facture. — *He wouldn't (refused to) pay the bill.*
   Voudriez-vous lui parler, s'il vous plaît ? — *Would you speak to him, please?*

3. When *could* has the sense of *should be able to*, the conditional of the verb *pouvoir* is used. When *could* means *was able to*, the imperfect or *passé composé* of *pouvoir* is used.

   Nous pourrions faire ce travail. — *We could (should be able to) do this work.*
   Nous pouvions faire ce travail. — *We could (were able to) do this work.*
   Nous avons pu faire ce travail. — *We could (have been able to) do this work.*

EXERCICE I

Vos camarades voudraient aller en Europe. Exprimez les questions que vous aimeriez leur poser.

EXEMPLE: combien d'argent / emporter
Combien d'argent **emporteriez-vous ?**

1. quels pays / vouloir visiter

___

2. combien de temps / pouvoir rester en Europe

___

3. avec qui / aller

___

4. quel moyen de transport / prendre

___

5. en quelle saison / faire ce voyage

___

6. où / aimer rester une semaine

___

7. quels souvenirs / acheter

_____

8. quand / revenir aux États-Unis

_____

EXERCICE J

C'est la fin de l'année scolaire. Exprimez cinq choses que vous feriez différemment si vous pouviez recommencer.

EXEMPLE: **J'apprendrais toutes mes leçons par cœur.**

1. _____

2. _____

3. _____

4. _____

5. _____

[5] CONDITIONAL SENTENCES

A conditional sentence consists of a condition clause (*si* clause) and a result clause.

a. Real Conditions

A condition that describes what is possible or likely is called a real condition.

Si vous **envoyez** la lettre ce matin, elle **arrivera** à l'heure	*If you send the letter this morning, it will arrive on time.*

To express a real condition, French uses the present indicative in the *si* clause and the present, future, or imperative in the result clause.

Si tu veux, tu peux m'accompagner au cinéma.	*If you want, you can accompany me to the movies.*
Nous ne sortirons pas s'il pleut.	*We will not go out if it rains.*
Si elle veut réussir, dites-lui d'étudier davantage.	*If she wants to succeed, tell her to study more.*

NOTE: *Si* becomes *s'* before *il* and *ils* : *s'il(s)*, but not before *elle* and *elles* : *si elle(s)*.

EXERCICE K

Exprimez les projets d'avenir de ces personnes en utilisant la forme correcte du verbe entre parenthèses.

EXEMPLE: Elle _____**sera**_____ heureuse si elle _____**trouve**_____ le garçon de ses rêves.
             (être)   (trouver)

1. Il _____ docteur s'il _____ ses examens.
       (devenir)   (réussir)

2. Si nous _____ beaucoup d'argent, nous _____ une voiture de sport.
          (gagner)   (acheter)

3. Si elles _____ une bourse, elles _____ à la Sorbonne.
         (recevoir)   (aller)

4. Tu _____ le tour du monde si tu _____ à piloter un avion.
        (faire)   (apprendre)

5. Elle _____ un bon poste si elle _____ de son mieux.
       (obtenir)   (faire)

6. Vous _____ riche si vous _____ beaucoup.
       (être)   (travailler)

7. Si je _____ passer ma vie avec Paul, je _____ heureuse.
       (pouvoir)   (être)

8. S'ils _____ bien, ils _____ en bonne santé.
       (manger)   (rester)

EXERCICE L

Alice ne va pas bien aujourd'hui. Donnez-lui des conseils.

EXEMPLE: la grippe / rester au lit
            Si tu as la grippe, reste au lit.

1. mal à la tête / prendre de l'aspirine

   _____

2. un rhume / manger de la soupe

   _____

3. une allergie / prendre des médicaments

   _____

4. mal à la gorge / boire du thé

   _____

5. mal au ventre / ne pas manger

   _____

6. de la fièvre / appeler le docteur

   _____

EXERCICE M

Exprimez en quelle occasion vous réagissez de la façon suivante.

EXEMPLE: Tu dis pardon. (avoir tort)
            Je dis pardon si j'ai tort.

1. Tu trembles. (avoir peur)

   _____

2. Tu dors longtemps. (avoir très sommeil)

   _____

3. Tu bois un grand verre d'orangeade. (avoir soif)

_____

4. Tu manges un énorme sandwich. (avoir faim)

_____

5. Tu enlèves ton pull. (avoir chaud)

_____

6. Tu mets un manteau. (avoir froid)

_____

7. Tu es fier. (avoir une bonne note)

_____

8. Tu rougis. (avoir honte)

_____

EXERCICE N

Combinez un élément de chaque colonne pour exprimer comment ces personnes agiront selon l'exemple donné.

je	content	avoir besoin de se calmer
tu	de bonne humeur	dire toute la vérité
il	de mauvaise humeur	dormir mal
elle	dynamique	élever la voix
elles	en colère	faire rire tout le monde
nous	fatigué	ne pas parler
Marc	franc	pleurer à chaudes larmes
Liliane	inquiet	poser beaucoup de questions
mes amis	intéressé	remettre le travail à demain
mes amies	intimidé	rougir
Paul et Luc	nerveux	sourire
Anne et Marie	triste	travailler beaucoup

EXEMPLE: **Si elle est franche, elle dira toute la vérité.**

1. _____

2. _____

3. _____

4. _____

5. _____

6. _____

7. _____

8. _____

9. _____

10. _____

11. _____

> **b.** Contrary-to-Fact Conditions
>
> A conditional sentence that describes a situation that is impossible or unlikely is called "unreal" or "contrary to fact." To express a contrary-to-fact condition, French uses the imperfect in the *si* clause and the conditional in the result clause.
>
> | | |
> |---|---|
> | **Si vous partiez** à cinq heures du matin, **vous arriveriez** avant eux. | *If you left (were to leave) at five in the morning, you would arrive before them.* |
> | **S'il pleuvait, nous ne sortirions pas.** | *If it rained (were to rain), we would not go out.* |
> | **Si je gagnais** le gros lot, **je m' achèterais** une voiture de sport. | *If I won the lottery, I would buy myself a sports car.* |

EXERCICE O

Exprimez ce que ces personnes feraient si elles avaient le choix.

EXEMPLE: Si elles ___**étaient**___ bonnes en maths, elles ___**suivraient**___ le cours de physique.
(être)   (suivre)

1. Si nous _____ taper à la machine, nous _____ secrétaires.
(savoir)   (être)

2. Si tu _____ t'occuper des malades, tu _____ médecin.
(vouloir)   (devenir)

3. Il _____ le piano s'il _____ le temps.
(apprendre)   (avoir)

4. Elles _____ des ponts si elles _____ ingénieurs.
(construire)   (être)

5. Si j' _____ envie de couper les cheveux, j' _____ la coiffure.
(avoir)   (étudier)

6. Si elle _____ de devenir avocate, elle _____ apprendre le droit.
(décider)   (devoir)

7. Si vous _____ enseigner les enfants, vous _____ le métier d'instituteur.
(préférer)   (choisir)

8. Ils _____ un stage de mécanicien s'ils _____ réparer les voitures.
(faire)   (désirer)

EXERCICE P

Expliquez ce que vous feriez dans les circonstances suivantes.

EXEMPLE: Si je gagnais un voyage, (être très content(e), faire tout de suite mes valises, inviter mes amis à m'accompagner).

Si je gagnais un voyage, **je serais** très content(e), **je ferais** tout de suite mes valises et **j'inviterais** mes ami(e)s à m'accompagner.

1. Si mon ami(e) oubliait notre rendez-vous, (être fâché(e), lui téléphoner, protester).

_____

_____

2. Si mon réveil ne sonnait pas, (être en retard, courir après le bus, manquer la classe).

_____

_____

3. Si je gagnais à la loterie, (aller en Chine, m'acheter un château, vivre heureux).

_____

_____

4. Si j'oubliais l'anniversaire de mon ami(e), (être désolé(e), lui faire mes excuses, lui envoyer un cadeau).

_____

_____

5. Si on volait mon portefeuille, (appeler la police, porter plainte, téléphoner à ma mère).

_____

_____

EXERCICE Q

Exprimez ce que feraient ces personnes dans les circonstances suivantes.

EXEMPLE: M. Restaud est un professeur sérieux. Les élèves lui font une farce. Il est en colère.
Si les élèves lui faisaient une farce, il serait en colère.

1. Marie est une fille très travailleuse. Elle rate son examen. Elle pleure.

_____

2. Mme Sagan est toujours très élégante. Un garçon de café renverse du thé sur sa robe. Elle part furieuse.

_____

3. André est fort comme un bœuf. Un camarade de classe l'insulte. Il lui donne un coup de poing.

_____

4. M. Bertrand est toujours en retard au bureau. Un jour il arrive en avance. Son patron applaudit.

_____

5. M. François est très vaniteux. Il devient chauve. Il achète une perruque.

_____

6. Mme Pantier est une personne distraite. Elle oublie ses clefs dans sa voiture. Elle doit ouvrir la portière avec un fil de fer.

_____

_____

7. Les Dubois mangent souvent dans un restaurant chic. Ils trouvent une mouche dans leur soupe. Ils refusent de payer et partent.

_____

_____

8. Josette est amoureuse. Elle reçoit un cadeau de son petit ami. Elle lui écrit une lettre d'amour.

_____

_____

EXERCICE R

Exprimez ce que vous feriez dans les situations suivantes.

EXEMPLE: S'il y avait un accident de voiture, **j'aiderais les victimes.**

1. S'il y avait un incendie à l'école, _____

_____ .

2. S'il y avait un tremblement de terre, _____

_____ .

3. S'il y avait une panne d'électricité chez moi, _____

_____ .

4. S'il y avait un chien perdu dans la rue, _____

_____ .

5. S'il y avait une tempête de neige, _____

_____ .

6. S'il y avait une souris dans la salle de classe, _____

_____ .

EXERCICE S

Exprimez ce que ces personnes feraient dans les circonstances suivantes.

EXEMPLE: je (riche / cesser de travailler)
          Si j'étais riche, je cesserais de travailler.

1. il (professeur de français / ne pas donner de devoirs)

_____

2. nous (célèbres / signer des autographes)

_____

3. elles (voyantes / prédire l'avenir)

_____

4. tu (président / travailler pour la paix)

_____

5. ils (magiciens / faire apparaître des lapins)

_____

6. vous (astronaute / voyager dans l'espace)

_____

7. elle (en vacances / lire toute la journée)

_____

8. je (invisible / faire beaucoup de farces)

_____

EXERCICE T

Donnez cinq réponses à chacune des questions.

1. Si un Martien arrivait sur Terre, que ferait-il ?

_____

_____

_____

_____

_____

_____

2. Si vous étiez président, comment amélioreriez-vous le monde ?

_____

_____

_____

_____

_____

_____

[6] SUMMARY OF TENSES

SI CLAUSE	MAIN OR RESULT CLAUSE
Present	Present Future Imperative
Imperfect	Conditional

Je peux t'aider si tu veux.	*I can help you if you want.*
S'il fait chaud, nous irons à la plage.	*If the weather is hot, we will go to the beach.*
Si tu es fatigué, repose-toi.	*If you are tired, rest.*
S'il avait le temps, il pourrait m'aider.	*If he had the time, he could help me.*

NOTE: In conditional sentences, *si* always means *if.* When *si* means *whether,* it may be followed by any tense, just as in English.

Savez-vous si elle le fera ?	*Do you know whether she will do it?*
Nous ne savions pas si elle le ferait.	*We didn't know whether she would do it.*
Je ne sais pas si elle l'a fait.	*I don't know whether she did it.*

EXERCICE U

Marianne téléphone à Janine, la sœur de son petit ami Jean-Luc, pour apprendre ce qu'il a fait hier. Donnez les réponses de Janine.

EXEMPLE: aller chez Marc avec André
Je ne sais pas s'il est allé chez Marc avec André.

1. aller chez Marc le matin ou l'après-midi

_____

2. amener sa camionnette au garage

_____

3. faire réparer sa camionnette

_____

4. finir son travail

_____

5. essayer de téléphoner à la maison

_____

6. partir de bonne heure

_____

M A S T E R Y   E X E R C I S E S

EXERCICE V

Répondez aux questions par des phrases complètes.

EXEMPLE: Qui serait en colère si tu ne réussissais pas à l'école ?
Si je ne réussissais pas à l'école, mes parents seraient en colère.

1. Dans quel restaurant dîneras-tu si tu veux fêter le Nouvel An en ville ?

_____

2. Quelle voiture achèterais-tu si ton grand-père te donnait tout l'argent nécessaire ?

_____

3. Quel genre de film vas-tu voir si c'est toi qui décides ?

_____

4. Quelle ville habiterais-tu si tu avais le choix ?

_____

5. Dans quel pays irais-tu si tu pouvais partir demain ?

_____

6. Si tu finis tôt tes devoirs, quel programme regarderas-tu ?

_____

7. Quels vêtements achèterais-tu si tu allais à un mariage ?

_____

8. De quel instrument jouerais-tu si tu faisais partie d'un orchestre ?

_____

9. Si tu veux voir le plus haut gratte-ciel du monde, où dois-tu aller ?

_____

10. Quelles villes visiteras-tu si tu vas passer tes vacances en France ?

_____

EXERCICE W

Complétez les phrases suivantes selon votre choix.

1. Si je pouvais faire la connaissance d'une personne célèbre, je _____

_____ .

2. Si j'ai le temps demain, je _____

_____ .

3. Si je pouvais voyager, je _____

_____ .

4. Si je suis libre l'été prochain, je _____

_____ .

5. Si je pouvais choisir où vivre, je _____

_____ .

6. Si mes parents le permettent, je _____

_____ .

7. Si je pouvais faire tout ce que je voulais, je _____

_____ .

8. Si je deviens riche, je _____

_____ .

Chapter 9
Pluperfect, Future Perfect, and Past Conditional Tenses

[1] SIMPLE AND COMPOUND TENSES COMPARED

For each of the following simple tenses, there is a corresponding compound tense.

SIMPLE TENSE			COMPOUND TENSE		
IMPERFECT:	**je parlais**	*I spoke* *I was speaking*	PLUPERFECT:	**j'avais parlé**	*I had spoken* *I had been speaking*
FUTURE:	**je parlerai**	*I will speak* *I shall speak*	FUTURE PERFECT:	**j'aurai parlé**	*I will have spoken* *I shall have spoken*
CONDITIONAL:	**je parlerais**	*I would speak*	PAST CONDITIONAL:	**j'aurais parlé**	*I would have spoken*

NOTE: Compound tenses are formed by combining the appropriate tense of the helping verb *avoir* or *être* and the past participle.

For choice of helping verb, formation of negative/interrogative sentences and for agreement of past participle, compound tenses follow the rules of the *passé composé* (see Chapter 3).

1. In forming the negative and interrogative of compound tenses, only the helping verb is affected.

Nous n'avions pas travaillé.	*We had not worked.*
Serait-elle partie ?	*Would she have left?*
N'auront-ils pas fini avant deux heures ?	*Won't they have finished before two?*

2. Past participles conjugated with *avoir* agree in gender and number with a preceding direct object.

Voici la lettre que tu avais écrit*e*.	*Here is the letter that you had written.*
Quels livres aurais-tu lu*s* ?	*Which books would you have read?*

3. Past participles conjugated with *être* agree in gender and number with the subject.

Elles seraient tomb*ées*.	*They would have fallen.*

[2] PLUPERFECT

The pluperfect (*le plus-que-parfait*) is formed as follows:

imperfect of *avoir* + past participle		imperfect of *être* + past participle	
I had eaten (finished, sold)		*I had entered*	
j'	avais mangé (fini, vendu)	j'	étais entré(e)
tu	avais mangé (fini, vendu)	tu	étais entré(e)
il/elle	avait mangé (fini, vendu)	il	était entré / elle était entrée
nous	avions mangé (fini, vendu)	nous	étions entré(e)s
vous	aviez mangé (fini, vendu)	vous	étiez entré(e)(s)
ils/elles	avaient mangé (fini, vendu)	ils	étaient entrés / elles étaient entrées

NOTE: The pluperfect is used to describe an action that had been completed in the past before another past action took place.

Je vous ai apporté les livres que **vous aviez demandés.** — *I brought you the books that you had asked for.*

J'avais faim parce que **je n'avais** rien **mangé** de la journée. — *I was hungry because I hadn't eaten anything all day.*

EXERCICE A

Exprimez ce que ces personnes avaient fait avant l'arrivée des invités à la fête.

EXEMPLE: (décorer)   Anne **avait décoré** la salle.

1. (apporter)   Richard _____ à manger.

2. (découper)   Gabrielle et Alphonse _____ la viande.

3. (acheter)   Marie _____ des couverts en plastique.

4. (arranger)   J'_____ les tables.

5. (cuisiner)   Tu _____ des spécialités françaises.

6. (ranger)   Charles _____ le salon.

7. (faire)   Ma mère _____ le gâteau.

8. (choisir)   Daniel et moi, nous _____ les CD.

9. (descendre) Mon père _____ son lecteur de CD.

10. (mettre)   Georgette _____ les plats sur la table.

EXERCICE B

Donnez la cause des situations suivantes en utilisant le plus-que-parfait.

EXEMPLES: Hervé était heureux. (aller à une boum)
    Il était allé à une boum.

    Charlotte avait mal au ventre. (trop manger)
    Elle avait trop mangé.

1. Un enfant pleurait. (perdre son chien)

_____

2. Denise a reçu une contravention. (conduire trop vite)

_____

3. Les Ricard étaient fâchés contre leurs fils. (rentrer trop tard)

_____

4. Marcel et Guy ont eu mal aux dents. (manger trop de bonbons)

_____

5. Le professeur a puni Claire. (parler en classe)

_____

6. Mme Picard marchait avec peine. (tomber)

_____

7. Simone et Isabelle étaient épuisées. (travailler dur)

_____

8. Luc et Didier étaient tristes. (recevoir de mauvaises notes)

_____

9. Yvette était décoiffée. (sortir sans chapeau)

_____

10. Maurice a eu mal aux yeux. (utiliser l'ordinateur trop longtemps)

_____

EXERCICE C

C'est le bicentaire du fondateur de la ville. Exprimez ses accomplissements en complétant les phrases avec le plus-que-parfait.

EXEMPLE: (fonder)   Voici l'université qu'il **avait fondée.**

1. (construire)   Voici la maison qu'il _____ pour ses parents.

2. (bâtir)   Voici la première usine qu'il _____ .

3. (écrire)   Voilà quelques poèmes qu'il _____ quand il était jeune.

4. (recevoir)   Voici les médailles qu'il _____ après la guerre.

5. (habiter)   Voilà la maison qu'il _____ pendant son enfance.

6. (créer)   Voilà le centre de recherches qu'il _____ .

7. (donner)   Voici la collection d'art qu'il _____ au musée de la ville.

8. (commander)   Voilà le monument qu'il _____ au grand sculpteur de l'époque.

[3] FUTURE PERFECT

The future perfect (*le futur antérieur*) is formed as follows:

future of *avoir* + past participle	future of *être* + past participle
I will have eaten (finished, sold)	*I will have left*
j' aurai mangé (fini, vendu)	je serai parti(e)
tu auras mangé (fini, vendu)	tu seras parti(e)
il/elle aura mangé (fini, vendu)	il sera parti / elle sera partie
nous aurons mangé (fini, vendu)	nous serons parti(e)s
vous aurez mangé (fini, vendu)	vous serez parti(e)(s)
ils/elles auront mangé (fini, vendu)	ils seront partis / elles seront parties

Quand **j'aurai fini** mon travail,   *When I (will) have finished my work, I will take a nap.*
je ferai la sieste.

The future perfect is used to describe an action or event that will have been completed before another future action takes place or before a certain time in the future.

Vous aurez fini **d'ici deux heures.**   *You will have finished two hours from now.*

N'appelez pas avant midi parce que   *Don't call before noon because I will not have received*
    je n'aurai pas encore reçu   *any news yet.*
    de nouvelles.

NOTES:

1. The future perfect is often used after the conjunctions *quand, lorsque, dès que, aussitôt que, après que.*

   Dès qu'ils auront mangé, nous sortirons.   *As soon as they (will) have eaten, we will go out.*

   Le ferez-vous après que nous serons   *Will you do it after we (will) have returned?*
       rentrés ?

2. The future perfect is used to express probability or supposition in the past.

   Il est en retard. Il aura perdu l'adresse.   *He's late. He must have lost the address.*
       (He probably lost the address)

   Il sera arrivé quelque chose.   *Something must have happened.*

EXERCICE D

Exprimez ce que ces personnes auront fait d'ici le moment indiqué.

EXEMPLES: je / finir mes devoirs / avant minuit
            J'aurai fini mes devoirs avant minuit.

            elle / revenir avant la semaine prochaine
            Elle sera revenue avant la semaine prochaine.

1. d'ici deux heures Mme Rameau / faire les courses

_____

2. tu / rentrer avant demain

_____

3. d'ici là vous / lui parler

_____

4. avant un mois M. Renaud / terminer son projet

_____

5. Georgette et Paul / revenir avant la fin de l'année

_____

6. je / aller à l'étranger avant mes vingt ans

_____

7. dans six ans nous / achever nos études universitaires

_____

8. dans dix ans elle / ouvrir son propre magasin

_____

EXERCICE E

Exprimez ce que les sujets indiqués auront fait lors d'un week-end passé chez des amis.

EXEMPLE: tu / porter ton nouveau pull
           Tu auras porté ton nouveau pull.

1. elle / perdre son sac de sport

_____

2. je / bien manger

_____

3. ils / faire assez de provisions

_____

4. ils / nager dans le lac

_____

5. nous / jouer au tennis

_____

6. vous / rencontrer des jeunes gens

_____

7. elles / passer la journée au bord du lac

_____

8. tu / dépenser tout ton argent

_____

EXERCICE F

Qu'est-ce qu'on aura accompli d'ici l'an 2100 ? Posez des questions pour essayer de le savoir.

EXEMPLE: les hommes / éliminer la violence
           Les hommes auront-ils éliminé la violence ?

1. le monde / trouver une solution aux problèmes écologiques

_____

2. les scientifiques / apprendre à guérir toutes les maladies

_____

3. les astronomes / découvrir une vie extra-terrestre

_____

4. nous / établir la paix dans le monde

_____

5. la pauvreté / disparaître

_____

6. la pollution / diminuer

_____

7. les hommes / installer une colonie sur la lune

_____

8. les savants / mettre au point une machine à voyager dans le temps

_____

[4] PAST CONDITIONAL

The past conditional perfect (*le conditionnel passé*) is formed as follows:

conditional of *avoir* + past participle	conditional of *être* + past participle
I would have eaten (finished, sold)	*I would have left*
j' aurais mangé (fini, vendu)	je serais parti(e)
tu aurais mangé (fini, vendu)	tu serais parti(e)
il/elle aurait mangé (fini, vendu)	il serait parti / elle serait partie
nous aurions mangé (fini, vendu)	nous serions parti(e)s
vous auriez mangé (fini, vendu)	vous seriez parti(e)(s)
ils/elles auraient mangé (fini, vendu)	ils seraient partis / elles seraient parties

a. The conditional perfect is used to describe an action or event that would have been completed in the past had something else happened (and usually it did not).

Avec plus de temps, j'aurais achevé l'examen. *Given more time, I would have finished the exam.*

Je t'aurais dit bonjour, mais je ne t'ai pas vu. *I would have said hello, but I didn't see you.*

Si je t'avais vu, j'aurais été contente. *If I had seen you, I would have been pleased.*

b. The past conditional can be a polite formula often indicating a regret.

J'aurais voulu vous dire bonjour avant que vous partiez. *I would have liked to say hello before you left.*

c. The past conditional can express a past action or event that is probable but not quite certain.

L'incendie aurait commencé dans le grenier. *(It is supposed that) The fire (could have) started in the attic.*

EXERCICE G

Exprimez ce que vous auriez fait dans les circonstances suivantes.

EXEMPLE: s'il y avait eu un accident de voiture (téléphoner à la police)
          j'aurais téléphoné à la police.

1. Si un vieillard était tombé dans la rue (l'aider)

_____

2. Si votre père avait oublié d'acheter du lait (aller au magasin en acheter)

_____

3. Si un ami avait été à l'hôpital (aller le voir)

_____

4. Si votre mère n'avait pas voulu répondre au téléphone (dire qu'elle n'était pas à la maison)

_____

5. Si votre frère cadet avait eu très faim (lui préparer un sandwich)

_____

6. Si un de vos amis avait célébré son anniversaire (lui acheter un cadeau)

_____

7. Si un de vos amis n'avait pas eu assez d'argent pour aller au cinéma avec vous (lui prêter dix dollars)

_____

8. Si un petit enfant avait perdu sa mère au grand magasin (la chercher avec lui)

_____

EXERCICE H

Exprimez ce que ces personnes auraient fait si elles avaient pu. Choisissez l'expression correcte.

rire	aller dormir	arriver à l'heure	conduire en ville
nager	tomber	partir en vacances	finir ce travail

EXEMPLE: **J'aurais dansé,** mais j'avais mal aux pieds.

1. Mme Bollet _____ , mais sa voiture était en panne.

2. Elles _____ si elles n'avaient pas raté leur train.

3. Je _____ , mais je n'étais pas fatigué.

4. Vous _____ si la mer avait été calme.

5. Ils _____ s'ils avaient eu les outils nécessaires.

6. L'enfant _____ si sa mère ne l'avait pas saisi à temps.

7. Nous _____ si le film avait été drôle.

8. Tu _____ , mais tu n'avais pas assez d'argent.

EXERCICE I

Complétez les phrases suivantes avec le conditionnel passé.

EXEMPLES: (suivre) *General Hospital* est un feuilleton que **j'aurais suivi** tous les soirs.
(choisir) L'algèbre est un cours que **je n'aurais pas choisi.**

1. (enregistrer) *La Guerre des étoiles* et *Bambi* sont des films que _____ .

2. (souhaiter) Susan B. Anthony est une femme que _____ connaître.

3. (acheter) *Chansons de Noël* de Johnny Mathis est un disque que _____ .

4. (aimer) Les Beatles est un groupe que _____ voir en concert.

5. (adorer) Laurence Olivier est un acteur que _____ voir jouer au théâtre.

6. (choisir) L'italien est la langue que _____ au lieu du français.

7. (vouloir) Ginger Rogers et Fred Astaire sont des danseurs que _____ voir.

8. (désirer) Kennedy est un président que _____ rencontrer.

[5] COMPOUND TENSES IN CONDITIONAL SENTENCES

To express a contrary-to-fact condition in the past (a supposition that is contrary to a past fact), French uses the pluperfect in the *si* clause and the past conditional perfect in the result clause.

> **Si** + Pluperfect → Past Conditional

Si j'avais eu le temps, **je t'aurais appelé.**   *If I had had time, I would have called you.*
Ils auraient reçu une bonne note **s'ils**   *They would have received a good grade if*
  avaient étudié.   *they had studied.*

EXERCICE J

Exprimez ce que ces personnes auraient fait hier si le temps avait été différent.

EXEMPLE: faire beau / je / nager dans la piscine
S'il avait fait beau, j'aurais nagé dans la piscine.

1. faire du vent / Luc / faire voler son cerf-volant

_____

2. faire frais / nous / jouer au football

_____

3. faire chaud / Alice et Marie / aller à la plage

_____

4. pleuvoir / je / rentrer chez moi

_____

5. faire froid / Sylvie et Jean / rester à la maison

_____

6. faire du soleil / Mme Dubois / promener son chien

_____

7. neiger / tu / lancer des boules de neige

_____

8. faire mauvais / vous / lire un livre

_____

EXERCICE K

Exprimez ce que les membres de la famille Rodier auraient fait si chacun avait fait un effort.

1. Si Liliane et Louise _____ plus tôt, elles _____ à l'école

                       (partir)   (arriver)

  à l'heure.

2. Janine _____ sa composition si ses parents l'_____ .

                (réussir)   (encourager)

3. Si Éric _____ la vaisselle, papa _____ sa bicyclette.

              (faire)   (réparer)

4. Si Janine et Paul _____ faire le ménage, ils _____ aller au

                       (vouloir)   (pouvoir)

  cinéma hier soir.

5. Si j'_____ maman, elle m'_____ un cadeau.

              (aider)   (acheter)

6. Si tu _____ le dîner, j'_____ le couvert.

              (préparer)   (mettre)

7. J'_____ les vêtements si vous _____ la lessive.

     (repasser)   (faire)

EXERCICE L

Après deux ans de fiançailles, Émile vient de rompre avec Sylvie. Régine, sa meilleure amie, essaie de la consoler en lui faisant les remarques suivantes.

EXEMPLES: franc / expliquer sa conduite
             S'il avait été franc, **il aurait expliqué** sa conduite.

             gentil / devenir moins exigeant
             S'il avait été gentil, **il serait devenu** moins exigeant.

1. vraiment amoureux / rester avec toi

_____

2. plus sensible / comprendre tes soucis

_____

3. honnête / te dire la vérité

_____

4. juste / reconnaître ses erreurs

_____

5. fidèle / sortir seulement avec toi

_____

6. sincère / te parler franchement

_____

7. moins égoïste / essayer de résoudre vos problèmes

_____

8. sérieux / t'épouser

_____

EXERCICE M

Exprimez vos regrets en combinant un élément de chaque colonne.

accompagner Peter Pan	trouver le trésor d'un géant
acheter la poule aux œufs d'or	devenir riche
avoir un tapis volant	être la plus belle de toutes les filles
arriver à l'autre bout de l'arc-en-ciel	faire la connaissance d'un prince
avoir une fée pour marraine	rester enfant
embrasser un crapaud	trouver une marmite remplie d'or
frotter la lampe d'Aladin	voir tous mes désirs se réaliser
planter des haricots magiques	faire apparaître un bon génie
faire un vœu en regardant une étoile filante	voyager autour du monde

EXEMPLE: **Si j'avais fait** un vœu en regardant une étoile filante, **j'aurais vu** tous mes désirs se réaliser.

1. _____

_____

2. _____

_____

3. _____

_____

4. _____

_____

5. _____

_____

6. _____

_____

7. _____

_____

8. _____

_____

MASTERY EXERCISES

EXERCICE N

Employez le temps utilisé dans chaque phrase donnée pour exprimer les autres activités possibles des personnes suivantes.

EXEMPLE: **Elle aurait écouté** ses disques. (jouer de la guitare, partir)
Elle aurait joué de la guitare.
Elle serait partie.

1. Elle aurait travaillé chez elle. (rester au lit, écrire à sa correspondante)

_____

_____

2. Vous aviez regardé la télévision. (faire le ménage, voir un film)

_____

_____

3. Tu aurais joué au tennis. (lire un roman, aller au théâtre)

_____

_____

4. Ils auront fini leur travail avant minuit. (réviser leurs leçons, rentrer)

_____

_____

5. Seront-elles parties de bonne heure ? (prendre un taxi, faire les courses)

_____

_____

6. Je n'aurais pas étudié chez moi le dimanche. (dormir, cuisiner)

_____

_____

7. Aurons-nous assez dansé ? (préparer assez de tartines, sortir)

_____

_____

8. N'était-il pas rentré de bonne heure ? (finir la partie de cartes, écrire sa composition)

_____

_____

EXERCICE O

Complétez les phrases suivantes avec vos opinions personnelles :

1. Si nous avions vécu au dix-neuvième siècle, _____

_____ .

2. Si mes parents étaient nés en France, _____

_____ .

3. Si _____ ,

j'aurais reçu un A en français.

4. Si j'étais milliardaire, _____

_____ .

5. Si _____ ,

j'aurais été la personne la plus heureuse au monde.

6. J'aurais donné ma vie pour mon meilleur ami si _____

_____

7. Si j'avais connu mon arrière-grand-père, _____

_____

8. Je serais totalement indépendant(e) si _____

_____ .

EXERCICE P

Donnez trois réponses à chacune des questions.

1. En quoi votre vie et votre personnalité auraient-elles été différentes si vous aviez été un garçon (une fille) ?

_____

_____

_____

2. Si vous aviez vécu à l'époque du Moyen Âge, quelles aventures auriez vous vécues ?

_____

_____

_____

3. En quoi votre vie aurait-elle été différente si vous étiez né(e) dans une famille royale ?

_____

_____

_____

Chapter 10
Present and Perfect Participles

The present participle for all French verbs ends in *-ant* (equivalent to English *-ing*).

[1] FORMS OF THE PRESENT PARTICIPLE

a. The present participle of almost all French verbs is formed by replacing the *-ons* of the *nous* form of the present tense with *–ant*.

INFINITIVE	nous FORM	PRESENT PARTICIPLE	
parler	*parl*ons	**parl**ant	*speaking*
finir	*finiss*ons	**finiss**ant	*finishing*
vendre	*vend*ons	**vend**ant	*selling*
ouvrir	*ouvr*ons	**ouvr**ant	*opening*
commencer	*commenç*ons	**commenç**ant	*starting*
nager	*nage*ons	**nage**ant	*swimming*
acheter	*achet*ons	**achet**ant	*buying*
appeler	*appel*ons	**appel**ant	*calling*
jeter	*jet*ons	**jet**ant	*throwing*
payer	*pay*ons	**pay**ant	*paying*

NOTE: The present participle is used much less in French than in English. Many English words ending in *-ing* are not equivalent to French present participles.

Voir c'est croire.	*Seeing is believing.*
J'adore la natation.	*I love swimming.*

b. Irregular present participles:

avoir	*ayant*	*having*
être	*étant*	*being*
savoir	*sachant*	*knowing*

[2] USES OF THE PRESENT PARTICIPLE

a. Some present participles may be used as adjectives. They generally follow the noun or pronoun they modify and agree with them in gender and number.

Henri a raconté une histoire **amusante**.	*Henry told an amusing anecdote.*
Vous faites des progrès **étonnants**.	*You are making amazing progress.*
Elles sont tout à fait **charmantes**.	*They are quite charming.*

b. When used as a verbal phrase, the present participle, preceded by the preposition *en,* is often equivalent to *while, by, in, upon* + an English present participle. The action of the present participle and of the main verb happen at the same time and refer to the subject. The present participle is then invariable and can have an object.

En nettoyant sa chambre, elle a retrouvé sa bague.	*While cleaning her room, she found her ring.*
Il siffle **en travaillant.**	*He whistles while working.*
C'est **en parlant** que vous apprendrez le français.	*It's by speaking that you will learn French.*
J'ai écouté les informations **en rentrant** à la maison.	*I listened to the news upon returning home.*

NOTE: **The word** *tout* **is sometimes used before the preposition** *en* **to add emphasis.**

Elle étudie tout en regardant la télé.	*She studies even while watching television.*
Il a terminé ses études tout en travaillant à plein temps.	*He finished his studies all the while working full time.*

c. The present participle may also occur in a verbal phrase without the preposition *en.*

Étant très occupé, je n'ai pas répondu au téléphone.	*Being very busy, I didn't answer the telephone.*
Voulant finir le travail, nous nous sommes dépêchés.	*Wanting to finish the work, we hurried.*
Elle a fermé la porte, laissant les clefs à l'intérieur.	*She closed the door, leaving the keys inside.*

NOTE:

1. When the present participle has a verbal function, it is invariable. There is no agreement of the present participle with the subject.

Il a écrit une composition **amusante.**	*He wrote an amusing composition.* (adj.)
Elle est entrée **en courant.**	*She came in running.* (verb)
Elle est partie, **oubliant** son chapeau.	*She left, forgetting her hat.* (verb)

2. The present participle may be used to replace a relative clause (*qui* + verb), although this usage is infrequent. The present participle refers to the noun preceding it.

Une femme **qui porte (portant)** un manteau rouge ouvre la porte.	*A woman who is wearing (wearing) a red coat opens the door.*
J'ai vu un homme **qui sortait (sortant)** de la maison.	*I saw a man who was leaving (leaving) the house.*

EXERCICE A

Exprimez les opinions de la personne qui parle en utilisant le participe présent.

EXEMPLE: Ces remarques m'irritent.
Je trouve ces remarques irritantes.

1. Ces articles m'intéressent.

   _____

2. Ces enfants me charment.

   _____

3. Ces critiques m'énervent.

   _____

4. Cette pièce m'amuse.

   _____

5. Ces nouvelles m'étonnent.

   _____

6. Ce travail me fatigue.

   _____

7. Cette émission me captive.

   _____

8. Ces conseils me rassurent.

   _____

9. Ce film me passionne.

   _____

10. Cet homme me menace.

    _____

11. Ces élèves m'obéissent.

    _____

12. Cette fille m'intimide.

    _____

EXERCICE B

Vous faites la queue devant le cinéma pendant que les gens en sortent. Décrivez leur réaction au film qu'ils viennent de voir.

EXEMPLE: Marie / rire
          Marie sort en riant.

1. les enfants / courir

   _____

2. Édouard / sourire

   _____

3. Mme Renard / critiquer le metteur en scène

   _____

4. tu / analyser l'histoire

_____

5. Daniel et Lucien / discuter du film

_____

6. Jean / pleurnicher

_____

EXERCICE C

Exprimez ce que chacune de ces personnes fait à la fois.

EXEMPLE: Elle mange son petit déjeuner et elle écoute la radio.
            Elle mange son petit déjeuner **en écoutant la radio.**

1. Je fais mes devoirs et je bavarde avec mes amies.

_____

2. Il écoute les informations et il parle au téléphone.

_____

3. Nous faisons la cuisine et nous regardons la télévision.

_____

4. Elles dansent et elles chantent.

_____

5. Vous buvez du soda et vous conduisez la voiture.

_____

6. Elle lit le journal et elle mange un sandwich.

_____

7. Tu manges et tu travailles.

_____

8. Ils discutent de politique et ils jouent aux échecs.

_____

EXERCICE D

Exprimez ce que ces personnes ont réussi à faire en même temps.

EXEMPLE: il est sorti / parler
            Il est sorti **tout en parlant.**

1. elle parlait / manger

_____

2. ils ont couru vers leur mère / pleurer

_____

3. vous avez rougi / éclater de rire

_____

4. je marchais / lire le journal

_____

5. nous préparions le repas / regarder la télévision

_____

6. tu as étudié tes leçons / écouter la radio

_____

[3]   PERFECT PARTICIPLE

The perfect participle is formed with the present participle of the appropriate helping verb and the past participle.

finir	*ayant fini*	*having finished*
partir	*étant parti*	*having left*

The perfect participle is used instead of the present participle to express an action that occurred before the action of the principal verb.

Ayant fini son travail, Marianne a allumé la télé.

Having finished her work, Marianne turned on the TV.

Étant partis à six heures, ils ont évité les embouteillages.

Having left at 6 o'clock, they avoided the traffic congestion.

NOTE: Past participles in this construction follow the regular rules of agreement.

Étant parties à six heures, **elles** ont évité les embouteillages.

Ayant terminé ses devoirs, elle est sortie.

EXERCICE E

Exprimez ce qui est arrivé au bureau.

EXEMPLE: **Étant enrhumée,** elle a décidé de ne pas aller au bureau aujourd'hui.

1. _____ très tard, elles ont pris un taxi.
      (partir)

2. _____ de bonne heure, le secrétaire a pris un café.
      (arriver)

3. _____ son travail, elle est partie.
      (finir)

4. _____ des coups de feu, tout le monde est sorti de l'immeuble en courant.
      (entendre)

5. _____ l'adresse du fournisseur, il lui a téléphoné.
      (oublier)

6. _____ leur travail, elles ont quitté le bureau de bonne heure.
      (terminer)

7. _____ le même problème, elle a pu donner de bons conseils à son collègue.
         (avoir)

8. _____ les documents nécessaires, ils ont commencé à préparer leur rapport.
         (trouver)

M A S T E R Y   E X E R C I S E S

EXERCICE F

Exprimez ce que ces personnes font à la fois.

EXEMPLE: Elle pense à son ami. Elle travaille.
               Elle pense à son ami en travaillant.

1. Ils regardent les vitrines. Ils attendent leurs amis.

   _____

2. Tu souris. Tu racontes cette histoire.

   _____

3. Elle pleure. Elle écrit la lettre.

   _____

4. Vous chantez. Vous prenez votre bain.

   _____

5. Elles apprennent. Elles jouent.

   _____

6. Je ris. Je pense à toi.

   _____

7. Nous élevons la voix. Nous parlons de cette affaire.

   _____

8. Il fait tomber sa montre. Il la pose sur la commode.

   _____

EXERCICE G

Exprimez en français ce qui est arrivé à ces personnes :

EXEMPLE: Elle quittait la classe et elle a oublié son sac.
               En quittant la classe elle a oublié son sac.

1. Ils jouaient au football et ils sont tombés dans la boue.

   _____

2. Tu marchais dans la rue et tu as rencontré Marcel.

   _____

3. Elle écoutait des cassettes. Elle a appris le française.

_____

4. Nous allions à la campagne et nous sommes tombés en panne.

_____

5. Il versait du lait et il a fait tomber la bouteille.

_____

6. Vous couriez à l'école et vous avez perdu votre livre.

_____

7. Je patinais et j'ai perdu l'équilibre.

_____

8. Elles nageaient dans l'océan et elles ont trouvé un énorme coquillage.

_____

Chapter 11
Reflexive Verbs

[1] REFLEXIVE CONSTRUCTIONS IN SIMPLE TENSES

a. In a reflexive construction, the action is performed by the subject on itself. The reflexive verb has a reflexive pronoun as its object. Thus, the subject and the pronoun object refer to the same person(s) or thing(s): *he hurt himself; we will enjoy ourselves.*

PRESENT TENSE
I wash (am washing) myself.
je *me* lave, tu *te* laves, il / elle *se* lave, nous *nous* lavons, vous *vous* lavez, ils / elles *se* lavent

IMPERFECT
I washed (was washing, used to wash) myself.
je *me* lavais, tu *te* lavais, etc.

FUTURE
I shall (will) wash myself.
je *me* laverai, tu *te* laveras, etc.

CONDITIONAL
I would wash myself.
je *me* laverais, tu *te* laverais, etc.

PASSÉ SIMPLE
I washed myself.
je *me* lavai, tu *te* lavas, etc.

NOTES:

1. The reflexive pronouns *me, te, se, nous,* and *vous,* like other personal object pronouns, normally precede the conjugated verb.

2. **In inverted questions and negative sentences, reflexive pronouns remain before the conjugated verb.**

S'amusent-ils ?	*Are they enjoying themselves?*
Ils ne s'amusent pas.	*They are not enjoying themselves.*
Ne s'amusent-ils pas ?	*Aren't they enjoying themselves?*
Vous levez-vous tôt ?	*Do you get up early?*
Je ne me lève pas tôt.	*I don't get up early.*
Ne vous levez-vous pas tôt ?	*Don't you get up early?*

3. **Many verbs are reflexive in French, though they are not in English:** for instance *se souvenir* to remember; **se reposer** to rest.

b. **Some frequently used reflexive verbs:**

s'acheter *to buy for oneself*	s'embrasser *to hug, kiss*
s'améliorer *to improve*	s'endormir *to go to sleep*
s'amuser (à) *to have fun, enjoy*	s'ennuyer (à/de) *to get bored*
s'apercevoir de *to realize, become aware of*	s'entraîner (à) *to train*
s'appeler *to be named*	s'étonner (de) *to be surprised (at)*
s'approcher (de) *to approach, come near*	s'exercer (à) *to practice*
s'arrêter (de) *to stop*	s'exprimer *to express oneself*
s'asseoir *to sit*	se fâcher (contre) *to get angry (with)*
se baigner *to bathe*	se faire mal *to hurt oneself*
se battre *to fight*	se fiancer (avec) *to get engaged*
se blesser *to hurt oneself*	s'habiller *to dress*
se bronzer *to tan*	s'habituer (à) *to get used (to)*
se brosser *to brush*	s'impatienter *to become impatient*
se brûler *to burn oneself*	s'inquiéter (de) *to worry*
se cacher *to hide oneself*	s'installer *to get settled*
se casser *to break*	se laver *to wash*
se changer (de) *to change (clothes)*	se lever *to get up*
se coiffer *to do one's hair*	se loger *to lodge*
se conduire *to behave*	se maquiller *to put on makeup*
se contenter de *to be satisfied with*	se marier (avec) *to get married (to)*
se couper *to cut oneself*	se mettre à *to begin to*
se coucher *to go to bed*	se mettre en colère *to become angry*
se décider (à) *to decide*	se moquer (de) *to make fun (of)*
se déguiser (en) *to disguise oneself (as)*	se passer *to happen*
se demander *to wonder*	se peigner *to comb*
se dépêcher de *to hurry*	se plaindre *to complain*
se déshabiller *to undress*	se préparer (à) *to get ready (to)*
se dire *to tell oneself*	se promener *to take a walk*
se disputer *to quarrel*	se rappeler *to remember*
s'échapper *to escape*	se raser *to shave*
s'éloigner (de) *to move away (from)*	se rencontrer *to meet*

se débrouille → to get by in

se rendre compte (de)   *to realize*

se reposer   *to rest*

se retrouver   *to meet again, be back again*

se réunir   *to meet*

se réveiller   *to wake up*

se sentir   *to feel*

se taire   *to be quiet, become silent*

se téléphoner   *to telephone each other*

se tromper   *to be mistaken*

se trouver   *to be, happen to be*

se vanter (de)   *to boast*

EXERCICE A

Indiquez qui fait quoi le matin chez vous.

se réveiller de bonne heure

se raser

se brosser les dents

s'habiller rapidement

se préparer à partir à huit heures

se brosser les cheveux pendant une heure

se peigner avec soin

se lever avec difficulté

se dépêcher de prendre son petit déjeuner

EXEMPLE: **Nous nous réveillons** de bonne heure.

1. Je _____ .

2. Ma mère _____ .

3. Mon père _____ .

4. Mes parents _____ .

5. Ma sœur _____ .

6. Mon frère _____ .

7. Nous _____ .

8. Tu _____ .

EXERCICE B

Le week-end tout le monde abandonne ses habitudes de la semaine. Exprimez ce que chacun ne fait pas.

EXEMPLE: Mon père n'utilise pas son rasoir.
Mon père ne se rase pas.

1. Je ne mets pas mes vêtements rapidement.

_____

2. Nous n'allons pas au lit à 10 heures.

_____

3. Ma sœur ne met pas de mascara.

_____

4. Mes parents ne sont pas fâchés.

_____

5. Je n'utilise pas ma brosse à cheveux.

_____

6. Vous n'utilisez pas la brosse à dents.

_____

7. Mon frère ne sort pas du lit avant midi.

_____

8. Les enfants ne courent pas pour arriver à l'école à l'heure.

_____

EXERCICE C

Posez des questions personnelles à un/une camarade de classe. Demandez-lui :

EXEMPLE: comment il/elle s'appelle
       Comment t'appelles-tu ?

1. à quoi il/elle s'amuse

_____

2. à quelle heure il/elle se couche

_____

3. dans quelle classe il/elle s'ennuie

_____

4. quand il/elle se fâche

_____

5. à quelle heure il/elle se lève

_____

6. avec qui il/elle se promène

_____

7. où il/elle se repose

_____

8. pourquoi il/elle se plaint souvent

_____

EXERCICE D

Vous interviewez votre professeur de français. Demandez-lui :

EXEMPLE: à quelle heure il/elle se réveille
       À quelle heure vous réveillez-vous ?

1. à quelle heure il/elle se lève

_____

2. en quelle occasion il/elle s'ennuie

_____

3. pourquoi il/elle se fâche contre les étudiants

_____

4. comment il/elle s'entend avec ses élèves

_____

5. à quelle heure il/elle s'arrête de travailler

_____

6. quand il/elle s'amuse

_____

7. où il/elle se promène après l'école

_____

8. comment il/elle se repose

_____

EXERCICE E

Utilisez les verbes donnés pour exprimer ce qui se passe dans les cas suivants.

s'en aller	s'endormir	se souvenir de
se blesser	s'ennuyer	se tromper
se dépêcher	se fâcher	se trouver

EXEMPLE: Roger doit partir. Maintenant il **s'en va.**

1. J'oublie la date de l'examen, mais heureusement Paulette _____ cette date importante.

2. Quand les petits enfants tombent, ils _____ souvent au genou.

3. Comme nous sommes en retard pour la fête, nous _____ .

4. Quand un film n'est pas intéressant, vous _____ en le regardant.

5. Les touristes demandent où _____ la tour Eiffel et la cathédrale Notre-Dame.

6. Tu es tellement fatigué que tu _____ tout de suite.

7. Pierre utilise la nouvelle voiture. Papa _____ et devient furieux.

8. Je ne donne pas la réponse correcte quand je _____ .

EXERCICE F

Écrivez les question négatives qu'un professeur pose au sujet des élèves qui arrivent toujours en retard en classe.

EXEMPLE: Georges/se lever quand le réveil sonne ?
Georges ne se lève-t-il pas quand le réveil sonne ?

1. Anne et Josette/se dépêcher

_____

2. vous/s'endormir tôt

_____

3. Jacques/se réveiller à l'heure

_____

4. tu/se coucher de bonne heure

_____

5. Régine/s'habiller vite

_____

6. Richard et Louis/se préparer à l'avance

_____

[2] REFLEXIVE CONSTRUCTIONS IN COMPOUND TENSES

Compound tenses of reflexive verbs are formed with *être*.

PASSÉ COMPOSÉ			
I washed (have washed) myself.			
je	*me* suis lavé(e)	nous	*nous* sommes lavé(e)s
tu	*t'*es lavé(e)	vous	*vous* êtes lavé(e)(s)
il /elle	*s'*est lavé(e)	ils /elles	*se* sont lavé(e)s

PLUS-QUE-PARFAIT
I had washed myself.
je *m'*étais lavé(e), tu *t'*étais lavé(e), etc.

FUTUR ANTÉRIEUR
I shall (will) have washed myself.
je *me* serai lavé(e), **tu *te* seras lavé(e),** etc.

CONDITIONNEL PASSÉ
I would have washed myself.
je *me* serais lavé(e), tu *te* serais lavé(e), etc.

NOTES:

1. In compound tenses, the reflexive pronoun precedes the helping verb. In the negative, *ne* precedes the reflexive pronoun and *pas* follows the helping verb.

    Je ne me suis pas amusé(e).   *I didn't have fun.*

    Nous ne nous serions pas amusé(e)s. *We wouldn't have had fun.*

2. In the interrogative, the subject pronoun and the helping verb are inverted and the reflexive pronoun remains before the helping verb.

    T'es-tu amusé(e) ?   *Did you have fun?*

    Ne s'étaient-ils pas amusés ?   *Didn't they have fun?*

    Cette ville s'est-elle agrandie ? *Has this town become larger*

3. When the reflexive pronoun represents a direct object, the past participle agrees with the reflexive pronoun and, therefore, the subject.

    Elle s'est coupée.   *She cut herself.*

    Ils se sont rencontrés hier.   *They met (each other) yesterday.*

    Les enfants se sont couverts de   *The children covered themselves with leaves*
      feuilles pour se cacher.   *in order to hide themselves.*

4. When the reflexive pronoun represents an indirect object, the past participle remains unchanged.

    Elle s'est coupé **le doigt.**   *She cut her finger.*

    Elle s'est coupé **du pain.**   *She cut some bread for herself.*

    Ils se sont téléphoné.   *They telephoned each other.*

    Nous nous sommes écrit **une**   *We wrote a long letter to each other.*
      longue lettre.*

5. When the reflexive pronoun represents neither a direct nor an indirect object, the past participle generally agrees with the subject.

    Nous nous sommes aperçus de   *We noticed the hour.*
      l'heure.

    Les professeurs se sont souvenus des *The professors remembered the rules.*
      règles.

    Elle s'est moquée de vous.   *She made fun of you.*

---

*Note, however, that a preceding direct object requires the agreement of the past participle in a clause with an indirect reflexive object pronoun:

J'ai relu **les lettres que** nous nous sommes écrit**es.**   *I reread the letters that we wrote to each other.*

EXERCICE G

Racontez l'histoire de ce jeune couple amoureux.

EXEMPLE: se retrouver dans la même classe
           Ils se sont retrouvés dans la même classe.

1. se rencontrer au café

_____

2. se mettre à discuter

_____

3. s'amuser

_____

4. se promener dans le parc

_____

5. se voir chaque jour

_____

6. se parler au téléphone tous les soirs

_____

7. s'écrire des lettres d'amour

_____

8. s'embrasser tendrement

_____

9. se dire: « Je t'aime ».

_____

10. se fiancer

_____

11. se préparer pour l'avenir

_____

12. se marier

_____

EXERCICE H

Expliquez ce qui est arrivé dans les circonstances suivantes. Utilisez les verbes donnés.

s'attendre	*to expect*	se fâcher	*to get angry*
s'échapper	*to escape*	se rappeler	*to remember*
s'intéresser	*to take an interest in*	se reposer	*to rest*
se dépêcher	*to hurry*	se sentir	*to feel*
se disputer	*to quarrel*		

EXEMPLE: Il avait beacoup de talent, alors nous **nous sommes intéressés** à lui.

1. La grenouille _____ de sa boîte quand j'ai enlevé le couvercle.

2. Charles _____ parce qu'il a attendu Marie pendant une heure.

3. Tu _____ parce que tu n'as pas entendu ton réveil sonner.

4. Je _____ son numéro de téléphone parce que je l'ai noté sur mon carnet.

5. Robert et André _____ , mais ils ne se sont pas battus.

6. Elle a passé l'après-midi à faire du sport et le soir elle _____ .

7. Tu as reçu une bonne note alors tu _____ à être récompensé(e).

8. Hier j'ai eu de la fièvre et je _____ mal.

EXERCICE I

Exprimez comment les filles s'étaient préparées pour le grand bal.

EXEMPLES: se réveiller très tôt
    Elles s'étaient réveillées très tôt.

    se laver les cheveux
    Elles s'étaient lavé les cheveux.

1. s'acheter de jolies robes

    _____

2. s'exercer à danser

    _____

3. se téléphoner

    _____

4. se reposer l'après-midi

    _____

5. se préparer avec soin

    _____

6. se maquiller

    _____

7. se regarder dans la glace

    _____

8. se brosser les dents

    _____

9. s'habiller lentement

    _____

10. se mettre en route à huit heures

    _____

EXERCICE J

Ce matin le réveil n'a pas sonné et tout le monde est en retard. Exprimez ce que chacun de vous n'a pas fait.

EXEMPLE: nous / se réveiller à l'heure
Nous ne nous sommes pas réveillés à l'heure.

1. je / me lever de bonne heure

_____

2. les filles / se maquiller

_____

3. Marcel / s'amuser en route

_____

4. tu / se servir le petit déjeuner

_____

5. vous / s'habiller avec soin

_____

6. nous / s'occuper du ménage

_____

7. les garçons / se raser

_____

8. tu / se peigner

_____

EXERCICE K

Utilisez les situations données pour poser des questions au conditionnel passé.

EXEMPLE: Si Luc était resté chez lui pendant les vacances (s'ennuyer)
Se serait-il ennuyé ?

1. Si Guy et Didier s'étaient disputés (se battre)

_____

2. Si tu étais tombée en faisant du ski (se casser la jambe)

_____

3. Si nous n'avions pas su l'adresse exacte (se tromper)

_____

4. Si vous n'aviez pas entendu votre réveil (se réveiller à l'heure)

_____

5. Si Nicolas avait perdu son argent (s'inquiéter)

_____

6. Si vous n'aviez pas fait attention (se couper le doigt)

_____

7. Si Renée avait dû attendre son amie pendant une heure (s'impatienter)

_____

8. Si les filles étaient allées danser (s'amuser)

_____

EXERCICE L

En utilisant le futur antérieur exprimez ce que chacune de ces personnes aura fait pour préparer les fêtes de fin d'année.

EXEMPLE: Mme Renard / se préparer à l'avance
            Mme Renard se sera préparée à l'avance.

1. je/se mettre à économiser

_____

2. nous / se souvenir d'acheter des cadeaux pour tout le monde

_____

3. Grégoire / s'amuser à décorer la maison

_____

4. ils / s'occuper de trouver un arbre de Noël

_____

5. tu / se dépêcher de faire tes achats

_____

6. vous / s'inquiéter d'avoir oublié quelque chose

_____

7. je/se plaindre de ne pas avoir assez de temps

_____

8. nous / se rappeler d'écrire les cartes de nouvel an

_____

[3] REFLEXIVE COMMANDS

In negative commands, reflexive pronouns precede the verb. In affirmative commands, they follow the verb. After the verb, *toi* is used instead of *te*.

NEGATIVE IMPERATIVE	
ne *te* **lave pas**	*don't wash yourself*
ne *vous* **lavez pas**	*don't wash yourself* (*yourselves*)
ne *nous* **lavons pas**	*let's not wash ourselves* (*get washed*)

AFFIRMATIVE IMPERATIVE	
lave-toi	*wash yourself*
lavez-vous	*wash yourself* (*yourselves*)
lavons-nous	*let's wash ourselves* (*get washed*)

EXERCICE M

Votre ami(e) est toujours en retard pour l'école. Suggérez-lui comment mieux organiser son temps.

EXEMPLE: (se réveiller)   **Réveille-toi** à 7 heures.
Ne te réveille pas à 7 heures 30.

1. (se lever)

_____ à 7h15.

_____ à 7h45.

2. (se laver)

_____ à 7h20.

_____ à 7h50.

3. (se brosser les dents)

_____ à 7h25.

_____ à 7h55.

4. (se brosser les cheveux)

_____ à 7h30.

_____ à 8h.

5. (s'habiller)

_____ à 7h35.

_____ à 8h05.

6. (se promener)

_____ en rentrant.

_____ en partant.

7. (se coucher)

_____ à 10h.

_____ à 11h.

8. (s'amuser)

_____ l'après-midi.

_____ le soir.

EXERCICE N

Sylvie et sa sœur n'écoutent jamais leur mère. Exprimez ce que leur mère leur demande.

EXEMPLE: (s'endormir sur le sofa)
Ne vous endormez pas sur le sofa.

(s'endormir dans son lit)
Endormez-vous dans votre lit.

1. (s'habiller dans la cuisine)

_____

(s'habiller dans sa chambre)

_____

2. (s'amuser dans le salon)

_____

(s'amuser dans le jardin)

_____

3. (se laver dans la cuisine)

_____

(se laver dans la salle de bains)

_____

4. (se maquiller dans sa chambre)

_____

(se maquiller dans la salle de bains)

_____

5. (se brosser les cheveux dans la cuisine)

_____

(se brosser les cheveux dans la salle de bains)

_____

6. (se promener dans la rue)

_____

(se promener dans le parc)

_____

7. (se lever tristement)

_____

(se lever avec joie)

_____

8. (se reposer sur le divan)

_____

(se reposer sur le lit)

_____

EXERCICE O

Utilisez le verbe entre parenthèses pour exprimer les conseils ou les instructions que vous donneriez selon chaque cas. Utilisez l'impératif à l'affirmatif ou au négatif.

EXEMPLE: Votre frère veut quitter la maison, mais vous voulez qu'il reste. (s'en aller)
Ne t'en va pas !

1. Vous gardez des enfants et ils ont très sommeil. (se coucher)

_____

2. Vous étudiez et votre frère ne s'arrête pas de bavarder. (se taire)

_____

3. C'est la première fois que Martine part en colonie de vacances. (s'amuser)

_____

4. Vous n'avez pas réussi votre examen de mathématiques et vous le dites à vos parents. (se fâcher)

_____

5. Une amie et sa mère arrivent chez vous. Vous les invitez à entrer. (s'asseoir)

_____

6. Vous êtes dans un parc d'attractions et vous allez monter sur les montagnes russes avec un ami qui a peur. (s'inquiéter)

_____

7. Votre ami et vous, vous venez de finir un match de tennis. Vous allez manger et vous avez les mains sales. (se laver les mains)

_____

8. Vous allez à une fête avec des amis. Vous allez arriver trop tôt. (se dépêcher)

_____

[4] REFLEXIVE CONSTRUCTIONS WITH INFINITIVES AND PRESENT PARTICIPLES

a. When used with an infinitive, the reflexive pronoun precedes the infinitive.

J'allais **m'amuser.**	*I was going to enjoy myself.*
Il ne va pas **s'amuser.**	*He is not going to enjoy himself.*
Allons-nous **nous amuser ?**	*Are we going to enjoy ourselves?*

b. When used with a present or perfect participle, the reflexive pronoun precedes the participle.

Il s'est coupé **en se rasant.**	*He cut himself while shaving.*
S'étant couchées tôt hier soir, elles avaient l'air reposées.	*Having gone to bed early last night, they looked rested.*

EXERCICE P

Exprimez ce que chacun fait au lieu indiqué.

EXEMPLE: Je vais dans la salle de bains. (se raser)
Je vais me raser dans la salle de bains.

1. Ils vont à la discothèque. (s'amuser)

_____

2. Je vais dans ma chambre. (se coucher)

_____

3. Tu vas dans la salle de bains. (se laver)

_____

4. Maman va dans le salon. (se reposer)

_____

5. Nous allons dans la cuisine. (se servir un verre d'eau)

_____

6. Vous allez au parc. (se promener)

_____

EXERCICE Q

Pourquoi ces personnes sont-elles irritées ? Exprimez ce qu'elles ne peuvent pas faire.

EXEMPLE: Jean n'a pas d'argent.
            Il ne peut pas s'acheter le livre.

1. Papa n'a pas son rasoir.

_____

2. Les filles n'ont pas leur maquillage.

_____

3. Je n'ai pas ma brosse à dents.

_____

4. Nous n'avons pas nos vêtements.

_____

5. Tu n'as pas ta brosse à cheveux.

_____

6. Vous n'avez pas votre savon.

_____

EXERCICE R

Vos amis se plaignent. Utilisez les suggestions données pour leur demander ce qu'ils veulent faire.

se réconcilier	se reposer	se coucher
s'asseoir	se dépêcher	s'amuser
se laver		

EXEMPLE: Je suis épuisé.
            Veux-tu te coucher ?

1. J'ai mal aux pieds.

_____

2. Je vais être en retard.

_____

3. Je m'ennuie.

_____

4. Je me suis disputé avec lui.

_____

5. J'ai fini tout mon travail.

_____

6. Je suis sale.

_____

EXERCICE S

Exprimez ce qui est arrivé aux membres de la famille Duclos.

EXEMPLES: (s'endormir) _____ à minuit, Roland (se réveiller)

_____ tard.

S'étant endormi à minuit, Roland s'est réveillé tard.

(se décider) _____ à rester à la maison, Marie (se rendormir)

_____ .

S'étant décidée à rester à la maison, Marie s'est rendormie.

1. (se habiller) _____ de bonne heure, Jacqueline et Laure (descendre)

_____ prendre le petit déjeuner.

2. (se réveiller) _____ tard, Papa (se dépêcher) _____ pour

ne pas être en retard à son bureau.

3. (se préparer) _____ vite, Marianne (oublier) _____ de

prendre des papiers importants.

4. (se tromper) _____ d'heure, Luc et Sylvie (courir) _____

au lycée.

5. (se rappeler) _____ la date, Maman (se précipiter) _____

à un rendez-vous.

6. (se raser) _____ vite, Henri et Roger (se couper) _____ .

[5] SUMMARY OF THE POSITION OF REFLEXIVE PRONOUNS

SIMPLE TENSES	**Tu *te* lèves.** **Vous *vous* leviez.**	*You get up.* *You got up.*
COMPOUND TENSES	**Tu *t'*es levé(e).** **Vous *vous* étiez levé(e)(s).**	*You got up.* *You had gotten up.*
INFINITIVE	**Tu veux *te* lever.** **Vous vouliez *vous* lever.**	*You want to get up.* *You wanted to get up.*
PRESENT PARTICIPLE PERFECT PARTICIPLE	**En *se* levant ...** **S'étant levé(e) ...**	*While getting up . . .* *Having gotten up . . .*
IMPERATIVE	**Lève-*toi*.** **Levez-*vous*.** **Ne *te* lève pas.** **Ne *vous* levez pas.**	*Get up.* *Get up.* *Don't get up.* *Don't get up.*

[6] USES OF REFLEXIVE VERBS

a. Most French verbs that take an object, direct or indirect, may be made reflexive. Compare:

La mère *habille* sa petite fille.　　La petite fille *s'habille*.
The mother dresses her little girl.　　*The little girls gets dressed (dresses herself).*

J'achète un chapeau *à mon père*.　　Je *m'achète* un chapeau.
I buy a hat for my father.　　*I buy a hat for myself.*

EXERCICE T

Exprimez ce que fait chaque personne en utilisant le verbe approprié.

appeler / s'appeler　　　laver / se laver　　　promener / se promener
coucher / se coucher　　maquiller / se maquiller　　réveiller / se réveiller

1. La vieille dame _____ au parc quand elle _____ ses chiens.

2. Les parents _____ à six heures du matin puis ils _____ leurs enfants.

3. Le soir, vous _____ d'abord les enfants puis vous _____ .

4. Nous _____ notre voiture puis nous _____ .

5. Je _____ Jean et j'_____ mon chien Fifi.

6. Tu _____ ta copine pour le carnaval puis tu _____ .

b. Some verbs have special meanings when used reflexively.

BASIC MEANING	REFLEXIVE MEANING
agir　*to act*	s'agir de　*to be a question of*
apercevoir　*to see, notice*	s'apercevoir de　*to realize*
attendre　*to wait for*	s'attendre à　*to expect*

	BASIC MEANING (cont.)		REFLEXIVE MEANING (cont.)
battre	*to beat*	se battre	*to fight*
changer	*to replace, alter*	se changer (de)	*to change (clothes)*
demander	*to ask*	se demander	*to wonder*
douter de	*to doubt, question*	se douter de	*to suspect*
entendre	*to hear*	s'entendre	*to get along*
occuper	*to occupy*	s'occuper de	*to take care of*
passer	*to pass, spend time*	se passer de	*to do without*
rappeler	*to call again*	se rappeler	*to remember, recall*
servir	*to serve*	se servir de	*to use*
tromper	*to deceive*	se tromper	*to be mistaken*

EXERCICE U

Il y a un dîner important au restaurant « Chez Pierre ». Complétez les phrases en utilisant le verbe approprié.

EXEMPLE: (passer, se passer de) Les clients **passent** beaucoup de temps « Chez Pierre » parce qu'ils ne peuvent pas **se passer** de ses spécialités.

1. (agir, s'agir de) Les employés _____ sérieusement parce qu'il _____ de satisfaire les clients importants.

2. (passer, se passer de) Les garçons _____ beaucoup de temps à servir les clients parce qu'ils ne veulent pas _____ leurs pourboires.

3. (servir, se servir de) Le garçon _____ un grand plateau parce qu'il _____ beaucoup de clients.

4. (changer, se changer) Une fois le travail terminé, le garçon _____ les couverts puis il _____ avant de rentrer chez lui.

5. (attendre, s'attendre à) Le garçon _____ avec patience parce qu'il _____ recevoir un bon pourboire.

6. (demander, se demander) Une cliente _____ si elle peut _____ le prix des spécialités.

7. (apercevoir, s'apercevoir) Le garçon _____ qu'il y a un problème quand il _____ une jeune fille qui pleure.

8. (occuper, s'occuper de) Les Manon _____ une table près de la fenêtre pour que leur garçon préféré _____ eux.

9. (rappeler, se rappeler) M. Dutard _____ le garçon parce qu'il vient de

_____ qu'il voulait commander autre chose.

10. (battre, se battre) M. Renard _____ contre la table avec sa main parce qu'il ne

veut pas que ses enfants _____ .

c. **Some verbs are always used reflexively in French but not usually in English.**

s'écrier	*to exclaim*	se fier à	*to trust*
s'écrouler	*to collapse*	se lamenter	*to lament, grieve*
s'efforcer de	*to strive to*	se méfier (de)	*to distrust*
s'empresser de	*to hasten to*	se moquer (de)	*to make fun of*
s'en aller	*to leave, go away*	se soucier de	*to care about*
s'enfuir	*to flee*	se souvenir (de)	*to remember*
s'évanouir	*to faint*		

EXERCICE V

Richard vient de construire une étagère qu'il est très fier de montrer à ses amis. Complétez les phrases avec les verbes ci-dessus.

1. Richard _____ de montrer son étagère à ses amis.

2. Ses amis _____ car elle n'a pas l'air très solide.

3. Richard pose un gros livre sur un rayon et toute l'étagère se met à trembler. Richard

_____ :«Attention !»

4. Ses amis rient et _____ lui.

5. Et, tout à coup, l'étagère _____ !

6. Ses amis _____ plus loin pour ne pas recevoir les planches sur la tête.

7. Richard _____ de rester calme.

8. Ses amis _____ et le laissent seul pour tout remettre en ordre.

d. **A verb that is reflexive in French need not be reflexive in English.**

Vous vous trompez.	*You are mistaken.*
Ne vous trompez-vous pas ?	*Aren't you mistaken?*
Qu'est-ce qui se passe ?	*What is happening?*

e. **In a reflexive construction, the** *definite article* **is used instead of the possessive adjective with parts of the body to indicate possession.**

Il s'est cassé **la** jambe.	*He broke his leg.*
Je me brosse **les** cheveux.	*I brush my hair.*

f. Reflexive verbs in the plural may express reciprocal action, corresponding to English *each other, one another.*

Nous nous aidons.	*We help one another.*
Ils ne s'écrivent pas.	*They do not write to each other.*

NOTE: The phrase *l'un(e) l'autre* (each other) or *les un(e)s les autres* (one another) may be added to clarify or reinforce the meaning of the reflexive pronoun.

Les filles se regardent.	{ *The girls look at each other.* *The girls look at themselves.*
Les filles se regardent les unes les autres.	*The girls look at each other.*
Les amis ne s'aident-ils pas les uns les autres ?	*Don't friends help one another?*

g. The reflexive construction is often used instead of a passive form, usually in the third person when the subject is not specified.

Ça ne se dit pas.	*That is not said.*
On s'étonne de sa décision.	*One is surprised by her decision.*

EXERCICE W

En vous servant des suggestions données, exprimez comment les sujets de votre choix montrent leurs sentiments les uns pour les autres.

> s'écrire des lettres d'amour
> se voir tous les jours
> s'entendre à merveille
> s'embrasser souvent
> se parler tout le temps au téléphone
> se parler à voix basse
> se rencontrer tous les jours après l'école

EXEMPLE: **Roger et Anne se parlent à voix basse.**

1. Georges et Liliane _____ .

2. Mon petit ami et moi, nous _____ .

3. Paul et toi, vous _____ .

4. André et Christine _____ .

5. Jean-Paul et moi, nous _____ .

6. Annette et toi, vous _____ .

MASTERY EXERCISES

EXERCICE X

Répondez à ces questions personnelles par une phrase complète.

1. À quelle heure t'es-tu levé(e) dimanche dernier ?

_____

2. Combien de fois par jour te brosses-tu les dents ?

_____

3. Comment s'appellait ton(ta) meilleur(e) ami(e) quand tu avais 10 ans ?

_____

4. Te dépêches-tu pour aller à l'école ?

_____

5. À qui te fierais-tu si tu avais des problèmes ?

_____

6. De qui te méfies-tu ?

_____

7. Avec qui te disputes-tu ?

_____

8. Est-ce que tu t'en iras en vacances cet été ?

_____

9. Quand te couches-tu de bonne heure ?

_____

10. Pourquoi t'étais-tu fâché(e) la semaine dernière ?

_____

EXERCICE Y

Remplacez dans chaque phrase l'expression en caractères gras par un verbe approprié de la liste ci-dessous.

s'apercevoir	se marier avec	se reposer
s'habiller	se mettre à	se servir de
se dépêcher	se promener	se tromper

EXEMPLE: Marthe **a commencé à faire** ses devoirs.
Marthe **s'est mise à faire** ses devoirs.

1. Tu **avais remarqué** que la fenêtre était ouverte.

_____

2. Didier et Laure **ne font jamais d'erreurs.**

_____

3. Si nous avions eu le temps, nous **aurions fait une promenade.**

_____

4. Le professeur **a utilisé** mon livre parce qu'il avait oublié le sien.

_____

5. Je **mettais mes vêtements** quand le téléphone a sonné.

_____

6. Lucie **aura épousé** Marcel d'ici l'année prochaine.

_____

7. Vous **allez vite** pour ne pas être en retard.

_____

8. Si nous le pouvions, nous **ferions la sieste** tous les après-midi.

_____

Chapter 12
Passive Constructions

In the active voice, the subject generally performs the action described by the verb. In the passive voice, the action described by the verb is acted upon by the subject.

ACTIVE: L'élève **achète** un livre.   *The student buys a book.*

PASSIVE: Le livre **est acheté** par l'élève.   *The book is bought by the student.*

[1] FORMS AND USE OF THE PASSIVE

The passive construction in French is similar to English: subject + form of *être* + past participle + *par* + agent (doer) if the agent is mentioned. In French, since the past participle is conjugated with *être*, it agrees in gender and number with the subject.

Elle **a été renversée** par une voiture.   *She was knocked down by a car.*

La maison **avait été vendue** par ma mère.   *The house had been sold by my mother.*

Le thé **sera servi** à cinq heures.   *Tea will be served at five.*

Cette église **fut construite** au XVe siècle.   *That church was built in the 15th century.*

NOTE: **The agent is preceded by *par*. With certain verbs, *par* may be replaced by *de*.**

Il était respecté de tous ses collègues.   *He was respected by all of his colleagues.*

Elle sera accompagnée de son frère.   *She will be accompanied by her brother.*

Il est aimé de tous.   *He is loved by all.*

EXERCICE A

Hélène est très fière du rôle de sa famille dans le développement de la ville où elle habite. Exprimez ce qu'elle dit à une nouvelle amie pendant une promenade en ville. Utilisez les verbes **construire, créer, dédier, donner, offrir, payer, planter, réaliser.**

EXEMPLE:

Ce gratte-ciel a été construit par mon grand-père.

1. _____   2. _____

_____   _____

3. _____

    _____

4. _____

    _____

5. _____

    _____

6. _____

    _____

7. _____

    _____

8. _____

    _____

EXERCICE B

Exprimez par qui ces choses ont été faites.

EXEMPLE: Champlain a fondé la ville de Québec.
         La ville de Québec a été fondée par Champlain.

1. Georges Bizet a composé l'opéra *Carmen*.

_____

2. Auguste Rodin a sculpté *Le Penseur*.

_____

3. Georges Braque a fondé l'école cubiste.

_____

4. Honoré de Balzac a écrit *La Comédie humaine.*

_____

5. Louis XIV a dit: « L'État, c'est moi. »

_____

6. La Salle a exploré le Mississippi.

_____

7. Henri Becquerel a découvert la radioactivité.

_____

8. Jean-François Millet a peint *Les Glaneuses.*

_____

EXERCICE C

La famille Arnaud se fait bâtir une nouvelle maison. Exprimez quand tout sera fini.

EXEMPLE: La salle de bains ____**sera finie**____demain.
                                  (finir)

1. L'électricité _____ lundi.
                          (brancher)

2. La climatisation _____ la semaine prochaine.
                              (installer)

3. Les murs _____ vendredi.
                      (tapisser)

4. Le garage _____ le mois prochain.
                       (faire)

5. Le grenier _____ dans deux semaines.
                        (aménager)

6. La cuisine _____ bientôt.
                       (terminer)

7. Les fleurs _____ mercredi.
                       (planter)

8. Tous les travaux _____ avant la fin de l'été.
                              (achever)

[2]   SUBSTITUTE CONSTRUCTIONS FOR THE PASSIVE

The passive is used less frequently in French than in English. The following active constructions are generally substituted for the passive.

a. An active construction with the pronoun *on* followed by the third-person singular of the verb, especially if the agent is not expressed.

Ici on parle anglais.	*English is spoken here.*
Est-ce qu'on a tout fait ?	*Has everything been done?*
On avait vendu la maison.	*The house had been sold.*
On entendra la cloche.	*The bell will be heard.*
Ne peut-on pas le guérir ?	*Can't he be cured?*

EXERCICE D

La maison des Legrand a été cambriolée. Exprimez dans quel état les inspecteurs ont trouvé la maison.

EXEMPLE: vider les tiroirs
           On a vidé les tiroirs.

1. renverser les meubles

_____

2. fouiller dans tous les papiers

_____

3. prendre le poste de télévision et le stéréo

_____

4. jeter les vêtements par terre

_____

5. laisser des empreintes digitales sur les murs

_____

6. voler tous les bijoux

_____

7. ouvrir le coffre-fort

_____

8. laisser l'argent sous le matelas

_____

EXERCICE E

Exprimez les sentiments de ces personnes.

EXEMPLE: Pierre est furieux. (voler le portefeuille)
           On lui a volé son portefeuille.

1. Annette est fière. (donner une bourse)

_____

2. Rémy est intrigué. (envoyer un télégramme)

_____

3. Nancy est contente. (offrir une augmentation de salaire)

_____

4. Thierry est malheureux. (faire des reproches)

_____

5. Liliane est reconnaissante. (promettre un bon poste)

_____

6. Roger est mécontent. (mentir)

_____

7. Pauline est heureuse. (faire des compliments)

_____

8. Jacques est triste. (apporter une mauvaise nouvelle)

_____

EXERCICE F

Les membres d'un club secret ont fait des farces. Exprimez ce qu'ils ont fait.

EXEMPLE: Des chocolats au poivre ont été servis à la cantine de l'école.
           On a servi des chocolats au poivre à la cantine de l'école.

1. La mascotte de l'équipe de football a été volée.

_____

2. La statue devant la mairie a été peinte en rouge.

_____

3. De la musique de danse a été jouée partout dans la ville à minuit.

_____

4. La façade du centre commercial a été escaladée.

_____

5. Les résultats ont été annoncés avant le match.

_____

6. La photo d'une soucoupe volante a été publiée dans le journal.

_____

7. Un pont a été recouvert de tissu.

_____

8. Un terrain de base-ball a été utilisé pour atterrir en parachute pendant le match.

_____

b. **Some passive constructions may be replaced by a reflexive verb.**

Est-ce que les billets **se vendent** ici ?	*Are tickets sold here?*
Il **s'appelle** Alain.	*He is called (His name is) Alain.*
Le français **se parle** en Belgique.	*French is spoken in Belgium.*
Beaucoup d'arbres **se voyaient** le long de la route.	*Many trees were seen along the road.*
Tout à coup la porte **s'est ouverte.**	*Suddenly the door opened.*

EXERCICE G

Expliquez avec quoi on prépare ces spécialités françaises.

EXEMPLE: la mousse / du chocolat
La mousse se fait avec du chocolat.

1. la salade niçoise / du thon

_____

2. la bouillabaisse / du poisson

_____

3. le ragoût / du bœuf

_____

4. la quiche / du fromage

_____

5. une bombe / de la glace

_____

6. la choucroute garnie / du porc

_____

7. le pâté / du foie

_____

8. une bavaroise / de la crème

_____

EXERCICE H

Exprimez ce que Gilbert remarque pendant son voyage en France en changeant les phrases selon le modèle.

EXEMPLE: L'anglais est parlé partout.
L'anglais se parle partout.

1. Les cartes oranges sont vendues dans le métro.

_____

2. Le restaurant le plus célèbre de Paris est appelé «Maxim's».

_____

3. Le dîner est pris entre sept et huit heures.

_____

4. Les timbres sont achetés au bureau de tabac.

_____

5. L'école est terminée le 30 juin.

_____

6. La fête nationale est célébrée le 14 juillet.

_____

EXERCICE I

Votre amie française vous parle de ses grands-parents. Mettez les phrases suivantes à la forme active.

1. Mes grands-parents seront toujours admirés par tout le monde.

_____

2. J'ai été fortement influencée par eux.

_____

3. J'ai toujours été gâtée par mes grands-parents.

_____

4. Toute ma famille a été inspirée par leur courage et leur générosité.

_____

5. Leur maison avait été occupée par des soldats pendant la guerre.

_____

6. Leur ville avait été totalement détruite par les bombardements.

_____

7. Les orphelins de guerre ont été énormément aidés par la bonté et l'altruisme de mes grands-parents.

_____

8. Le journal de guerre de mon grand-père sera publié en anglais l'année prochaine.

_____

EXERCICE J

Exprimez ce qui se fait en France.

EXEMPLE: On termine les cours à 5 heures.
             Les cours se terminent à 5 heures.

1. On boit du vin blanc avec le poisson.

_____

2. On prend du vin rouge avec la viande.

_____

3. On vend les cartes postales au bureau de tabac.

_____

4. On trouve des cafés partout.

_____

5. On comprend l'anglais dans les grands magasins.

_____

6. On mange la salade juste avant le dessert.

_____

7. On dispute le Tour de France en juillet.

_____

8. On porte des vêtements très chics toute la journée.

_____

EXERCICE K

Exprimez ce qui se passera au mariage de Marie et de David en changeant les phrases selon le modèle.

EXEMPLE: Le maire lira l'acte de mariage.
           L'acte de mariage sera lu par le maire.

1. Un chauffeur conduira la famille de Marie.

_____

2. Le garçon d'honneur apportera les alliances.

_____

3. Les fiancés échangeront les vœux de mariage.

_____

4. À la sortie les invités jetteront du riz.

_____

5. À neuf heures le restaurateur servira le dîner.

_____

6. Les jeunes mariés recevront beaucoup de cadeaux.

_____

Chapter 13
Subjunctive

[1] SUBJUNCTIVE IN FRENCH

Chapters 1 through 12 in this book deal with verb constructions in the indicative mood. The term mood describes the form of the verb showing the subject's attitude. In this and the next two chapters, you will see how the subjunctive mood enables speakers of French to express a variety of attitudes through different verb forms and constructions.

a. The indicative and the subjunctive

The indicative mood states facts and expresses certainty or reality. The subjunctive mood expresses uncertainty, doubt, wishes, desires, conjecture, suppositions, and conditions that are unreal or contrary to fact. The action expressed by the subjunctive verb is subordinated to a personal point of view. The subjunctive occurs much more frequently in French than in English.

b. Use of the subjunctive

In French, the subjunctive normally occurs in dependent clauses introduced by a conjunction containing *que*, by a relative pronoun (usually *qui* or *que*) or by an independent clause + *que* showing wishing, emotion, need, or doubt. The subjects of the two verbs are always different.

Téléphonez-moi avant que **je parte.**	*Call me before I leave.*
Nous cherchons une secrétaire **qui sache** parler arabe.	*We are looking for a secretary who knows how to speak Arabic.*
Je doute que **vous compreniez.**	*I doubt (that) you understand.*

NOTES:

1. Verbs in the present subjunctive may express actions that take place in the present or in the future.

Il faut que tu partes.	*It is necessary that you leave. (You must leave.)*
Il est possible que nous perdions le match.	*It is possible that we will lose the match.*

2. French subjunctive forms may have various English equivalents. Compare all examples in Chapters 13, 14, and 15 carefully.

[2] PRESENT SUBJUNCTIVE OF REGULAR VERBS

The present subjunctive of most verbs is formed by dropping the *-ent* ending of the third person plural (*ils* form) of the present indicative and adding the personal endings: *-e, -es, -e, -ions, -iez, -ent:*

parler	finir	vendre
(parlent)	**(finissent)**	**(vendent)**
je parle	je finisse	je vende
tu parles	tu finisses	tu vendes
il/elle parle	il/elle finisse	il/elle vende
nous parlions	nous finissions	nous vendions
vous parliez	vous finissiez	vous vendiez
ils/elles parlent	ils/elles finissent	ils/elles vendent

NOTES:

1. This pattern also applies to most verbs that have irregular forms in the present indicative.

   Il faut que **tu mettes** les bottes.   *It is necessary that you put on the boots.*

   Je doute que **nous sortions.**   *I doubt that we will go out.*

   Il est possible que **je connaisse** Marc.   *It is possible that I know Marc.*

2. The *nous* and *vous* forms of the present subjunctive are identical to the *nous* and *vous* forms of the imperfect indicative, which are based on the stem of the *nous* form of the present tense. Verbs ending in *ions* in the present end in *iions* in the subjunctive: *que nous étudiions.*

EXERCICE A

Exprimez ce qu'il reste à faire aux employés du bureau avant la fin de la journée.

EXEMPLE: je / parler à mon client
       Il faut que je parle à mon client.

1. nous / finir notre travail

_____

2. Adrien / signer le contrat

_____

3. Annie et Claire / fournir les renseignements demandés

_____

4. vous / répondre au courrier

_____

5. tu / réussir à contacter l'ingénieur

_____

6. Jean et Paul / présenter leur rapport

_____

7. je / attendre le messager

_____

8. Lise / classer les documents importants

_____

[3] PRESENT SUBJUNCTIVE OF VERBS WITH TWO STEMS

Some verbs use two different stems to form the present subjunctive: the third person plural stem (*ils/elles* form) of the present indicative for the *je, tu, il/elle, ils/elles* forms, and the first person plural stem (*nous* form) of the present indicative for the *nous* and *vous* forms.

INFINITIVE	ils FORM	nous FORM	SUBJUNCTIVE			
boire	ils *boivent*	nous *buvons*	je	boive	nous	buv*ions*
			tu	boives	vous	buv*iez*
			il/elle	boive	ils/elles	boiv*ent*
venir	ils *vienn*ent	nous *ven*ons	je	vienne	nous	venions
			tu	viennes	vous	veniez
			il/elle	vienne	ils/elles	viennent
recevoir	ils *reçoiv*ent	nous *recev*ons	je	reçoive	nous	recevions
			tu	reçoives	vous	receviez
			il/elle	reçoive	ils/elles	reçoivent

Other verbs with two stems, including all verbs with spelling changes ending in *eler, eter, yer, e* + consonant + *er, é* + consonant + *er:*

apercevoir:	j'*aperçoive*	nous *apercevions*	**mener:**	je *mène*	nous *menions*
appeler:	j'*appelle*	nous *appelions*	**mourir:**	je *meure*	nous *mourions*
acheter:	j'*achète*	nous *achetions*	**payer:**	je *paie*	nous *payions*
croire:	je *croie*	nous *croyions*	**préférer:**	je *préfère*	nous *préférions*
devoir:	je *doive*	nous *devions*	**prendre:**	je *prenne*	nous *prenions*
ennuyer:	j'*ennuie*	nous *ennuyions*	**répéter:**	je *répète*	nous *répétions*
envoyer:	j'*envoie*	nous *envoyions*	**tenir:**	je *tienne*	nous *tenions*
employer:	j'*emploie*	nous *employions*	**voir:**	je *voie*	nous *voyions*
jeter:	je *jette*	nous *jetions*			

EXERCICE B

Exprimez ce que ces personnes doivent faire pour préparer leur fête.

EXEMPLE: **Il faut que je** _____voie_____ le fleuriste.
                                (voir)

1. Il faut que Marc _____ les invitations.
                          (envoyer)

2. Il est nécessaire que vous _____ le pâtissier.
                                    (appeler)

3. Il est important que j' _____ tout à l'avance.
                                (acheter)

4. Il est essentiel que Janine _____ m'aider.
                                      (venir)

5. Il préférable que nous _____ des assiettes en papier.
                                (employer)

6. Il est bon que les garçons _____ leur voiture.

(prendre)

7. Il faut que tu _____ les invités toi–même.

(recevoir)

8. C'est gentil que mes parents _____ tout.

(payer)

EXERCICE C

Exprimez ce que cette personne au régime doit faire en complétant cette interview avec la forme correcte du verbe au subjonctif.

1. (s'apercevoir)

De quoi faut-il que vous vous _____ avant de commencer ce programme ?

Il faut que je m'_____ que j'ai de très mauvaises habitudes alimentaires.

2. (prendre)

À quoi faut-il que vous _____ part si vous suivez ce programme ?

Il faut que je _____ part à toutes les réunions.

3. (boire)

Pourquoi est-il nécessaire que vous _____ du jus de légumes ?

Il est nécessaire que j'en _____ pour ne pas manquer de vitamines.

4. (payer)

Combien faut-il que vous _____ ?

Il faut que je _____ cinquante dollars à chaque visite.

5. (voir)

Est-il essentiel que vous _____ souvent le docteur ?

Oui, il est essentiel que je le _____ une fois par semaine.

6. (jeter)

Qu'est-il important que vous _____ à la poubelle ?

Il est important que je _____ tous mes bonbons à la poubelle.

7. (croire)

Est-il impératif que vous _____ en ce programme pour réussir ?

Oui, il est impératif que je _____ en ce programme.

8. (répéter)

Que faut-il que vous vous _____ souvent ?

Il faut que je me _____ : « Je vais maigrir ! »

[4] SUBJUNCTIVE AFTER IMPERSONAL EXPRESSIONS

The subjunctive is used after impersonal expressions of necessity, possibility or lack of it, doubt, emotion, and opinion, but not after expressions indicating probability or certainty.

il est amusant *it is amusing*	**il est nécessaire** *it is necessary*
il est bon *it is good*	**il est normal** *it is normal*
il est dommage *it is a pity, it is too bad*	**il est possible** *it is possible*
il est douteux *it is doubtful*	**il est préférable** *it is preferable*
il est essentiel *it is essential*	**il est rare** *it is rare*
il est étonnant *it is astonishing, it is amazing*	**il est surprenant** *it is surprising*
il est gentil *it is nice, kind*	**il est temps** *it is time*
il est impératif *it is imperative*	**il est urgent** *it is urgent*
il est important *it is important*	**il est utile** *it is useful*
il est impossible *it is impossible*	
il est improbable *it is improbable*	**il convient** *it is fitting (proper)*
il est indispensable *it is indispensable*	**il faut** *it is necessary*
il est injuste *it is unfair*	**il se peut** *it is possible*
il est juste *it is fair*	**il semble** *it seems*
il est intéressant *it is interesting*	**il suffit** *it is enough*
il est ironique *it is ironic*	**il vaut mieux** *it is better*
il est naturel *it is natural*	

Il est urgent **que tu voies** le médecin.	*It is urgent that you see the doctor.*
Il vaut mieux **que nous disions** la vérité.	*It is better that we tell the truth.*

NOTES:

1. Most of the impersonal expressions listed above may also be used with *c'est* in place of *il est.*

    C'est dommage qu'il pleuve.   *It's too bad that it rains.*

2. Impersonal expressions indicating certainty or probability do not take the subjunctive (see page 175, Chapter 14, Section 2, Part c.)

    Il est probable qu'il viendra.   *He probably will come.*

EXERCICE D

Une amie et vous parlez d'une fête que vous allez donner chez vous. Exprimez vos opinions.

EXEMPLE: il se peut / Roger / ne pas assister à la fête
            Il se peut que Roger n'assiste pas à la fête.

1. il faut / maman / acheter plein de desserts

_____

2. il est douteux / Hélène / apporter quelque chose

_____

3. il est important / tu / arriver chez moi à l'heure

_____

4. il est possible / je / inviter la voisine

_____

5. il vaut mieux / mes frères / sortir ce soir-là

_____

6. il est nécessaire / nous / préparer à manger pour vingt personnes

_____

7. il convient / je / aider ma mère

_____

8. il est essentiel / tout le monde / s'amuser

_____

EXERCICE E

Imaginez que vous faites un voyage en avion. Exprimez les précautions qu'il convient de prendre. Employez les expressions suggérées.

il faut	les gens	respecter les signaux lumineux
il est important	les passagers	suivre les conseils de sécurité
il convient	les enfants	prêter attention aux annonces
il vaut mieux	tout le monde	prendre sa place tout de suite
il est nécessaire	nous	rester assis(e/es)
il est essentiel	tu	mettre son sac sous le siège
il est utile	je	boucler sa ceinture de sécurité

EXEMPLE: **Il est essentiel que nous mettions** nos sacs sous le siège.

1. _____

2. _____

3. _____

4. _____

5. _____

6. _____

EXERCICE F

Exprimez cinq choses que vous estimez nécessaires pour améliorer les conditions de vie dans la ville où vous habitez. Utilisez une expression impersonnelle différente dans chaque phrase.

EXEMPLES: **Il est urgent que le maire loge** les sans-abri.
Il faut qu'on nourrisse les pauvres.

1. _____

2. _____

3. _____

4. _____

5. _____

EXERCICE G

Commentez ces situations socio-économiques. Choisissez l'expression impersonnelle qui convient de la liste à la page 163.

EXEMPLE: on / combattre la pollution
Il est important qu'on combatte la pollution.

1. l'assurance médicale / coûter si cher

   _____

2. les adultes / maltraiter les enfants

   _____

3. certains préjugés / exister encore de nos jours

   _____

4. les nations / réduire leur stock d'armes nucléaires

   _____

5. les groupes intéressés / essayer de sauver les espèces en voie de disparition

   _____

6. le gouvernement / augmenter les impôts

   _____

7. on / punir les criminels

   _____

8. les jeunes / voter

   _____

9. les chercheurs / trouver un remède pour la grippe

   _____

10. le gouvernement / nourrir les pauvres

    _____

EXERCICE H

Donnez votre opinion en utilisant le plus d'expressions possible de la liste ci-dessous.

il est bon	il est indispensable	il est utile
il est douteux	il est juste	il faut
il est essentiel	il est préferable	il se peut
il est étonnant	il est temps	il vaut mieux

EXEMPLE: étudier davantage
Il est temps que j'étudie davantage.

1. devenir riche

_____

2. recevoir une bourse

_____

3. réussir à tous mes examens

_____

4. apprendre une langue étrangère

_____

5. étudier à l'université

_____

6. obéir au règlement de l'école

_____

7. rendre service à mes amis

_____

8. dire la vérité

_____

[5] PRESENT SUBJUNCTIVE OF IRREGULAR VERBS

These verbs have irregular subjunctive forms:

a. Verbs with one stem:

faire *to do:*	je fasse, tu fasses, il/elle fasse, nous fassions, vous fassiez, ils/elles fassent
pouvoir *to be able to:*	je puisse, tu puisses, il/elle puisse, nous puissions, vous puissiez, ils/elles puissent
savoir *to know:*	je sache, tu saches, il/elle sache, nous sachions, vous sachiez, ils/elles sachent
falloir *it is necessary:*	il faille
pleuvoir *to rain:*	il pleuve

b. Verbs with two stems:

aller	*to go:*	j'aille, tu ailles, il/elle aille
		nous allions, vous alliez, ils/elles aillent
avoir	*to have:*	j'aie, tu aies, il/elle ait
		nous ayons, vous ayez, ils/elles aient
être	*to be:*	je sois, tu sois, il/elle soit
		nous soyons, vous soyez, ils/elles soient
valoir	*to be worth:*	je vaille, tu vailles, il/elle vaille
		nous valions, vous valiez, ils/elles vaillent
vouloir	*to want:*	je veuille, tu veuilles, il/elle veuille
		nous voulions, vous vouliez, ils/elles veuillent

EXERCICE I

Complétez les phrases avec la forme correcte du verbe au subjonctif.

1. (aller) Il est nécessaire que j'_____ en ville.

2. (avoir) Il faut que nous _____ le temps de finir notre travail.

3. (savoir) Il est important que Robert _____ exactement quand les Dupont vont arriver.

4. (être) Il faut que Janine et Luc _____ à l'heure ce soir.

5. (pouvoir) Il est essentiel que tu _____ m'accompagner à la conférence.

6. (faire) Il vaut mieux que vous _____ le ménage maintenant.

7. (vouloir) C'est gentil que Laurent et Michel _____ garder les enfants ce soir.

EXERCICE J

Complétez les opinions de ces personnes en utilisant la forme correcte du verbe au subjonctif.

aller	être	falloir	pouvoir
avoir	faire	pleuvoir	valoir

1. La terre est très aride. Il faut qu'il _____ .

2. Il faut que nous _____ attention à l'environnement.

3. Il est nécessaire que je _____ inscrit pour voter.

4. Il est possible qu'un jour il _____ abandonner les voitures à essence au profit des voitures électriques.

5. Il est improbable que nous _____ habiter sur Mars avant la fin du siècle.

6. Il est dommage que l'on ne _____ pas avoir la paix dans le monde tout de suite.

7. Il est essentiel que tous les enfants _____ les mêmes chances de réussir.

8. Il est regrettable qu'une maison _____ si cher de nos jours.

EXERCICE K

Quand vous rentrez, vous vérifiez les messages qu'on a laissés sur votre répondeur téléphonique. Exprimez ce que vous entendez en combinant un élément de chaque colonne.

Il est douteux	elle	aller à la réunion ensemble
Il est essentiel	ils	avoir l'occasion de me rappeler
Il est important	je	être à l'heure ce soir
Il est impossible	nous	faire le travail tout de suite
Il est indispensable	tu	te voir ce week-end
Il est nécessaire	vous	obtenir les renseignements nécessaires
Il est possible	il	pleuvoir le jour de notre rendez-vous
Il est urgent		pouvoir te rencontrer plus tard
Il faut		savoir quand tu seras libre
Il se peut		valoir la peine d'aller en ville
Il vaut mieux		vouloir m'aider samedi

EXEMPLE: **Il vaut mieux que je te voie** ce week-end.

1. _____

2. _____

3. _____

4. _____

5. _____

6. _____

7. _____

8. _____

9. _____

10. _____

MASTERY EXERCISES

EXERCICE L

Exprimez vos opinions sur votre vie personnelle en complétant les phrases suivantes.

1. Il est urgent que je _____ .

2. Il faut que je _____ .

3. Il est important que je _____ .

4. Il convient que je _____ .

5. Il est étonnant que je _____ .

6. Il est surprenant que je _____ .

7. Il vaut mieux que je _____ .

8. Il est normal que je _____ .

9. Il suffit que je _____ .

10. Il est bon que je _____ .

EXERCICE M

En vous servant du subjonctif, exprimez trois solutions possibles à chacun des problèmes suivants.

Pour protéger notre environnement :

1. _____

2. _____

3. _____

Pour diminuer la délinquance des jeunes :

4. _____

5. _____

6. _____

Pour limiter le chômage :

7. _____

8. _____

9. _____

Chapter 14
Subjunctive (continued)

[1] PAST SUBJUNCTIVE

The past subjunctive is formed with the present subjunctive of *avoir* or *être* and the past participle.

défendre		tomber		s'amuser	
j'	aie défendu	je	sois tombé(e)	je	me sois amusé(e)
tu	aies défendu	tu	sois tombé(e)	tu	te sois amusé(e)
il/elle	ait défendu	il/elle	soit tombé(e)	il/elle	se soit amusé(e)
nous	ayons défendu	nous	soyons tombé(e)s	nous	nous soyons amusé(e)s
vous	ayez défendu	vous	soyez tombé(e)(s)	vous	vous soyez amusé(e)(s)
ils / elles	aient défendu	ils/elles	soient tombé(e)s	ils/elles	se soient amusé(e)s

NOTE: Like the *passé composé*, the past subjunctive is used to express an action that has already taken place.

C'est dommage qu'il n'ait pas étudié.   *It is a pity that he didn't study.*

Il semble qu'ils soient sortis.   *It seems they have gone out.*

EXERCICE A

Exprimez les opinions des étudiants au sujet de la vie de Napoléon en vous servant du passé du subjonctif.

EXEMPLE: il est remarquable / il / presque conquérir l'Europe entière
     Il est remarquable qu'il ait presque conquis l'Europe entière.

1. il est dommage / son empire / tomber à cause de son orgueil

_____

2. il est étonnant / Napoléon / se couronner empereur

_____

3. il est important / il / devenir empereur

_____

4. il est juste / on / le reconnaître comme un homme de génie et d'imagination

_____

5. il est amusant / il / recevoir le surnom de Petit Caporal

_____

6. il est intéressant / il / être si petit et si puissant

_____

7. il est injuste / 500.000 jeunes hommes / mourir à cause de son ambition

_____

8. il est ironique / il / terminer sa vie seul et exilé

_____

[2] SUBJUNCTIVE AFTER EXPRESSIONS OF COMMAND, WISHING, DOUBT, EMOTION

a. The subjunctive is used after verbs and expressions of command, wishing, demand, desire, permission, preference, prohibition, request, and wanting.

aimer mieux *to prefer*	empêcher *to prevent*	permettre *to permit*
commander *to order*	exiger *to demand*	préférer *to prefer*
consentir *to consent*	insister *to insist*	souhaiter *to wish*
défendre *to forbid*	interdire *to prohibit*	tenir à ce que *to insist on*
demander *to ask, demand*	jurer *to swear*	vouloir *to wish, want*
désirer *to desire*	ordonner *to order*	

J'aime mieux que tu fasses ceci.	*I prefer that you do this.*
Son père défend qu'elle devienne actrice.	*Her father forbids her to become an actress.*
Nous exigeons que vous alliez à la conférence.	*We demand that you go to the conference.*
Préférez-vous que nous restions ici ?	*Do you prefer that we stay here?*
Je veux que tu fasses de ton mieux.	*I want you to do your best.*

NOTES:

1. The subjunctive in French is often equivalent to an infinitive in English.

Sa mère veut qu'il fasse la vaisselle.	*His mother wants him to wash the dishes.*
Mes parents défendent que je fume.	*My parents forbid me to smoke.*

2. In all of the examples above, the verb in the main clause and the verb in the dependent clause have different subjects. If the subjects in both clauses are the same, *que* is omitted and the infinitive is used instead of the subjunctive. Compare:

Elles voudraient **que nous allions** à la fête.	*They would like us to go to the party.*
Elles voudraient **aller** à la fête.	*They would like to go to the party.*
Mon frère préfère **que je fasse** la vaisselle.	*My brother prefers that I do the dishes.*
Mon frère préfère **faire** la vaisselle.	*My brother prefers to do the dishes.*

EXERCICE B

Exprimez les commentaires de Robert sur ces personnes.

ma mère	défendre	vous	laver la voiture
mon père	vouloir	je	finir mes devoirs
mes parents	aimer mieux	ma sœur	se coucher tôt
le professeur	demander	mes frères	sortir ce soir
vous	désirer	les élèves	répondre avec respect
tu	exiger	nous	aller au supermarché
je	interdire	il	faire le ménage
nous	ordonner	elles	être poli
le directeur	permettre	tu	avoir une bonne attitude
mes grands-parents	préférer		voir ce film
	souhaiter		quitter l'école sans permission

EXEMPLE: **Mon père interdit que je sorte** ce soir.

1. _____

2. _____

3. _____

4. _____

5. _____

6. _____

7. _____

8. _____

9. _____

10. _____

b. The subjunctive is used after verbs and expressions of feeling or emotion, such as fear, joy, sorrow, regret, and surprise.

être agacé *to be annoyed*	**être malheureux** *to be unhappy*
être content *to be happy, glad*	**être mécontent** *to be displeased*
être désolé *to be sorry, distressed*	**être ravi** *to be delighted*
être embarrassé *to be embarrassed*	**être surpris** *to be surprised*
être enchanté *to be delighted*	**être triste** *to be sad*
être énervé *to be irritated*	
être ennuyé *to be annoyed*	**avoir crainte** *to be afraid*
être étonné *to be astonished*	**avoir honte** *to be ashamed*
être fâché *to be angry*	**avoir peur** *to be afraid*
être fier *to be proud*	
être flatté *to be flattered*	**craindre** *to fear*
être furieux *to be furious*	**regretter** *to be sorry*
être gêné *to be bothered*	**s'étonner** *to be astonished*
être heureux *to be happy*	**se fâcher** *to be angry*
être irrité *to be irritated*	**se réjouir** *to rejoice, be happy*

Vous êtes **content** que nous **venions**.   *You are happy (that) we are coming.*

Nous **regrettons** que vous **ayez attendu**.   *We are sorry (that) you waited.*

Il **s'étonne** que j'**aie gagné** la compétition.   *He is astonished (that) I won the competition.*

Elles sont **tristes** qu'ils **ne puissent pas** y aller.   *They are sad (that) they can't go there.*

Je **crains** qu'elle ne **tombe**.   *I fear (that) she may fall.*

NOTE: Expressions of fear in affirmative sentences generally take *ne* (expletive *ne*) with the subjunctive.

Nous **avons peur qu'ils ne se fâchent.**	*We are afraid (that) they may get angry.*

If the verb of fearing is negative, *ne* is not repeated. In the interrogative, *ne* is not used.

Je ne crains pas qu'elle tombe.	*I'm not afraid (that) she may (will) fall.*
Avez-vous peur qu'il découvre la vérité ?	*Are you afraid (that) he may (will) find out the truth?*

EXERCICE C

Éric et Anne ne sont jamais d'accord. Exprimez ce que chacun dit de leur prochain voyage.

EXEMPLE: Les Dupont vont en France avec nous.

> ÉRIC: **Je suis ravi qu'ils aillent** en France avec nous.
> ANNE: **Je suis désolée qu'ils aillent** en France avec nous.

1. Papa et maman veulent aller à Paris.

ÉRIC: _____

ANNE: _____

2. Nous pouvons les accompagner.

ÉRIC: _____

ANNE: _____

3. Marie vient aussi.

ÉRIC: _____

ANNE: _____

4. Nous faisons le voyage cet été.

ÉRIC: _____

ANNE: _____

5. Nous prenons un avion d'Air France.

ÉRIC: _____

ANNE: _____

6. Il faut rentrer en août.

ÉRIC: _____

ANNE: _____

7. Nous avons deux mois de vacances.

ÉRIC: _____

ANNE: _____

8. Nous allons visiter de la famille.

ÉRIC: _____

ANNE: _____

EXERCICE D

Utilisez les éléments de chaque colonne pour former des phrases au passé du subjonctif.

maman	être triste	je	faire du sport
mon petit ami	être désolé	ma sœur	maigrir
nos parents	être ennuyé	Mme Lévêque	sortir avec ses amis
tu	être enchanté	nous	être malade
Véronique	être fâché	tu	rentrer si tard
je	être ravi	un ami	réussir
vous	être content	le professeur	refuser de l'aider
nous	regretter	Henri	croire votre histoire
elles	s'étonner		manquer le match

EXEMPLE: **Véronique est ennuyée qu'un ami ait refusé de l'aider.**

1. _____

2. _____

3. _____

4. _____

5. _____

6. _____

7. _____

8. _____

EXERCICE E

Exprimez ce que les membres de la famille Rougon craignent.

EXEMPLE: la grand-mère / son mari / tomber malade
       La grand-mère craint que son mari ne tombe malade.

1. M. Rougon / sa société / faire faillite

_____

2. Mme Rougon / son mari / oublier son rendez-vous chez le dentiste

_____

3. Jean / un monstre / se cacher sous son lit

_____

4. Grégoire / son amie / rater le cours d'histoire

_____

5. les filles / leurs parents / être fâchés

_____

6. Micheline / sa meilleure amie / arriver en retard au concert

_____

7. les garçons / leurs grands-parents / être trop fatigués pour venir

_____

8. le grand-père / il / pleuvoir à verse

_____

c. The subjunctive is used after verbs and expressions of doubt, disbelief, and denial. The indicative is used after expressions of certainty and probability.

INDICATIVE (CERTAINTY/PROBABILITY)	SUBJUNCTIVE (DOUBT/DISBELIEF/DENIAL)
je sais *I know*	**je doute** *I doubt*
je suis sûr(e) *I am sure*	**je ne suis pas sûr(e)** *I am not sure*
je suis certain(e) *I am certain*	**je ne suis pas certain(e)** *I am not certain*
il est certain *it is certain*	**il n'est pas certain** *it is not certain*
il est clair *it is clear*	**il n'est pas clair** *it is not clear*
il est évident *it is evident*	**il n'est pas évident** *it is not evident*
il est exact *it is exact*	**il n'est pas exact** *it is not exact*
il est vrai *it is true*	**il n'est pas vrai** *it is not true*
il (c') est sûr *it is sure*	**il (ce) n'est pas sûr** *it is not sure*
il est probable *it is probable*	**il est douteux** *it is doubtful*
	il est possible *it is possible*
il paraît *it appears*	**il se peut** *it is possible*
	il est impossible *it is impossible*
il me semble *it seems to me*	**il semble** *it seems*
je crois *I believe*	**je ne crois pas** *I don't believe*
	crois-tu ? *do you believe?*
je pense *I think*	**je ne pense pas** *I don't think*
	penses-tu ? *do you think?*
j'espère *I hope*	**je n'espère pas** *I don't hope*
	espères-tu ? *do you hope?*

When these expressions and verbs are used negatively or interrogatively, thereby implying uncertainty or doubt, the subjunctive is used in the dependent clause that follows.

Je suis sûr qu'elle viendra.	*I am sure she will come.*
Je ne suis pas sûr qu'elle vienne.	*I am not sure she will come.*
Pensez-vous que Jacques soit arrivé ?	*Do you think Jacques has arrived?*
—Oui, je pense qu'il est arrivé ce matin.	*—Yes, I think he arrived this morning.*
Il est certain que Michel réussira à l'examen.	*It is certain that Michel will pass the exam.*
Mais il est possible que son frère ne réussisse pas.	*But it is possible that his brother will not pass.*

NOTE: **In the interrogative and negative, the verbs *croire* and *penser* may be followed by the indicative when there is little or no doubt in the speaker's mind.**

Je ne crois pas qu'elle viendra.	*I do not believe she will come.* (She probably won't come.)
Je ne crois pas qu'elle vienne.	*I do not believe she will come.* (She might not come.)
Croyez-vous que Marie dit la vérité ?	*Do you believe Marie is telling the truth?* (Speaker has no doubt Marie is telling the truth.)
Croyez-vous que Marie dise la vérité ?	*Do you believe Marie is telling the truth?* (Speaker doubts Marie is telling the truth.)

EXERCICE F

Votre frère cadet ne dit pas toujours la vérité. Exprimez vos réponses à ce qu'il dit.

EXEMPLE: Marie connaît Michael Jackson.
          Je doute qu'elle connaisse Michael Jackson.

1. Nous allons en France.

   _____

2. Édouard joue au tennis tous les jours.

   _____

3. Le professeur de français fera un voyage sur la lune.

   _____

4. Cette bague vaut plus de mille dollars.

   _____

5. Il y a une émission épatante à la télévision.

   _____

6. Un martien atterrira sur la Terre aujourd'hui.

   _____

3. avoir un accident

_____

4. aller faire des courses

_____

5. se faire mal

_____

6. rencontrer un ami

_____

7. sortir avec ses copains

_____

8. se mettre en route très tard

_____

MASTERY EXERCISES

EXERCICE J

Complétez ces paragraphes avec la forme correcte des verbes entre parenthèses.

1. La mère de Jean attend des invités ce soir. Elle veut que Jean l' _____ . Il faut d'abord
　　　　　　　　　　　　　　　　　　　　　　　　　　　　　　　　　　　1. (aider)

qu'il _____ le couvert. Ensuite, il est nécessaire que Jean _____ au
　　　2. (mettre)　　　　　　　　　　　　　　　　　　　　　　　　　　　　　　*3.* (aller)

supermarché. Jean veut _____ sa bicyclette, mais sa mère défend qu'il y
　　　　　　　　　　　　　　　4. (prendre)

_____ à bicyclette. C'est dommage que Jean ne _____ pas y aller à bi-
　　5. (aller)　　　　　　　　　　　　　　　　　　　　　　　　　　*6.* (pouvoir)

cyclette parce que sa mère veut qu'il _____ car les invités arrivent dans quinze minutes.
　　　　　　　　　　　　　　　　　　7. (se dépêcher)

2. C'est aujourd'hui un jour horrible pour Robert. Il faut qu'il _____ chez le dentiste. Il
　　　　　　　　　　　　　　　　　　　　　　　　　　　　　　8. (aller)

est essentiel qu'il _____ examiner ses dents, sinon il va avoir des caries. Robert craint
　　　　　　　　9. (faire)

que le dentiste ne lui _____ une dent. Sa mère lui ordonne de _____
　　　　　　　　　　　10. (arracher)　　　　　　　　　　　　　　　　　　　*11.* (partir)

chez le dentiste. Il souhaite que le cabinet du dentiste _____ fermé ce jour-là.
　　　　　　　　　　　　　　　　　　　　　　　　　　　12. (être)

Malheureusement, ce n'est pas le cas. La secrétaire le reçoit. Elle regarde le registre et dit: « Il semble

qu'il y _____ un problème. Il est possible que nous _____ oublié
　　　13. (avoir)　　　　　　　　　　　　　　　　　　　　　　*14.* (avoir)

de noter votre rendez-vous, mais je ne vois pas votre nom et le dentiste est trop occupé pour

qu'il _____ vous voir aujourd'hui. Il faut que vous _____ un autre
　　15. (pouvoir)　　　　　　　　　　　　　　　　　　　　　　　*16.* (prendre)

rendez- vous. » Robert regrette qu'il lui _____ fixer une autre date. Puis il repart chez
17. (falloir)

lui, heureux. Il semblerait qu'aujourd'hui _____ son jour de chance !
18. (être)

3. C'est une journée intéressante au tribunal. Le juge a ordonné que l'accusé _____
19. (se défendre)

contre les charges portées contre lui. Il est surprenant que l'accusé _____ innocent.
20. (se dire)

Son avocat jure qu'il _____ la vérité. Il est évident que les jurés ne le
21. (dire)

_____ pas quand il donne sa version des faits. Le verdict est rendu. Le jury a estimé
22. (croire)

qu'il était juste que l'accusé _____ en prison cinq ans. Il est douteux que l'avocat
23. (rester)

_____ appel parce qu'il est impossible qu'il _____ de nouveaux
24. (faire) 25. (trouver)

témoins.

4. Il est possible que le jour de la rentrée des classes ne _____ pas facile pour Louis.
26. (être)

Cette année il faut qu'il _____ un programme très difficile. Le professeur exige que
27. (suivre)

ses étudiants _____ dur et il est rare qu'un élève _____ de bonnes
28. (travailler) 29. (recevoir)

notes. Ses amis insistent sur le fait qu'il ne _____ jamais manquer de classe parce que
30. (devoir)

le professeur n'aime pas que les étudiants _____ absents. Il est certain que Louis
31. (être)

_____ beaucoup étudier cette année.
32. (devoir)

5. Les jeunes espèrent que la neige _____ bientôt les montagnes d'un manteau blanc. Ils
33. (recouvrir)

veulent _____ faire du ski et, pour ce faire, il faut qu'il y _____ beau-
34. (aller) 35. (avoir)

coup de neige. Joseph demande que ses parents lui _____ cent dollars pour l'excur-
36. (prêter)

sion. Son père sait qu'il est douteux que Joseph lui _____ l'argent un jour, mais il veut
37. (rendre)

que son fils _____ de ses vacances. Il exige seulement qu'il _____
38. (profiter) 39. (faire)

attention parce qu'il est possible que les montagnes _____ couvertes de glace. Mais
40. (être)

il est naturel que ces jeunes gens _____ s'amuser.
41. (vouloir)

EXERCICE K

En employant les expressions données, composez huit phrases d'une lettre où vous acceptez l'invitation d'un(e) ami(e) chez lui au bord de la mer pendant une semaine.

1. Je suis content(e) que _____ .

2. Crois-tu que _____ ?

3. Ma sœur est ravie que _____ .

4. Je doute que _____ .

5. Je suis désolé(e) que _____ .

6. Je suis surpris(e) que _____ .

7. Je préfère que _____ .

8. Mes parents veulent que _____ .

Chapter 15
Subjunctive (continued)

[1] SUBJUNCTIVE AFTER CERTAIN CONJUNCTIONS

a. Conjunctions that express time:

en attendant que, jusqu'à ce que   *until*
avant que   *before*

Je lui dirai au revoir **avant qu'elle parte.**	*I will tell her good-bye before she leaves.*

b. Conjunctions that express purpose:

afin que, pour que   *in order that, so that*
de façon que, de sorte que   *so that*

Le professeur parle lentement **afin que les élèves puissent** le comprendre.	*The teacher speaks slowly so that the students can understand him.*

c. Conjunctions that express condition:

à condition que, pourvu que   *provided that*
à moins que   *unless*

Elle réussira **pourvu qu'elle fasse** attention.	*She will succeed provided that she pays attention.*

d. Conjunctions that express concession:

bien que, encore que, quoique   *although, though*
malgré que   *in spite of the fact that*

Bien qu'il fasse mauvais temps, nous viendrons.	*Although the weather is bad, we will come.*

e. Conjunctions that express negation:

sans que   *without*

Je peux le faire **sans que vous m'aidiez.**	*I can do it without your helping me.*

f. Conjunctions that express fear:

de crainte que, de peur que   *for fear that*

Tu te dépêches **de peur qu'elle ne t'attende.**	*You hurry for fear that she is waiting for you.*

NOTES:

1. *À moins que, avant que, de peur que,* and *de crainte que* are generally followed by *ne* before the verb.

Nous sortirons à moins qu'il ne pleuve.	*We will go out unless it rains.*
Nous ferons du ski à moins qu'il ne neige pas.	*We will go skiing unless it does not snow.*

2. The following conjunctions and expressions are followed by the indicative:

après que	*after*	**pendant que**	*while*
aussitôt que	*as soon as*	**peut-être que**	*perhaps*
dès que	*as soon as*	**puisque**	*since*
étant donné que	*inasmuch as*	**tandis que**	*while, whereas*
parce que	*because*		

3. If the subjects of the main and the dependent clauses are the same, an infinitive construction is used instead of the subjunctive.

Je lui parlerai **avant de venir.**	*I will speak to him before I come (before coming).*
Nous avons attendu **afin de le voir.**	*We waited in order to see him.*
Je me lave toujours les mains **avant de manger.**	*I always wash my hands before I eat (before eating).*
Il est parti **sans dire** au revoir.	*He left without saying good-bye.*

EXERCICE A

Mme Laurent et son fils Bernard sont chez le docteur et attendent leur tour dans la salle d'attente. Exprimez ce que Mme Laurent dit à l'infirmière.

EXEMPLE: Il rira. Le docteur l'examine. (jusqu'à ce que)
Il rira jusqu'à ce que le docteur l'examine.

1. Il lira un livre. Le docteur le reçoit. (en attendant que)

_____

2. Il jouera. Vous l'appelez. (avant que)

_____

3. Il sourira. Je lui dis d'entrer dans le cabinet du docteur. (avant que)

_____

4. Il attendra le docteur. Elle est prête. (jusqu'à ce que)

_____

5. Il pleurera. Elle lui fait une piqûre. (avant que)

_____

6. Il vous regardera. Vous lui donnez une sucette. (en attendant que)

_____

EXERCICE B

Exprimez en français pourquoi les membres de votre famille font les choses suivantes.

EXEMPLE: maman nous réveille / afin que / nous / arriver à l'école à l'heure
Maman nous réveille **afin que nous arrivions** à l'école à l'heure.

1. nous sortons de la chambre / pour que / notre petit frère / pouvoir dormir

_____

2. papa donne de l'argent à Luc / afin que / il / aller au supermarché

_____

3. j'amène mon frère au zoo / pour que / il / voir les animaux

_____

4. ma sœur parle à voix basse / afin que / je / ne pas pouvoir l'entendre

_____

5. mes grands-parents se dépêchent / pour que / je / les emmener en ville en voiture

_____

6. mon cousin téléphone / afin que / nous / aller le chercher à la gare

_____

EXERCICE C

Guillaume a du mal à suivre son cours de français. Vous voulez l'aider. Exprimez ce que vous dites à Guillaume.

EXEMPLE: Je te téléphonerai chaque jour pour que tu _____**puisses**_____ me poser des questions.
                                                              (pouvoir)

1. Je t'aiderai à condition que tu _____ beaucoup.
                                        (étudier)

2. Je ne viendrai pas chez toi à moins que tu ne _____ d'être sérieux.
                                                      (promettre)

3. Je te prêterai mes livres jusqu'à ce que tu n'en _____ plus besoin.
                                                        (avoir)

4. Je t'aiderai pourvu que tu _____ de ton mieux.
                                    (faire)

5. Je corrigerai tout ton travail pour que tu _____ des devoirs bien faits.
                                                    (rendre)

6. Tu ne me paieras pas à moins que tu ne _____ .
                                              (réussir)

EXERCICE D

Exprimez ce que font les personnes suivantes malgré leurs difficultés.

EXEMPLE: Ils jouent au tennis. Ils ont 80 ans. (encore que)
          Ils jouent au tennis encore qu'ils aient 80 ans.

1. J'apprends à nager. J'ai peur de l'eau. (quoique)

_____

2. Nous allons participer au championnat. Nous savons que nous allons perdre. (bien que)

_____

3. Tu cours le 100 mètres. Tu souffres de la cheville. (encore que)

_____

4. Marc et Jacques vont à la piscine. Ils sont enrhumés. (quoique)

_____

5. Vous faites beaucoup de sport. Vous êtes handicapé. (bien que)

_____

6. Viviane va au cours de karaté. Elle se sent fatiguée. (malgré que)

_____

EXERCICE E

Répondez aux questions qu'un(e) ami(e) vous pose en employant l'expression **sans que.**

EXEMPLE: As-tu demandé la permission à ton père ?
            Non, il est parti **sans que je lui aie demandé la permission.**

1. As-tu parlé à Charles ?

_____

2. As-tu donné l'argent à Jean ?

_____

3. As-tu montré la photo à Pierre ?

_____

4. As-tu lu la lettre à Alexandre ?

_____

5. As-tu expliqué le problème à Nancy ?

_____

6. As-tu prêté ton livre à Michelle ?

_____

EXERCICE F

Exprimez ce que font ces personnes pour éviter les problèmes. Employez l'expression **de crainte que.**

EXEMPLE: Les Martin ne font pas de ski. Leurs enfants se font mal.
            Les Martin ne font pas d**e ski de crainte que leurs enfants ne se fassent mal.**

1. Les Caron ne sortent pas. M. Caron attrape un rhume.

_____

_____

2. Mme Poiraud ne donne pas de chocolat à son fils. Il grossit.

_____

_____

3. M. Lenoir ne donne pas d'argent à sa fille. Elle dépense tout.

_____

_____

4. Mme Maupin ne permet pas à son fils de conduire sans elle. Il va trop vite.

_____

_____

5. M. Junot ne laisse pas de détergents en évidence. Son enfant en boit.

_____

_____

6. Mme Dutour aide toujours sa mère. Elle se fatigue trop.

_____

_____

EXERCICE G

Utilisez les expressions données et complétez les phrases selon votre choix.

| à condition que | afin que | jusqu'à ce que | pourvu que |
| à moins que | bien que | pour que | quoique |

1. J'achèterai un baladeur _____ .

2. J'offrirai une montre à mon père _____ .

3. Je te rendrai ce service _____ .

4. Je ne t'aiderai pas _____ .

5. Je te conduirai à l'école _____ .

6. Je te prêterai de l'argent _____ .

7. Je t'attendrai _____ .

8. Je te parlerai de cette affaire _____ .

EXERCICE H

Combinez les phrases avec les expressions indiquées.

EXEMPLE: Elles appellent le médecin. (de peur) Anne est très malade.
Elles appellent le médecin de peur qu'Anne ne soit très malade.

Elles appellent le médecin. (de peur) Elles sont très malades.
Elles appellent le médecin de peur d'être très malades.

1. Nous irons au cinéma. (à condition) Tu finis tes devoirs.

_____

Nous irons au cinéma. (à condition) Nous finissons nos devoirs.

_____

2. Vous êtes allés au restaurant. (afin) Jean peut manger du ragoût.

Vous êtes allés au restaurant. (afin) Vous pouvez manger du ragoût.

_____

3. M. Rameau a apporté un manteau. (de crainte) Sa femme attrape froid.

_____

M. Rameau a apporté un manteau. (de crainte) Il attrape froid.

_____

4. Elle quitte le magasin. (sans) Sa fille essaie les chaussures.

_____

Elle quitte le magasin. (sans) Elle essaie les chaussures.

_____

5. Nous allons aller au Louvre. (avant) Il quitte Paris.

_____

Nous allons aller au Louvre. (avant) Nous quittons Paris.

_____

6. Ma famille va en France. (pour) Je vois la tour Eiffel.

_____

Ma famille va en France. (pour) Ma famille voit la tour Eiffel.

_____

[2] SUBJUNCTIVE IN RELATIVE CLAUSES

The subjunctive is used in relative clauses referring to a person or thing in the main clause that is indefinite, nonexistent, or desired but not yet found.

SUBJUNCTIVE	INDICATIVE
Elle cherche un appartement qui **soit** confortable. *She is looking for an apartment that is comfortable.* (She may never find one.)	Elle a un appartement qui **est** confortable. *She has an apartment that is comfortable.* (She has one.)
Connaissez-vous quelqu'un qui **veuille** travailler ? *Do you know anyone who wants to work?* (indefinite)	Il connaît quelqu'un qui **veut** travailler. *He knows someone who wants to work.* (definite person)
Je ne peux trouver personne que je **puisse** croire. *I can't find anyone whom I can believe.* (Such a person may not exist.)	J'ai trouvé quelqu'un que je **peux** croire. *I found someone whom I can believe.* (There is such a person.)

EXERCICE I

Les Poussin viennent d'acheter une résidence secondaire. Exprimez ce que M. Poussin demande à son nouveau voisin et les réponses de celui-ci.

EXEMPLE: un plombier / pouvoir réparer mon lavabo
Connaissez-vous un plombier qui puisse réparer mon lavabo ?
Je connais un plombier qui peut réparer votre lavabo.

1. un maçon / vouloir construire un garage

   _____

   _____

2. un mécanicien / être honnête

   _____

   _____

3. un électricien / tenir ses promesses

   _____

   _____

4. un tapissier / poser le papier-peint correctement

   _____

   _____

5. un ingénieur / vérifier les fondations de la maison

   _____

   _____

6. quelqu'un / faire le ménage

   _____

   _____

7. un jardinier / prendre soin des fleurs

   _____

   _____

8. un bricoleur / savoir faire toutes sortes de choses

   _____

   _____

EXERCICE J

Vous faites du tourisme en France. Posez les questions suivantes à votre guide.

EXEMPLE: un magasin / prendre l'argent américain
            Y a-t-il un magasin qui prenne l'argent américain ?

1. un théâtre / mettre en scène des pièces américaines

   _____

2. un kiosque / recevoir le New York Times

   _____

3. un restaurant / servir des plats diététiques

   _____

4. un pharmacien / faire des produits à base de plantes

   _____

5. un bus / aller à Versailles

_____

6. un hôtel / être climatisé

_____

7. un étudiant / vouloir apprendre l'anglais

_____

8. un interprète / pouvoir m'aider

_____

EXERCICE K

Vous êtes président(e) d'une société en plein développement et vous cherchez de nouveaux employés. Vous dites à vos associés.

EXEMPLE: un employé / apprendre vite
Nous cherchons un employé qui apprenne vite.

1. une secrétaire / connaître le traitement de texte

_____

2. un comptable / être minutieux

_____

3. une directrice / s'entendre bien avec les employés

_____

4. un chef de personnel / comprendre les besoins de notre société

_____

5. une dactylo / taper vite à la machine

_____

6. un homme d'affaires / établir de bons contrats

_____

7. un gérant / avoir au moins dix ans d'expérience

_____

8. une vendeuse / savoir parler anglais

_____

[3] SUBJUNCTIVE AFTER SUPERLATIVE EXPRESSIONS

The subjunctive is used in a relative clause after superlative expressions generally expressing an opinion or an emotion such as *le premier* (*the first*), *le dernier* (*the last*), *le seul* (*the only*), *l'unique* (*the only*), and *ne... que* (*only*) when it is equivalent to a superlative.

C'est le meilleur café **qu'on puisse** acheter. | *That's the best coffee you can buy.*
C'est la seule personne **qui sache** le faire. | *That's the only person who knows how to do it.*

Ce sont les plus beaux vases **que j'aie
jamais vus.**

*They are the most beautiful vases I have
ever seen.*

Il n'y a qu'une personne ici **qui sache**
parler chinois.

*There is only one person here who knows
how to speak Chinese.*

EXERCICE L

Complétez les opinions de ces personnes.

1. La Porsche est la seule voiture que je _____ .
   (vouloir)

2. *Love Me Tender* est le disque le plus récent que ma mère _____ .
   (avoir)

3. Paris est la plus belle ville que je _____ .
   (connaître)

4. La mousse au chocolat est le meilleur dessert que mon père _____ .
   (faire)

5. Le président est le seul qui _____ la vérité.
   (savoir)

6. Il n'y a que les films d'Alfred Hitchcock qui _____ intéressants.
   (être)

EXERCICE M

Exprimez votre opinion en répondant aux questions par une phrase complète.

1. Qui est le meilleur comédien que vous ayez jamais vu jouer ?

   _____

2. Qui est le meilleur chanteur que vous soyez jamais allé(e) voir en concert ?

   _____

3. Qui est la plus belle actrice que vous ayez jamais vue ?

   _____

4. Qui est le personnage historique le plus important que vous ayez jamais étudié ?

   _____

5. Quelle est la plus jolie ville que vous ayez jamais visitée ?

   _____

6. Quel est le sport le plus épuisant que vous ayez jamais pratiqué ?

   _____

7. Quel est le plat le plus délicieux que vous ayez jamais goûté ?

   _____

8. Quel est le livre le plus intéressant que vous ayez jamais lu ?

   _____

[4] SUBJUNCTIVE IN THIRD-PERSON COMMANDS

The subjunctive is used in independent clauses expressing third-person commands or wishes.

Qu'elle le fasse tout de suite !	*Let her do it at once!*
Qu'il entre !	*Let him come in!*
Qu'ils réussissent !	*May they succeed!*
Vive la France !	*Long live France!*

EXERCICE N

M. et Mme Sommier viennent d'avoir un enfant. Exprimez ce que leurs amis leur disent.

EXEMPLE: vivre longtemps
   Qu'il vive longtemps !

1. rendre votre vie heureuse

_____

2. grandir en bonne santé

_____

3. pouvoir réaliser ses rêves

_____

4. être intelligent

_____

5. réussir dans la vie

_____

6. avoir de la chance

_____

7. accomplir de grandes choses

_____

8. devenir célèbre

_____

EXERCICE O

Jeanne vient de passer une demi-heure dans le bureau du directeur de l'école à cause de sa mauvaise conduite. Exprimez ce que le directeur dit au professeur de Jeanne.

EXEMPLE: se conduire bien
   Qu'elle se conduise bien !

1. aller en classe à l'heure

_____

2. apprendre ses leçons

_____

3. faire ses devoirs

_____

4. se mettre à travailler sérieusement

_____

5. obéir sans protester

_____

6. être attentive

_____

7. obtenir de bons résultats

_____

8. se souvenir de mes recommandations

_____

M A S T E R Y   E X E R C I S E S

EXERCICE P

Choisissez la forme du verbe qui convient pour compléter chaque phrase.

Pendant qu'ils _____ au cinéma, des voleurs sont entrés dans la maison des Dupont.
        1. (étaient, aient été)

Bien que leur domicile _____ bien gardé, les criminels sont entrés aussitôt que la maison
          2. (est, soit)

_____ vide. Ils ont choisi cette maison parce que tout le monde _____ que
  3. (a été, ait été)   *4.* (sait, sache)

Mme Dupont a des bijoux formidables. Elle les garde cachés de façon qu'un voleur ne _____
                                                 5. (peut, puisse)

pas les trouver. Malheureusement, quoiqu'elle _____ de son mieux pour les protéger, les
                          6. (a fait, ait fait)

voleurs ont trouvé tous ses bijoux. En plus, comme M. Dupont _____ riche, les voleurs
                                         7. (est, soit)

espéraient également trouver beaucoup d'argent chez lui. Peut-être que M. Dupont _____
                                                 8. (devrait, doive)

s'acheter un coffre-fort. Après qu'ils _____ du cinéma, les Dupont ont découvert le
                 9. (sont revenus, soient revenus)

vol. Mme Dupont a pleuré pendant que M. Dupont _____ à la police. Quel malheur !
                                     10. (téléphonait, ait téléphoné)

EXERCICE Q

Complétez cette histoire avec les formes correctes des verbes entre parenthèses.

M. Vautrin, chef du personnel de la Société Dassin, cherche un employé qui _____
                                                 1. (apprendre)

vite, qui _____ rédiger des lettres et qui _____ utiliser un ordi-
     2. (pouvoir)   *3.* (savoir)

nateur. Aujourd'hui, Monique Latour a rendez-vous avec M. Vautrin à deux heures. Bien qu'elle

_____ à l'heure, il lui faut _____ M. Vautrin vingt minutes. Elle s'impa-
      4. (être)   *5.* (attendre)

tiente et _____ très nerveuse. Elle sait qu'elle _____ rester calme en at-
      6. (devenir)   *7.* (devoir)

tendant que le chef du personnel l'_____ . Pendant qu'elle _____ , elle
           8. (appeler)   *9.* (attendre)

fait quelques exercices de respiration afin de _____ un peu. Finalement, M. Vautrin dit:
          10. (se détendre)

« Que Mlle Latour _____ dans la salle de conférence ». Monique y va et l'entrevue
      11. (aller)

commence. Monique parle lentement de peur de _____ des fautes. Bien qu'elle
         12. (faire)

_____ toujours nerveuse, elle s'exprime correctement. M. Vautrin est très impressionné
     13. (être)

par cette jeune fille capable mais modeste. Après l'entrevue il s'exclame: « C'est la meilleure secrétaire que

je _____ trouver. Voici une jeune fille qui _____ dans la vie ». M. Vautrin
     14. (pouvoir)   *15.* (réussir)

offre le poste à Monique qui décide de l'accepter pourvu qu'elle _____ un bon salaire.
         16. (recevoir)

M. Vautrin lui fait une offre difficile à refuser et dit: « Que Mademoiselle Latour _____ au
          17. (se mettre)

travail immédiatement ! »

Chapter 16
Special Uses of Verbs and Verbal Idioms

[1] *DEVOIR*

a. When followed by a noun direct object, the verb *devoir* means *to owe.*

Ils lui doivent cent dollars.   *They owe him one hundred dollars.*

b. When followed by a verb in the infinitive, *devoir* [*to have to, be (supposed) to*] expresses primarily obligation, necessity, or intention.

Je dois partir.   {   *I have to leave.*
                             I must leave.
                             I am (supposed) to leave.

Je devais partir à une heure,   *I was supposed to leave at one*
   mais le vol est en retard.   *but the flight is late.*

c. *Devoir,* followed by an infinitive, also expresses probability or supposition.

Il doit être malade.   *He must be sick (He is probably sick).*
Il a dû manquer le train.   *He must have missed the train.*

d. The conditional form of *devoir,* followed by an infinitive, means *ought to* or *should,* expressing obligation:

Je devrais lui écrire.   *I should write to him.*
Tu aurais dû l'appeler.   *You should have called him.*

EXERCICE A

Jean-François vient d'avoir un accident de voiture. Exprimez les différentes réactions des spectateurs.

EXEMPLE: il / bouleversé
           Il doit être bouleversé.

1. tu / anxieux

_____

2. les passagers / fâchés

_____

3. sa mère / inquiète

_____

4. vous / ennuyés

_____

5. je / émue

_____

6. nous / calmes

_____

EXERCICE B

Vos amis et vous devriez faire autre chose que regarder la télévision. **En vous servant des suggestions données, exprimez ce que chaque personne devrait faire.**

travailler	faire le ménage
laver la voiture	terminer ses devoirs
préparer le dîner	aller au supermarché

EXEMPLE: Pierre / étudier
                 Pierre devrait étudier.

1. Je _____ .

2. Nous _____ .

3. Tu _____ .

4. Alice _____ .

5. Vous _____ .

6. Les garçons _____ .

EXERCICE C

Henriette prête toujours de l'argent à ses amis. Maintenant il faut lui rendre cet argent. Exprimez combien chacun lui doit.

EXEMPLE:

Pierre lui doit vingt-cinq euros.

1. Alain _____

_____

2. Nous _____

_____

3. Cécile et Mireille _____

_____

4. Tu _____

_____

5. Vous _____

_____

6. Je _____

_____

[2] *FALLOIR*

The verb *falloir*, an impersonal verb used only in the third person singular (*to be necessary, must*), primarily expresses necessity.

a. When followed by a noun, *falloir* means *to need*. When an indirect object pronoun precedes *falloir*, that indirect object pronoun becomes the subject of the verb *to need*. When a noun follows *falloir*, that noun becomes the subject of the verb *to be needed*.

Il *me* **faut** l'argent que vous me devez.	*I need the money you owe me.*
Il *lui* **faudra** de l'énergie.	*He will need energy.*
Il **faudra** du courage.	*Courage will be needed.*

b. *Falloir* may be used with the infinitive.

Il faut le faire.
$$\left\{ \begin{array}{l} \textit{It is necessary to do it.} \\ \textit{It has to be done.} \\ \textit{One must do it.} \end{array} \right.$$

Il ne faudrait pas dire cela.	*We shouldn't say that.*

c. *Falloir* may be used with an indirect object pronoun and the infinitive.

Il **lui** faudra le faire.	*He will have to do it.*
Il **me** fallait partir.	*I had to leave.*

d. *Falloir* may be used with the subjunctive (see Chapter 13, page 159).

Il faut que je travaille.	*I have to work.*
Il aurait fallu que nous partions.	*We should have left.*

e. *Falloir* and *devoir* often express the same idea, although *falloir* is stronger than *devoir*.

Vous devez étudier.
Il faut que vous étudiiez.   } *You must study.*
Il vous faut étudier.

EXERCICE D

Roger part à l'étranger. Exprimez ce qu'il faudra faire avant le départ.

EXEMPLE: aller à la pharmacie
Il faudra aller à la pharmacie.

1. acheter les billets

_____

2. changer de l'argent

_____

3. chercher son passeport

_____

4. faire les valises

_____

EXERCICE E

Exprimez ce qu'il vous faut avant de faire un voyage en France.

EXEMPLE: de nouvelles valises
              Il me faut de nouvelles valises.

1. un billet d'avion

_____

2. des euros

_____

3. des chaussures de marche

_____

4. des vêtements de voyage

_____

5. un permis de conduire international

_____

6. un dictionnaire bilingue

_____

[3] *POUVOIR*

a. The verb *pouvoir* (*to be able to, can*) expresses ability.

Il ne peut pas nager aujourd'hui; il s'est cassé le bras.	*He cannot swim today; he has broken his arm.*
Elle a cherché partout, mais elle n'a pas pu trouver ses clés.	*She looked everywhere but she wasn't able to (couldn't) find her keys.*
Pourras-tu lire sans lunettes ?	*Will you be able to read without glasses?*

b. *Pouvoir* may express permissibility or possibility.

Est-ce que je peux le voir ?	*May I see it?*
Puis-je vous aider ?	*May I help you?*
Il peut venir demain.	*He may / might come tomorrow.*

c. The conditional form of *pouvoir* means *might, could.*

Je pourrais le faire cet après-midi.	*I could (might) do it this afternoon.*

d. *Pouvoir* may be used in idiomatic expressions:

Je n'y peux rien.	*I can't help it* (*It's beyond my control*).
Je n'en peux plus.	*I'm exhausted* (*worn out*).

EXERCICE F

Denis a une grande dispute avec ses parents. Exprimez les conséquences de cette dispute.

EXEMPLE: vous / lui parler
          Vous ne pouvez pas lui parler.

1. je / lui téléphoner

_____

2. il / quitter sa maison

_____

3. nous / jouer au base-ball avec Denis

_____

4. ses amis / aller à la boum ce soir avec lui

_____

5. tu / sortir avec lui

_____

6. vous / aller chez lui

_____

EXERCICE G

Beaucoup d'élèves ne se sentent pas bien. Exprimez ce qu'ils pourraient avoir.

EXEMPLE: les garçons / un rhume
          Les garçons pourraient avoir un rhume.

1. tu / de la fièvre

_____

2. Yves et Sylvain / une indigestion

_____

3. vous / la grippe

_____

4. je / une inflammation de la gorge

_____

5. Élise / la varicelle

_____

6. nous / une allergie

_____

[4] *SAVOIR*

a. The verb *savoir* (*to be able, to know how*) expresses mental ability or know-how.

Il ne sait pas nager.   *He doesn't know how to swim.*

Elle est trop jeune pour savoir lire.   *She is too young to know how to read.*

b. In the *passé composé*, **savoir** means *to find out, learn about something.*

Je l'ai su trop tard.   *I found out too late.*

c. In the conditional, *savoir* means *could.*

Sauriez-vous me dire où il habite ?   *Could you (Would you be able to) tell me where he lives?*

Je ne saurais vous le dire.   *I couldn't (wouldn't know how to) tell you.*

EXERCICE H

Votre classe organise une fête française où chaque élève prépare un plat spécial. Exprimez ce que chaque élève sait préparer.

EXEMPLE: je / la mousse au chocolat
           Je sais préparer la mousse au chocolat.

1. vous / la bouillabaisse

_____

2. ils / les escargots

_____

3. je / les crêpes

_____

4. elles / la ratatouille

_____

5. tu / le canard à l'orange

_____

6. nous / les omelettes

_____

EXERCICE I

Complétez les phrases suivantes en exprimant ce que chacune de ces personnes sait.

1. Il _____ où se trouve le restaurant, mais il ne _____ pas vous indiquer

la route.

2. Mon frère _____ depuis ce matin que j'avais réussi l'examen. Moi, je ne le (l')

_____ que ce soir.

3. Tu _____ trop tard qu'il y avait une fête, autrement tu serais venu.

4. Je ne _____ pas te dire où il habite car il vient de déménager.

[5] VOULOIR

The verb *vouloir* (*to wish, want; will*) **expresses volition.**

a. **The present-tense form of** *vouloir* **generally shows strong will, similar to a command.**

« Je veux le faire », dit le président.　　*"I want to (will) do it," the president said.*

Elle ne veut pas vous écouter.　　*She will not (does not want to) listen to you.*

b. **The conditional of** *vouloir*, **a more polite form, often replaces the present.**

Je voudrais lui parler.　　*I wish (would like) to speak to him.*

c. **The imperative form** *veuillez* **is used with the infinitive to express a polite command.**

Veuillez fermer la porte.　　*Kindly (Would you) close the door.*

Veuillez nous excuser.　　*Please (Would you) excuse us.*

EXERCICE J

Les enfants à l'école maternelle veulent toujours n'en faire qu'à leur tête. Exprimez ce qu'ils disent à leur maîtresse.

EXEMPLE:　je / courir
Je veux courir maintenant.

1. tu / jouer

_____

2. Micheline et Serge / manger

_____

3. nous / dormir

_____

4. je / danser

_____

5. vous / jouer au basket

_____

6. Thomas / écouter de la musique

_____

EXERCICE K

Mme Pascal, maîtresse à l'école maternelle, voudrait enseigner la politesse à ses élèves. Elle leur fait répéter ce qu'ils veulent faire d'une manière plus polie. Exprimez ce que les enfants disent.

EXEMPLE: Je veux jouer maintenant.
   Je voudrais jouer maintenant.

1. Nous voulons manger maintenant.

_____

2. Jacques et Michelle veulent lire maintenant.

_____

3. Je veux dormir maintenant.

_____

4. Richard veut écouter des CD maintenant.

_____

5. Hélène et moi, nous voulons chanter maintenant.

_____

6. Je veux danser maintenant.

_____

EXERCICE L

Mme Laplanche est très fatiguée et veut se reposer un peu. Exprimez ce qu'elle demande à ses enfants.

EXEMPLE: parler doucement
   Veuillez parler doucement.

1. fermer la porte

_____

2. éteindre la télévision

_____

3. répondre au téléphone

_____

4. me réveiller à six heures

_____

[6] *FAIRE* + INFINITIVE

a. *Faire* followed by an infinitive is causative: the subject causes an action to be done by someone else. The English equivalent is "to have (make) someone do something" or "to have something done".

Cet acteur fait rire les spectateurs.	*This actor makes the audience laugh.*
Je fais faire un manteau.	*I am having a coat made.*
Les Dupont font construire une maison.	*The Duponts are having a house built.*

NOTES:

1. *Faire* + infinitive forms a unit that usually cannot be broken. Nouns follow the infinitive and direct and indirect object pronouns generally precede *faire*.

Ma mère fait laver *la vaisselle à mon frère.*	*My mother makes my brother do the dishes.*
Ma mère *lui* fait laver *la vaisselle.*	*My mother makes him do the dishes.*
Il vaut mieux que tu fasses venir *tes amis* ici.	*It's better that you have your friends come here.*
Il vaut mieux que tu *les* fasses venir ici.	*It's better that you have them come here.*

2. When two objects are expressed with *faire* + infinitive, the object of the infinitive is direct and the object of *faire* is indirect. The two object pronouns precede *faire*.

Le professeur fait réciter *le poème à Paul.*	*The teacher has Paul recite the poem.*
Le professeur *le lui* fait réciter.	*The teacher has him recite it.*
Nous ferons lire *ces documents à nos avocats.*	*We will have our lawyers read these documents.*
Nous *les leur* ferons lire.	*We will have them read them.*

3. In compound tenses, the past participle of *faire* followed by an infinitive does not agree with the preceding direct object. It is invariable.

J'ai fait laver ma voiture.	*I had my car washed.*
Je **l'ai fait laver.**	*I had it washed.*
L'avocat avait fait venir ses clients au bureau.	*The lawyer had his clients come to the office.*
L'avocat **les avait fait venir** au bureau.	*The lawyer had them come to his office*
J'ai fait écrire deux lettres.	*I had two letters written.*
J'ai fait écrire deux élèves.	*I had two pupils write.*
Je *les* ai fait écrire.	*I had them write (pupils) / written (letters)*

EXERCICE M

Décrivez l'effet qu'ont les choses suivantes.

> grossir   maigrir   pleurer   rêver   rire   rougir   travailler

EXEMPLE: Les bonbons **font grossir.**

1. La cuisine minceur _____ .

2. Le professeur de français _____ .

3. Les compliments _____ .

4. Les critiques _____ .

5. Les clowns _____ .

6. Les stars de cinéma _____ .

EXERCICE N

Les Renaud viennent d'acheter une maison. Exprimez ce qu'il faut qu'ils fassent faire avant d'y habiter.

EXEMPLE: remplacer le lavabo
Il faut qu'ils le fassent remplacer.

1. réparer le lave-vaisselle

   _____

2. vérifier les fils électriques

   _____

3. redécorer le salon

   _____

4. peindre toute la maison

   _____

5. nettoyer la cheminée

   _____

6. agrandir la cuisine

   _____

EXERCICE O

*Combinez les éléments suivants avec le verbe **faire** et expliquez ce que chacune de ces personnes fait, a fait ou fera.*

EXEMPLES: lundi prochain, ils / nettoyer leur voiture
Lundi prochain, **ils feront nettoyer** leur voiture.

hier, elle / planter les rosiers
Hier**, elle a fait planter** les rosiers.

1. aujourd'hui, je / venir le plombier

   _____

2. l'année passée, nous / construire cette maison

   _____

3. demain, il / sortir la poubelle

   _____

4. la semaine dernière, vous / réparer votre moto

   _____

5. en ce moment, tu / faire cette veste

   _____

6. dans un moment, elles / rire le professeur

   _____

7. dans une heure, je / étudier les enfants

_____

8. jeudi dernier, ils / écrire une lettre au directeur

_____

    b. In affirmative commands, nouns follow the infinitive and pronouns come immediately after the imperative form of *faire* and are joined to it by a hyphen.

Faites partir les enfants.	*Make (Have) the children leave.*
Faites-les partir.	*Make (Have) them leave.*

But:

Ne les faites pas partir.	*Don't make them leave.*
Fais cuire ce dessert vingt minutes.	*Have this dessert cook for twenty minutes.*
Fais-le cuire vingt minutes.	*Have it cook for twenty minutes.*

But:

Ne le fais pas cuire vingt minutes.	*Don't have it cook for twenty minutes.*

    c. *Se faire* + infinitive is used to show that the subject is having something made or done for himself/herself. In compound tenses, there is no agreement of the past participle *fait* with the subject. Compare:

Elle s'est coupé les cheveux.	*She cut her hair (herself).*
Elle **s'est fait** couper les cheveux.	*She had her hair cut (by someone else).*

EXERCICE P

Exprimez ce que M. Breton dit à ses enfants en remplaçant le nom en caractères gras par un pronom.

EXEMPLE: Faites réparer **la voiture** ce matin.
                    Faites-la réparer ce matin.

1. Faites cuire le poulet dans le micro-ondes.

_____

2. Faites nettoyer ces vêtements.

_____

3. Ne faites pas venir l'électricien aujourd'hui.

_____

4. Faites peindre ces murs avant la fin de la semaine.

_____

5. Ne faites pas laver ces vestes.

_____

6. Ne faites pas entrer les chiens.

_____

EXERCICE Q

Exprimez ce que ces personnes ont fait aux endroits indiqués.

arracher une dent	faire une robe
couper les cheveux	photographier
examiner les yeux	prédire l'avenir
expliquer comment maigrir	

EXEMPLE: Vous êtes allé chez le dentiste.
Vous vous êtes fait arracher une dent.

1. Je suis allée chez le couturier.

_____

2. Nous sommes allés chez l'opticien.

_____

3. Elles sont allées chez le coiffeur.

_____

4. Tu es allé chez le photographe.

_____

5. Il est allé chez le diététicien.

_____

6. Ils sont allés chez une voyante.

_____

[7] VERBAL IDIOMS

IDIOMS with *AVOIR*

1. avoir... ans   *to be . . . years old*

Quel âge a-t-elle ? Elle a quatorze ans.   *How old is she? She is fourteen years old.*

2. avoir beau + infinitive   *to do (something) in vain / no matter how much + verb*

Il a beau essayer, il ne réussira pas.   *He tries in vain (No matter how hard he tries), he will not succeed.*

3. avoir besoin de   *to need*

De quoi avez-vous besoin ?   *What do you need?*
— J'ai besoin d'un stylo.   —*I need a pen*

4. avoir chaud, froid   *to be warm, cold* (of persons)

J'ai très chaud (froid).   *I'm very warm (cold).*

5. avoir envie de   *to feel like*

Nous avons envie de voyager.   *We feel like traveling.*

6. avoir faim   *to be hungry*

Je n'ai pas très faim maintenant.   *I'm not very hungry now.*

7. avoir honte (de)   *to be ashamed (of)*

N'as-tu pas honte de ce que tu as fait ?	*Aren't you ashamed of what you did?*

8. avoir le fou rire   *to laugh uncontrollably*

As-tu jamais eu le fou rire ?	*Were you ever unable to stop laughing?*

9. avoir lieu   *to take place*

Le concert a lieu samedi soir.	*The concert is taking place Saturday evening.*

10. avoir mal (à + part of body)   *to have a pain (in), to have a(an) . . . -ache*

J'ai mal aux dents.	*I have a toothache.*

11. avoir peur (de)   *to be afraid of*

Avez-vous peur des chiens ?	*Are you afraid of dogs?*

12. avoir quelque chose   *to have something wrong*

Qu'est-ce que tu as ?	*What's wrong (the matter) with you?*
—Je n'ai rien.	—*Nothing is wrong.*
Qu'est-ce qu'il y a ? Qu'y a-t-il ?	*What's the matter?*
—Il n'y a rien.	—*Nothing is the matter.*

13. avoir raison   *to be right*

Dans ce cas, il a raison.	*In that case, he is right.*

14. avoir soif   *to be thirsty*

As-tu soif ?	*Are you thirsty?*

15. avoir tort   *to be wrong*

Est-ce que j'ai tort ?	*Am I wrong?*

16. avoir de la chance   *to be lucky*

J'ai de la chance.	*I'm lucky.*

17. avoir de quoi (+ infinitive)   *to have the means (enough) to*

Ont-ils de quoi vivre ?	*Do they have enough to live on?*

18. avoir l'air (+ adjective)   *to seem, to look*

Mon cousin a l'air content.	*My cousin seems pleased.*

19. avoir l'air de (+ infinitive)   *to seem to, to look as if*

Le bébé a l'air de dormir.	*The baby seems to be sleeping.*

20. avoir l'habitude de   *to be accustomed to, to be in the habit of*

J'ai l'habitude de parler trop vite.	*I'm in the habit of speaking too quickly.*

21. avoir l'idée de   *to have a notion to/of*

Elle a l'idée de lui dire la vérité.	*She has the notion of telling him the truth.*

22. avoir l'intention de   *to intend to*

Ont-ils l'intention de partir bientôt ?	*Do they intend to leave soon?*

23. avoir l'occasion de   *to have the opportunity to*

J'ai l'occasion d'aller en France cet été.	*I have the opportunity to go to France this summer.*

24. avoir le temps de   *to have (the) time to*

Je n'ai pas le temps de te parler maintenant.   *I don't have the time to speak to you now.*

25. avoir la parole   *to have the floor (as a speaker)*

Le sénateur a la parole ce matin.   *The senator has the floor this morning.*

26. avoir sommeil   *to be sleepy*

Les enfants ont grand sommeil.   *The children are very sleepy.*

27. il y a   *there is (are)* (impersonal use)

Il y a un chat dans le jardin.   *There is a cat in the garden.*

EXERCICE R

Complétez chaque phrase avec l'expression idiomatique qui explique le problème de chaque personne.

1. S'il a envie d'acheter une nouvelle voiture de sport il _____ de beaucoup

d'argent.

2. Chaque fois qu'elle regarde un film d'horreur elle _____ .

3. En hiver elles portent un manteau, des bottes, des gants, et un chapeau parce qu'elles

_____ .

4. Vous dites : « Deux et deux font cinq. » Vous _____ .

5. Nous mangeons beaucoup parce que nous _____ .

6. Ils disent : « Deux et deux font quatre ». Ils _____ .

7. En été je porte des shorts parce que j'_____ .

8. Nous _____ quand nous disons des mensonges.

9. Tu tombes tout le temps. C'est pourquoi tu _____ à la jambe.

10. Je bois une citronnade parce que j'_____ .

IDIOMS WITH *FAIRE*

1. *faire* (with *il*) used in expressions of *weather*

Quel temps fait-il ?	*What's the weather like?*
Il fait beau.	*It's beautiful weather. The weather is fine.*
Il fait mauvais.	*It's bad weather. The weather is bad.*
Fait-il chaud ou froid ?	*Is it hot or cold?*
Fait-il frais ou doux ?	*Is it cool or mild?*
Il fait du soleil.	*It's sunny.*
Il fait du vent.	*It's windy.*
Il fait jour.	*It's light (daylight daytime).*

Il fait nuit.	*It's dark (nightime).*
Il fait des éclairs.	*There is lightning.*
Il fait du tonnerre.	*It's thundering.*
Il fait humide.	*It's humid.*

2. faire + infinitive   *to have something done* (see Section 6)

J'ai fait écrire deux lettres.	*I had two letters written.*
J'ai fait écrire deux élèves.	*I had two pupils write.*
Je **les ai fait écrire**.	*I had them write (pupils) / written (letters).*

3. faire du sport (du ski, du tennis)   *to practice sports (to ski, to play tennis)*

Les étudiants font beaucoup de sport.	*Students play a lot of sport.*

4. faire à sa tête   *to do as one pleases*

Je fais toujours à ma tête.	*I always do as I please.*

5. faire attention à   *to pay attention to*

Il ne fait pas attention à ses parents.	*He doesn't pay attention to his parents.*

6. faire de la peine à   *to grieve, distress, trouble*

Sa maladie me fait de la peine.	*His illness distresses me.*

7. faire de son mieux, faire son possible   *to do one's best*

Nous faisons toujours de notre mieux (notre possible).	*We always do our best.*

8. faire des achats, des courses, des emplettes   *to go shopping*

Je dois faire des achats (des courses) (des emplettes) en ville.	*I have to go shopping in town.*

9. faire des progrès   *to make progress*

Faites-vous des progrès en français ?	*Are you making progress in French?*

10. faire exprès   *to do on purpose*

Je ne l'ai pas fait exprès.	*I did not do it on purpose.*

11. faire la connaissance de   *to become acquainted with, to meet*

Nous voulons faire la connaissance de Paul.	*We want to meet Paul.*

12. faire la queue (la file)   *to stand on line*

Ils font la queue (la file) devant le cinéma.	*They are standing on line in front of the movie theater.*

13. faire la sourde oreille   *to turn a deaf ear, pretend not to hear*

Quand on le gronde, il fait la sourde oreille.	*When someone scolds him, he turns a deaf ear.*

14. faire (du) mal à   *to hurt*

Ne faites pas (de) mal à ce chat.	*Don't hurt that cat.*

15. faire peur à   *to frighten*

Les serpents lui font peur.	*Snakes scare her.*

16. faire plaisir à   *to please, give pleasure to*

Cette musique leur fait plaisir.   *That music pleases them.*

17. faire savoir (à quelqu'un)   *to let (someone) know*

Faites-moi savoir sa réaction.   *Let me know his reaction.*

18. faire semblant de   *to pretend to, make believe*

Ils font semblant de l'écouter.   *They are pretending to listen to her.*

19. faire ses adieux   *to say good-bye*

Avant de partir il fait vite ses adieux.   *Before leaving he quickly says good-bye.*

20. faire une partie de   *to play a game of*

On fait une partie de volleyball ?   *How about a game of volleyball?*

21. faire une promenade   *to take a walk, a ride*

Nous faisons une promenade dans le parc.   *We are taking a walk in the park.*
Ils vont faire une promenade en voiture.   *They are going to take a ride.*

22. faire un voyage   *to take a trip*

Je compte faire un voyage à Paris.   *I intend to take a trip to Paris.*

23. faire venir   *to send for*

Faites venir le docteur. Faites-le venir.   *Send for the doctor. Send for him.*

EXERCICE S

Expliquez ce que ces personnes font en employant les expressions qui conviennent.

faire ses adieux	faire à sa tête	faire semblant de	faire des achats
faire venir	faire un voyage	faire des progrès	faire plaisir

1. Quand tu fais exactement ce que tu veux, tu _____ .

2. Je donne un cadeau à mon ami pour lui _____ .

3. Vous allez au centre commercial pour _____ .

4. Quand il part en Europe il _____ à sa famille.

5. Quand elles ont envie de _____ , elles décident d'abord où aller.

6. Je suis très malheureuse mais je _____ d'être heureuse.

7. Quand l'enfant est malade ses parents _____ le médecin.

8. Nous _____ quand nous étudions beaucoup.

[8] OTHER VERBAL IDIOMS

1. adresser la parole à   *to address, speak to*

Le professeur adresse la parole à la classe.   *The teacher addresses the class.*

2. aller   *to feel, be* (of health)

Comment vas-tu ? Je vais très bien.   *How are you? I'm fine.*

3. aller à   *to fit, suit*

Cette chemise te va bien.   *That shirt fits you well.*

4. aller à la pêche   *to go fishing*

Allons à la pêche.   *Let's go fishing.*

5. aller à la rencontre de, aller au-devant de   *to go to meet*

Il va à la rencontre (au-devant) de son amie.   *He goes to meet his friend.*

6. apprendre par cœur   *to memorize*

Il apprend par cœur tous les noms.   *He memorizes all the names.*

7. assister à   *to attend, be present at*

Nous allons assister à la conférence.   *We'll attend the conference.*

8. changer de   *to change* (one thing for another of its kind)

Va-t-il changer d'avis ?   *Is he going to change his mind?*
Tu dois changer de vêtements.   *You have to change your clothes.*

9. donner sur   *to face, look out on*

Notre chambre donne sur l'océan.   *Our room faces the ocean.*

10. éclater de rire   *to burst out laughing*

Quand elle parle, ils éclatent de rire.   *When she speaks, they burst out laughing.*

11. entendre dire (que)   *to hear (that)*

Avez-vous entendu dire qu'il est malade ?   *Have you heard that he is sick?*

12. entendre parler de   *to hear of* (often used in the past tense)

Il n'a jamais entendu parler de ce pays.   *He never heard of that country.*

13. envoyer chercher   *to send for*

Je vais envoyer chercher un plombier.   *I'm going to send for a plumber.*

14. être à   *to belong to*

À qui est ce livre ? Il est à moi.   *Whose book is this? It's mine.*

15. être d'accord (avec)   *to agree (with)*

Nous sommes d'accord avec vous.   *We agree with you.*

16. être de retour   *to be back*

Quand va-t-elle être de retour ?   *When will she be back?*

17. être en train de   *to be (busy) (doing something)*

Je suis en train de travailler.   *I'm (busy) working.*

18. être enrhumé   *to have a cold.*

Nous sommes tous enrhumés.   *All of us have colds.*

19. être sur le point de   *to be about to*

Je suis sur le point de partir.   *I'm about to leave.*

20. féliciter de   *to congratulate on*

Le professeur le félicite de son progrès.   *The teacher congratulates him on his progress.*

21. finir par (+ infinitive)   *to end by, finally do* (something)

Elles finisssent par remarquer les autres.   *They finally notice the others.*

22. jouer à   *to play* (a game, a match)

Veux-tu jouer aux dames?   *Do you want to play checkers?*

23. jouer de   *to play* (a musical instrument)

De quel instrument joues-tu ?   *What instrument do you play?*

24. jouir de   *to enjoy*

Il jouit d'une bonne réputation.   *He has a good reputation.*

25. manquer de (+ noun)   *to lack*

Elle manque de savoir-faire.   *She lacks tact.*

26. manquer (de) (+ infinitive) (usually in the past tense, often without **de**)
faillir (+ infinitive)   *to almost* (do something)

Elle a manqué (de) tomber.   *She almost fell.*
Elle a failli tomber.

27. monter à cheval   *to go horseback riding*

Au printemps nous montons à cheval.   *In the spring we go horseback riding.*

28. n'en pouvoir plus   *to be exhausted.*

Je n'en peux plus.   *I'm exhausted.*

29. penser (songer) à   *to think of / about*

Je pense / songe à mon ami.   *I think about my friend.*

30. penser de   *to think of* (to have an opinion of)

Que pensez-vous de ce film ?   *What do you think of that film?*

31. pleuvoir à verse   *to rain hard, pour*

Il pleut à verse.   *It's pouring.*

32. poser une question (à)   *to ask a question*

Ne me posez pas de questions maintenant.   *Don't ask me any questions now.*

33. prendre garde de   *to be careful* (not) *to*

Prenez garde de (ne pas) tomber.   *Be careful not to fall.*

34. prendre le parti de   *to decide to, make up one's mind to*

J'ai pris le parti d'étudier le français.   *I decided to study French.*

35. prendre un billet   *to buy a ticket*

Il va prendre un billet pour voir la pièce.   *He will buy a ticket to see the play.*

36. profiter de   *to profit by, take advantage of*

Ils profitent de son absence.   *They take advantage of his absence.*

37. remercier de   *to thank for*

Je dois la remercier de sa gentillesse.   *I have to thank her for her kindness.*

38. rendre visite à (quelqu'un)   *to pay (someone) a visit, visit (someone)*

Nous voulons rendre visite à nos cousins.   *We want to visit our cousins.*

39. ressembler à   *to resemble, look like*

Elle ressemble à sa mère.   *She looks like her mother.*

40. rire de   *to laugh at*

On rit toujours de lui.   *People always laugh at him.*

41. sauter aux yeux   *to be evident*

Son problème saute aux yeux.   *His problem is evident.*

42. savoir (bon) gré à quelqu'un de quelque chose   *to be grateful to someone for something.*

Je leur en sais bon gré.   *I'm grateful to them for it.*

43. tarder à   *to be (wait) long in*

Ne tardez pas à le faire.   *Don't be long in doing it.*

44. tenir à   *to insist upon, be anxious to, value*

Je tiens à tout finir.   *I insist on finishing everything.*

Je tiens à ce cadeau.   *I value this gift.*

45. valoir la peine de   *to be worthwhile*

Il vaut la peine d'étudier.   *It's worthwhile to study.*

46. valoir mieux   *to be better*

Il vaut mieux dire la vérité.   *It is better to tell the truth.*

47. venir à   *to happen to*

Si je viens à le voir, je le lui donnerai.   *If I happen to see him I'll give it to him.*

48. venir à bout de   *to succeed in, manage*

Je n'en viendrai jamais à bout.   *I'll never get through this.*

49. venir de   *to have just* (used in present and imperfect tenses)

Je venais de recevoir les nouvelles.   *I had just received the news.*

50. vouloir bien   *to be willing to, to do (something) kindly*

Voulez-vous bien fermer la porte ?   *Would you kindly close the door?*

51. vouloir dire   *to mean*

Qu'est-ce que ça veut dire ?   *What does that mean?*

52. en vouloir à   *to have a grudge against, to be angry with*

En veux-tu à Jean ?   *Do you have a grudge against Jean?*
  —Oui je lui en veux.   —*Yes I do.*

53. y être   *to understand, see the point*

Vous y êtes ? —Oui, j'y suis.   *Do you understand? —Yes, I see the point.*

EXERCICE T

Exprimez ce que vous faites en choisissant la réponse qui convient.

1. Je ne parle à personne quand je _____ de travailler.

   a. suis sur le point   b. suis d'accord   c. suis en train

2. Je n'aime pas ce garçon. À vrai dire, je lui_____ .

   a. en veux   b. sais bon gré   c. manque

3. Je _____ la trompette.

   a. jouis de   b. joue de   c. joue à

4. Je voudrais bien voir ce film. Je _____ le voir.

   a. tiens à   b. en veux à   c. viens à

5. Je fais des blagues et tout le monde _____ .

   a. apprend par cœur   b. éclate de rire   c. va à la pêche

6. Quand mon ami est absent je _____ lui.

   a. pense à   b. pense de   c. manque de

7. Je n'aime pas les maths. Pour cette raison je _____ faire mes devoirs pour ce cours.

   a. tiens à   b. jouis de   c. tarde à

8. Quand mon meilleur ami fait des farces je _____ lui.

   a. prends garde de   b. ris de   c. joue de

MASTERY EXERCISES

EXERCICE U

Complétez chaque phrase d'une façon qui reflète votre opinion.

1. Après l'école je dois _____ .

2. Il faut _____ pour réussir.

3. Si j'en ai envie, je peux _____ .

4. Je ne sais pas _____ .

5. Je voudrais _____ maintenant.

6. Je fais _____ mes amis.

EXERCICE V

Répondez à ces questions que le professeur vous pose.

1. Savez-vous danser ?

   _____

2. Pouvez-vous rentrer après une heure du matin ?

   _____

3. Que faut-il faire pour réussir dans un sport ?

   _____

4. Voudriez-vous voyager à l'étranger ?

   _____

5. Qu'est-ce qu'il vous faut pour jouer au tennis ?

   _____

6. Qu'est-ce que vous ne savez pas faire ?

   _____

7. Que devez-vous faire d'habitude après l'école ?

   _____

8. Que pourriez-vous faire si vous n'aviez pas de devoirs ?

   _____

9. Devez-vous de l'argent ? À qui ?

   _____

10. Que voudriez-vous faire samedi soir ?

   _____

Chapter 17
Negation

[1] NEGATIVE FORMS

a. The most common negatives are:

ne... pas	*not*	**ne... rien**	*nothing*
ne... pas du tout	*not at all*	**ne... personne**	*no one, nobody*
ne... point	*not, not at all*	**ne... ni... ni**	*neither . . . nor*
ne... jamais	*never*	**ne... que**	*only*
ne... plus	*no more, no longer*	**ne... aucun (aucune)**	*no, none*
ne... guère	*hardly, scarcely*	**ne... nulle part**	*nowhere*

b. Position of negatives

In simple and compound tenses, *ne* precedes the conjugated verb and pronoun objects; the second part of the negative generally follows the conjugated verb (or the subject pronoun in inverted questions).

Sa sœur **n'**habite **plus** ici.	*His sister doesn't live here anymore.*
Ces enfants **ne** sont **jamais** sortis seuls.	*These children have never gone out alone.*
Nous **ne** les verrons **pas du tout.**	*We will not see them at all.*
Ne vous faudrait-il **pas** étudier ?	*Shouldn't you study?*
Il **n'**a **rien** entendu à cause du bruit.	*He didn't hear anything because of the noise.*
Pourquoi Charles **n'a-t-il guère** étudié ?	*Why has Charles hardly studied?*
Je **n'**aurais **point** passé mon temps à dormir.	*I wouldn't have spent my time sleeping.*
Il **ne** va **jamais** la revoir.	*He is never going to see her again.*

NOTES:

1. *Personne* and *nulle part* follow the past participle and the infinitive.

Je **n'**ai rencontré **personne** à la bibliothèque.	*I didn't meet anyone at the library.*
Ils **n'**auraient parlé à **personne.**	*They wouldn't have spoken to anyone.*
Il **ne** l'a trouvé **nulle part.**	*He didn't find it anywhere.*
Il **ne** veut voir **personne.**	*He does not want to see anyone.*

2. *Que* directly precedes the word or words stressed.

Il **n'**a acheté **que** des petits pains.	*He bought only rolls.*
Je **ne** vais le répéter **qu'**une fois.	*I am going to repeat it only once.*

3. Each part of the **ni... ni** construction precedes the word or words stressed.

L'eau **n'**était **ni** chaude **ni** froide.	*The water was neither hot nor cold.*
Je **n'**ai **ni** vu le film **ni** lu le roman.	*I've neither seen the film nor read the novel.*
Il **n'**a mangé **ni** le sandwich **ni** les fruits.	*He ate neither the sandwich nor the fruits.*

4. *Aucun(e)* is always used in the singular and precedes the noun it modifies.

Il n'a posé **aucune** question.   He didn't ask any questions.

5. Both *ne* and the second element of the negative generally precede the infinitive, except *personne* and *nulle part* which follow the infinitive (see Note 1).

Il s'était arrêté pour **ne pas** tomber.   *He had stopped in order not to fall.*

Il vaut mieux **ne rien** dire.   *It is better to say nothing.*

Il a préféré **ne** voir **personne**.   *He preferred not to see anyone.*

Il vaut mieux **n'**aller **nulle part**.   *It's better not to go anywhere.*

EXERCICE A

C'est bientôt Noël et les membres de la famille Ricard veulent faire un effort pour améliorer leur conduite pendant le mois de décembre. Exprimez les résolutions de chacun.

EXEMPLE: Janine / fumer
Janine ne fumera pas.

1. papa / conduire vite

_____

2. maman et Berthe / manger beaucoup de bonbons

_____

3. je / téléphoner pendant des heures

_____

4. André et vous / écouter la radio jour et nuit.

_____

5. tu / laisser la télévision allumée toute la nuit

_____

6. nous / sortir tous les soirs

_____

EXERCICE B

Tout le monde a de bonnes intentions. Exprimez quelles mauvaises habitudes ces personnes ont l'intention d'essayer de perdre.

EXEMPLE: je / critiquer mes amis
Je ne critiquerai plus mes amis.

1. les enfants / laisser la lumière allumée toute la nuit

_____

2. vous / vous ronger les ongles

_____

3. ils / manger avec les doigts

_____

4. elle / sucer son pouce

_____

5. je / étudier devant la télé

_____

6. tu / tirer les cheveux de ton frère

_____

EXERCICE C

Expliquez ce que ces personnes ne faisaient pas quand elles avaient douze ans.

EXEMPLE: Il était fauché. (acheter / rien)
           Il n'achetait rien.

1. Elles étaient timides. (parler / guère)

_____

2. Vous étiez égoïste. (partager / rien)

_____

3. Nous étions malades. (manger / plus)

_____

4. Tu étais sage. (ennuyer / personne)

_____

5. J'étais paresseux. (finir / rien)

_____

6. Il était impoli. (s'excuser / jamais)

_____

EXERCICE D

*Vous trouvez surprenants les commentaires suivants. Formulez des questions avec **ne... aucun(e)** selon le modèle.*

EXEMPLE: Ce magasin n'a pas voulu accepter de cartes de crédit !
           Ce magasin **n'a voulu accepter aucune carte** de crédit ?

1. Ce café ne sert pas de sandwiches !

_____

2. Ce restaurant ne servait pas de plats de viande !

_____

3. Ce magasin ne vend pas de produits laitiers !

_____

4. Cette boutique n'a pas offert de rabais !

_____

5. Cette librairie n'avait pas de plans de la ville !

_____

6. Cette banque ne prend pas les chèques étrangers !

_____

EXERCICE E

Hervé aime raconter combien il est sportif, mais son frère est là pour rétablir la vérité. Exprimez ce qu'il dit.

EXEMPLE: Je fais de la musculation tous les matins.
            Tu ne fais jamais de musculation.

1. Je cours dix kilomètres tous les jours.

_____

2. Je nage à la piscine tous les jours.

_____

3. Je fais toujours beaucoup de gym.

_____

4. Je joue au tennis tous les jours.

_____

5. Je fais du footing tous les soirs.

_____

6. Je participe tous les ans au marathon.

_____

EXERCICE F

Exprimez pourquoi ces personnes ne sont pas contentes. Remplacez seulement *par* ne... que.

EXEMPLE: Marie-Hélène gagne seulement cent dollars par semaine.
            Marie-Hélène ne gagne que cent dollars par semaine.

1. Je reçois seulement une lettre par mois de ma correspondante.

_____

2. Nous avons eu seulement un D en biologie.

_____

3. Les vacances de Louis auront duré seulement une semaine.

_____

4. Elles faisaient seulement une heure de gym par semaine.

_____

5. Vous allez m'aider seulement cet après-midi.

_____

6. Nous sortons ensemble seulement une fois par semaine.

_____

7. On t'a laissé seulement dix minutes pour tout finir.

_____

8. Il a réussi l'examen de physique seulement l'année dernière.

_____

EXERCICE G

Les personnes suivantes sont déprimées. Décrivez leur comportement et remplacez l'expression **à peine** _par_ **ne... guère.**

EXEMPLE: Pierre travaille à peine.
          Pierre ne travaille guère.

1. Tu dormais à peine.

_____

2. Marie aura à peine parlé.

_____

3. Nous rions à peine.

_____

4. J'avais à peine écouté mes amis.

_____

5. Vous vous êtes à peine reposés.

_____

6. Les garçons avaient à peine mangé.

_____

EXERCICE H

M. Roland a été misanthrope toute sa vie. Décrivez quelle a été son attitude envers le monde.

EXEMPLES: aimer
           Il n'a aimé personne.

           écrire à
           Il n'a écrit à personne.

1. écouter

_____

2. embrasser

_____

3. aider

_____

4. se fier à

_____

5. parler à

_____

6. s'intéresser à

_____

EXERCICE I

Exprimez ce que ces personnes ont promis.

EXEMPLE: Josette / pas fumer
         Josette a promis de ne pas fumer.

1. tu / plus gaspiller de temps

_____

2. les filles / rien acheter

_____

3. vous / jamais mentir

_____

4. je / aller nulle part sans permission

_____

5. il / plus emprunter de l'argent

_____

6. nous / jamais être en retard

_____

7. Anne / critiquer personne

_____

8. ils / manger aucune sucrerie

_____

   c. _Rien_ and _personne_ may be used as subjects, preceding the verb; _ne_ retains its position before the conjugated verb.

   Rien n'est arrivé.   _Nothing happened._

   Personne ne savait prononcer le mot.   _No one knew how to pronounce the word._

   d. The construction _ne... jamais_ as well as _jamais_ used independently of a clause mean _never._ But _jamais_ without _ne_ in a clause means _ever._

   Avez-vous **jamais** traversé la Manche ?   _Have you ever crossed the English Channel?_

   —Non, je **ne** l'ai **jamais** traversée.   _—No, I have never crossed it._

   —**Jamais ?**   _—Never?_

   Rien **n'**est **jamais** trop difficile.   _Nothing is ever too difficult._

e. *Pas* may be omitted with the verbs *cesser, oser,* and *pouvoir* when they are followed by an infinitive. *Pas* may also be omitted after *savoir* plus an infinitive when *savoir* means *to know* but not when it means *to know how.*

Elles **ne** cessent de bavarder.	*They don't stop chattering.*
Nous **n'**osons le lui dire.	*We don't dare tell him.*
Je **ne** peux vous comprendre.	*I can't understand you.*
Il **ne** sait où aller.	*He doesn't know where to go.*

But:

Il **ne** sait **pas** nager.	*He doesn't know how to swim.*

f. The second part of a negative may be used alone.

Voulez-vous nous y accompagner ?	*Do you want to accompany us there?*
—Certainement **pas !**	—*Certainly not!*
Qu'a-t-elle répondu ? —**Rien du tout.**	*What did she answer?* —*Nothing at all.*
Plus d'argent !	*No more money!*
Qui mérite le prix ? —**Ni** lui **ni** elle.	*Who deserves the prize?* —*Neither he nor she.*

g. In the negative, the partitives *du, de la, de l',* and *des,* and the indefinite articles *un, une* become *de,* when they are part of a direct object or with *il y a.*

Elle a du pain, mais **pas de** beurre	*She has bread but doesn't have any butter.*
Elle mange des pommes mais **pas d'**oranges.	*She eats apples but not oranges.*
Il n'a **guère d'**amis.	*He has hardly any friends.*
Il n'y a **pas de** neige.	*There is no snow.*

NOTES:

1. After **ne... que,** de is used with the article, provided there is no plural adjective preceding a plural noun.

Je ne mange que de la tarte.	*I eat only pie.*
Je ne mange que des tartes.	*I eat only pies.*
Je ne mange que de la bonne tarte.	*I eat only good pie.*

But:

Je ne mange **que de bonnes** tartes.	*I eat only good pies.*

2. After **ni... ni...,** the partitive is omitted.

Est-ce que tu veux du lait ou du jus de fruit ? —Je ne veux **ni lait ni jus de fruit.**	*Do you want milk or fruit juice?* —*I want neither milk nor fruit juice.*

h. Si (*yes*) is used to contradict a negative statement or question.

Vous n'avez pas fini le travail ? —Si, je l'ai fini.	*You haven't finished the work?* —*Yes, I have.*
Ne joue-t-elle pas du piano ? —Mais si !	*Doesn't she play the piano?* —*Why, yes!*

EXERCICE J

Julien est un garçon fort curieux. Formulez les questions qu'il pose à ses amis.

EXEMPLE: voyager en Europe
As-tu jamais voyagé en Europe ?

1. conduire une voiture

_____

2. aller à un concert de musique rock

_____

3. voir une soucoupe volante

_____

4. goûter la cuisine japonaise

_____

5. embrasser ton professeur de français

_____

6. rester éveillé(e) toute la nuit

_____

EXERCICE K

Votre mère se plaint parce que votre sœur et vous ne voulez pas l'aider à faire le ménage. Exprimez ce qu'elle dit à votre père.

EXEMPLE: vouloir sortir les poubelles
Personne ne veut sortir les poubelles.

1. avoir le temps de passer l'aspirateur

_____

2. vouloir ranger sa chambre

_____

3. pouvoir laver la voiture

_____

4. avoir envie de faire la lessive

_____

5. désirer promener le chien

_____

6. m'aider à faire la vaisselle

_____

EXERCICE L

Julien aime tout dans la vie tandis que son frère Jacques n'aime rien. Exprimez comment Jacques répond aux remarques de son frère.

EXEMPLE: Tout est formidable.
Rien n'est formidable.

1. Tout est facile.

_____

2. Tout est amusant.

_____

3. Tout est drôle.

_____

4. Tout est intéressant.

_____

5. Tout est beau.

_____

6. Tout est parfait.

_____

EXERCICE M

Richard est un enfant qui n'aime rien faire. Exprimez ce qu'il répond aux questions de son ami.

EXEMPLE: Aimes-tu courir ou marcher ?
Je n'aime ni courir ni marcher.

1. Aimes-tu danser ou chanter ?

_____

2. Aimes-tu dessiner ou sculpter ?

_____

3. Aimes-tu jouer ou te reposer ?

_____

4. Aimes-tu sortir ou rester à la maison ?

_____

5. Aimes-tu regarder la télévision ou écouter des CD ?

_____

6. Aimes-tu aller au cinéma ou aller au parc ?

_____

EXERCICE N

En vous servant d'un seul mot négatif, répondez aux questions qu'une amie vous pose.

EXEMPLE: Qui va te rendre visite ?
            Personne.

1. Qu'est-ce que tu veux faire cet après-midi ?

_____

2. Quand mens-tu ?

_____

3. Qui va te téléphoner ?

_____

4. Quand fumes-tu ?

_____

5. Qu'est-ce que tu manges ?

_____

6. Qui t'aide avec tes devoirs ?

_____

EXERCICE O

Didier vient de faire la connaissance d'Yvette. Il lui pose des questions afin de mieux la connaître. Formulez les réponses d'Yvette en utilisant la forme affirmative.

EXEMPLE: N'aimes-tu pas danser ?
            Mais si, j'aime danser.

1. N'habites-tu pas la grande maison bleue ?

_____

2. N'es-tu jamais allée écouter un concert de rock ?

_____

3. N'auras-tu acheté un livre de français avant le week-end ?

_____

4. Ne parlais-tu pas français en classe ?

_____

5. Ne vas-tu jamais en vacances ?

_____

6. Ne conduis-tu pas cette voiture rouge ?

_____

EXERCICE P

Lisette pose des questions à son amie Blanche au sujet de ses voyages. Exprimez les réponses de Blanche.

EXEMPLE: As-tu vu la tour Eiffel ? (jamais)
   Je n'ai jamais vu la tour Eiffel.

1. As-tu été en France auparavant ? (jamais)

_____

2. As-tu parlé à quelqu'un en anglais ? (personne)

_____

3. As-tu visité des châteaux ou des forteresses ? (ni... ni)

_____

4. Où as-tu voyagé seule ? (nulle part)

_____

5. As-tu fait des croisières ? (aucune)

_____

6. T'es-tu acheté quelque chose ? (rien)

_____

7. As-tu souvent contacté ta famille ? (guère)

_____

8. Regrettes-tu d'avoir tant voyagé ? (pas du tout)

_____

EXERCICE Q

Vous êtes partis en vacances avec un ami. Malheureusement vous êtes tombé malade. À la rentrée, vous et votre ami décrivez vos vacances à des camarades.

EXEMPLE: AMI: J'ai fait du bateau à voiles. (pas)
   VOUS: **Je n'ai pas fait de bateau à voiles.**

1. AMI: J'ai tout visité. (rien)

VOUS: _____

2. AMI: J'ai beaucoup mangé. (guère)

VOUS: _____

3. AMI: J'ai fait de la pêche sous-marine et de la planche à voile. (ni... ni)

VOUS: _____

4. AMI: J'ai goûté des spécialités françaises. (aucune)

VOUS: _____

5. AMI: J'ai nagé dans la mer. (pas)

VOUS: _____

6. AMI: J'ai pris des bains de soleil sur la plage. (pas du tout)

   VOUS: _____

7. AMI: Je suis allé à la piscine. (jamais)

   VOUS: _____

8. AMI: J'ai discuté avec tout le monde. (personne)

   VOUS: _____

9. AMI: Je suis allé partout. (nulle part)

   VOUS: _____

10. AMI: J'ai trouvé un coquillage. (que)

   VOUS: _____

[2] COMMON NEGATIVE EXPRESSIONS

ça ne fait rien   *it doesn't matter*

Je doute qu'il nous attende. —Ça ne fait rien	*I doubt that he will wait for us. —It doesn't matter.*

de rien / il n'y a pas de quoi   *you're welcome*

Merci de tout ce que vous avez fait. —De rien.	*Thank you for all that you did. —You're welcome.*
Merci beaucoup. —Il n'y a pas de quoi.	*Thanks a lot. —You're welcome.*

jamais de la vie !   *never! out of the question! not on your life!*

Voulez-vous vendre ce chef-d'oeuvre ? —Jamais de la vie !	*Do you want to sell this masterpiece? —Never!*

(ni…) non plus   *not . . . either; nor . . .*

Je n'irai pas au match. —(Ni) moi non plus.	*I won't go to the match. —Nor will I.*
Lui non plus, il n'ira pas au match.	*He won't go to the match either.*

n'en pouvoir plus   *to be exhausted*

À la fin de la journée, je n'en peux plus.	*At the end of the day, I'm exhausted.*

n'importe qui (quand, où)   *no matter who (when, where)*

Où veux-tu déjeuner ? —N'importe où.	*Where do you want to have lunch? —It doesn't matter where.*

nulle part   *nowhere*

Où allez-vous cet été ? —Nulle part.	*Where are you going this summer? —Nowhere.*

pas encore   *not yet*

As-tu vu sa nouvelle voiture ? —Pas encore.	*Have you seen his new car? —Not yet.*

pas maintenant   *not now*

Peux-tu m'aider ? —Pas maintenant.	*Can you help me? —Not now.*

EXERCICE R

Complétez ces situations en utilisant une des expressions négatives de la liste ci-dessus.

1. Votre frère cadet vous demande de l'aider à faire ses devoirs. Mais vous êtes si fatigué que vous dormez debout.

   Vous répondez: _____

2. Vous allez faire des courses en ville avec vos parents. Votre père vous demande si vous êtes prête.

   Vous répondez: _____

3. Après un grand dîner, un ami et vous allez voir un film. Quand vous passez devant le marchand de bonbons au cinéma votre ami vous dit: « Je n'ai plus faim. »

   Vous répondez: _____

4. Vous venez d'acheter un nouveau pantalon bleu. Votre sœur vous demande si elle peut le porter ce soir.

   Vous répondez: _____

5. Vous demandez à votre ami s'il peut vous aider à étudier pour l'examen d'histoire. Il répond « bien sûr » et il vous demande quel moment vous conviendrait.

   Vous répondez: _____

6. Vous avez gardé les enfants de M. et Mme Moreau. Ils vous remercient.

   Vous répondez: _____

7. Votre sœur vous demande si vous voulez jouer au tennis. Vous refusez parce que vous voulez regarder votre programme favori à la télévision.

   Vous répondez: _____

8. Votre amie vous dit qu'elle a oublié son livre de français chez elle. Vous vous rappelez qu'il y a un examen aujourd'hui et que vous n'en avez pas besoin.

   Vous répondez: _____

MASTERY EXERCISES

EXERCICE S

Répondez négativement aux questions de votre camarade.

1. Est-ce que tes parents te donnent toujours beaucoup de travail à faire ?

   _____

2. As-tu jamais été faire du ski ?

   _____

3. As-tu bavardé avec quelqu'un aujourd'hui ?

   _____

4. Y a-t-il quelque chose qui te gêne ?

_____

5. Aimes-tu la musique classique ou le jazz ?

_____

6. Est-ce que quelqu'un t'aide à faire tes devoirs ?

_____

7. Qu'est-ce que tu as promis de ne plus faire ?

_____

8. S'est-il passé quelque chose de spécial en classe hier ?

_____

9. N'as-tu pas envie d'aller au cinéma ce soir ?

_____

10. Qui va te téléphoner ce soir ?

_____

EXERCICE T

Complétez les phrases avec l'expression qui convient pour exprimez pourquoi Mme Watteau est heureuse.

aucun	jamais	nulle part	personne	que
guère	ni... ni	pas	plus	rien

1. _____ ma fille _____ mon fils n'ont raté leurs examens.

2. _____ ne me donne jamais de problèmes.

3. Mon mari m'adore tellement qu'il n'irait _____ sans moi.

4. _____ de mes enfants ne me donne du souci.

5. _____ ne me fait jamais perdre ma bonne humeur.

6. Je ne suis que rarement triste et donc je ne pleure _____ .

7. Mon mari et moi, nous n'avons _____ un seul désir : que nos enfants soient aussi heureux que nous.

8. Je ne romps _____ mes promesses.

9. Je ne refuse _____ mon aide à mes amis.

10. Je n'ai peut-être _____ vingt ans, mais je me sens jeune !

Optional Verb Review Quizzes

Remplacer l'infinitif en italique par la forme convenable du verbe.

A. **1.** Quand j'étais en vacances, je (*plonger*) dans le lac tous les matins. _____

2. On n'a pas besoin d'être riche pour (*lire*) des livres intéressants. _____

3. Y a-t-il des pêches qui (*être*) sucrées ? _____

4. Depuis quand (*dormir*) -vous quand le réveil a sonné ? _____

5. N' (*oublier*) pas ton portefeuille ! _____

6. Elle (*se brosser*) les cheveux lentement (*passé simple*). _____

7. (*Se dépêcher*), les enfants ! _____

8. Je vous donnerai ma réponse quand je vous (*revoir*). _____

9. C'est dommage que les élèves (*craindre*) les examens. _____

10. Voilà dix minutes que je vous (*attendre*). _____

B. **1.** Nous étions à la maison pendant qu'ils (*voyager*). _____

2. Elles se sont (*parler*) à la réunion. _____

3. Nous étions sur le quai quand ils (*arriver*). _____

4. Il est probable qu'il (*pleuvoir*) samedi prochain. _____

5. Elle se dépêche de crainte que ses parents ne la (*punir*). _____

6. J'écoutais la radio en (*boire*) mon café. _____

7. Quoiqu'il (*grossir*), il ne mange pas grand-chose. _____

8. Je pourrais vous raconter l'histoire si vous (*se taire*). _____

9. Après les (*goûter*), il a décidé d'acheter des fraises. _____

10. Il entra, s'assit et (*commencer*) à écrire. _____

C. **1.** Il faut qu'ils (*s'en aller*) tout de suite. _____

2. C'est la voiture la plus confortable que j'_____ jamais (*conduire*). _____

3. Il (*neiger*) depuis longtemps quand il a décidé de partir. _____

230

    4. Quand j' (*appeler*) votre nom, répondez « présent » ! _____

    5. Jeanne d'Arc (*naître*) à Domrémy et mourut à Rouen. _____

    6. Donnez-moi un coup de fil dès que vous (*revenir*). _____

    7. Nous aurions vu l'accident si nous (*rentrer*) plus tôt. _____

    8. (*Nager*) -il souvent quand il était jeune ? _____

    9. (*Faire*) vos devoirs tout de suite. _____

   10. Je crois que nous (*aller*) à la plage demain. _____

D.   **1.** Nous (*aller*) à la plage demain s'il faisait beau. _____

    2. Nous (*aller*) à la plage aujourd'hui s'il avait fait beau. _____

    3. Dès que vous (*savoir*) la réponse, dites-la-moi, s'il vous plaît. _____

    4. Je doute qu'il (*venir*) ce soir. _____

    5. Si on (*mentir*) souvent, on perd tous ses amis. _____

    6. En (*faire*) attention, on fait moins de fautes. _____

    7. Aussitôt que je (*se sentir*) mieux, je viendrai vous voir. _____

    8. Y a-t-il un livre qu'il n' (*avoir*) pas lu ? _____

    9. Quelle route avait-il (*prendre*) ? _____

   10. Après (*vendre*) leur voiture, ils l'ont regretté. _____

E.   **1.** Combien de temps y a-t-il que vous le (*connaître*) ? _____

    2. Après (*rentrer*) à la maison, elle n'avait plus envie de sortir. _____

    3. Tout ira bien pourvu que vous (*faire*) ce qu'il faut. _____

    4. Nous visiterons Paris lorsque nous (*aller*) en France. _____

    5. Que ferons-nous jusqu'à ce qu'il (*venir*) ? _____

    6. Je le ferai de peur que vous ne (*être*) fachée. _____

    7. L'ouvrier s'est blessé en (*bâtir*) la maison. _____

    8. Quand vous (*recevoir*) la lettre, ne l'ouvrez pas. _____

    9. Mademoiselle, ne (*se plaindre*) pas tout le temps ! _____

   10. Je voudrais que vous (*apprendre*) cette chanson. _____

F. **1.** La jeune fille s'est (*laver*) la figure. _____

   2. Il y avait une heure que nous (*bavarder*) dans la rue. _____

   3. Avant qu'on (*pouvoir*) partir il va falloir faire les bagages. _____

   4. Si nous (*monter*) au sommet nous pourrions voir la mer. _____

   5. Où avez-vous appris à (*chanter*) si bien ? _____

   6. À moins que vous ne (*faire*) de votre mieux, vous ne réussirez pas. _____

   7. Vous (*se rencontrer*) dans le train hier ? _____

   8. Si vous (*vouloir*) aller au cinéma, je serais allé avec vous. _____

   9. On les (*applaudir*) cinq minutes au théâtre hier soir. _____

   10. S'ils (*recevoir*) la lettre lundi, ils y répondront le lendemain. _____

G. **1.** Elle ne viendra pas sans que je le (*savoir*). _____

   2. Après (*s'amuser*) nous avons fait nos devoirs. _____

   3. Ils ne (*venir*) pas s'il y avait eu un ouragan. _____

   4. Il est regrettable qu'elle (*agir*) ainsi. _____

   5. Je ne pense pas que les parents (*venir*) demain. _____

   6. On pense qu'ils (*partir*) dans une semaine. _____

   7. Où sont les cartes postales que je/j' (*acheter*) ce matin ? _____

   8. Et où est la chemise qu'il (*s'acheter*) hier ? _____

   9. Lavons-nous avant de (*s'habiller*). _____

   10. Après (*voyager*) longtemps, j'étais content de rentrer chez moi. _____

M A S T E R Y   V E R B   D R I L L

This Verb Drill is designed to test your mastery of the forms and uses for the individual verbs studied. First select a verb and complete the French sentences or phrases with the correct form of the selected verb, using the English as a guide, for instance: *Nous mangeons* (*We are eating*) / *Ne mange pas* (*Do not eat*). Use other verbs to continue the exercise.

1. Nous _____ .   *We are _____-ing.*

2. _____-il _____ ?   *Doesn't he _____ ?*

3. _____ ?

Does she _____ ?

4. On _____ .

They (We, You, People) _____ .

5. Ne (N') _____ pas.

Do not _____ .

6. _____ . (*Imperative familiar*)

_____ .

7. _____ .

Let us _____ .

8. Vous _____ .

You used to _____ .

9. _____ -elles ?

Were they _____ -ing.

10. Elle _____ .

She will _____ .

11. _____ -vous ?

Would you _____ ?

12. Qui _____ hier ?

Who _____ *yesterday* ?

13. Je _____ .

I had not _____ .

14. Ils _____ .

They would have _____ .

15. Il _____ .

He shall have _____ .

16. Nous _____ (*passé simple*).

We _____ .

17. Aussitôt que _____ , il le fera.

As soon as I _____ , *he will do it.*

18. Je le ferai quand il _____ .

I shall do it when he _____ .

19. Combien de temps _____ ?

How long did she _____ ?

20. Depuis quand _____ ?

How long have you been _____ ?

21. Il _____ depuis longtemps.

He has been _____ -ing for a long time.

22. Elle _____ depuis longtemps.

She had been _____ -ing for a long time.

23. Si tu _____ il attendra.

If you _____ , *he will wait.*

24. Il attendrait si je/j' _____ .

He would wait if I _____ .

25. Si elle _____ , il aurait attendu.

If she had _____ , *he would have waited.*

26. Ils commencent à _____ .

They are beginning to _____ .

27. Devez-vous _____ ?

Must you _____ ?

28. En _____ ,

While _____ -ing,

29. Sans _____ ,

Without _____ ,

30. Après _____ ,

After _____ -ing,

31. Avant de _____ ,   *Before _____ -ing,*

32. Il faut que vous _____ .   *You must _____ .*

33. À moins que je ne _____ .   *Unless I _____ .*

34. Elle craint que nous ne _____ .   *She fears we will _____ .*

35. J'ai peur de _____ .   *I am afraid I will _____ .*

36. Il veut que vous _____ .   *He wants you to _____ .*

37. Je doute que nous _____ .   *I doubt that we will _____ .*

38. Croyez-vous qu'ils _____ ?   *Do you think they may _____ .*

39. Nous regrettons qu'il _____ .   *We are sorry that he has _____ .*

40. Il est possible qu'ils _____ .   *It is possible that they have _____ .*

41. Il est probable qu'ils _____ .   *It is probable that they have _____ .*

42. C'est la dernière fois que je/j' _____ .   *It's the last time that I shall _____ .*

43. Connaissez-vous quelqu'un qui _____ ?   *Do you know anyone who may _____ .*

44. Qu'il _____ !   *Let him _____ .*

Part Two

Noun/Pronoun Structures; Prepositions

Chapter 18
Articles and Nouns

There are two types of articles: the definite article indicates a specific person or thing (*the* cat); the indefinite article refers to persons and objects not specifically identified (*a* cat, *an* owl).

A noun is a word used to name a person, place, thing, or quality.

[1] FORMS OF THE DEFINITE ARTICLE

a. In French, the definite article has four forms corresponding to English "the".

	MASCULINE	FEMININE
SINGULAR	*le* train *l'*avion	*la* voiture *l'*automobile
PLURAL	les trains les avions	les voitures les automobiles

NOTES:

1. The article *l'* is used before a singular noun of either gender beginning with a vowel or silent *h*. The vowel of the article is retained before *le héros, la honte* and other words beginning with aspirate *h*.

2. The article is expressed in French before each noun, even though it may be omitted in English.

   les fruits et les légumes   *the fruits and vegetables*

b. Contractions with the definite article:

The prepositions *à* and *de* contract with *le* and *les*.

à + *le* magasin = **au** magasin   de + *le* magasin = **du** magasin

à + *les* endroits = **aux** endroits   de + *les* endroits = **des** endroits

Allons **au** cinéma.   *Let's go to the movies.*

Il parle **aux** actrices.   *He speaks to the actresses.*

Je cherche le propriétaire **du** vélo.   *I am looking for the owner of the bike.*

J'ai appris tous les mots **des** leçons.   *I've learned all the words of the lessons.*

NOTE: There are no contractions with *la* or *l'*.

EXERCICE A

Identifiez ce que vous voyez en vous promenant en ville.

EXEMPLE: pharmacie   **la pharmacie**

1. boucherie _____

2. pâtisserie _____

3. cinéma _____

4. épicerie _____

5. stade _____

6. supermarché _____

7. musée _____

8. arrêt d'autobus _____

9. jardin _____

10. place centrale _____

11. hôpital _____

12. école primaire _____

13. restaurant _____

14. église _____

15. parc _____

16. café _____

17. université _____

18. bureau de poste _____

19. lycée _____

20. grand magasin _____

[2] FORMS OF THE INDEFINITE ARTICLE

There are two forms of the indefinite article in French corresponding to English *a (an)*:

	MASCULINE	FEMININE
SINGULAR	**un**	**une**
PLURAL	**des**	**des**

NOTES:

1. The indefinite plural article *des* has no direct English equivalent but may mean *some, several, any.*

Le marchand a **des fraises**.	*The storekeeper has (some) strawberries.*
Je lui ai donné **des photos**.	*I gave him some pictures.*
Il m'a prêté **des stylos**.	*He lent me several pens.*
Voyez-vous **des oiseaux** ?	*Do you see any birds?*

2. After a negative, the indefinite articles *un, une, des* become *de* before a direct object or with *il y a*.

Elle a un stylo, mais **pas de** crayons.	*She has a pen but no pencils.*
Il y a un stylo, mais **pas de** crayons.	*There is a pen but no pencils.*

3. *des* becomes *de* before a plural noun preceded by an adjective.

Paul a **de bons amis**.	*Paul has good friends.*

EXERCICE B

Exprimez ce que Marc sort de sa valise quand il arrive chez ses grands-parents.

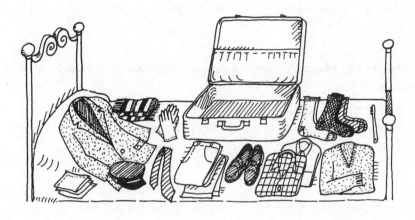

Marc sort de sa valise _____

_____

_____

_____

_____ .

EXERCICE C

Vous allez fêter le premier anniversaire de votre cousine. Faites une liste de tout ce qu'il faut acheter pour la fête que vous organisez.

EXEMPLES: assiettes **des assiettes**
robe **une robe**

1. gâteau _____

2. serviettes _____

3. jouets _____

4. glaces _____

5. cuillères en plastique _____

6. fourchettes en plastique _____

7. couteaux en plastique _____

8. petits cadeaux _____

9. invitations _____

10. bougie _____

11. tasses en papier _____

12. décorations _____

13. nappe en papier _____

14. ballons _____

15. bouteilles de so

[3] USES OF THE DEFINITE ARTICLE

a. With nouns used in a general or abstract sense.

L'acier est plus dur que le fer.	*Steel is harder than iron.*
Nous aimons les petits pois.	*We like peas.*
Vive la liberté !	*Long live freedom!*

b. With names of languages, except immediately after *parler*, after *en*, and in an adjective phrase with *de*.

Comprenez-vous le grec ?	*Do you understand Greek?*
Le russe n'est pas facile.	*Russian is not easy.*
Je parle très bien le chinois.	*I speak Chinese very well.*
But:	
Ici on parle espagnol.	*Spanish is spoken here.*
J'ai écrit la lettre en italien.	*I wrote the letter in Italian.*
Où est votre livre de français ?	*Where is your French book?*

c. In place of the possessive adjective, with parts of the body when the possessor is clear.

Il ne peut pas tourner la tête.	*He cannot turn his head.*
Fermez les yeux.	*Close your eyes.*
Je me suis fait mal au bras.	*I hurt my arm.*

NOTE: When the part of the body is modified, the possessive adjective is used.

Elle a mis **ses petites mains** sur mes épaules.	*She put her little hands on my shoulders.*

d. With titles of rank or profession followed by a name, except when addressing the person.

le président Lincoln	*President Lincoln*
la reine Élisabeth	*Queen Elizabeth*
le professeur Brunot	*Professor Brunot*
But:	
« Bonsoir, docteur Marais. »	*"Good evening, Doctor Marais."*

e. With proper nouns that are modified.

le Paris du XXe siècle	*twentieth-century Paris*
la belle Vénus	*the beautiful Venus*

f. With days of the week in a plural sense.

Le dimanche je me lève tard.	*On Sunday(s) I get up late.*
Nous allons à l'école le samedi.	*We go to school on Saturday(s).*

NOTE: If the day mentioned is a specific day, the article is omitted.

Le mariage a eu lieu **dimanche**.	*The marriage took place Sunday.*
Appelez-moi **mardi**.	*Call me (on) Tuesday.*

g. With names of seasons and colors, except after *en.*

Je préfère *le printemps.*	*I prefer spring.*
Aimez-vous le vert ?	*Do you like green?*
But:	
Il fait chaud **en été.**	*It's hot in the summer.*
On a peint la maison **en blanc.**	*The house was painted white.*

h. With nouns of weight and measure where English uses *a, an,* or *per.*

Elle a payé deux dollars **la** douzaine.	*She paid two dollars a dozen.*
Cette soie coûte dix euros **le** mètre.	*This silk costs ten euros per meter.*

NOTE: With expressions indicating frequency of time, *par* is used without the article.

On mange trois fois **par jour.**   *We eat three times a day.*

i. In certain common expressions of time or place.

à l'école	*to (in) school*	le soir	*in the evening*
à l'église	*to (in) church*	le mois prochain	*next month*
à la maison	*at home, home*	la semaine dernière	*last week*
le matin	*in the morning*	l'année passée	*last year*
l'après-midi	*in the afternoon*		

j. With dates.

C'est aujourd'hui **le premier mai.**	*Today is May first.*
On est **le onze février.**	*It is February 11.*

k. With names of most countries, states, mountains, and rivers.

La France est presque de la même superficie que le Texas.	*France is almost the same size as Texas.*
Je fais du ski dans les Alpes.	*I go skiing in the Alps.*
La Seine traverse Paris.	*The Seine crosses Paris.*

NOTE: The article is not used with the names of five countries: *Cuba, Haïti, Israël, Madagascar,* and *Tahiti.* These are all feminine except *Israël.*

Haïti est une île francophone.   *Haiti is a French-speaking island.*

EXERCICE D

Complétez le dialogue avec la forme correcte de l'article défini, s'il est nécessaire.

JIM: D'où es-tu ?

JEAN-LUC: Je suis de _____ Montréal. _____ Canada est un beau pays.
                          1.   2.

JIM: Quelle langue parles-tu ?

JEAN-LUC: Je parle _____ français.
                        3.

JIM: Étudies-tu _____ anglais ?

                         4.

JEAN-LUC: Bien sûr ! _____ anglais est une langue importante.

                          5.

JIM: Quelle saison préfères-tu ?

JEAN-LUC: Je préfère _____ été.

                      6.

JIM: Pourquoi ?

JEAN-LUC: En _____ été il n'y a pas de classes et je peux aller à _____ plage tous _____ jours.

             7.   *8.*   *9.*

JIM: Comment est-ce que tu t'amuses

JEAN-LUC: _____ films me passionnent. Je vais toujours au cinéma _____ samedi soir avec

     10.   *11.*

ma cousine.

JIM: Qui est cette femme là-bas ?

JEAN-LUC: C'est _____ professeur Manon, ma conseillère. Lundi prochain, _____ vingt et un

        12.   *13.*

septembre, tous les élèves canadiens vont se réunir à _____ école pour raconter ce

                                                    14.

qu'ils ont fait ici à _____ New York.

                    15.

JIM: Oh là là ! Il est déjà _____ huit heures. Je me sauve. _____ cours d'histoire

                                     16.   *17.*

commence dans trois minutes et _____ professeur Leclerc nous attend avec

                                           18.

impatience. À tout à l'heure.

JEAN-LUC: Au revoir, Jim.

EXERCICE E

Répondez aux questions d'un(e) élève qui fait une enquête.

EXEMPLES: Quel mois de l'année aimes-tu le plus ?

J'aime juin le plus.

                 Quel est ton jeu préféré ?

Le Scrabble est mon jeu préféré.

1. Quel jour sommes-nous aujourd'hui ?

_____

2. Quelle saison préfères-tu ?

_____

3. Quel jour de la semaine aimes-tu le moins ?

_____

4. À quel moment de la journée étudies-tu le mieux ?

_____

5. Qui est ton professeur d'histoire ?

_____

6. Quelle langue étudies-tu ?

_____

7. Quel est ton cours favori ?

_____

8. Quel est ton sport favori ?

_____

9. Quelle musique préfères-tu ?

_____

10. Quelle couleur aimes-tu ?

_____

[4] OMISSION OF THE ARTICLE

a. The indefinite article is omitted after *être* and *devenir* with unmodified names of professions, occupations, and nationality.

Sa sœur aînée est actrice.	*Her older sister is an actress.*
J'espère devenir ingénieur.	*I hope to become an engineer.*

NOTE: The article is used if the noun is modified or when **c'est** is used.

C'est une actrice.	*She is an actress.*
Claude est **un ingénieur bien connu.**	*Claude is a well-known engineer.*

b. The indefinite article is omitted after the exclamatory adjectives *quel, quelle, quels, quelles.*

Quelle pêche délicieuse !   *What a delicious peach!*

c. Unlike English, the French indefinite article is omitted before the numbers *cent* and *mille.*

cent navires	*a hundred ships*
mille étoiles	*a thousand stars*

d. The definite article is omitted in numerical titles of monarchs.

Henri Quatre (Henri IV)	*Henri the Fourth*
Louis Quinze (Louis XV)	*Louis the Fifteenth*

e. The article is omitted before nouns in apposition which serve merely to explain.

Joséphine, femme de Napoléon   *Josephine, the wife of Napoleon*

EXERCICE F

Complétez cette carte postale en utilisant un article défini, indéfini ou rien du tout.

Cher Lucien,

C'est aujourd'hui _____ jeudi, _____ premier juillet. Je passe mes vacances à l'hôtel Louis XIV.
          1.   *2.*

_____ maire de mon village y est aussi et _____ autre jour, je lui ai dit: « Bonjour, monsieur Ludovic.
3.   *4.*

Vous faites _____ travail extraordinaire ! » J'ai également fait _____ connaissance de sa femme qui est
          5.   *6.*

_____ professeur. Elle est _____ professeur très respecté à l'université de Tours où elle enseigne
7.   *8.*

_____ français. Quelle _____ femme intéressante! Je te les présenterai tous les deux un de ces jours.
9.   *10.*

                                   À bientôt,

                                   Georges

EXERCICE G

Répondez aux questions que le douanier à l'aéroport Charles de Gaulle vous pose.

1. Quelle est votre nationalité ? (américaine)

   _____

2. Quelle est votre profession ? [étudiant(e)]

   _____

3. Quelle est la profession de votre père ? (ingénieur)

   _____

4. Quelle est la profession de votre mère ? (docteur)

   _____

5. Dans quel hôtel descendez-vous ? (Louis XIV)

   _____

6. Combien d'argent avez-vous ? (1000 dollars)

   _____

[5] GENDER OF NOUNS

French nouns are either masculine or feminine. Although there are no rules by which the gender of all nouns can be determined, the gender of many nouns can be determined by their meaning or ending. The gender of other nouns must be learned individually.

a. Nouns that refer to males are masculine. Nouns that refer to females are feminine.

MASCULINE		FEMININE	
l'homme	*man*	la femme	*woman*
le fils	*son*	la fille	*daughter*
le prince	*prince*	la princesse	*princess*
le secrétaire	*secretary*	la secrétaire	*secretary*

b. The gender of some nouns can be determined by their ending.

MASCULINE		FEMININE	
-acle	le spectacle	-ade	l'orangeade
-age★	le village	-ale	la capitale
-al	le journal	-ance	la connaissance
-eau★	le bureau	-ence	la compétence
-et	le cabinet	-ette	la raquette
-ier	le cahier	-ie	la biologie
-isme	le cyclisme	-ique	la république
-ment	l'établissement	-oire	la victoire
		-sion	la télévision
		-tion	la nation
		-ure	la coiffure

c. Some feminine nouns are formed by adding *e* to the masculine.

MASCULINE	FEMININE	
l'ami	l'amie	*friend*
l'avocat	l'avocate	*lawyer*
le client	la cliente	*customer*
le cousin	la cousine	*cousin*
l'employé	l'employée	*employee*
l'Espagnol	l'Espagnole	*Spaniard*
l'étudiant	l'étudiante	*student*
le voisin	la voisine	*neighbor*

NOTE: **Nouns of nationality are capitalized.**

L'Américain est arrivé.   *The American has arrived.*

d. Certain feminine nouns are formed by changing the masculine endings.

MASCULINE		FEMININE		
-an	le paysan	-anne	la paysanne	*peasant*
-ien	le pharmacien	-ienne	la pharmacienne	*pharmacist*

★Note these exceptions: *la page, la plage; l'eau (f), la peau.*

	MASCULINE		FEMININE		
-on	le patron	-onne	la patronne		*boss*
-er	le boucher	-ère	la bouchère		*butcher*
-ier	l'épicier	-ière	l'épicière		*grocer*
-eur	le vendeur	-euse	la vendeuse		*salesclerk*
-teur	l'acteur	-trice	l'actrice		*actor/actress*

e. Other masculine nouns and their feminine counterparts are:

MASCULINE		FEMININE	
le bouc	*goat*	la chèvre	*goat*
le bœuf	*ox*	la vache	*cow*
le chat	*cat*	la chatte	*cat*
le comte	*count*	la comtesse	*countess*
le coq	*rooster*	la poule	*hen*
l'hôte	*host*	l'hôtesse	*hostess*
le maître	*master*	la maîtresse	*mistress*
le neveu	*nephew*	la nièce	*niece*
l'oncle	*uncle*	la tante	*aunt*
le roi	*king*	la reine	*queen*
le vieux	*old man*	la vieille	*old woman*

NOTE: For animal nouns whose form is the same for both masculine and feminine, gender is indicated by adding the words *mâle* and *femelle*.

une souris mâle	*a male mouse*
une souris femelle	*a female mouse*

f. Some nouns have the same form in the masculine and the feminine.

un (une) artiste	*artist*		un (une) enfant	*child*
le (la) camarade	*friend*		le (la) malade	*patient*
le (la) collègue	*colleague*		le (la) secrétaire	*secretary*
le (la) concierge	*superintendant*		le (la) touriste	*tourist*
un (une) élève	*pupil*			

g. Some nouns are masculine or feminine depending on their meaning.

MASCULINE		FEMININE	
le critique	*critic*	la critique	*criticism*
le livre	*book*	la livre	*pound*
le mémoire	*report, thesis*	la mémoire	*memory*
le mode	*method, mood*	la mode	*style, fashion*
le poste	*job*	la poste	*post office*
le tour	*tour*	la tour	*tower*
le vase	*vase*	la vase	*mud*

h. Some nouns are always masculine or feminine regardless of the gender of the person referred to.

ALWAYS MASCULINE

un agent de police	*police officer*	un mannequin	*fashion model*
un bébé	*baby*	un médecin	*docteur*
un chef	*chef, cook, chief, head*	un peintre	*painter*
un écrivain	*writer*	un pompier	*fire fighter*
un ingénieur	*engineer*	un professeur	*professor, teacher*

ALWAYS FEMININE

une connaissance	*acquaintance*	une vedette	*(movie) star*
une personne	*person*	une victime	*victim*

EXERCICE H

Chantal a fait son arbre généalogique. Identifiez chaque membre de sa famille.

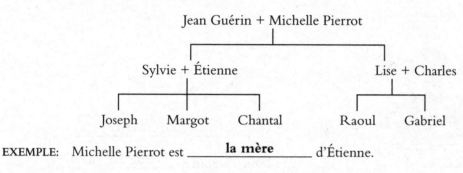

Jean Guérin + Michelle Pierrot

Sylvie + Étienne   Lise + Charles

Joseph   Margot   Chantal   Raoul   Gabriel

EXEMPLE: Michelle Pierrot est _____ **la mère** _____ d'Étienne.

1. Jean Guérin est _____ d'Étienne et de Lise.

2. Étienne est _____ de Sylvie.

3. Margot est _____ de Joseph et de Chantal.

4. Gabriel est _____ de Joseph.

5. Michelle Pierrot est _____ de Charles et de Sylvie.

6. Charles est _____ d'Étienne.

7. Sylvie est _____ de Jean Guérin.

8. Charles est _____ de Michelle Pierrot.

9. Lise est _____ de Margot, de Chantal et de Joseph.

10. Joseph est _____ de Sylvie et d'Étienne.

11. Raoul est _____ d'Étienne.

12. Michelle Pierrot est _____ de Margot, de Chantal et de Joseph.

EXERCICE I

Robert a perdu certains objets dans sa chambre. Indiquez ce qu'il cherche.

EXEMPLE: jouet   **Il cherche le jouet.**

1. journal   _____

2. mémoire   _____

3. raquette   _____

4. bougie   _____

5. couteau   _____

6. voiture   _____

7. fourchette   _____

8. papier   _____

EXERCICE J

Exprimez les métiers de ces couples.

EXEMPLE: M. Dupont _____**est ouvrier**_____ .

Et Mme Dupont ? _____**Elle est ouvrière**_____ .

1. M. Legrand _____ .

Et Mme Legrand ? _____ .

2. M. Aude _____ .

Et Mme Aude ? _____ .

3. M. Simonet _____ .

Et Mme Simonet ? _____ .

4. M. Panier _____ .

Et Mme Panier ? _____ .

5. M. Mercier _____ .

Et Mme Mercier ? _____ .

6. M. Arnaud _____ .

Et Mme Arnaud ? _____ .

7. M. Louis _____ .

Et Mme Louis ? _____ .

8. M. Lenoir _____ .

Et Mme Lenoir ? _____ .

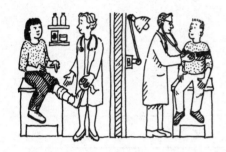

9. M. Évian _____ .

Et Mme Évian ? _____ .

10. M. Léger _____ .

Et Mme Léger ? _____ .

11. M. Louvier _____ .

Et Mme Louvier ? _____ .

12. M. Hotier _____ .

Et Mme Hotier ? _____ .

EXERCICE K

Delphine va participer à un concours de vocabulaire. Lisez la définition puis donnez le mot correct et son article défini.

EXEMPLE: livre qui explique le sens des mots   **le dictionnaire**

1. objet avec lequel un enfant joue   _____

2. synonyme de visage   _____

3. objet utilisé pour renvoyer la balle au tennis   _____

4. boisson à base d'eau sucrée et de citron   _____

5. personne qui défend un accusé au tribunal   _____

6. instrument pour couper la viande   _____

7. star de cinéma ou de théâtre   _____

8. douze mois   _____

9. personne qui soigne les dents   _____

10. contraire du mensonge   _____

11. sept jours   _____

12. transport aérien   _____

13. instrument pour ouvrir la serrure d'une porte   _____

14. personne qui joue d'un instrument   _____

15. fille du roi   _____

16. liquide pour faire marcher la voiture   _____

17. pantalon et veste mis pour dormir   _____

18. père du père   _____

19. œuvre jouée au théâtre   _____

20. animal très lent   _____

[6]   NOUNS OF QUANTITY

Nouns that express quantity or measure are followed by *de* before another noun. Some frequent nouns of quantity are:

une paire *a pair*	un tas *a pile*	un mètre *a meter*
une douzaine *a dozen*	un morceau *a piece*	un litre *a liter*
un panier *a basket*	une tranche *a slice*	une tasse *a cup*
une boîte *a box*	une livre *a pound*	un verre *a glass*
un paquet *a package*	un kilogramme (kilo) *a kilogram*	une bouteille *a bottle*
un sac *a bag*		

Je dois acheter **une livre de beurre** et **une bouteille de lait**.   *I have to buy a pound of butter and a bottle of milk.*

Elle m'a envoyé **une belle paire de gants**.   *She sent me a beautiful pair of gloves.*

EXERCICE L

Exprimez ce que M. Maupin a acheté au supermarché.

EXEMPLE: **Il a acheté un paquet de bonbons.**

1. _____ .

2. _____ .

3. _____ .

4. _____ .

5. _____ .

6. _____ .

7. _____ .

8. _____ .

[7] PLURAL OF NOUNS

a. The plural of most French nouns is formed by adding *s* to the singular.

SINGULAR		PLURAL
le musée	*museum*	les musées
la pomme	*apple*	les pommes
l'assiette (*f.*)	*plate*	les assiettes

b. Nouns ending in *-s*, *-x*, or *-z* remain unchanged in the plural.

SINGULAR		PLURAL
le mois	*month*	les mois
le prix	*price, prize*	les prix
le nez	*nose*	les nez

Other nouns ending in *-s:*

l'ananas (*m.*)	*pineapple*	le colis	*package*	le jus	*juice*
l'autobus (*m.*)	*bus*	le corps	*body*	le palais	*palace*
l'avis (*m.*)	*opinion*	le dos	*back*	le pardessus	*overcoat*
le bas	*stocking*	le fils	*son*	le pays	*country*
le bois	*wood*	la fois	*time*	le repas	*meal*
le bras	*arm*	le héros	*hero*	le tapis	*rug*

Other nouns ending in *-x:*

la croix   *cross*   la voix   *voice*

c. Nouns ending in *-eau* and *-eu* add *x* in the plural.

SINGULAR		PLURAL
le drapeau	*flag*	les drapeaux
le neveu	*nephew*	les neveux

NOTE: There is one exception:
le pneu   *tire*   les pneus

Other nouns ending in *-eau:*

le bateau	*boat*	le couteau	*knife*	l'oiseau (*m.*)	*bird*
le bureau	*desk*	l'eau (*f.*)	*water*	la peau	*skin*
le cadeau	*gift, present*	le gâteau	*cake*	le rideau	*curtain*
le chapeau	*hat*	le manteau	*coat*	le tableau	*picture, painting*
le château	*castle*	le morceau	*piece*	le veau	*calf*

Other nouns ending in -*eu*:

le cheveu*   *hair*   le feu   *fire*
le jeu   *game*   le lieu   *place*

d. **Nouns ending in -*al* change -*al* to -*aux* in the plural.**

SINGULAR	PLURAL
le journal *newspaper*	les journaux
l'hôpital *hospital*	les hôpitaux

Other nouns ending in -*al*:

l'animal (*m*)   *animal*   le général   *general*
le cheval   *horse*   le mal   *ache, harm*

NOTE: **Exceptions:**

SINGULAR	PLURAL
le bal *dance*	les bals
le festival *festival*	les festivals
le carnaval *carnival*	les carnavals

e. **Seven nouns ending in -*ou* add *x* in the plural:**

SINGULAR	PLURAL
le bijou *jewel*	les bijoux
le caillou *pebble*	les cailloux
le chou *cabbage*	les choux
le genou *knee*	les genoux
le hibou *owl*	les hiboux
le joujou *toy*	les joujoux
le pou *louse*	les poux

NOTE: **All other nouns in *ou* add *s* in the plural.**

SINGULAR	PLURAL
le clou *nail*	les clous
le trou *hole*	les trous

f. **Some nouns have irregular plurals.**

SINGULAR	PLURAL
le ciel *sky*	les cieux
l'œil (*m.*) *eye*	les yeux
le travail *work*	les travaux
madame *Madam, Mrs.*	mesdames
mademoiselle *Miss*	mesdemoiselles
monsieur *gentleman, Mr.*	messieurs

---

*Since *le cheveu* refers to a single hair, the plural *les cheveux* is more common.

g. Plurals of common compound nouns:

SINGULAR	PLURAL
l'après-midi (*m.*) *afternoon*	les après-midi
le chef-d'oeuvre *masterpiece*	les chefs-d'oeuvre
la grand-mère *grandmother*	les grands-mères
le grand-père *grandfather*	les grands-pères
le gratte-ciel *skyscraper*	les gratte-ciel
le hors-d'oeuvre *appetizer*	les hors-d'oeuvre
le rendez-vous *appointment*	les rendez-vous
le réveille-matin *alarm clock*	les réveille-matin

h. A few nouns are used mainly in the plural.

les ciseaux (*m.*) *scissors*	les mathématiques (*f.*) *mathematics*
les gens (*m.* or *f.*) *people*	les vacances (*f.*) *vacation*
les lunettes (*f.*) *eyeglasses*	

i. Family names do not add *s* in the plural.

les Caron   les Rolland

EXERCICE M

Aline et Lisette sont jumelles. C'est aujourd'hui leur anniversaire. Exprimez le fait qu'elles reçoivent chaque cadeau en double.

EXEMPLE: Un seul cadeau ?   **Mais non, elles reçoivent deux cadeaux !**

1. Un seul gâteau ? _____ .

2. Un seul colis ? _____ .

3. Un seul bijou ? _____ .

4. Un seul jeu de cartes ? _____ .

5. Un seul manteau ? _____ .

6. Un seul pardessus ? _____ .

7. Un seul joujou ? _____ .

8. Un seul chapeau ? _____ .

9. Un seul cheval ? _____ .

10. Un seul tableau ? _____ .

EXERCICE N

M. Hachette est un détective célèbre qui essaie de résoudre un crime. Exprimez quels indices il a trouvé dans un appartement en faisant son enquête.

EXEMPLE: **Il a trouvé des cailloux.**

1. _____

2. _____

3. _____

4. _____

5. _____

6. _____

7. _____

8. _____

MASTERY EXERCISES

EXERCICE O

*Complétez ce monologue avec un article (s'il est nécessaire), un nombre ou la forme correcte de **quel**.*

Bonjour. Je m'appelle Anne-Marie Junot. Je suis _____ actrice. J'ai _____ yeux verts
                                                    1.   2.

et _____ cheveux noirs. Les critiques disent que je suis _____ bonne actrice. Je suis
        3.   4.

populaire, _____ public m'envoie plus de _____ cartes par _____ jour.
                5.   6.   7.

J'ai déjà tourné _____ films et demain je commence à travailler dans _____ autre
                        8.   9.

film. Oh là là ! _____ film! Je joue _____ rôle d'_____ femme riche et
                        10.   11.   12.

élégante. Cette femme s'ennuie facilement et passe son temps à voyager. C'est _____ femme
                                                                                            13.

capricieuse qui tombe dans plusieurs intrigues et _____ héros vient à chaque fois à son sec-
                                                              14.

ours. Il y a _____ scène où _____ hommes s'habillent en _____ agents de
                    15.   16.   17.

police et accompagnent _____ femme à _____ grande fête. _____ scène
                                18.   19.   20.

formidable ! _____ film va coûter plus de _____ dollars parce que chaque acteur
                    21.   22.

gagne _____ dollars par jour. J'ai _____ vie intéressante. _____ chance de
                23.   24.   25.

pouvoir être actrice !

EXERCICE P

Complétez les phrases avec un article défini, indéfini ou rien du tout.

Je voudrais vous faire le portrait de ma meilleure amie, Carine Marec, qui est _____ fille char-
                                                                                        1.

mante et très aimable. Elle mesure 1 mètre 60, elle a _____ cheveux blonds et _____ yeux
                                                              2.   3.

marron. Elle porte _____ lunettes. _____ année dernière, je lui ai offert _____
                            4.   5.   6.

bracelet avec _____ perles noires pour son anniversaire. _____ mère de Carine est
                        7.   8.

_____ avocate et son père est _____ docteur très renommé. Carine veut devenir
        9.   10.

_____ architecte car elle aime dessiner _____ maisons et _____ gratte-ciel.
        11.   12.   13.

J'espère qu'elle réussira. _____ grands-parents de Carine ont _____ ferme en Normandie
                                    14.   15.

où ils élèvent _____ chevaux. Carine aime beaucoup _____ campagne et nous y allons
                        16.   17.

souvent ensemble pendant _____ vacances. Carine adore _____ animaux. Elle a
                                    18.   19.

_____ chien, Fifi, et _____ chat, Minou. Fifi adore _____ viande et _____
        20.   21.   22.   23.

biscuits. Minou préfère _____ poisson et _____ lait. Dans sa chambre, Carine garde
                                24.   25.

_____ souris. Cette souris aime _____ fromage. Carine adore _____ sport. Elle se
        26.   27.   28.

passionne pour _____ cyclisme. _____ samedi matin, elle fait de _____ natation
                        29.   30.   31.

à _____ piscine municipale. Carine est très populaire et est invitée à toutes _____ fêtes.
        32.   33.

Je suis sûre que maintenant vous comprenez pourquoi Carine est ma meilleure amie.

Chapter 19
Partitive

[1] FORMS AND USES

a. The partitive expresses an indefinite quantity or part of a whole (English *some* or *any*). Before a noun, the partitive is generally *de* + definite article.

PARTITIVE	USED BEFORE	EXAMPLE	MEANING
du	masculine singular nouns beginning with consonant	**du beurre**	*some butter*
de la	feminine singular nouns beginning with consonant	**de la soie**	*some silk*
de l'	any singular noun beginning with vowel sound	**de l'argent** **de l'eau**	*some money* *some water*
des	all plural nouns	**des camions** **des robes** **des hôtels** **des écoles**	*some trucks* *some dresses* *some hotels* *some schools*

Elle a **du** travail à faire.	*She has some work to do.*
Nous mangeons **de la** glace.	*We are eating some ice cream.*
Avez-vous **de l**'argent ?	*Do you have any money?*
Donnez-moi **du** pain, s'il vous plaît.	*Give me some bread, please.*

NOTE: **The partitive may not be omitted in French (as *some* or *any* in English) and is repeated before each noun.**

Voulez-vous **des** spaghettis ou **de la** salade ?	*Do you want spaghetti or salad?*
—Non, je préfère **de la** viande et **des** frites.	*—No, I prefer meat and french fries.*

EXERCICE A

Lise, une enfant de quatre ans, donne à manger à son chien. Identifiez ce qu'elle lui donne.

EXEMPLE: **Elle lui donne du poisson.**

1. _____

2. _____

3. _____

4. _____

5. _____

6. _____

7. _____

8. _____

9. _____

10. _____

b. In a negative sentence, the partitive is expressed by *de* without the article when it precedes the direct object of the verb or follows *il n'y a pas*.

Je n'ai pas fait **de** fautes.	*I didn't make any mistakes.*
Il n'a guère **d'**amis.	*He has hardly any friends.*
Il n'y a pas **de** pain.	*There is no bread.*

c. When an adjective precedes a plural noun, the partitive is expressed by *de* alone.

Il porte **de** vieux souliers.	*He wears old shoes.*
Elle raconte **de** longues histoires.	*She tells long stories.*

NOTE: **When a plural adjective is part of a noun compound, the definite article is retained.**

des grands-parents	*grandparents*	des petits-enfants	*grandchildren*
des jeunes filles	*girls*	des petits pains	*rolls*
des jeunes gens	*youths*	des petits pois	*peas*

d. When an adjective precedes a singular noun, the partitive is sometimes expressed without the article.

Il boit du bon cidre.	
Il boit de bon cidre.	*He drinks (some) good cider.*

e. After *ne... que* (*only*), *de* is used with the article, provided there is no plural adjective preceding a plural noun.

Je ne mange **que de la** tarte.	*I eat only pie.*
Je ne mange **que des** tartes.	*I eat only pies.*
Je ne mange **que de la** bonne tarte.	*I eat only good pie.*
But:	
Je ne mange **que de bonnes tartes.**	*I eat only good pies.*

f. With adverbs and nouns of quantity and expressions with *de*, *de* alone is used (see Chapter 17, page 251, for list of nouns of quantity, and Chapter 23, page 371, for list of adverbs of quantity).

Nous achèterons **trois bouteilles d'eau** minérale.	*We will buy three bottles of mineral water.*
Elle a **trop de devoirs.**	*She has too much homework.*
Donnez-moi **une douzaine d'œufs.**	*Give me a dozen eggs.*
J'ai besoin **d'argent.**	*I need money.*
Il manque **de courage.**	*He lacks courage.*
Tu ne peux pas te passer **de nourriture.**	*You cannot do without food.*

NOTES:

1. *La plupart* (*most*), *bien* (*a good many, a good deal*), and related expressions (*la plus grande partie, la majorité*) are followed by *de* + definite article.

La plupart **des** gens aiment ce café.	*Most people like this café.*
Bien **des** fois il arrive en retard.	*He often arrives late.*

2. *Plusieurs* (*several*) **and** *quelques* (*some*) **are adjectives and modify the noun directly.**

Vous avez **plusieurs** amis ici.   *You have several friends here.*

Attendez **quelques** minutes.   *Wait a few minutes.*

g. **The partitive is omitted after** *sans* (*without*) **and** *ne... ni... ni* (*neither . . . nor*).

C'est un livre **sans** images.   *It is a book without (any) pictures.*

Nanette ne boit ni thé **ni** café.   *Nanette drinks neither tea nor coffee. (Nanette doesn't drink any tea or coffee.)*

EXERCICE B

Martine explique à sa sœur cadette ce qu'on vend dans les magasins suivants en France.

EXEMPLE: pharmacie / médicaments
Dans une pharmacie on vend des médicaments.

1. pâtisserie / gâteaux

_____

2. bijouterie / bijoux

_____

3. poissonnerie / poisson

_____

4. boucherie / viande

_____

5. fruiterie / fruits

_____

6. boulangerie / pain

_____

7. charcuterie / saucisses

_____

8. librairie / livres

_____

EXERCICE C

Exprimez ce que Mme Leduc achètera quand elle visitera ces villes françaises.

EXEMPLE: Paris / articles de luxe
À Paris elle achètera des articles de luxe.

1. Alençon / dentelle

_____

2. Cambrai / bonbons

_____

3. Baccarat / verres en cristal

_____

4. Besançon / montres

_____

5. Bordeaux / vin

_____

6. Grasse / parfum

_____

7. Grenoble / gants

_____

8. Limoges / porcelaine

_____

EXERCICE D

Vous racontez à un ami ce que vous avez fait et ce que vous n'avez pas fait pendant vos vacances aux îles Caraïbes.

EXEMPLE: écrire (cartes postales / lettres)
            J'ai écrit des cartes postales.
            Je n'ai pas écrit de lettres.

1. manger (spécialités du pays / hamburgers)

_____

_____

2. boire (jus de papaye / lait)

_____

_____

3. faire (voile / ski)

_____

_____

4. prendre (photos des gens / photos du paysage)

_____

_____

5. goûter (poisson du pays / viande du pays)

_____

_____

6. avoir (temps libre / travail)

_____

_____

EXERCICE E

Vos amis et vous dînez au restaurant, mais certains d'entre vous suivent un régime. Exprimez ce que vous pouvez ou ne pouvez pas commander.

EXEMPLE: Georgette ne digère pas les plats épicés. / manger : légumes ? ragoût ? glace ?
          Elle mange des légumes.
          Elle ne mange pas de ragoût.
          Elle mange de la glace.

1. Anne veut grossir. / prendre : pain ? salade ? gâteau ?

_____

_____

_____

2. Liliane est allergique aux produits laitiers. / boire : citronnade ? lait ? eau minérale ?

_____

_____

_____

3. Jean est nerveux. / choisir : café ? limonade ? jus d'orange ?

_____

_____

_____

4. Robert est végétarien. / commander : porc ? fromage ? agneau ?

_____

_____

_____

5. Richard veut maigrir. / manger : spaghettis ? fruits ? pâtisseries ?

_____

_____

_____

6. Janine a des problèmes cardiaques. / se passer de : viandes grasses ? céléri ? jus d'orange ?

_____

_____

_____

EXERCICE F

Exprimez ce qu'on vend dans cette galerie marchande.

EXEMPLE: curieux gadgets
          On vend de curieux gadgets.

1. nouveaux vêtements

_____

2. excellent café

_____

3. jolie argenterie

_____

4. bons CD

_____

5. grandes affiches

_____

6. beau tissu

_____

7. petites bagues

_____

8. bonne limonade

_____

EXERCICE G

Tout le monde se plaint de temps en temps. Exprimez ce que ces personnes disent.

EXEMPLE: beaucoup / inquiétudes
           J'ai beaucoup d'inquiétudes.

1. assez / problèmes

_____

2. trop / devoirs

_____

3. peu / amis

_____

4. tant / soucis

_____

5. beaucoup / travail

_____

EXERCICE H

Exprimez ce que Marie demande à l'épicier.

EXEMPLE: une bouteille / eau minérale
           Je voudrais une bouteille d'eau minérale, s'il vous plaît.

1. une boîte / petits pois

_____

2. une livre / cerises

_____

3. un litre / jus d'orange

_____

4. un sac / farine

_____

5. une douzaine / bananes

_____

EXERCICE I

Décrivez la fête internationale de votre école en utilisant le partitif s'il est nécessaire.

1. La plupart _____ élèves ont assisté à la fête.

2. Bien _____ professeurs y sont allés.

3. J'ai essayé plusieurs _____ hors-d'œuvre.

4. Marie avait cuisiné beaucoup _____ plats différents.

5. Patrick n'a mangé ni _____ fruits ni _____ légumes.

6. On avait le choix entre une dizaine _____ boissons différentes.

7. On n'avait pas préparé assez _____ desserts.

8. Ça a été une soirée sans _____ égale.

[2] PARTITIVE AND THE DEFINITE ARTICLE

While the partitive is used to express some or part of something, the definite article is used with nouns in a general sense (expressing the entire class).

Les Français aiment **le vin.**	_The French love wine._ (in general)
Beaucoup de Français boivent **du vin** pendant les repas.	_Many French people drink (some) wine during meals._

EXERCICE J

Répondez aux questions que des amis vous posent sur vos habitudes alimentaires.

EXEMPLE: Bois-tu du café ?
Oui, j'aime le café et je bois souvent du café.

1. Prends-tu de l'eau minérale ?

_____

2. Manges-tu de la viande ?

_____

3. Achètes-tu des légumes ?

_____

4. Choisis-tu du poulet ?

_____

5. Prépares-tu des salades ?

_____

6. Bois-tu du thé ?

_____

EXERCICE K

Exprimez quelle sorte de nourriture vous préférez. Utilisez l'article défini ou le partitif.

1. Mon plat de viande préféré est _____ .

2. Je n'aime pas _____ .

3. Au petit déjeuner je prends _____ .

4. Au déjeuner je mange _____ et je bois _____ .

5. Si je préparais le dîner, je servirais _____ .

6. Mon dessert préféré est _____ .

7. Mes légumes favoris sont _____ .

8. Mes fruits préférés sont_____ .

9. Quand je suis un régime, je ne prends pas _____ .

10. Quand je veux quelque chose de sucré, je prends _____ .

11. Ma boisson favorite est _____ .

12. Je ne mangerais jamais _____ .

MASTERY EXERCISES

EXERCICE L

Vous travaillez dans un restaurant. Combinez les éléments donnés avec l'article défini ou le partitif pour exprimer ce que dit le chef.

1. j'ai besoin / marmites tout de suite

_____

2. j'ai utilisé / crème fraîche

_____

3. beaucoup / clients aiment / poulet

_____

4. je pense que / cuisine française est / meilleure

_____

5. je ne fais jamais / erreurs quand je cuisine

_____

6. ici on prépare / bons repas

_____

7. bien / clients adorent / escargots

_____

8. j'adore manger / bon gâteau au chocolat

_____

9. je préfère préparer cette recette avec / beurre

_____

10. ma spécialité est / coq au vin

_____

11. j'ai servi / petits pains au petit déjeuner

_____

12. donnez-moi une douzaine / œufs pour cette tarte

_____

13. il y a / travail à faire

_____

14. je n'utilise que / produits naturels

_____

EXERCICE M

**La classe de français va faire un pique-nique. Complétez la description des préparatifs en utilisant l'article défini, le partitif ou rien du tout.**

La classe de français va faire un pique-nique dans le parc. La plupart _____ élèves ont pré-
                                                                    1.
paré _____ spécialités de leurs pays. Quelques _____ autres apportent _____
        2.   3.   4.
fourchettes, _____ cuillères et _____ assiettes en plastique. Le professeur apporte plusieurs
              5.   6.
_____ boissons. Bien _____ jeunes filles et bien _____ garçons ont _____
7.   8.   9.   10.
habitudes bizarres en ce qui concerne la nourriture. Marie, par exemple, ne mange ni _____ fruits
                                                                                      11.

ni _____ légumes. Grégoire, lui, ne mange que _____ salade. André utilise beaucoup
    12.   *13.*

_____ poivre et Lisette peut manger une boîte entière _____ chocolats toute seule !
    14.   *15.*

Claire n'aime pas _____ tomates et Paul ne boit jamais _____ lait. Douglas se passe
                     16.   *17.*

_____ dessert parce qu'il est au régime. Le professeur fait attention à sa ligne elle aussi et prend
    18.

très peu _____ pain sans _____ beurre. Heureusement, Lucie va apporter _____
           19.   *20.*   *21.*

bons desserts et _____ bonne orangeade. On va bien manger et bien s'amuser au pique-nique.
                   22.

Chapter 20
Subject and Stress Pronouns

A pronoun is a word used in place of a noun. A subject pronoun is used in place of a subject noun.

[1] SUBJECT PRONOUNS

SINGULAR		PLURAL	
je (j')	*I*	**nous**	*we*
tu	*you* (familiar)	**vous**	*you* (plural/formal)
il	*he*	**ils**	*they* (masculine)
elle	*she*	**elles**	*they* (feminine)
on	*one, you, we, they*		

NOTES:

1. A subject pronoun and its verb may be inverted in interrogative sentences. Inversion with *je* is rarely used in spoken French, except with *avoir, être, pouvoir,* and *savoir*.

   Sortez-vous ce soir ?   *Are you going out tonight?*
   Que sais-je ?   *What do I know?*

2. Subject pronouns are omitted in the imperative.

   Venez ici.   *Come here.*

3. The familiar subject pronoun *tu* is used to address friends, relatives, children, and pets. The formal *vous* is used in the singular to address older people, strangers, or people one does not know well.

   Tu as tort.   *You're wrong.*
   Vous êtes très gentil.   *You are very kind.*

4. The third person subject pronoun *on* means *one* or *someone*. It may also refer to an indefinite *you, we, they,* or people in general. *On* + active construction may also take the place of a passive construction.

   On a besoin d'amis.   *One needs (People need / We need) friends.*
   On dit que le russe est très difficile.   *They say that Russian is very difficult.*
   On a volé mon livre.   *Someone stole my book. (My book has been stolen.)*

   In spoken French, *on* is often used in place of *nous*.

   On va voir un film ce soir.   *We're going to see a movie tonight.*

EXERCICE A

Henri identifie ses amis à une fête et dit d'où ils viennent. Complétez chaque phrase avec le pronom qui convient.

EXEMPLE: Jeanne et Lucie sont amies. ____**Elles**____ sont de Lyon.

1. Hélène et Rose sont sœurs. _____ sont de Grenoble.

2. Georges et Pierre sont cousins. _____ sont de Marseille.

3. David et moi, _____ sommes américains. _____ sommes de Louisiane.

4. Lisette est de Montréal. _____ est la sœur de Luc.

5. Charles est le cousin de Richard. _____ est de Bruxelles.

6. Raoul et Mireille, d'où êtes-_____ ? Moi, _____ suis de Nice, Raoul, _____ est de Cannes.

7. Claire, d'où es-_____ ? _____ suis de Dakar.

8. Gustave, d'où sont tes parents ? _____ sont de Paris.

EXERCICE B

Exprimez comment on se conduit en classe de français.

EXEMPLES: écouter attentivement
On écoute attentivement.

ne pas parler anglais
On ne parle pas anglais.

1. parler toujours français

_____

2. ne jamais mâcher de chewing-gum

_____

3. faire les devoirs tous les soirs

_____

4. ne pas lancer d'avions en papier

_____

5. ne pas bavarder

_____

6. prêter attention

_____

[2] *CE + ÊTRE*

The invariable demonstrative pronoun *ce* (*c'*) (*it, he, she, this, that, they, these, those*) is most frequently used with the verb *être*. *Ce* replaces *il, elle, ils,* and *elles* in the following constructions.

a. Before a modified noun.

C'est un mouton.   *It is a sheep.*

C'est une affaire grave.   *That's a serious matter.*

Ce sont de vrais amis.   *They are real friends.*

But (unmodified):

Il est pompier.   *He is a fire fighter.*

NOTE: The interrogative for *ce sont* is *est-ce ?*

      Est-ce de vrais amis ?   *Are they real friends?*

b. Before a proper noun.

Qui est là ? —**C'est** Jeanne.   *Who is there? —It's Jeanne.*

Quelle est la capitale de l'Angleterre ?   *What is the capital of England?*

   —**C'est** Londres.   —*It is London.*

c. Before a pronoun.

Je doute que **ce soit lui.**   *I doubt that it is he.*

Est-ce vous qui avez ri ?   *Are you the one who laughed?*

Ce sont les nôtres.   *They (These, Those) are ours.*

C'était celle de ma mère.   *It was my mother's.*

d. Before a superlative.

C'est la plus jeune de la famille.   *She is the youngest in the family.*

C'est le moindre de mes soucis.   *That's the least of my worries.*

e. In dates.

C'est aujourd'hui jeudi.   *Today is Thursday.*

Demain **ce sera** le deux mai.   *Tomorrow will be May 2.*

NOTE: In expressing the hour of the day, *il* is used.

      Il est trois heures.   *It is three o'clock.*

f. Before a masculine singular adjective, to refer to an idea or action previously mentioned.

Roger comprend bien le français.   *Roger understands French well.*

   —**C'est évident.**   —*That's obvious.*

Est-ce que je peux vous aider ?   *Can I help you? —It's useless.*

   —**C'est inutile.**

NOTE: In referring to a preceding noun, *il* and *elle* are used.

      Luc est mon cousin. **Il** est   *Luc is my cousin. He is very nice.*

         très sympathique.

      Regardez cette fleur. **Elle** est parfaite.   *Look at that flower. It is perfect.*

g. Before an adjective + *à* + an infinitive that implies a passive meaning (see also Chapter 23, Note 1, page 338).

C'est bon **à** savoir.   *That's good to know.*

C'est impossible **à** faire.   *That's impossible to do.*

NOTES:

1. Impersonal *il* (*it*) may be used with *être* and an adjective before *de* + infinitive.

Il est bon **de** dire la vérité.	*It is good to tell the truth.*
Il n'est pas facile **de** réussir.	*It isn't easy to succeed.*

   French makes clear the meaning of *it* by two distinct constructions. The English version of these sentences, although identical, has two different meanings.

Il est intéressant de lire.	*It is interesting to read.* (Reading is interesting.)
C'est intéressant à lire.	*It is interesting to read.*
(passive meaning)	(The book, the letter, etc. is interesting to read.)

2. *Il* + *être* + adjective is used before a clause beginning with *que*; *ce* + *être* may also be used.

Il est important que vous appreniez le français.	*It is important that you learn French.*
Il est normal qu'il se soit fâché.	*It is normal he got angry.*
C'est normal qu'il se soit fâché.	*It is normal he got angry.*

3. *Ceci* and *cela* (*ça*) replace *ce* for emphasis or contrast.

Ceci est urgent !	*This is urgent!*
Ceci est urgent et **cela** ne l'est pas.	*This is urgent and that isn't.*
Ceci me rend heureuse.	*This makes me happy.*
Cela (Ça) ne se dit pas.	*We (People) don't say that.*

EXERCICE C

Marthe bavarde avec sa nouvelle amie Christine. Elle décrit des personnes et des choses. Complétez ses descriptions avec **ce (c'), il(s)** *ou* **elle(s).**

1. Regarde ces garçons : _____ sont mes frères. _____ sont très sportifs.

2. Qui sonne à la porte ? _____ sont eux. _____ sont arrivés de bonne heure.

3. Je te présente ma sœur Régine. _____ est très intelligente. _____ est la plus intelligente de la famille.

4. As-tu fait la connaissance de M. Sorel ? _____ est mon professeur de science. _____ est charmant.

5. Voici ma tante Gisèle. _____ est un mannequin célèbre. _____ est jolie, n'est-ce pas ?

6. Regarde ma nouvelle voiture. _____ est impossible d'oublier les clefs à l'intérieur. _____ est pratique, non ?

7. Veux-tu manger au restaurant Chez Pierre ? _____ est un restaurant populaire. _____ est ouvert tous les jours.

8. Quelle est la date aujourd'hui ? _____ est dimanche, le trois mai. Quel dommage, le musée

est fermé. _____ n'est pas possible d'y aller aujourd'hui.

EXERCICE D

Donnez votre opinion sur les activités suivantes.

EXEMPLES: grimper aux arbres (dangereux)
        Il est dangereux de grimper aux arbres.
        Il n'est pas dangereux de grimper aux arbres.

1. savoir conduire une voiture (important)

    _____.

2. réussir à l'école (nécessaire)

    _____.

3. voyager en avion (effrayant)

    _____.

4. faire du sport (amusant)

    _____.

5. voyager (intéressant)

    _____.

6. gagner beaucoup d'argent (facile)

    _____.

EXERCICE E

Commentez les actions de vos amis.

EXEMPLE: Henri apprend beaucoup. (essentiel)
        Il est essentiel qu'Henri apprenne beaucoup.

1. Janine va à la bibliothèque. (important)

    _____.

2. Richard mange des légumes. (prudent)

    _____.

3. Roland est toujours calme. (bon)

    _____.

4. Marie fume des cigarettes. (dangereux)

    _____.

5. Henri conduit très vite. (stupide)

    _____.

6. Alice dit des mensonges. (mauvais)

    _____.

7. Lucie écrit un roman d'amour. (amusant)

_____ .

8. André gagne beaucoup d'argent. (normal)

_____ .

EXERCICE F

Lucien est un garçon très sûr de ses opinions. Exprimez ce qu'il dit.

EXEMPLE: Le lait ? bon / boire
C'est bon à boire.

1. L'ordinateur ? difficile / programmer

_____ .

2. L'amour ? dur / comprendre

_____ .

3. Le travail ? amusant / faire

_____ .

4. L'avenir ? impossible / prédire

_____ .

5. Le ski ? dangereux / pratiquer

_____ .

6. Le reportage sportif ? facile / lire

_____ .

EXERCICE G

Répondez aux questions qu'un ami vous pose en utilisant ce (c'), il(s) *ou* elle(s).

1. Quelle est la capitale du Sénégal ? (Dakar)

_____

2. Qui a inventé l'écriture en relief pour les aveugles ? (Louis Braille)

_____

3. Quelle est la date de la célébration de la Révolution française ? (le quatorze juillet)

_____

4. Est-ce Pasteur qui a découvert le vaccin contre la rage ? (lui)

_____

5. Quelle était la profession de Saint-Exupéry ? (pilote)

_____

6. Peut-on ignorer les problèmes de l'environnement ? (impossible)

_____

7. Comment était Jeanne d'Arc ? (courageuse)

_____

8. Qui était Napoléon ? (l'empereur des Français)

_____

EXERCICE H

Complétez ce que Mme Rousseau dit de ses élèves en choisissant le mot correct.

1. (ce, cela)   Anne copie souvent les devoirs de Lucien. _____ m'inquiète.

2. (ça, ce)   Virginie ne se sentait pas bien aujourd'hui. Je lui ai dit: « _____ ira mieux demain. »

3. (ce, ceci)   Quand je dis à mes élèves _____ est important et cela ne l'est pas, il me demandent

   toujours d'expliquer pourquoi.

4. (ce, cela)   Jacqueline aura réussi tous ses examens. _____ fera plaisir à ses parents.

5. (ce, ça)   Antoine sait toujours ses leçons par cœur. _____ prouve qu'il est très studieux.

6. (ce, cela)   Jacques bavarde toujours en classe. _____ me dérange.

7. (ce, ceci)   Lucien est arrivé à l'heure pour la première fois de sa vie. _____ est exceptionnel !

8. (ça, c')   Jérôme a refusé de faire partie de l'équipe de football. _____ est dommage.

[3] STRESS PRONOUNS

A stress pronoun may be used to replace a noun used as subject or object or to empha-size pronouns or nouns used as subject or object.

SINGULAR			PLURAL		
(je)	**moi**	_I, me_	**(nous)**	**nous**	_we_
(tu)	**toi**	_you_ (familiar)	**(vous)**	**vous**	_you_ (plural, formal)
(il)	**lui**	_he, him_	**(ils)**	**eux**	_they, them_
(elle)	**elle**	_she, her_	**(elles)**	**elles**	_they, them_
(on)	**soi**	_oneself, himself_			

[4] USES OF STRESS PRONOUNS

a. Stress pronouns are used after a preposition* to refer to people.

   Il marche **vers moi.**   _He walks towards me._
   Elle viendra **chez toi.**   _She will come to your house._
   Nous parlions **d'eux.**   _We were speaking about them._

---

*For a list of common prepositions, see Chapter 23, page 324.

NOTES:

1. **After the preposition** *à,* **a stress pronoun is generally not used to refer to people.**

   J'ai donné un cadeau à Michèle.   *I gave a present to Michèle.*

   Je lui ai donné un cadeau.   *I gave her a present. (I gave a present to her.)*

2. **A few verbs and verbal phrases consisting of a verb + a noun object use** *à* **+ stress pronoun to refer to people.**

avoir affaire à *to deal with*	penser à *to think about (of)*
être à *to belong to*	prêter attention à *to pay attention to*
faire attention à *to take care of,*	renoncer à *to renounce, give up*
to pay attention to	
se fier à *to trust*	songer à *to think about*
s'intéresser à *to be interested in*	tenir à *to care about, like; insist on*

   Pensais-tu **à** Jacques ?   *Were you thinking of Jacques?*

      —Oui, je **pensais à** lui.   *—Yes, I was thinking about him.*

   Je ne **me fie** pas **à** Laurent et à Annik.   *I don't trust Laurent and Annik.*

      —Moi, je **me fie à** eux.   *—I trust them.*

b. **Stress pronouns are used after** *ce* **+** *être.*

   Qui est-ce ? —**C'est elle.**   *Who is it? —It is she.*

   Ce n'est pas **moi** qui l'ai fait.   *I'm not the one who did it. (Literally: It's not I who did it.)*

   C'est nous qui partons.   *We are the ones leaving.*

   C'est eux qui parlent.*   *They are the ones who are speaking.*

   Est-ce vous ? Est-ce eux ?   *Are you the ones? Are they the ones?*

EXERCICE I

Répondez aux questions d'un(e) camarade de classe en employant le pronom qui convient.

EXEMPLES: Es-tu allé(e) avec Sylvie au cinéma ?
        Oui, je suis allé(e) avec elle au cinéma.
        Non, je ne suis pas allé(e) avec elle au cinéma.

1. Habites-tu près de chez nous ?

_____

2. Veux-tu venir danser avec moi ?

_____

3. Te souviens-tu de ton arrière-grand-père ?

_____

4. Paul est-il assis à côté de toi dans la classe de français ?

_____

---

*Before the stress pronouns *eux* and *elles,* the verb *être* may be either in the singular (*c'est eux*) or the plural (*ce sont elles*).

5. Joues-tu au tennis sans ton amie ?

_____

6. Travailles-tu pour ton père ?

_____

7. Arrives-tu à l'école avant les autres ?

_____

8. Ton ami discute avec ta sœur et toi ?

_____

EXERCICE J

Les élèves de la classe de français sont très sérieux. Exprimez qui d'entre eux fait les choses suivantes.

EXEMPLE: Qui reçoit les meilleures notes ? (Robert)
            C'est lui.

1. Qui réussit bien l'examen ? (je)

_____

2. Qui écrit une bonne composition ? (vous)

_____

3. Qui écoute toujours le professeur ? (Alice)

_____

4. Qui travaille dur ? (ma sœur et moi)

_____

5. Qui arrive toujours à l'heure ? (Hervé)

_____

6. Qui finit rapidement les exercices ? (Janine et Chantal)

_____

7. Qui étudie beaucoup ? (tu)

_____

8. Qui aide le professeur ? (Marc et Antoine)

_____

EXERCICE K

Exprimez les préoccupations sentimentales des personnes suivantes.

EXEMPLE: (il)   Je pense à **lui** tout le temps.

1. (je)   J'espère que mon petit ami pense à _____ .

2. (il)   Je tiens à _____ .

3. (elle)   Il doit renoncer à _____ .

4. (nous)   Ces lettres d'amour sont à _____ .

5. (ils)   Je me fie à _____ .

6. (tu)   Mon amour, je ne pense qu'à _____ .

7. (elles) Ces garçons ne s'intéressent qu'à _____ .

8. (vous)   Ils ne pensent qu'à _____ .

c. Stress pronouns are used when a personal pronoun is not followed by a verb.

Qui parle français ici ? —**Moi.**	*Who speaks French here? —I (do).*
Qui gagne ? —**Pas nous.**	*Who is winning? —Not we.*
Je suis plus belle **que toi.**	*I am prettier than you.*
Je n'aime **que lui.**	*I love only him.*

d. Stress pronouns are used in a compound subject or object.

Leurs enfants **et eux** sont heureux.	*Their children and they are happy.*

NOTE: If one of the stress pronouns is *moi,* the subject pronoun *nous* is used to summarize the compound. If *toi* is one of the stress pronouns, *vous* summarizes the compound.

Lui et moi, nous sommes parfaits ensemble.	*He and I are great together.*
Elle et toi, vous ne comprenez rien.	*She and you don't understand anything.*
Je **vous** ai vus, **elle et toi.**	*I saw her and you.*

e. Stress pronouns are added for emphasis or clarification.

Eux, ils n'auraient jamais menti.	*They would never have lied.*
Je **les** ai vus, **elle** et **lui.**	*I saw him and her.*
Je **leur** ai téléphoné, à **lui** et à **elle.**	*I phoned him and her.*

f. Stress pronouns may be reinforced by adding *-même* (*-mêmes*).

Jean y est allé **lui-même.**	*Jean went there himself.*
Nous le ferons **nous-mêmes.**	*We will do it ourselves.*

NOTE: The stress pronoun *soi* (or *soi-même*) is used with indefinite subjects like *on, chacun, tout le monde,* to refer to general statements.

Il est essentiel d'avoir confiance en **soi.**	*It is essential to have self-confidence (confidence in oneself).*
Chacun(e) pour **soi.**	*Everyone for himself (herself).*
Tout le monde pense à **soi.**	*Everyone thinks of himself (herself).*

EXERCICE L

Il va y avoir une grande fête à l'école et vous demandez à votre camarade qui va être invité en plus de tous les professeurs:

EXEMPLE: Mon frère et moi ?
             Oui, vous aussi.

1. Robert et Luc ?

_____

2. Toi ?

_____

3. Vous deux ?

_____

4. Anne et Sylvie ?

_____

5. Lisette ?

_____

6. Moi ?

_____

7. Mon amie et moi ?

_____

8. André ?

_____

EXERCICE M

Exprimez ce que les personnes suivantes font aujourd'hui.

EXEMPLE: toi et moi / aller au cinéma
             Toi et moi, nous allons au cinéma.

1. Brigitte et nous / jouer au tennis

_____.

2. elle et toi / faire un pique-nique

_____.

3. lui et moi / voir un film

_____.

4. vous et lui / regarder le match de football

_____.

5. toi et eux / dîner chez des amis

_____.

6. elles et moi / sortir

_____.

EXERCICE N

Exprimez en quoi chacun est fort.

EXEMPLE: Pierre / biologie
             Lui, il est fort en biologie.

1. je / français

_____.

2. Thomas et Denis / maths

_____ .

3. nous / chimie

_____ .

4. Lucie / histoire

_____ .

5. vous / italien

_____ .

6. Georges / technologie

_____ .

7. tu / algèbre

_____ .

8. Régine et Brigitte / anglais

_____ .

EXERCICE O

Exprimez comment chaque personne se vante de ses accomplissements.

EXEMPLE: J'ai préparé le dîner.
              J'ai préparé le dîner moi-même.

1. Elles ont décoré leurs maisons.

_____ .

2. Tu as résolu le problème.

_____ .

3. Ils ont piloté un avion.

_____ .

4. J'ai écrit ce livre.

_____ .

5. Il a bâti sa maison.

_____ .

6. Nous avons fait ce dessin.

_____ .

7. Elle a réparé sa voiture.

_____ .

8. Vous avez composé cette chanson.

_____ .

M A S T E R Y   E X E R C I S E S

EXERCICE P

Complétez cette histoire en utilisant **ce (c')** *ou* **il(s)** :

_____ est aujourd'hui samedi. _____ est onze heures du matin. Le téléphone sonne. Qui est-_____ ?
   1.   *2.*   *3.*

_____ est Georges Restaud. _____ est mon meilleur ami. Il m'appelle pour discuter d'un scandale à
   4.   *5.*

l'école. _____ est une affaire sérieuse. Le directeur veut renvoyer notre professeur favori, M. Charles. À
       6.

mon avis, _____ est le meilleur professeur de l'école. _____ est impossible qu'on veuille le congédier.
        7.   *8.*

_____ est lui qui s'intéresse le plus aux étudiants. On dit qu'il a frappé Henri Boucher. _____ est
   9.   *10.*

faux. Tout le monde le sait. Henri ment tout le temps. _____ est incapable de dire la vérité. Il veut attirer
                                          11.

l'attention de tout le monde. Georges m'explique que lundi les étudiants feront grève pour protester contre

cette injustice.

EXERCICE Q

Répondez aux questions d'un(e) ami(e) en vous servant d'un pronom accentué.

1. Qui est plus intelligent(e) que toi ?

_____ .

2. Que sais-tu faire toi-même ?

_____ .

3. Qui fait le ménage chez toi ?

_____ .

4. Est-ce toi qui danses si bien ?

_____ .

5. Te fies-tu à tes parents ?

_____ .

6. Fais-tu attention à tes professeurs ?

_____ .

EXERCICE R

Complétez cette histoire d'amour avec les pronoms qui conviennent.

Il y a un garçon à l'école qui s'appelle Gabriel. Je rêve de _____ chaque nuit et le jour je ne pense qu'à
                                                                    1.

_____. Si seulement j'avais le courage de lui déclarer mon amour !... J'entends sonner à la porte. Je vais
  2.

ouvrir. Ce doit être le facteur. Mais non c'est Gabriel. C'est bien _____ ! _____, je ne peux pas en
                                                             3.   *4.*

croire mes yeux. Je le fais entrer. Il s'approche de _____. Nous nous regardons les yeux dans les yeux.
 5.

_____, il me sourit et _____, je lui dis : « Je t'aime. » _____, il me répond tendrement : « _____,
 6.   7.   8.   9.

tu es la fille de mes rêves. » Puis, _____ et _____, nous partons faire une promenade ensemble. Tout
 10.   11.

à coup, un bruit me ramène à la réalité. Ma mère s'approche de _____. Elle me dit : « Ton réveil vient
 12.

de sonner. Georgette t'attend. Est-ce que vous ne deviez pas aller en ville ensemble, elle et _____,
 13.

aujourd'hui ? »

Chapter 21
Object Pronouns

[1] OBJECT PRONOUNS

a. Forms

DIRECT OBJECT PRONOUNS	INDIRECT OBJECT PRONOUNS
me (m′) *me*	**me (m′)** *(to) me*
te (t′) *you* (familiar)	**te (t′)** *(to) you* (familiar)
le (l′) *him, it* (masculine)	**lui** *(to) him*
la (l′) *her, it* (feminine)	**lui** *(to) her*
se (s′) *himself, herself*	**se (s′)** *(to) himself, (to) herself*
nous *us*	**nous** *(to) us*
vous *you*	**vous** *(to) you*
les *them*	**leur** *(to) them*
se (s′) *themselves*	**se (s′)** *(to) themselves*

NOTE: The forms *me, te, se, nous,* and *vous* are both direct and indirect object pronouns. They are also reflexive pronouns (see Chapter 11, page 129).

b. Uses of object pronouns

A direct object pronoun replaces a direct object noun and answers the questions *whom?, what?*

J'ai rencontré **Christophe.**	*I met Christophe.*
Je **l'**ai rencontré.	*I met him.*
Je regarde **la télévision.**	*I watch television.*
Je **la** regarde.	*I watch it.*
Nous achèterons **les fraises.**	*We will buy the strawberries.*
Nous **les** achèterons.	*We will buy them.*

An indirect object pronoun replaces an indirect object noun and answers the questions *to whom?, for whom?* An indirect object refers only to people.

J'écris **à mes amis.**	*I am writing to my friends.*
Je **leur** écris.	*I am writing to them.*
Nous téléphonons souvent **à Lisette.**	*We telephone Lisette often.*
Nous **lui** téléphonons souvent.	*We telephone her often.*

NOTES:

1. Verbs that take an indirect object in English do not necessarily take an indirect object in French. Verbs like *écouter* (to listen to), *chercher* (to look for), *payer* (to pay for), and *regarder* (to look at) take a direct object in French.

L'écoutez–vous ?	*Are you listening to him?*
Nous **les** attendons ici.	*We're waiting for them here.*

2. Verbs like *obéir* (*à*) (*to obey*), *désobéir* (*à*) (*to disobey*), *répondre* (*à*) (*to answer*), **ressembler** (*à*) (*to resemble*), and *téléphoner* (*à*) (*to telephone*) take an indirect object in French.

Je **lui** ai téléphoné.	*I telephoned him.*
Nous ne **leur** désobéissons jamais.	*We never disobey them.*

3. Note the use of the indirect object with the verb *plaire* (*to please*).

Ce cadeau **lui** plaît.	*She likes this gift.* [Literally: *This gift pleases her.*]
Ces cadeaux **leur** plaisent.	*They like these gifts.* [Literally: *These gifts please them.*]

4. Note the use of the indirect object with the verbs *falloir* (*to be necessary*) and *manquer* (*to miss*).

Il **me** faut un stylo.	*I need a pen.*
Il **leur** faudra étudier.	*They will have to study.*
Il **me** manque.	*I miss him.*
Il **me** manque un stylo.	*I miss (need) a pen.*

5. The direct object *le* can refer to a previously mentioned adjective, infinitive or clause.

Sait-il qu'il faut partir ?	*Does he know we must go?*
—Oui, il **le** sait.	—*Yes, he knows.*

c. Position of object pronouns

(1) Object pronouns, direct or indirect, including reflexives normally precede the verb.

Il **vous** comprend.	*He understands you.*
Elle **l**'a fait.	*She did it.*
Ne **lui** avais-tu pas téléphoné hier ?	*Hadn't you telephoned him yesterday?*
Il ne **vous** parlera pas.	*He will not talk to you.*
T'aurait-il dit la vérité ?	*Would he have told you the truth?*
Les enfants **se** lavaient-ils ?	*Were the children washing themselves?*
Je **me** suis levé tôt.	*I got up early.*

NOTE: In compound tenses, past participles agree in gender and number with a preceding direct object (see Chapters 5 and 11).

Tes livres ? Je **les** ai **vus** dans ta chambre.	*Your books? I saw them in your room.*
Nous **nous** sommes **levés.**	*We got up.*
Cette chanson ? Oui, il **se l'est rappelée.**	*This song? Yes, he remembered it.*

(2) In an affirmative command only, the object pronoun comes directly after the verb and is attached to it by a hyphen. The pronouns *me* and *te* change to *moi* and *toi* after the verb.

AFFIRMATIVE COMMAND	NEGATIVE COMMAND
Aidez-**moi.** *Help me.*	Ne **m**'aidez pas. *Don't help me.*
Dépêche-**toi.** *Hurry up.*	Ne **te** dépêche pas. *Don't hurry.*
Buvez-**la.** *Drink it.*	Ne **la** buvez pas. *Don't drink it.*

(3) When a direct or indirect object pronoun, or reflexive pronoun is used with an infinitive construction, the pronoun precedes the verb of which it is the object, normally the infinitive.

Il voulait **m**'embrasser.	*He wanted to kiss me.*
Ne venez pas **nous** voir.	*Don't come to see us.*
Seriez-vous allé **le** chercher ?	*Would you have gone to look for him?*
Ne voulez-vous pas **lui** parler ?	*Don't you want to talk to him?*
Va-t-il **se** reposer après le dîner ?	*Is he going to rest after dinner?*

NOTE: An object pronoun precedes a verb of perception (like *écouter, entendre, regarder, sentir, voir*) and the verbs *faire* and *laisser* when followed by an infinitive. In an affirmative command, the pronoun follows the verb of perception and is attached to it by a hyphen.

Les parents regardent **les enfants** jouer.	*The parents watch the children play.*
Les parents **les** regardent jouer.	*The parents watch them play.*
Regardez-**les** jouer.	*Watch them play.*
Je fais laver **la voiture**.	*I have the car washed.*
Je **la** fais laver.	*I have it washed.*
Fais-**la** laver.	*Have it washed.*
Maman ne laissera pas **Claire** conduire.	*Mom will not let Claire drive.*
Maman ne **la** laissera pas conduire.	*Mom will not let her drive.*

(4) Object pronouns precede *voici* and *voilà*.

Nous voici.	*Here we are.*
La voilà.	*There she (it) is.*

EXERCICE A

Gabrielle est très distraite aujourd'hui. Comme elle ne peut pas trouver les vêtements qu'elle veut porter, elle demande à sa mère de l'aider. Exprimez ce que sa mère répond à ses questions.

EXEMPLE: Où est ma robe ?
La voilà.

1. Où est ma blouse ?

_____

2. Où est mon chapeau ?

_____

3. Où sont mes chaussettes ?

4. Où est mon manteau ?

_____

5. Où sont mes gants ?

_____

6. Où est ma jupe ?

_____

EXERCICE B

Vous organisez une surprise-partie et votre mère vous demande si vous avez tout fait. Répondez-lui.

EXEMPLE: As-tu arrangé les chaises ?
Oui, **je les ai arrangées.**

1. As-tu envoyé les invitations ?

   _____

2. As-tu invité tous tes amis ?

   _____

3. As-tu fait les provisions ?

   _____

4. As-tu préparé les sandwiches ?

   _____

5. As-tu goûté la mousse ?

   _____

6. As-tu nettoyé le salon ?

   _____

7. As-tu acheté les desserts ?

   _____

8. As-tu mis le couvert ?

   _____

EXERCICE C

Formez des phrases qui expriment ce que vous auriez fait hier s'il n'avait pas plu. Faites tous les changements nécessaires.

EXEMPLE: j'aurais emmené au parc / les chiens
Je les aurais emmenés au parc.

1. j'aurais rencontré en ville / vous (*f.*)

   _____

2. Pierre aurait invité au cinéma / je (*f.*)

   _____

3. vous auriez accompagné / votre copine

   _____

4. tu aurais vu / tes tantes

   _____

5. elle aurait attendu / nous (*f.*)

   _____

6. nous aurions conduit chez Luc / tu

   _____

EXERCICE D

Votre père vous demande si vous avez préparé tout ce qu'il vous faut pour aller camper ce week-end. Répondez à ses questions affirmativement ou négativement.

EXEMPLE: As-tu pris la couverture ?
Oui, je l'ai prise.
Non, je ne l'ai pas prise.

1. As-tu préparé la nourriture ? (oui)

   _____

2. As-tu acheté la lampe de poche (oui)

   _____

3. As-tu bien emballé les allumettes (non)

   _____

4. As-tu nettoyé le sac de couchage (non)

   _____

5. As-tu emporté les assiettes en plastique (oui)

   _____

6. As-tu rangé les clefs (non)

   _____

7. As-tu emprunté l'imperméable (non)

   _____

8. As-tu étudié la carte (oui)

   _____

9. As-tu réparé les bottes (oui)

   _____

10. As-tu pris la brosse à dents (non)

   _____

EXERCICE E

Il vous faut faire réparer la voiture dès que possible avant de passer l'inspection. Demandez à votre mécanicien s'il peut faire les réparations tout de suite.

EXEMPLE: régler les freins
Ne pourriez-vous pas les régler avant demain ?

1. réparer le moteur

   _____

2. remplacer le phare gauche

   _____

3. changer les pneus usés

   _____

4. recharger la batterie

_____

5. inspecter l'échappement

_____

6. vérifier les clignotants

_____

EXERCICE F

Gilberte est très indécise. Un jour elle dit quelque chose à son petit ami et le jour suivant elle change d'avis. Exprimez ce qu'elle dit.

EXEMPLE: écouter
             Écoute-moi !
             Ne m'écoute pas !

1. regarder

_____

_____

2. embrasser

_____

_____

3. téléphoner

_____

_____

4. répondre

_____

_____

5. parler

_____

_____

6. écrire

_____

_____

EXERCICE G

Êtes-vous une personne affectueuse ? Répondez aux questions suivantes en remplaçant les mots en caractères gras par le pronom qui convient.

1. Téléphonez-vous souvent **à vos amis** ?

_____

2. Envoyez-vous des cartes de vœux **à vos professeurs préférés** ?

_____

3. Offrez-vous toujours un cadeau **à votre meilleur(e) ami(e)** pour son anniversaire ?

_____

4. Écrivez-vous de temps en temps **à vos oncles et à vos tantes** ?

_____

5. Achetez-vous parfois des fleurs **à votre mère** ?

_____

6. Dites-vous souvent « Je t'aime » **à votre père** ?

_____

7. Faites-vous souvent visite **à vos grands-parents** ?

_____

8. Rendez-vous toujours service **à vos amis** quand ils vous le demandent ?

_____

EXERCICE H

Vos parents sont partis pour le week-end. Un ami vous demande les instructions qu'ils vous ont laissées à vous et à vos frères. Exprimez ses questions et vos réponses.

EXEMPLE: permettre de faire une boum chez vous
            Vous ont-ils permis de faire une boum chez vous ?
            Non, ils ne nous ont pas permis de faire une boum chez nous.

1. laisser la voiture

_____

_____

2. donner la permission de dormir chez des amis

_____

_____

3. dire de rester toujours à la maison

_____

_____

4. conseiller d'étudier tout le temps

_____

_____

5. ordonner de faire le ménage

_____

_____

6. défendre d'inviter des amis

_____

_____

EXERCICE I

C'est bientôt la rentrée des classes. Exprimez ce dont les étudiants auront besoin.

EXEMPLE: J'aurai besoin d'un sac à dos.
          Il me faudra un sac à dos.

1. Paul aura besoin d'un cartable.

_____

2. Nous aurons besoin d'un dictionnaire bilingue.

_____

3. Tu auras besoin de dix crayons.

_____

4. J'aurai besoin d'un classeur.

_____

5. Elles auront besoin d'une règle.

_____

6. Les garçons auront besoin d'une trousse.

_____

7. Vous aurez besoin de deux stylos.

_____

8. Anne aura besoin d'une gomme.

_____

EXERCICE J

De nouveaux élèves arrivent dans votre classe. Certains vous paraissent plus amicaux que d'autres. Avec un(e) camarade de classe, menez la conversation suivante.

EXEMPLE: dire bonjour à Étienne
          PROFESSEUR: **Ne voulez-vous pas lui dire bonjour ?**
          VOUS: **Oui, je veux lui dire bonjour.**
          VOUS: **Non, je ne veux pas lui dire bonjour.**

1. prêter votre livre à Anne (oui)

PROFESSEUR: _____

VOUS: _____

2. demander aux garçons leurs adresses (non)

PROFESSEUR: _____

VOUS: _____

3. montrer aux filles les salles de classe (oui)

PROFESSEUR: _____

VOUS: _____

4. apprendre à Hubert notre chanson française (oui)

PROFESSEUR: _____

VOUS: _____

5. offrir une glace à Marie et à Pierre (non)

PROFESSEUR: _____

VOUS: _____

6. donner votre numéro de téléphone à Nancy (non)

PROFESSEUR: _____

VOUS: _____

EXERCICE K

Vous gardez les enfants de Mme Aimée. Exprimez les directives qu'elle vous donne.

EXEMPLE: recommander aux enfants de jouer aux échecs, pas aux cartes.
            **Recommandez-leur de jouer aux échecs. Ne leur recommandez pas
            de jouer aux cartes.**

1. défendre à Jean de regarder les films de guerre, pas les westerns

_____

_____

2. conseiller aux enfants de boire le lait, pas le soda

_____

_____

3. permettre à Marie de manger un sandwich, pas ces bonbons

_____

_____

4. permettre aux enfants de lire ces contes de fées, pas ces histoires de fantômes

_____

_____

5. dire à Jean et à Marie de se coucher à 9 heures, pas à 10 heures

_____

_____

6. demandez à Jean de parler doucement, pas fort

_____

_____

EXERCICE L

Vous venez de faire la connaissance de quelqu'un de votre âge. Malheureusement, vous vous rendez compte en discutant que vous n'avez pas grand-chose en commun. Avec un(e) camarade de classe, menez la conversation suivante entre cette personne et vous.

EXEMPLES: regarder la télévision

AMI: **La regardes-tu ?**

VOUS: **Oui, je la regarde.**

AMI: **Moi, je ne la regarde pas.**

obéir toujours à tes parents

AMI: **Leur obéis-tu toujours ?**

VOUS: **Oui, je leur obéis toujours.**

AMI: **Moi, je ne leur obéis pas toujours.**

1. écouter la radio

AMI: _____

VOUS: _____

AMI: _____

2. aimer la science-fiction

AMI: _____

VOUS: _____

AMI: _____

3. permettre à ta mère d'entrer dans ta chambre

AMI: _____

VOUS: _____

AMI: _____

4. prêter tes disques compacts

AMI: _____

VOUS: _____

AMI: _____

5. pardonner facilement à tes amis

AMI: _____

VOUS: _____

AMI: _____

6. rendre visite à tes grands-parents

AMI: _____

VOUS: _____

AMI: _____

7. faire la vaisselle le week-end

AMI: _____

VOUS: _____

AMI: _____

8. écrire souvent à ton correspondant

AMI: _____

VOUS: _____

AMI: _____

[2] PRONOUN *Y*

The adverbial pronoun *y* always refers to previously mentioned things or places. It generally replaces *à* (*au, aux*) + noun but may also replace other prepositions of position or location, such as *chez, dans, en, derrière, à côté de, sous,* or *sur* + noun.

Il va **à la bibliothèque**.	*He is going to the library.*
Il **y** va.	*He is going there.*
Il répond **au téléphone**.	*He answers the telephone.*
Il **y** répond.	*He answers it.*
Je ne voulais pas aller **chez Luc**.	*I didn't want to go to Luc's house.*
Je ne voulais pas **y** aller.	*I didn't want to go (there).*
Ne restez pas **dans le bureau**.	*Don't stay in the office.*
N'**y** restez pas.	*Don't stay there.*
Ils seraient allés **en France**.	*They would have gone to France.*
Ils **y** seraient allés.	*They would have gone (there).*
Le chat est **sous la chaise**.	*The cat is under the chair.*
Le chat **y** est.	*The cat is there.*
J'ai dormi **sur le divan**.	*I slept on the couch.*
J'**y** ai dormi.	*I slept on it.*

NOTES:

1. The pronoun *y* most commonly means *to it/them, in it/them, on it/them,* and *there* (when the place has already been mentioned). Sometimes the prepositional phrases *to it/them, in it/them, on it/them,* and *there* are not expressed in English.

Allez-vous **à la boulangerie** ?	*Are you going to the bakery?*
—Oui, j'**y** vais.	*—Yes, I am going (there).*
Est-ce que nous pouvons monter **dans le train** ?	*Can we go on the train?*
—Oui, montez-**y**.	*—Yes, go (on it).*
Les allumettes sont-elles **dans la boîte** ?	*Are the matches in the box?*
—Oui, elles **y** sont.	*—Yes, they are (in it).*
Tu ne crois pas **au Père Noël** ?	*You don't believe in Santa Claus?*
—Si, j'**y** crois.	*—Yes, I do (believe in him).*

2. The pronoun *y* may replace *à* + clause.

Je pense souvent **à ce que je ferai**.	*I think often about what I will do.*
J'y pense souvent.	*I think about it often.*

3. The pronoun *y* follows the same rules of position in the sentence as direct and in-direct object pronouns.

Il **y** va.	*He is going (there).*
Je veux **y** arriver tôt.	*I want to arrive (there) early.*
Nous ne voulions pas **y** rester.	*We didn't want to stay there.*
Elle **y** a répondu.	*She answered it.*
Il n'**y** répondrait pas.	*He wouldn't answer it.*
Elle s'**y** est reposée un peu.	*She rested there a little.*
Nous n'**y** avions pas pensé.	*We hadn't thought of it.*
N'**y** sont-ils pas allés ?	*Didn't they go (there)?*
Allez-**y**.	*Go (there).*
N'**y** allez pas.	*Don't go (there).*

4. Affirmative familiar commands (*tu* form) of *-er* verbs retain the final *s* before *y*.

Restes-y.	*Stay there.*

EXERCICE M

Vous venez de recevoir une lettre d'un nouvel ami qui, lui aussi, s'intéresse au camping. Répondez à ses question selon le modèle.

EXEMPLES: Aimes-tu aller au parc ?
            Oui, j'aime y aller.
            Non, je n'aime pas y aller.

1. Vas-tu souvent à un terrain de camping ? (oui).

_____ .

2. Es-tu jamais allé au Canada ? (non)

_____ .

3. Veux-tu voyager en Afrique ? (oui)

_____ .

4. Dors-tu souvent à la belle étoile ? (non)

_____ .

5. As-tu dîné sur la plage ? (oui)

_____ .

6. As-tu envie de passer tes vacances chez tes cousins ? (non)

_____ .

7. Sais-tu bien jouer au volley ? (non)

_____ .

8. As-tu assisté à un feu de joie ? (oui)

_____ .

9. Penses-tu à tes vacances ? (oui)

_____ .

10. Répondras-tu vite à ma lettre ? (oui)

_____.

EXERCICE N

C'est le week-end. Vous expliquez vos projets à une amie qui n'a pas envie de vous écouter. Exprimez ses répliques.

EXEMPLES: J'ai envie d'aller à la plage.
            Eh bien, vas-y !

            Je n'ai pas envie de dormir chez ma grand-mère.
            Eh bien, n'y dors pas !

1. J'ai envie d'aller chez Régine.

_____.

2. Je n'ai pas envie de rester à la maison.

_____.

3. J'ai envie de descendre en ville à pied.

_____.

4. Je n'ai pas envie de passer la journée dans mon lit.

_____.

5. J'ai envie de faire un pique-nique sous un arbre.

_____.

6. Je n'ai pas envie de manger au restaurant.

_____.

[3] PRONOUN *EN*

The adverbial pronoun *en* refers to previously mentioned things or places. It generally replaces *de (du, des)* + noun and usually means *some* or *any (of it, of them), about it/them, from it/them,* or *from there.*

Il veut **du lait.**	*He wants some milk.*
Il **en** veut.	*He wants some.*
Elle n'a pas acheté **de stylos.**	*She didn't buy any pens.*
Elle n'**en** a pas acheté.	*She didn't buy any (of them).*
Parle-t-il **de son avenir ?**	*Does he speak about his future?*
En parle-t-il ?	*Does he speak about it?*
Est-il sorti **du magasin ?**	*Has he come out of the store?*
En est-il sorti ?	*Has he come out (of it)?*
Que penses-tu **de cette robe ?**	*What do you think of this dress?*
Qu'**en** penses-tu ?	*What do you think of it?*
Il joue **de la guitare.**	*He plays the guitar.*
Il **en** joue.	*He plays it.*

NOTES:

1. *En* replaces a noun or an expression introduced by *de* with a number, a partitive article, an adverb, or a noun of quantity or a place.

Avez-vous assez **d'argent** ?	*Do you have enough money?*
En avez-vous assez ?	*Do you have enough (of it)?*
J'ai vingt **cassettes.**	*I have twenty tapes.*
J'**en** ai vingt.	*I have twenty (of them).*
J'ai mangé la moitié **de la tarte.**	*I ate half the pie.*
J'**en** ai mangé la moitié.	*I ate half (of it).*

2. *En* may be used to replace *de* + a person only when *de* means *some* (partitive).

As-tu **des amis français** ?	*Do you have any French friends?*
Oui, **j'en** ai.	*Yes, I have some.*

    But if *de* + a noun referring to a person means *of* or *about* (preposition), then a stress pronoun must be used (see also Chapter 20, page 276).

Je me souviens **de Jean.**	*I remember Jean.*
Je me souviens **de lui.**	*I remember him.*

3. *En* is always expressed in French even though it may have no English equivalent.

Qui se sert **de ce couteau** ?	*Who is using this knife?*
Moi, je **m'en** sers.	*I am (using it).*
Avez-vous **de la monnaie** ?	*Do you have any change?*
Oui, **j'en** ai.	*Yes, I do (have some).*

4. *En* follows the same rules of position in the sentence as other personal pronouns.

Il **en** veut.	*He wants some.*
Il n'**en** veut pas.	*He doesn't want any.*
Tu veux **en** acheter.	*You want to buy some.*
Tu ne voulais pas **en** prendre.	*You didn't want to take any.*
Elles **en** ont trouvé.	*They found some.*
Ils n'**en** avaient pas essayé.	*They hadn't tried any.*
Je m'**en** suis souvenu trop tard.	*I remembered too late.*
Parlez-**en.**	*Speak about it.*
N'**en** mange pas.	*Don't eat any.*

5. Affirmative familiar commands (*tu* form) of *-er* verbs retain the *s* before *en*.

Manges-en.	*Eat some.*

6. There is no agreement of the past participle with *en*.

Nous avons acheté **des cerises.**	*We bought some cherries.*
Nous **en** avons acheté.	*We bought some (of them).*
Je t'aurais raconté **des blagues.**	*I would have told you some jokes.*
Je t'**en** aurais raconté.	*I would have told you some.*

7. When *en* replaces a noun modified by an adjective, the adjective may be repeated but the partitive must precede it.

Avez-vous acheté **de beaux souvenirs** ?　*Did you buy some nice souvenirs?*
　—Oui, j'**en** ai acheté **de beaux**.　　　*—Yes, I bought some nice ones.*

J'ai cherché des pêches, mais je n'**en**　*I looked for peaches, but I didn't*
　ai pas trouvé **de bonnes**.　　　　　*find any good ones.*

8. Note the position of *en* with *voici* and *voilà*.

Je cherche un **stylo**.　　　　　　*I'm looking for a pen.*
　—En voici un.　　　　　　　　*—Here's one.*

EXERCICE O

Votre arrière-grand-mère a 99 ans. Elle vous suggère comment bénéficier d'une longue vie. Exprimez ses conseils en utilisant **en.**

EXEMPLE:　utiliser de l'huile d'olive, pas de beurre
　　　　　　De l'huile d'olive ? Utilises-en ! Du beurre ? N'en utilise pas !

1. manger des légumes, pas de gâteaux

_____

2. prendre des vitamines, pas de médicaments

_____

3. faire de l'exercice, pas de sports violents

_____

4. boire de l'eau, pas de café

_____

5. acheter des fruits, pas de bonbons

_____

6. préparer du poisson, pas de viande

_____

EXERCICE P

Exprimez ce qu'une voyante vous prédit en utilisant le pronom **en.**

EXEMPLE:　Vous recevrez deux diplômes.
　　　　　　Vous en recevrez deux.

1. Vous aurez trois enfants.

_____

2. Vous vous achèterez une belle voiture de sport.

_____

3. Vous gagnerez assez d'argent.

_____

4. Vous écrirez une douzaine de romans.

_____

5. Vous connaîtrez beaucoup de gens intéressants.

_____

6. Vous aurez très peu de problèmes.

_____

EXERCICE Q

Mme Lamartine prépare un grand dîner pour ses voisins, les Dupont. Exprimez ses réponses aux questions de son mari.

EXEMPLES: Mme Dupont vient–elle de Paris ?
Oui, elle en vient.
Non, elle n'en vient pas.

1. M. Dupont aime-t-il manger des légumes ? (non)

_____

2. Les enfants boivent-ils du lait ? (non)

_____

3. As-tu assez d'argent ? (oui)

_____

4. M. Dupont veut-il manger de la soupe ? (oui)

_____

5. As-tu eu beaucoup de problèmes ? (non)

_____

6. As-tu acheté du beurre ? (oui)

_____

7. As-tu besoin de mon aide ? (non)

_____

8. Mme Dupont va-t-elle faire deux gâteaux ? (non)

_____

9. Prépares-tu de la soupe ? (oui)

_____

10. As-tu acheté trop de pain ? (non)

_____

[4] DOUBLE OBJECT PRONOUNS

a. Order of pronouns before the verb

me					
te	le (l')	lui			
se	la (l')	leur	y	en	+ verb
nous	les				
vous					
se					

Ils **me la** vendent.	*They sell it to me.*
Je vais **le lui m**ontrer.	*I'm going to show it to him.*
Leur en avez-vous prêté ?	*Have you lent them any?*
Nous **les y** avons rencontrés.	*We met them there.*
Il **y en** a plusieurs.	*There are several.*
Ils ne **te l'ont** pas prêté.	*They didn't lend it to you.*

The following are the most frequent combinations:

me le, me la, me les
te le, te la, te les
nous le, nous la, nous les
vous le, vous la, vous les

But:

le lui, la lui, les lui
le leur, la leur, les leur

NOTE: *y* and *en* are never together in one sentence except with the expression *il y a.*

Il y en avait deux.   *There were two (of them).*

EXERCICE R

Exprimez si les personnes suivantes vous rendent ou non les services indiqués. Utilisez les pronoms qui conviennent.

EXEMPLES: Est-ce que l'agent de police donne des renseignements aux touristes ? (Oui)
Oui, il leur en donne.

Est-ce que le cordonnier te répare la montre ? (Non)
Non, il ne me la répare pas.

1. Est-ce que le professeur explique la leçon aux élèves ? (Oui)

_____

2. Est-ce que le boulanger vend de la viande aux clients ? (Non)

_____

3. Est-ce que le docteur examine les malades chez eux ? (Non)

_____

4. Est-ce que le pilote d'avion vous conduit à la gare ? (Non)

_____

5. Est-ce que le facteur apporte les lettres aux familles ? (Oui)

_____

6. Est-ce qu'un bon avocat envoie ses clients en prison ? (Non)

_____

7. Est-ce que le pharmacien te vend des timbres ? (Non)

_____

8. Est-ce que le mécanicien répare les voitures au garage ? (Oui)

_____

9. Est-ce que le dentiste vous donne des bonbons ? (Non)

_____

10. Est-ce que le garçon donne des pourboires aux clients ? (Non)

_____

EXERCICE S

Henri est-il très attaché à ses affaires ou non ? Henri part à l'université et ses frères cadets, Roland et Pierre, lui demandent d'utiliser certaines de ses choses. Jouez le rôle d'Henri et répondez à leurs questions en employant les pronoms qui conviennent.

EXEMPLE: PIERRE: Tu me prêtes tes disques compacts de J. Lo ?

           HENRI: **Oui, je te les prête.**
                   Non, je ne te les prête pas.

1. ROLAND ET PIERRE: Tu nous laisses ton vélo ?

   HENRI: _____

2. ROLAND ET PIERRE: Tu nous prêtes tes cartes de baseball ?

   HENRI: _____

3. ROLAND: Tu me prêtes des jeux électroniques ?

   HENRI: _____

4. ROLAND ET PIERRE: Tu nous laisses utiliser ton ordinateur ?

   HENRI: _____

5. PIERRE: Peux-tu me donner ta raquette de tennis ?

   HENRI: _____

6. ROLAND ET PIERRE: Vas-tu nous laisser des vidéo-cassettes ?

   HENRI: _____

7. ROLAND ET PIERRE: Veux-tu nous offrir ta collection de dinosaurs ?

   HENRI: _____

8. ROLAND: Tu me passes ton jeu d'échecs ?

   HENRI: _____

EXERCICE T

Vous partez en France pour l'été et votre père vous demande si vous avez tout réglé avant de partir. Répondez à ses questions en employant les pronoms qui conviennent et en faisant les accords nécessaires.

1. As-tu rendu les livres à la bibliothécaire ?

   _____

2. As-tu demandé l'adresse de tes cousins en France à tes grands-parents ?

   _____

3. T'es-tu acheté des chèques de voyage ?

   _____

4. Est-ce que ta mère t'as donné des euros pour ton arrivée ?

   _____

5. M'as-tu réparé la roue du vélo ?

   _____

6. As-tu emprunté l'appareil-photo à tes cousins ?

   _____

7. T'es-tu souvenu des cadeaux ?

   _____

8. Nous as-tu laissé les renseignements sur ton retour ?

   _____

9. Nous as-tu laissé l'itinéraire de ton voyage en France ?

   _____

10. As-tu mis ton passeport et ton billet dans ton sac de voyage ?

    _____

11. Te souviendras-tu d'appeler ta mère et moi de temps en temps ?

    _____

12. Vas-tu écrire des cartes postales à tes cousins ?

    _____

   b. Order of pronouns after the verb

verb	+	-le -la -les	-moi -toi -lui -nous -vous -leur	-y	-en

Envoyez-**le-moi**.   *Send it to me.*

Montrons-**les-lui**.   *Let's show them to him.*

Va-**la-lui** montrer.   *Go show it to her.*

NOTE: *Moi + en* and *toi + en* become *m'en* and *t'en*.

Donne-**m'en** plusieurs.   *Give me several (of them).*

Va-**t'en**.   *Go away.*

EXERCICE U

Vous préparez une soirée et vous posez des questions à vos sœurs qui ne sont jamais d'accord. Exprimez en français comment chacune d'elles vous répond.

EXEMPLE: Je donne du soda aux enfants ?
Donne-leur-en !
Ne leur en donne pas !

1. Je sers des escargots aux enfants ?

_____

_____

2. J'envoie l'invitation à Henri ?

_____

_____

3. Je montre le vin à M. Leclerc ?

_____

_____

4. J'offre des hors-d'œuvre aux Rocheteau ?

_____

_____

5. Je présente Marie à Mathilde ?

_____

_____

6. Je m'occupe du menu ?

_____

_____

7. Je m'achète cette nouvelle robe ?

_____

_____

8. Je donne des cadeaux aux Caron ?

_____

_____

EXERCICE V

Vous êtes fâché(e) contre votre petit(e) ami(e) parce qu'il (elle) flirte avec un(e) autre. Complétez les réponses désagréables que vous faites à ses questions, en employant les pronoms qui conviennent.

EXEMPLE: Si tu as une question à poser, **ne me la pose pas, pose-la-lui.**

1. Si tu as un service à demander, _____ .

2. Si tu as des excuses à donner, _____ .

3. Si tu as des compliments à faire, _____ .

4. Si tu as un cadeau à offrir, _____ .

5. Si tu as des photos à montrer, _____ .

6. Si tu as des mots d'amour à dire, _____ .

7. Si tu as une invitation à faire, _____ .

8. Si tu as des histoires à raconter, _____ .

MASTERY EXERCISES

EXERCICE W

Une amie vous pose des questions personnelles. Répondez-y en employant deux pronoms.

EXEMPLES: Montres-tu des photos à tes camarades ?
             Je (ne) leur en montre (pas).

1. Te sers-tu toujours d'une montre ?

_____ .

2. Mets-tu cet argent à la banque ?

_____ .

3. Envoies-tu des lettres à tes grands-parents ?

_____ .

4. Achètes-tu toujours un cadeau à ta mère pour la fête des mères ?

_____ .

5. Montres-tu ton journal intime à ta sœur ?

_____ .

6. T'inquiètes-tu de tes résultats scolaires ?

_____ .

7. Emmènes-tu quelquefois tes amis à la montagne ?

_____ .

8. Fais-tu quelquefois tes devoirs en classe ?

_____ .

9. Empruntes-tu beaucoup d'argent à ton père ?

_____ .

10. Te promènes-tu souvent au parc ?

_____ .

11. Parles-tu de tes problèmes à ton (ta) meilleur(e) ami(e) ?

_____ .

12. Te reposes-tu dans le salon ?

_____ .

13. Donnes-tu des conseils à tes ami(e)s ?

_____ .

14. Dis-tu toujours la vérité à tes parents ?

_____ .

15. T'amuses-tu à l'école ?

_____ .

EXERCICE X

Exprimez les questions et répondez-y selon votre opinion en utilisant deux pronoms qui conviennent.

EXEMPLES: fournir des soins médicaux gratuitement aux pauvres ?
     Doit-on leur en fournir gratuitement ?
     Oui (Non), on (ne) doit (pas) leur en fournir gratuitement.

1. jeter les déchets radioactifs dans l'océan ?

_____

_____

2. vendre des armes aux révolutionnaires ?

_____

_____

3. laisser les assassins en prison toute leur vie ?

_____

_____

4. offrir de l'aide humanitaire aux pays pauvres ?

_____

_____

5. envoyer les astronautes sur Mars ?

_____

_____

6. permettre la chasse dans les parcs nationaux ?

_____

_____

7. dire la vérité à une personne très malade ?

_____

_____

8. donner de l'argent aux personnes au chômage ?

_____

_____

EXERCICE Y

Un(e) ami(e) de la Martinique vient vous rendre visite. Répondez aux questions qu'il/elle vous pose. Employez tous les pronoms qui conviennent.

1. Est-ce que les parents américains s'intéressent beaucoup aux études de leurs enfants ?

_____

2. Est-ce qu'on donne beaucoup de liberté aux jeunes Américains ?

_____

3. Est-ce vrai que les jeunes veulent manger des hamburgers et des frites à tous les repas ?

_____

4. Pourrais-tu me préparer un repas américain typique ?

_____

5. M'emmèneras-tu à Washington D.C. ?

_____

6. Est-ce que ton gouvernement donne beaucoup de bourses aux étudiants ?

_____

7. Saurais-tu m'expliquer le système politique de ton pays ?

_____

8. Est-ce que les gens se plaignent des transports en commun ?

_____

Chapter 22
Relative Pronouns

A relative pronoun introduces a clause that describes someone or something mentioned in the main clause. The person or thing the pronoun refers to is called the ANTECEDENT because it precedes the relative pronoun. A relative pronoun may serve as subject, direct object, or object of a preposition within the relative clause. The most common relative pronouns are *qui* and *que*.

[1] *QUI* AND *QUE*

RELATIVE PRONOUN	MEANING	USE
qui	*who, which, that*	subject, for persons and things
que (qu')	*whom, which, that*	object of verb, for persons and things

a. *Qui* (*who, which, that*) serves as the subject of a relative clause.

Où est l'élève **qui** a gagné le prix ?   *Where is the pupil who won the prize?*
    ANTECEDENT [subject][verb]

Voici un dictionnaire **qui** n'est pas cher.   *Here is a dictionary that is not expensive.*
    ANTECEDENT [subject][verb]

NOTE:

1. The verb of a relative clause introduced by *qui* agrees with its antecedent.

C'est **moi qui suis** la première.   *I am the one who is first.*
ANTECEDENT [subject][verb]

C'est **nous qui sommes** arrivés en retard.   *We are the ones who arrived late.*
    ANTECEDENT [subject][verb]

b. *Que* (*whom, which, that*) serves as the direct object of the relative clause.

C'est l'actrice **que nous avons vue** hier soir.   *She is the actress (whom) we saw last night.*
    ANTECEDENT [object][subject][verb]

Voici les phrases **qu'il a traduites.**   *Here are the sentences (that) he translated.*
    ANTECEDENT [object][subject][verb]

Since *que* functions as a direct object pronoun and precedes the verb, the past participle of a compound verb agrees with the antecedent of *que*.

Voilà **les poèmes** qu'il a **écrits.**   *Here are the poems (that he wrote).*

La chanson **que** nous avons **chantée** est   *The song (that) we sang is very beautiful.*
très belle.

NOTES:

1. The relative pronoun is always expressed in French although it is frequently omitted in English.

   Ce sont les pays **que** j'ai visités.   *Those are the countries (that) I visited.*

2. *Que* becomes *qu'* before a vowel or vowel sound.

EXERCICE A

Vous montrez des photos à un(e) ami(e) et vous identifiez les personnes qui ont voyagé en France avec vous.

EXEMPLE: les garçons / perdre leur argent
Ce sont les garçons qui ont perdu leur argent.

1. la fille / dépenser 500 dollars

   _____

2. les enfants / faire des farces

   _____

3. le garçon / visiter sa famille

   _____

4. les filles / s'éloigner du groupe

   _____

5. l'enfant / manger beaucoup

   _____

6. la dame / servir de guide

   _____

7. l'homme / envoyer cent cartes postales

   _____

8. les femmes / visiter le Louvre trois fois

   _____

EXERCICE B

Exprimez ce que le guide vous explique pendant votre visite du Louvre.

EXEMPLE: les couleurs / l'artiste / employer
Regardez les couleurs que l'artiste a employées.

1. les formes / les sculpteurs / modeler

   _____

2. les statues / l'artiste / sculpter

   _____

3. le style / l'artiste / employer

   _____

4. les ombres / les artistes / ajouter

_____

5. les détails / les graveurs / représenter

_____

6. le sourire / l'artiste / capter

_____

7. l'univers / le peintre / inventer

_____

8. la technique / les artistes / employer

_____

EXERCICE C

Tous les amis de Sylvie sont venus à sa fête. Complétez leurs phrases avec **qui** *ou* **que**.

1. Regarde ce garçon _____ joue si bien de la guitare.

2. Les sandwiches _____ tu as préparés sont délicieux.

3. Je cherche une fille _____ sache bien danser.

4. Où est le garçon _____ me cherchait ?

5. Ouvre ce cadeau _____ nous t'offrons.

6. Montre-moi le disque _____ tu veux mettre.

7. On va jouer la chanson _____ je préfère.

8. Voici la carte _____ tu as laissé tomber.

9. Réponds au téléphone _____ vient de sonner.

10. Je voudrais parler à sa copine _____ a décoré la pièce.

EXERCICE D

Exprimez vos opinions en combinant les phrases avec **qui** *ou* **que**.

EXEMPLES: Le français est une langue. J'aime parler cette langue.
    Le français est une langue que j'aime parler.

    Les éléphants sont des animaux. Ils vivent en Asie et en Afrique.
    Les éléphants sont des animaux qui vivent en Asie et en Afrique.

1. Le volley-ball est un sport. Il n'est pas trop dangereux.

_____

2. Mon père est un homme. J'admire cet homme.

_____

3. Les astronautes sont des personnes. Ils ont beaucoup de courage.

_____

4. Le chômage est un problème. La société doit le résoudre.

_____

5. La Joconde et la Vénus de Milo sont des œuvres d'art. On peut admirer ces œuvres au Louvre.

_____

6. Paris est une ville. Elle a un excellent réseau de métro.

_____

7. La pauvreté est un problème. On ne peut pas le négliger.

_____

8. La France est un pays. Nous aimons visiter ce pays.

_____

9. La Bourgogne et la Champagne sont des régions. Elles produisent les meilleurs vins.

_____

10. Le président est un homme d'état. Il a beaucoup de responsabilités.

_____

[2] *QUI* AND *LEQUEL* AS OBJECTS OF A PREPOSITION

RELATIVE PRONOUN	MEANING	USE
qui	*whom*	object of preposition, for persons
lequel lesquels **laquelle lesquelles**	*which, whom*	object of preposition, for persons or things

a. *Qui* (*whom*) may also serve as the object of a preposition in a relative clause referring to persons.

Philippe est l'ami **avec qui** j'étudie. *Philippe is the friend with whom I study.*

L'homme **à qui** vous parliez est un *The man to whom you were speaking is a*
millionnaire. *millionaire.*

b. *Lequel* (*which, whom*) and its forms may serve as objects of a preposition in a relative clause referring primarily to things. *Lequel* agrees in gender and number with its antecedent.

	SINGULAR	PLURAL
MASCULINE	**lequel**	**lesquels**
FEMININE	**laquelle**	**lesquelles**

Voici le tiroir **dans lequel** j'ai laissé *Here is the drawer in which I left*
mes lunettes. *my glasses.*

C'est la fenêtre **par laquelle** il s'est enfui. *That's the window through which he escaped.*

NOTES:

1. Although *qui* is generally preferred for people, *lequel* and its forms may also be used. With the prepositions *entre* (*between*) and *parmi* (*among*), a form of *lequel* is always used when referring to people.

C'est **la fille à qui** je parlais.   ⎫
C'est **la fille à laquelle** je parlais.   ⎬   *That is the girl to whom I was speaking.*

Ce sont **les garçons entre lesquels**   *Those are the boys between*
   il y a eu une dispute.   *whom there was a fight.*

Ce sont **les personnes parmi**   *Those are the people among*
   lesquelles j'étais assis.   *whom I was sitting.*

2. *Lequel* and its forms are used to clarify the gender and number of the antecedent. Compare:

Le copain de ma cousine **avec qui**   *My cousin's friend with whom we are*
   nous sortons ce soir est très   *going out tonight is very witty.*
   spirituel. (*qui* may refer to either
   le copain or *ma cousine*)

Le copain de ma cousine **avec**   *My cousin's friend with whom we are*
   lequel nous sortons ce soir est   *going out tonight is very witty.*
   très spirituel. (*lequel* clearly
   refers to *le copain*)

3. After the prepositions *à* and *de*, *lequel* and its forms contract as follows:

SINGULAR		PLURAL	
MASCULINE	FEMININE	MASCULINE	FEMININE
duquel	**de laquelle**	**desquels**	**desquelles**
auquel	**à laquelle**	**auxquels**	**auxquelles**

EXERCICE E

Votre mère trouve un album de photos dans le grenier. Exprimez ce qu'elle vous explique en regardant les photos.

EXEMPLE: J'ai travaillé pour cet homme.
          Voici l'homme pour qui j'ai travaillé.

1. Je suis allée en France avec cette fille.

_____

2. J'étais assise à côté de ce beau garçon en première année.

_____

3. J'ai passé des étés merveilleux chez ce couple.

_____

4. J'ai habité près de ces artistes.

_____

5. J'ai été très copine avec cette jeune fille.

_____

6. J'avais beaucoup de respect pour ce garçon.

_____

EXERCICE F

Votre mère a aussi trouvé une grande malle. Qu'est-ce qu'elle dit en l'ouvrant ?

EXEMPLE: la robe / dans / se marier
            Regarde la robe dans laquelle je me suis mariée.

1. les souliers / dans / faire mes premiers pas

_____

2. le stylo / avec / écrire des lettres d'amour à ton père

_____

3. le journal / dans / noter mes pensées les plus intimes

_____

4. la photo de l'étudiant / à / envoyer des billets doux

_____

5. les résultats de l'examen / à cause de / rater ma première année de médecine

_____

6. la revue / pour / rédiger des articles

_____

EXERCICE G

Robert décrit son travail de chercheur à des amis qui sont venus le voir dans son laboratoire.

EXEMPLES: Je vous présente un collègue. Je travaille avec ce collègue.
            Je vous présente un collègue avec qui je travaille.

            Voici le bureau. Je garde tous mes papiers importants dans ce bureau.
            Voici le bureau dans lequel je garde tous mes papiers importants.

1. Voilà mon laboratoire. Je fais mes recherches dans ce laboratoire.

_____

2. Je vous présenterai le professeur Machin. Je demande souvent des conseils au professeur Machin.

_____

3. Regardez mon bel ordinateur. Je peux faire des calculs très complexes avec cet ordinateur.

_____

4. Je respecte beaucoup cet homme. Je travaille pour cet homme.

_____

5. Voilà mon cahier. Je note les résultats de mes recherches dans ce cahier.

_____

6. Nous allons visiter la bibliothèque. Je passe des nuits entières dans cette bibliothèque.

_____

7. Voilà mon divan. Je dors souvent sur ce divan.

_____

8. Voilà mon microscope électronique. Grâce à ce microscope j'observe la structure des cellules.

_____

[3] DONT

RELATIVE PRONOUN	MEANING	USE
dont	*of whom, of which, whose*	after *de,* for persons and things

a. The relative pronoun *dont* is used with verbs and expressions requiring *de* and has the same meaning as *de qui, duquel, de laquelle* and *desquel(le)s. Dont* immediately follows its antecedent and may refer to people or things.

Connaissez-vous **ce** sculpteur **dont** *Do you know this sculptor everyone is*
(**de qui**) tout le monde parle ? *talking about? (Do you know this sculptor*
about whom everyone is talking?)

Elle épouse l'homme **dont (de qui)** elle *She is marrying the man she is in love with.*
est amoureuse. *(She is marrying the man with whom she*
is in love.)

Ces bananes **dont (desquelles)** j'ai acheté *These bananas, of which I bought a dozen,*
une douzaine ne sont pas bonnes. *are not good.*

Voici la photo **dont (de laquelle)** j'ai *Here is the photograph (that) I need.*
besoin.

NOTES:

1. Although *de qui* or *de* + a form of *lequel* may be used to refer to people or things, *dont* is generally preferred.

2. *Dont* may not follow compound prepositions ending with *de* (*à côté de, près de, en face de* etc). Instead, *de qui* (for persons) or *de* + a form of *lequel* (for persons or things) is used.

C'est le garçon près **de qui (duquel)** *He is the boy next to whom Janine sat.*
Janine s'est assise.

C'est le musée **à côté duquel** se *That's the museum next to which the*
trouve le restaurant. *restaurant is located.*

b. *Dont* (*whose*) is used to express possession or relationship. Note the word order in the sentence after *dont.*

C'est le garçon **dont** je connais la mère. *He is the boy whose mother I know.*

C'est un écrivain **dont** les romans sont *He's an author whose novels are very strange.*
fort bizarres.

NOTE: When *dont* is used to show possession, the definite article (not the possessive adjective) is required.

Je connais une fille **dont la** mère est dentiste.   *I know a girl whose mother is a dentist.*

EXERCICE H

Exprimez les résultats d'un sondage d'opinion.

EXEMPLE: L'amour est un sentiment. On a besoin de ce sentiment.
L'amour est un sentiment dont on a besoin.

1. La richesse est un avantage. Tout le monde rêve de la richesse.

_____

2. Le président est un homme. Tout le monde voudrait faire la connaissance de cet homme.

_____

3. Le 4 juillet 1776 est une date. Tout le monde se souvient de cette date.

_____

4. La jalousie est un défaut. On devrait avoir honte de ce défaut.

_____

5. Elvis Presley est un chanteur. Tout le monde se souvient de ce chanteur.

_____

6. Une bonne santé est un bien. Chacun devrait bénéficier de ce bien.

_____

7. La pauvreté est un problème. Tout le monde se préoccupe de ce problème.

_____

8. Les criminels sont des personnes. Tout le monde a peur des criminels.

_____

EXERCICE I

Combinez les deux phrases avec **dont** *pour exprimer vos idées.*

EXEMPLE: Voilà une comédienne. J'ai vu son dernier film.
Voilà une comédienne dont j'ai vu le dernier film.

1. Voilà un musicien. J'aime beaucoup sa musique.

_____

2. Voilà une vieille dame. J'écoute ses conseils.

_____

3. Voilà une actrice. J'ai vu tous ses films.

_____

4. Voilà un écrivain. J'ai étudié ses livres.

_____

5. Voilà une voiture. J'aime son style.

_____

6. Voilà un beau garçon. Je voudrais faire sa connaissance.

_____

EXERCICE J

Répondez aux questions avec des phrases complètes selon votre opinion.

1. Quel est le sportif dont vous admirez la carrière ?

_____

2. Quelle est la personne dont vous respectez l'opinion ?

_____

3. Quel est l'acteur dont vous adorez les films ?

_____

4. Quel est l'écrivain dont vous préférez les livres ?

_____

5. Quel est le plat dont vous préférez le goût ?

_____

6. Quel est le sujet dont vous parlez le plus souvent ?

_____

EXERCICE K

La secrétaire de M. Legrange a beaucoup de problèmes aujourd'hui. Exprimez-les en utilisant **dont**.

EXEMPLE: la société / connaître le patron / fermer
            La société dont elle connaît le patron a fermé.

1. le livre / avoir besoin / disparaître

_____

2. les notes / se servir / tomber par terre

_____

3. la collègue / apprécier les conseils / changer de bureau

_____

4. le contrat / s'occuper / être annulé

_____

5. le client / connaître bien la femme / se retirer des affaires

_____

6. l'homme d'affaires / parler toujours / démissionner

_____

EXERCICE L

M. Pinot parle de son passé à son neveu. Complétez chacune de ses phrases avec le mot qui convient.

1. (de qui, de laquelle, dont) Tu travailles dans la boutique au-dessus _____ je suis né.

2. (dont, de laquelle, desquelles) Le marchand _____ j'adorais les glaces quand j'étais petit

n'est plus ici.

3. (dont, de laquelle, desquels) Mon grand-père _____ je ne me souviens pas très bien est

arrivé aux États-Unis en 1910.

4. (de qui, duquel, dont) Ton professeur de maths, Mme Bellefleur, était la jeune fille à côté _____

j'ai habité pendant ma jeunesse.

5. (desquels, duquel, de qui) Mme Bellefleur a été la première fille _____ je suis tombé

amoureux.

6. (dont, duquel, de laquelle) Ta tante, _____ j'ai fait la connaissance à Paris pendant la guerre,

m'a enseigné le français.

7. (de laquelle, de qui, dont) Regarde la fontaine près _____ je jouais de la guitare avec mes

amis.

8. (dont, duquel, de qui) As-tu jamais mangé dans le restaurant en face _____ tu travailles ?

J'y allais tout le temps avec mes parents.

[4] *Où*

RELATIVE PRONOUN	MEANING	USE
où	*where, in which, on which, when*	expressions of time and location

The relative pronoun *où* is used to indicate "the place where" (replacing *dans, à, sur* + a form of *lequel*) or "a specific time when".

C'est **la ville où** (dans laquelle) je suis née.   *It is the city where (in which) I was born.*

Je me souviens **du jour où** je t'ai rencontré.   *I remember the day (when) I met you.*

EXERCICE M

Vous visitez la ville où votre père est né. Exprimez ce qu'il vous dit en vous montrant sa ville natale.

EXEMPLE: le café / s'amuser
   C'est le café où je m'amusais.

1. l'école / aller

_____

2. le bureau / travailler

_____

3. le quartier / habiter

_____

4. le restaurant / manger

_____

5. le magasin / acheter tous mes vêtements

_____

6. le parc / jouer au foot

_____

EXERCICE N

Votre grand-père répond aux questions que vous lui posez au sujet de votre grand-mère.

EXEMPLES: Est-elle née dans la ville de Paris ?
   Oui, c'est la ville où elle est née.

   Est-elle née le jour du Nouvel An ?
   Oui, c'est le jour où elle est née.

1. A-t-elle vécu au quartier Latin toute sa vie ?

_____

2. A-t-elle étudié au lycée technique ?

_____

3. A-t-elle travaillé à l'hôpital Saint-Ailleurs ?

_____

4. Vous êtes-vous mariés à l'église des Capucines ?

_____

5. Vous êtes-vous mariés au mois de mai ?

_____

6. A-t-elle pris sa retraite l'année de ses soixante ans ?

_____

[5] *QUOI*

RELATIVE PRONOUN	MEANING	USE
quoi	*which, what*	after a preposition, when antecedent is imprecise or a whole clause.

Quoi is used after a preposition when the antecedent is unclear, indefinite, imprecise or an entire clause. The demonstrative pronoun *ce* sometimes precedes the preposition and *quoi*.

Nous dînerons, **après quoi** nous regarderons un film.
We shall have dinner, after which we will watch a movie.

Je sais **de quoi** tu parles.
I know what you are talking about.

Je sais **(ce) à quoi** tu penses.
I know what you are thinking of.

Il a expliqué **(ce) avec quoi** il allait construire le bateau.
He explained with what he was going to build the boat.

EXERCICE O

Votre meilleur(e) ami(e) sait tout de vous. Exprimez ce qu'il (elle) sait en employant **quoi.**

EXEMPLE: de / je m'occupe
           Il (elle) sait de quoi je m'occupe.

1. à / je pense

_____

2. en / je peux l'aider

_____

3. de / j'ai besoin

_____

4. de / je rêve

_____

5. avec / je travaille

_____

6. de / je m'inquiète

_____

[6] *CE QUI, CE QUE, CE DONT*

RELATIVE PRONOUN	MEANING	USE
ce qui	*what* (= that which)	subject of verb
ce que (ce qu')	*what* (= that which)	object of verb
ce dont	*what* (= that of which)	with expressions taking *de*

Ce qui, ce que, and *ce dont,* which combine a demonstrative and a relative pronoun, are used when there is no antecedent noun.

Savez-vous **ce qui** s'est passé ?	*Do you know what happened?*
Ce qu'il dit est vrai.	*What he says is true.*
Voici **ce dont** j'ai besoin.	*Here is what I need.*

NOTES:

1. *Ce qui, ce que,* and *ce dont* are used after the pronoun *tout* to express "everything that," "all that".

Tout ce qui est tombé s'est cassé.	*Everything that fell broke.*
Tout ce que vous avez dit est vrai.	*All you have said is true.*
Tout ce dont je me sers appartient à Jacques.	*Everything that I'm using belongs to Jack.*

2. *Ce* + relative pronoun may refer to an antecedent clause.

Il a réussi l'examen, ce qui m'a surpris.	*He passed the exam, (something) which surprised me.*
Il a réussi l'examen, ce que j'ai trouvé surprenant.	*He passed the exam, (a fact) which I found surprising.*
Il a réussi l'examen, ce dont je suis fier.	*He passed the exam, (something) of which I am proud.*

EXERCICE P

Marguerite aime les difficultés. Exprimez ce qu'elle préfère.

EXEMPLE: dangereux
Elle aime ce qui est dangereux.

1. difficile

_____

2. compliqué

_____

3. différent

_____

4. intellectuel

_____

5. logique

_____

6. subtil

_____

EXERCICE Q

Vous partez en vacances et vous ne savez pas à quoi vous attendre. Exprimez vos pensées à votre amie.

EXEMPLE: faire
> **Je ne sais pas ce que je ferai.**

1. porter

_____

2. manger

_____

3. acheter

_____

4. voir

_____

5. apprendre

_____

6. essayer

_____

EXERCICE R

Exprimez ce que pensent les passagers qui roulent en autobus depuis dix heures sans arrêt. Combinez les éléments des deux colonnes selon l'exemple.

avoir envie de	prendre l'avion la prochaine fois
avoir besoin de	manger une glace
avoir l'intention de	prendre un bon repas une fois arrivé
avoir peur de	rentrer et m'endormir tout de suite
ne pas avoir l'habitude de	rouler depuis toujours
être certain de	ne trouver personne à la maison
avoir l'impression de	rester assis si longtemps

EXEMPLE: **Ce dont je n'ai pas l'habitude, c'est de rester assis si longtemps.**

1. _____

2. _____

3. _____

4. _____

5. _____

6. _____

[6]   SUMMARY OF RELATIVE PRONOUNS

	ANTECEDENT			
	PERSONS	**THINGS**	**PLACE OR EXPRESSION OF TIME**	**CLAUSE OR INDEFINTE ANTECEDENT**
SUBJECT	**qui** Où est l'élève **qui** a gagné ?	**qui** Voici une bague **qui** n'est pas chère.	**qui** La pièce **qui** donne sur le lac est très belle.	**ce qui** Savez-vous **ce qui** s'est passé ?
DIRECT OBJECT	**que (qu')** C'est l'actrice **que** j'ai vue.	**que (qu')** Voici la phrase **qu'il** a traduite.	**que** C'est le pays **que** j'ai visité.	**ce que (ce qu')** Ce **qu'il** dit est vrai.
OBJECT OF de	**dont** C'est la fille **dont** elle parle.	**dont** Voilà les photos **dont** j'ai besoin.	**dont** C'est le pays **dont** je reviens.	**ce dont** Voici **ce dont** j'ai besoin.
OBJECT OF ALL OTHER PREPOSITIONS*	**qui (lequel)** C'est l'ami **avec qui (avec lequel)** j'étudie.	**lequel lesquels laquelle lesquelles** C'est la fenêtre **par laquelle** il est entré.	**où (lequel)** C'est le magasin **où (dans lequel)** je l'ai vu. Il pleuvait le jour **où** il est parti.	**quoi** Je sais **à quoi** tu penses.

MASTERY EXERCISES

EXERCICE S

Josette et ses copines viennent de déménager. Exprimez ce qu'elles disent en reliant les phrases avec le pronom relatif qui convient.

EXEMPLES: Donnez-moi cette peinture. Je vais me servir de cette peinture tout de suite.
Donnez-moi cette peinture dont je vais me servir tout de suite.

Voici le grand placard. J'ai rangé tout le linge dans ce placard.
Voici le grand placard dans lequel (où) j'ai rangé tout le linge.

1.   Connais-tu cette jeune fille ? Cette jeune fille habite au dernier étage.

_____

2.   Nous habitons maintenant l'immeuble. Charles de Gaulle est né dans cet immeuble.

_____

3.   Il faut que je retrouve le marteau. Je ne peux rien faire sans ce marteau.

_____

---

*For objects of compound prepositions ending with **de**, see Note 2, page 313.

4. J'ai téléphoné à l'électricien. L'électricien avait promis de venir réparer le four ce matin.

_____

5. Regarde les beaux rideaux. J'ai acheté ces rideaux à la Samaritaine.

_____

6. Nous avons reçu des cadeaux. Nous sommes contentes de ces cadeaux.

_____

EXERCICE T

Exprimez ce que vous dites à votre ami. Combinez les phrases avec le pronom relatif qui convient.

EXEMPLES: Cet acteur a des yeux magnifiques. Je ne les oublierai jamais.
    Cet acteur a des yeux magnifiques que je n'oublierai jamais.

    J'aimerais revoir mon ancienne école. J'y pense souvent.
    J'aimerais revoir mon ancienne école à laquelle je pense souvent.

1. J'aimerais voir ce film. On en a beaucoup parlé.

_____

2. J'habite près d'une piscine. Je n'y vais jamais.

_____

3. Je voudrais relire ce livre. Je l'ai lu il y a cinq ans.

_____

4. Fais attention à ces photos. J'y tiens beaucoup.

_____

5. J'ai reçu une lettre de ma correspondante. Je lui avais envoyé une carte.

_____

6. J'ai reçu un cadeau superbe. Je ne m'y attendais pas.

_____

EXERCICE U

Exprimez ce que chaque personne explique en employant ce qui, ce que _ou_ ce dont.

1. Le professeur explique aux élèves _____ il veut.

    _____ ils doivent faire.

    _____ ils ont besoin.

    _____ est important.

2. Sylvie explique à son amie _____ elle a rêvé.

    _____ elle veut faire.

_____ la préoccupe.

_____ elle a envie.

3. Le chef explique _____ il prépare.

_____ est dans la marmite.

_____ il a besoin.

_____ il est satisfait.

4. Le criminel explique à son avocat _____ il a honte.

_____ il a fait.

_____ il a peur.

_____ lui est important.

EXERCICE V

Qu'est-ce que vous conseillez à votre ami dans cette lettre ? Choisissez dans la liste suivante le pronom relatif qui convient. Chaque pronom peut s'employer plus d'une fois.

qui	dont	à qui	ce que	ce qui
que	où	lequel	lesquels	ce dont

Cher Rémi,

_____ tu devrais faire, c'est regarder la télévision une fois en France. Il y a une émission

1.

d'information _____ s'appelle «Vingt-quatre heures ». C'est une émission

2.

_____ on donne tous les jours. On y montre tout _____ s'est passé dans le

3.   4.

monde pendant la journée. Le présentateur principal, _____ j'ai oublié le nom, est l'oncle de

5.

l'homme _____ je t'ai présenté à la fête de Marthe. Ma tante Alice, _____

6.   7.

habite Paris, est son professeur d'anglais. Ce présentateur possède un château _____ il reçoit

8.

beaucoup d'invités, parmi _____ on compte de nombreuses célébrités. Si tu vas rendre visite

9.

à ma tante, elle te le présentera peut-être. Moi, _____ je me souviens surtout quand je l'ai

10.

rencontré, c'est la gentillesse avec _____ il m'a accueilli. Tout _____ tu as à

11.   12.

faire en France, c'est regarder la télé et aller voir ma tante. Peut-être deviendras-tu l'ami d'une vedette !

Ton ami,

Robert

Chapter 23
Prepositions

Prepositions relate two elements of a sentence (noun to noun; noun or adjective to verb; verb to verb, noun, or pronoun).

Voilà le jardin de mon voisin.	*Here is my neighbor's garden.*
C'est facile à dire.	*It's easy to say.*
Il commence à pleuvoir.	*It is starting to rain.*
Il entre dans la salle.	*He enters the room.*
Pensez-vous à lui ?	*Are you thinking of him?*

[1] COMMON PREPOSITIONS

a. Simple Prepositions:

à *to, at, in*	**depuis** *since, for*	**pour** *for*
après *after*	**derrière** *behind*	**sans** *without*
avant *before*	**devant** *in front of*	**sauf** *except*
avec *with*	**en** *in, into, as*	**selon** *according to*
chez *to/at in the house (place) of (a person); among*	**entre** *among, between*	**sous** *under*
	malgré *despite*	**sur** *on*
contre *against*	**par** *by, through*	**vers** *toward*
dans *in, into, within*	**parmi** *among*	
de *of, from, by*	**pendant** *during, for*	

Il ne va pas **chez lui,** il va **chez le coiffeur.**	*He is not going home, he is going to the barber's.*
C'est la coutume **chez** les Français.	*That is the custom among the French.*
Je courrai le marathon **dans** six heures.	*I will run the marathon six hours from now.*
Je cours le marathon **en** six heures.	*I run the marathon in six hours. (duration)*
Ce tapis est **sans** doute le plus joli.	*This rug is undoubtedly the prettiest.*

NOTE: The prepositions *à, de,* and *en* must be repeated before every word they modify.

> J'irai **à Paris et à Toulouse.** *I will go to Paris and Toulouse.*

b. Compound Prepositions:

à cause de *because of, on account of*	**à part** *aside from*
à côté de *next to, beside*	**à partir de** *from . . . on, beginning (with)*
à droite de *on (to) the right*	**à propos de** *about, concerning*
à force de *by, by repeated efforts*	**à travers** *through, across*
à gauche de *on (to) the left*	**afin de** *in order to*

au bas de *at the bottom of*	**autour de** *around*
au bout de *at the end of, after*	**avant de** *before*
au fond de *in the bottom of*	**du côté de** *in the direction of, near, around*
au haut de *at the top of*	**en face de** *opposite*
au lieu de *instead of*	**grâce à** *thanks to*
au milieu de *in the middle of*	**jusqu'à** *until*
au sujet de *about, concerning*	**loin de** *far from*
au-dessous de *below, beneath*	**près de** *near*
au-dessus de *above, over*	**quant à** *as for*

Il est assis **à côté de** son meilleur ami. *He is sitting next to his best friend.*

À partir de demain il fera chaud. *From tomorrow on, it will be warm.*

On va mettre une fusée en orbite **autour de** la lune. *They are going to put a rocket into orbit around the moon.*

Il a regardé la télé **au lieu de** travailler. *He watched TV instead of working.*

[2] PREPOSITIONAL MODIFIERS

a. A preposition + noun modifying another noun is equivalent to an adjective.

huile **d'olive** *olive oil*	une tasse **de thé** *a cup of tea*
une voiture **de sport** *a sports car*	une tasse **à thé** *a tea cup*
une chemise **de soie** *a silk shirt*	une brosse **à dents** *a toothbrush*
une montre **en or** *a gold watch*	une boîte **aux lettres** *a mail box*

NOTES:

1. Nouns describing the source, goal, or content of an object are introduced by the preposition *de; en* may also be used to insist on the content, although less frequently.

un fromage **de** chèvre *a goat cheese*	un maillot **de** bain *a bathing suit*
un manteau **de** fourrure *a fur coat*	une statue **en** bois *a wooden statue*

2. Generally, *à* + noun is used to express use, function, or characteristic of an object.

une cuillère **à café** *a teaspoon*	un bateau **à voiles** *a sailboat*
une armoire **à pharmacie** *a medicine cabinet*	

3. The preposition *à* + verb in the infinitive may be used to describe the purpose of a noun.

une machine **à écrire** *a typewriter*	une crème **à raser** *a shaving cream*

b. A preposition + noun modifying a verb is equivalent to an adverb.

Elle parle **avec hâte**. *She speaks hurriedly.*

EXERCICE A

Identifiez les objets que Monique a vus dans un catalogue de cadeaux de Noël.

EXEMPLE: **une tasse à café**

1. _____

2. _____

3. _____

4. _____

5. _____

6. _____

7. _____

8. _____

EXERCICE B

Utilisez les suggestions données pour exprimer ce que Charlotte et Delphine disent d'une autre amie.

se peigner	avec (sans) soin
se maquiller	avec (sans) hâte
s'habiller	avec (sans) appétit
se coiffer	avec (sans) raison
parler	avec (sans) goût
manger	avec (sans) patience

EXEMPLE: **Elle se peigne sans hâte.**

1. _____

2. _____

3. _____

4. _____

5. _____

[3] PREPOSITIONS LINKING VERBS

In French, the infinitive is the verb form that normally follows a preposition.

Il commence **à** pleuvoir.	*It is beginning to rain.*
L'enfant s'est arrêté **de** jouer.	*The child stopped playing.*

a. Verbs requiring *à* before an infinitive:

aider à *to help to*	se mettre à *to begin to*
s'amuser à *to have a good time*	obliger à *to obligate to*
apprendre à *to learn to*	passer (du temps) à *to spend (time)*
s'attendre à *to expect to*	penser à *to think of*
avoir à *to have to*	persister à *to persist in*
chercher à *to try to*	se plaire à *to take pleasure in, enjoy*
commencer à *to begin to*	se préparer à *to prepare to*
consentir à *to consent to*	renoncer à *to give up*
continuer à *to continue to*	se résigner à *to resign oneself to*
se décider à *to decide to*	rester à *to remain to*
encourager à *to encourage to*	réussir à *to succeed in*
forcer à *to force to*	servir à *to be useful for*
s'habituer à *to get used to*	songer à *to think about*
hésiter à *to hesitate to*	suffire à *to be enough to*
inciter à *to incite to*	tenir à *to insist on*
inviter à *to invite to*	travailler à *to work to*

Joséphine **s'amuse à lire.**	*Josephine has a good time reading.*
Il **a appris à nager** l'été dernier.	*He learned how to swim last summer.*
Les enfants **se sont mis à crier.**	*The children began to scream.*
Il **a obligé Pierre à partir.**	*He forced Pierre to go.*

b. Verbs requiring *de* before an infinitive:

accepter de *to accept to*	mériter de *to deserve to*
accuser de *to accuse of*	s'occuper de *to take care of*
achever de *to finish*	oublier de *to forget to*
s'arrêter de *to stop*	parler de *to speak about*
choisir de *to choose to*	se passer de *to do without*
se contenter de *to be satisfied with*	se plaindre de *to complain about*
continuer de *to continue to*	prier de *to beg, ask to*
décider de *to decide to*	refuser de *to refuse to*
se dépêcher de *to hurry to*	regretter de *to regret*
s'efforcer de *to strive to*	remercier de *to thank for*
empêcher de *to prevent from*	rêver de *to dream about*
essayer de *to try to*	rire de *to laugh at*
s'étonner de *to be surprised at*	risquer de *to risk*
éviter de *to avoid*	se souvenir de *to remember to*
féliciter de *to congratulate on*	tâcher de *to try to*
finir de *to finish*	se vanter de *to boast of*
se garder de *to take care not to*	venir de *to have just*

Ils **ont décidé de se marier.**	*They decided to get married.*
Tu **mérites d'être** puni.	*You deserve to be punished.*
Nous **venons d'arriver.**	*We have just arrived.*
Il **empêche** le garçon **de partir.**	*He prevents the boy from leaving.*

c. Verbs requiring the pattern *à quelqu'un* + *de* before infinitive:

commander (à quelqu'un) de   *to order (someone) to*
conseiller (à quelqu'un) de   *to advise (someone) to*
défendre (à quelqu'un) de   *to forbid (someone) to*
demander (à quelqu'un) de   *to ask (someone) to*
dire (à quelqu'un) de   *to tell (someone) to*
écrire (à quelqu'un) de   *to write (to someone) to*
interdire (à quelqu'un) de   *to forbid (someone) to*
offrir (à quelqu'un) de   *to offer (someone) to*
ordonner (à quelqu'un) de   *to order (someone) to*
permettre (à quelqu'un) de   *to allow (someone) to*
promettre (à quelqu'un) de   *to promise (someone) to*
proposer (à quelqu'un) de   *to propose (someone) to*
recommander (à quelqu'un) de   *to recommend (to someone) to*

reprocher (à quelqu'un) de   *to reproach (someone) for*
suggérer (à quelqu'un) de   *to suggest (to someone) to*
téléphoner (à quelqu'un) de   *to telephone (someone) to*

Elle **a demandé à ses amis de ne pas fumer.**	*She asked her friends not to smoke.*
Le professeur **dit à ses élèves d'ouvrir** leurs livres.	*The teacher tells his students to open their books.*

d. Verbs requiring the pattern *à quelqu'un* + *à* before infinitive:

enseigner (à quelqu'un) à   *to teach (someone) to*
apprendre (à quelqu'un) à   *to teach (someone) to*

J'ai enseigné à mon ami à patiner.
J'ai appris à mon ami à patiner. } *I taught my friend to skate.*

e. Some verbs are followed directly by an infinitive without a preposition:

adorer	*to love*	falloir	*to be necessary*
aimer	*to like, love*	laisser	*to let, allow*
aimer mieux	*to prefer*	oser	*to dare*
aller	*to go*	penser	*to think*
compter	*to intend*	pouvoir	*to be able*
désirer	*to wish, want*	préférer	*to prefer*
détester	*to hate*	prétendre	*to claim*
devoir	*to have to (be supposed to)*	savoir	*to know (how)*
entendre	*to hear*	souhaiter	*to wish*
envoyer	*to send*	valoir mieux	*to be better*
espérer	*to hope*	venir	*to come*
faire	*to make*	voir	*to see*
faillir	*to almost do, just miss doing*	vouloir	*to wish, want*

Il m'**a envoyé chercher** mon frère.	*He sent me to look for my brother.*
Je **compte partir** le mois prochain.	*I intend to leave next month.*
L'enfant **a failli tomber.**	*The child almost fell.*

EXERCICE C

Complétez avec les prépositions correctes ce que Georges raconte à son ami.

Je viens _____ assister à une scène très amusante dans la rue. Un couple venait _____ arriver à la
        1.   2.

mairie pour se marier. Mais quand les fiancés ont voulu descendre de la voiture, un groupe de spectateurs

a décidé _____ les féliciter. La mariée a essayé _____ descendre de la voiture, mais les spectateurs ont
        3.   4.

persisté _____ offrir leurs félicitations. Son fiancé s'est mis _____ pousser ces gens parce que la céré-
        5.   6.

monie risquait _____ commencer en retard. La mariée hésitait _____ sortir de la voiture. Finalement,
              7.   8.

un agent de police qui passait par là l'a aidée _____ descendre et a commandé aux spectateurs _____
                                              9.   10.

s'en aller. Mais le marié les a priés _____ entrer à la mairie avec eux. Tous ont accepté _____ assister
                                   11.   12.

à la cérémonie. Le maire, qui s'est étonné _____ voir tout ce monde, a tenu _____ faire un long
                                   13.   14.

discours. Les gens se sont efforcés _____ paraître intéressés, mais beaucoup ont regretté _____
                                   15.   16.

être restés. Après la cérémonie, le jeune couple a remercié le maire _____ avoir procédé au mariage.
                                                      17.

Malheureusement quand ils sont sortie, ils ont remarqué qu'il venait _____ commencer _____ pleu-
                                                          18.   19.

voir. C'était dommage parce qu'ils avaient décidé _____ faire le repas de mariage en plein air.
                                                  20.

EXERCICE D

Vous venez d'interviewer une chanteuse française célèbre afin d'écrire l'article suivant. Combinez les éléments donnés et ajoutez-y les prépositions nécessaires.

EXEMPLE: elle / rêver / plaire à son public
         Elle rêve de plaire à son public.

1. elle / se féliciter / être aux États-Unis

   _____

2. elle / tenir / rester modeste

   _____

3. elle / enseigner / jouer de la guitare aux enfants

   _____

4. elle / chercher / divertir les gens

   _____

5. en concert elle / ne jamais hésiter / répéter une chanson

   _____

6. elle / s'efforcer / chanter en anglais

   _____

7. elle / réussir / plaire à un grand public

   _____

8. elle / tâcher / satisfaire son public avec des chansons populaires

   _____

9. elle / venir / donner quinze concerts

   _____

10. elle / promettre / revenir bientôt aux États-Unis

   _____

EXERCICE E

Exprimez ce que font les personnes suivantes en combinant les éléments avec les prépositions nécessaires.

1. je demande / mes parents / me laisser voyager seul(e)

_____

2. elle recommande / sa sœur / épargner son argent

_____

3. tu permets / ton copain / emprunter ta voiture

_____

4. ils suggèrent / leurs amis / aller au concert

_____

5. nous aidons / nos parents / faire le ménage

_____

6. je promets / ma mère / améliorer mes notes

_____

7. elles invitent / leurs cousins / patiner sur le lac

_____

8. vous encouragez / votre frère / aider ses amis

_____

9. tu conseilles / ton amie / se faire couper les cheveux

_____

10. nous apprenons / nos copains / jouer au tennis

_____

EXERCICE F

Complétez les phrases avec une préposition et un infinitif.

EXEMPLE: **J'hésite à jouer du piano.**

1. Je m'amuse _____

2. Je m'attends _____

3. Je m'efforce _____

4. Je réussis _____

5. Je tiens _____

6. Je rêve _____

7. Je refuse _____

8. J'essaie _____

EXERCICE G

Vous donnez des conseils à votre meilleur(e) ami(e) qui voudrait maigrir. Utilisez l'impératif des verbes entre parenthèses avec la préposition qui convient.

EXEMPLE: Ne mange pas chez tes amis. (arrêter)
            Arrête de manger chez tes amis.

1. Bois beaucoup d'eau. (essayer)

_____

2. Mange des légumes cuits à la vapeur. (apprendre)

_____

3. Ne mange pas tant de pâtes. (éviter)

_____

4. Fais de l'exercice. (s'efforcer)

_____

5. Perds dix kilos. (chercher)

_____

6. Persévère dans ton régime. (tâcher)

_____

EXERCICE H

Répondez aux questions qu'un nouvel ami vous pose en employant les verbes entre parenthèses.

EXEMPLE: Qu'est-ce que tu fais quand il neige ? (adorer)
            J'adore faire du ski.

1. Qu'est-ce que tu fais après l'école ? (aimer)

_____

2. Qu'est-ce que tu fais le samedi soir ? (préférer)

_____

3. Quelle sorte de personne veux-tu épouser ? (espérer)

_____

4. Qu'est-ce que tu fais les jours de congé ? (aimer mieux)

_____

5. Qu'est-ce que tu fais avant de te coucher le soir ? (devoir)

_____

6. Qu'est-ce que tu fais pour aider tes parents ? (pouvoir)

_____

7. D'habitude où passes-tu le week-end ? (vouloir)

_____

8. À qui téléphones-tu ? (compter)

_____

EXERCICE I

Vous êtes moniteur de colonie de vacances. Qu'est-ce que vous dites aux garçons de votre groupe le premier jour ? Utilisez une expression de chaque colonne.

je	aimer	faire attention
tu	compter	s'entraider
nous	désirer	beaucoup apprendre
vous	devoir	faire du camping
	espérer	obéir aux règles
	pouvoir	être aimable
	préférer	se coucher à l'heure indiquée
	prétendre	se lever tout de suite
	savoir	bien se conduire
	vouloir	faire beaucoup de sport
		se respecter
		toujours coopérer
		s'amuser beaucoup
		ne pas jouer de tours
		donner des prix chaque semaine

EXEMPLE: **Vous devez obéir aux règles.**

1. _____

2. _____

3. _____

4. _____

5. _____

6. _____

7. _____

8. _____

9. _____

10. _____

11. _____

12. _____

13. _____

14. _____

[4] OTHER PREPOSITIONS USED BEFORE VERBS

All prepositions except *en* are followed by a verb in the infinitive. The following prepositions are the most common

pour	*to, in order to*	**sans**	*without*
afin de	*in order to*	**au lieu de**	*instead of*
avant de	*before*		

Il a emprunté de l'argent **pour** (afin de) **payer** ses dettes.	*He borrowed money to (in order to) pay his debts.*
Je me lave les mains **avant de manger.**	*I wash my hands before eating.*
Ils sont sortis **sans** me **parler.**	*They left without speaking to me.*
Elle rit **au lieu de pleurer.**	*She laughs instead of crying.*

NOTES:

1. The preposition *après* (*after*) is followed by the past infinitive. (The past infinitive consists of *avoir* or *être* plus a past participle.)

Après avoir dîné, ils ont fait une promenade.	*After dining, they took a walk.*
Après être restées deux heures, elles décidèrent de partir.	*After staying two hours, they decided to leave.*

2. The preposition *en* is followed by a present participle (see Chapter 10, page 123).

Elle est entrée **en souriant.**	*She came in smiling.*

3. After verbs of motion, *pour* is generally omitted.

Je descends chercher le journal.	*I'm going down to get the paper.*

4. *Par* may follow *commencer* and *finir* in certain idiomatic expressions.

Il **a commencé par** lire à haute voix.	*He began (by) reading aloud.*
J'**ai fini par** le faire.	*I ended up (by) doing it.*

EXERCICE J

Exprimez ce que font ces personnes. Combinez les phrases avec la préposition entre parenthèses.

EXEMPLE: Le professeur blâme l'élève. Il n'écoute pas son explication. (sans)
Le professeur blâme l'élève sans écouter son explication.

1. Jean parle. Jean ne réfléchit pas. (sans)

_____

2. Les gens travaillent. Ils gagnent leur vie. (pour)

_____

3. Régine écoute la radio. Elle n'étudie pas. (au lieu de)

_____

4. Vous allez au magasin. Vous achetez un nouveau costume. (afin de)

_____

5. Elles jouent. Elles font leurs devoirs. (avant de)

_____

6. Papa se met à préparer le dîner. Il n'a pas tous les ingrédients. (sans)

_____

7. Nous allons au restaurant. Nous fêtons la bonne nouvelle. (pour)

_____

8. André regarde la télévision. Il ne nettoie pas sa chambre. (au lieu de)

_____

9. Je ne mange plus de chocolat. Je maigris. (afin de)

_____

10. Il se lave les dents. Il va se coucher. (avant de)

_____

EXERCICE K

Complétez les phrases en français.

1. Je vais à l'école pour _____ .

2. Je consulte mes parents avant de _____ .

3. Je regarde la télévision au lieu de _____ .

4. Je travaille afin de _____ .

5. Je sors sans _____ .

EXERCICE L

Complétez les phrases suivantes avec les formes correctes des verbes entre parenthèses.

EXEMPLES: (prendre)   Après _____**avoir pris**_____ une douche, il s'est rasé.

(se lever)   Après _____**s'être levées**_____ , elles ont préparé le petit déjeuner.

1. (se réveiller)   Après _____ , elles se sont habillées.

2. (finir)   Après _____ son petit déjeuner, il est parti à l'école.

3. (arriver)   Après _____ au lycée, nous sommes allés au cours de français.

4. (sortir)   Après _____ du lycée, je suis allé au grand magasin.

5. (rentrer)   Après _____ , tu t'es reposé.

6. (terminer)   Après _____ leurs devoirs, ils ont regardé la télévision.

7. (manger)   Après _____ , elle est montée dans sa chambre.

8. (se déshabiller)   Après _____ , vous vous êtes couchés.

EXERCICE M

Répondez aux questions avec une phrase complète.

1. Qu'est-ce que vous avez fait ce matin après vous être réveillé(e) ?

_____

2. Qu'est que vous avez fait après être arrivé(e) à l'école ?

_____

3. Qu'est-ce que vous avez fait après avoir quitté l'école ?

_____

4. Qu'est-ce que vous avez fait après être rentré(e) chez vous ?

_____

5. Qu'est-ce que vous avez fait après avoir fini vos devoirs ?

_____

EXERCICE N

Exprimez l'ordre dans lequel vous faites les choses suivantes.

EXEMPLE: s'habiller / se laver les dents
            Avant de m'habiller, je me lave les dents.
            Après m'être lavé les dents, je m'habille.

1. aller au cinéma / aller au restaurant

_____

_____

2. jouer au tennis / prendre des leçons

_____

_____

3. s'habiller / préparer le petit déjeuner

_____

_____

4. faire ses devoirs / rentrer à la maison

_____

_____

5. travailler / se reposer

_____

_____

6. terminer le repas / manger une salade

_____

_____

7. faire des achats / gagner de l'argent

_____

_____

8. apprendre mes leçons / regarder la télévision

_____

_____

EXERCICE O

Jean raconte ce qui s'est passé quand il a été rendre visite à son professeur de chimie dans son bureau. Complétez les phrases avec les prépositions correctes choisies sur la liste.

afin de	au lieu de	par	sans
après	avant de	pour	

_____ avoir frappé à la porte, je suis entré dans le bureau du professeur. Au même
_1._

moment, sa secrétaire lui a apporté un télégramme qu'il a ouvert aussitôt _____ le lire. Il
_2._

l'a lu _____ me dire bonjour. Comme il ne faisait pas attention à moi, je me suis assis
_3._

_____ lui demander la permission. _____ avoir lu le télégramme, il a
_4._   _5._

commencé _____ ranger ses affaires puis, _____ m'expliquer ce qui se
_6._   _7._

passait, il a mis son manteau et est sorti en courant. Fâché, je suis allé voir la secrétaire _____
_8._

savoir pourquoi il m'avait oublié, mais elle avait disparu aussi. J'ai fini _____ m'en aller
_9._

_____ rien comprendre.
_10._

[5] NOUNS AND ADJECTIVES FOLLOWED BY A PREPOSITION AND AN INFINITIVE

Most nouns and adjectives are followed by *de* before an infinitive.

Je suis **contente de rentrer** chez moi.	*I am happy to return home.*
Il est **difficile d'apprendre** le chinois.	*It is difficult to learn Chinese.*
J'ai un grand **désir de partir.**	*I have a great desire to leave.*
C'est une mauvaise **idée d'y aller** maintenant.	*It is a bad idea to go there now.*

NOTES:

1. Certain adjectives and nouns may be followed by *à* before an infinitive that implies a passive meaning (see also Chapter 20, Section 2, page 272).

La maison sera **facile à vendre.**	*The house will be easy to sell.*
	(Literally: *to be sold*)
Les jeunes sont **difficiles à comprendre.**	*Young people are difficult to understand*
	(Literally: *to be understood*)
J'ai un **roman à lire.**	*I have a novel to read.*
	(Literally: *to be read*)

2. The adjective *prêt* (*ready*) is followed by the preposition *à*.

Elle n'est pas **prête à passer** l'examen.	*She isn't ready to take the test.*

EXERCICE P

Exprimez les problèmes qu'Anne vous raconte en complétant les phrases avec la préposition correcte.

EXEMPLE: J'ai des problèmes **à** résoudre.

1. Je suis fatiguée _____ travailler comme une folle.

2. Il est difficile _____ être vendeuse.

3. Il n'est pas normal _____ travailler quatorze heures par jour.

4. J'ai toujours trop de clientes _____ visiter.

5. Elles sont souvent impatientes _____ me voir partir.

6. Mes produits ne sont pas faciles _____ vendre parce qu'ils sont chers.

7. Par contre, je suis toujours prête _____ faire des réductions.

8. C'est peut-être une bonne idée _____ changer de métier.

[6] PREPOSITIONS WITH GEOGRAPHICAL EXPRESSIONS

VERB	VILLES	PAYS MASCULINS	PAYS FÉMININS	PAYS PLURIELS
aller (*to*) **être** (*in*)	**à Paris** **à Londres** **au Havre** **à La Rochelle**	**au Canada** **au Brésil** **en Iran**	**en France** **en Angleterre** **en Sicile** **en Bretagne** **en Amérique**	**aux États-Unis** **aux Pays-Bas** **aux Antilles**
venir (*from*)	**de Paris** **du Havre**	**du Canada** **de l'Iran** **d'Israël**	**de France** **de Sicile** **d'Angleterre** **de Bourgogne** **d'Amérique**	**des États-Unis** **des Pays-Bas** **des Antilles**

a. The preposition *à* (*to, in*) is used with names of cities; *au* is used with masculine countries; *aux* is used with plural countries.

J'ai passé huit jours **à Bruxelles**.	*I spent a week in Brussels.*
Je rentrerai **à New York** demain.	*I'll go back to New York tomorrow.*
J'aimerais rester quelques jours **au Mexique**.	*I'd love to spend a few days in Mexico.*
Je vais **aux États-Unis** la semaine prochaine.	*I am going to the United States next week.*

b. The preposition *en* (*to, in*) is used with feminine countries, continents, islands, and provinces and before a few masculine countries beginning with a vowel.

Avez-vous jamais été **en Suisse** ?	*Have you ever been to (in) Switzerland?*
Je vais travailler **en Amérique latine**.	*I'm going to work in Latin America.*
J'ai été élevée **en Sicile**.	*I was raised in Sicily.*
Son frère demeure **en Bourgogne**.	*Her brother lives in Burgundy.*
Avez-vous jamais été **en Iran** ?	*Have you ever been to Iran?*

NOTE: *Dans* (*to, in*) plus definite article is used with modified geographical names, French departments, and most American states.

dans la belle France	*in (to) beautiful France*
dans les Hauts-de-Seine	*in the department of Hauts-de-Seine*
dans le Dakota du Sud	*in (to) Southern Dakota*
dans l'État de New York	*in (to) New York State*
dans le Vermont	*in Vermont*

c. The preposition *de* (*from*) is used with the definite article before masculine countries, plural countries, and modified geographical names.

du Mexique	*from Mexico*
des États-Unis	*from the United States*
de la belle France	*from beautiful France*
de l'Europe du Nord	*from Northern Europe*

De without article is used with cities and feminine countries, continents, islands, and provinces.

de Suisse	*from Switzerland*	d'Amérique	*from America*
de Sicile	*from Sicily*	de Bourgogne	*from Burgundy*

NOTES:

1. Generally, geographical names are feminine if they end in *-e*, with the exception of *le Cambodge, le Mexique, le Zaïre*.

2. The definite article is not used with *Cuba, Haïti, Israël, Madagascar,* and *Tahiti.*

le Japon	au Japon	du Japon
Israël	en Israël	d'Israël

3. Before modified geographical names in which the modifier is an integral part of the name, in or to is expressed by *en* without the article, and from is expressed by *de* without the article.

en Afrique du Nord   *in North Africa*

d'Amérique du Sud   *from South America*

4. A few cities always have a definite article in French, since the article is part of the name.

Le Havre *the Havre*   La Nouvelle-Orléans *New Orleans*

au Havre *to (in) the Havre*   à La Nouvelle-Orléans *to (in) New Orleans*

du Havre *from the Havre*   de La Nouvelle-Orléans *from New Orleans*

d. Feminine countries, continents, provinces:

l'Algérie *Algeria*	Haïti *Haiti*
l'Allemagne *Germany*	la Hongrie *Hungary*
l'Angleterre *England*	l'Inde *India*
l'Argentine *Argentina*	l'Irlande *Ireland*
l'Autriche *Austria*	l'Italie *Italy*
la Belgique *Belgium*	la Norvège *Norway*
la Chine *China*	la Pologne *Poland*
l'Écosse *Scotland*	la Roumanie *Rumania*
l'Égypte *Egypt*	la Russie *Russia*
l'Espagne *Spain*	la Suède *Sweden*
la France *France*	la Suisse *Switzerland*
la Grande-Bretagne *Great Britain*	la Turquie *Turkey*
la Grèce *Greece*	

l'Afrique *Africa*	l'Asie *Asia*
l'Amérique du Nord *North America*	l'Australie *Australia*
l'Amérique du Sud *South America*	l'Europe *Europe*
l'Antarctique *Antarctica*	

l'Alsace *Alsace*	l'Île de France *Île de France*
la Bourgogne *Burgundy*	la Flandre *Flanders*
la Bretagne *Brittany*	la Lorraine *Lorraine*
la Champagne *Champagne*	la Normandie *Normandy*
la Corse *Corsica*	la Provence *Provence*

e. Masculine countries:

l'Afghanistan *Afghanistan*	l'Équateur *Ecuador*
le Brésil *Brazil*	les États-Unis *United States*
le Canada *Canada*	l'Iran *Iran*
le Chili *Chile*	l'Irak *Iraq*
le Cambodge *Cambodia*	Israël *Israel*
le Danemark *Denmark*	le Japon *Japan*

le Koweït   *Kuwait*   le Pakistan   *Pakistan*
le Liban   *Lebanon*   les Pays-Bas   *Netherlands*
le Maroc   *Morocco*   le Pérou   *Peru*
le Mexique   *Mexico*   le Portugal   *Portugal*
le Niger   *Niger*   le Zaïre   *Zaire*

f. Mountains and waterways:

les Alpes   (*f.*) *Alps*   la Loire   *Loire*
le Jura   *Jura Mountains*   le Rhin   *Rhine*
les Pyrénées   (*f.*) *Pyrenees*   la Seine   *Seine*
les Vosges   (*f.*) *Vosges Mountains* le Rhône   *Rhône*
la mer Méditerranée   *Mediterranean Sea* la Garonne   *Garonne*
la Manche   *English Channel*

EXERCICE Q

Vous voulez visiter les endroits suivants. Dans quels pays se trouvent-ils ?

EXEMPLE: Buckingham Palace
           Buckingham Palace se trouve en Angleterre.

1. le Vatican

_____

2. la tour Eiffel

_____

3. les Pyramides

_____

4. le Taj Mahal

_____

5. la Tour de Londres

_____

6. le Grand Canyon

_____

7. le mont Fuji-yama

_____

8. le Kremlin

_____

9. le musée du Prado

_____

10. le Parthénon

_____

EXERCICE R

Les élèves de la classe de M. Moreau sont d'origines diverses. Exprimez de quelles nations ils viennent.

EXEMPLE: Ramon / Brésil
Ramon vient du Brésil.

1. Helmut / Allemagne

_____

2. John / États-Unis

_____

3. Luella / Haïti

_____

4. Béata / Pologne

_____

5. Olga / Russie

_____

6. Constantine / Grèce

_____

7. Nissim / Israël

_____

8. Lesley / Angleterre

_____

9. Mario / Italie

_____

10. Orlanda / Portugal

_____

[7] EXPRESSIONS INTRODUCED BY À

The preposition *à* is used in the following expressions:

(1) with description of characteristics (*with*):

La dame **aux cheveux blonds** est ma tante.   *The lady with the blond hair is my aunt.*

(2) with means of transportation (*on, by*):

à bicyclette   *on a bicycle, by bicycle*   **à pied**   *on foot*
à cheval   *on horseback*

Le mousquetaire quitta Paris à cheval.   *The musketeer left Paris on horseback.*

(3) with time expressions meaning *good-bye until*:

à bientôt   *see you soon, so long*   **à ce soir**   *see you tonight*
à demain   *see you tomorrow*   **au revoir**   *good-bye, see you again*
à samedi   *good-bye until Saturday*   **à tout à l'heure**   *see you in a little while*

Nous rentrons chez nous maintenant.   *We're going back home now.*
  —**À lundi.**   —*See you Monday.*

(4) with other time expressions:

à cette heure   *at this (that) time*
Où allez-vous à cette heure ?   *Where are you going at that time?*

à jamais   *forever*
Je l'aimerai à jamais.   *I'll love him forever.*

à l'heure   *on time*
Pour la première fois il est arrivé à l'heure.   *For the first time he arrived on time.*

à l'instant   *at the moment, right away*
Il est arrivé à l'instant où j'allais partir.   *He arrived at the moment I was leaving.*

à partir de   *from … on, beginning (with)*
À partir de ce moment, nous sommes devenus amis.   *From that moment on, we became friends.*

à présent   *now, at present*
Que faites-vous à présent ?   *What are you doing now?*

à temps   *in time*
Il arrive à temps pour dîner.   *He arrives in time for dinner.*

(5) with expressions of position and direction:

à côté (de)   *next (to), beside*
Il y avait une lampe à côté de moi.   *There was a lamp next to me.*

à droite (de)   *on (to) the right (of)*
À droite, on voit la Seine.   *On the right you see the Seine.*

à gauche (de)   *on (to) the left (of)*
Tournez à gauche après l'église.   *Turn to the left after the church.*

à part   *aside*
Il m'a pris à part pour me dire son secret.   *He took me aside to tell me his secret.*

à travers   *through, across*
Le soleil passe à travers les rideaux.   *The sun goes through the curtains.*

au bas (de)   *at the bottom (of)*
Nous l'avons rencontré au bas de l'escalier.   *We met him at the bottom of the staircase.*

au bout (de)   *at the end (of), after*
Il y a une cabine téléphonique au bout de la rue.   *There is a telephone at the end of the street.*

au-dessous (de)   *below, beneath*
Vous verrez mon nom au-dessous du vôtre.   *You'll see my name below yours.*

au-dessus (de)   *above, over*
Un de mes amis demeure au-dessus.   *One of my friends lives above.*

au fond (de)   *in the bottom (of)*
Il y a de l'eau au fond du puits.   *There is water in the bottom of the well.*

au loin   *in the distance*
On pouvait voir le navire au loin.   *They could see the ship in the distance.*

au milieu (de)   *in the middle of*
Il s'est réveillé au milieu de la nuit.   *He woke up in the middle of the night.*

au pied de   *at the foot of*
Le concierge se tenait au pied de l'échelle.   *The concierge was standing at the foot of the ladder.*

(6)   with other expressions:

à cause de   *because of, on account of*
J'ai fermé la fenêtre à cause du bruit.   *I closed the window because of the noise.*

à demi/à moitié   *half, halfway*
Elle a rempli le verre à moitié.   *She filled the glass halfway.*
La pomme est à demi pourrie.   *The apple is half rotten.*

à force de   *by, by means of, by repeated efforts*
À force d'essayer, il a réussi.   *By trying, he succeeded.*

à la campagne   *in (to) the country*
Nous avons passé quinze jours à la campagne.   *We spent two weeks in the country.*

à la fin   *finally*
À la fin il s'est mis à pleuvoir.   *Finally it began to rain.*

à la fois   *at the same time*
Peut-on jouer et travailler à la fois ?   *Can one work and play at the same time?*

à la main   *in one's hand / handmade*
Qu'est-ce que tu as à la main ?   *What do you have in your hand?*
Cette nappe est faite à la main.   *This tablecloth is hand made.*

à la maison   *at home, home*
Serez-vous à la maison ce soir ?   *Will you be home tonight?*

à la mode   *in style*
Ses robes sont toujours à la mode.   *Her dresses are always in style.*

à la page   *up to date*
Le professeur est très à la page.   *The teacher is very up to date.*

à l'école   *in (to) school*
Ceux qui étudient aiment aller à l'école.   *Those who study like to go to school.*

à l'étranger   *abroad*
Ma sœur et son mari habitent à l'étranger.   *My sister and her husband are living abroad.*

à l'occasion de   *at the time of, on the occasion of*
Je l'ai félicitée à l'occasion de son mariage.   *I congratulated her on the occasion of her marriage.*

à merveille   *marvelously*
Marie danse à merveille.   *Marie dances wonderfully well.*

à mon avis   *in my opinion*

À mon avis il a tort.   *In my opinion he's wrong.*

à peine   *hardly, scarcely*

Elle sait à peine cuisiner.   *She can hardly cook.*

à peu près   *nearly, about, approximately*

L'avocat avait à peu près quarante ans.   *The lawyer was about forty years old.*

à propos (de)/au sujet de   *by the way, about, concerning*

À propos, j'ai beaucoup lu au sujet de   *By the way, I have read much about*
  l'art gothique.   *gothic art.*

à quoi bon ?   *What's the use?*

À quoi bon se plaindre ?   *What's the use of complaining?*

à son gré   *as one pleases, to one's liking*

Je parle toujours à mon gré.   *I always speak as I please.*

au contraire   *on the contrary*

Ne sait-elle pas nager ? — Au contraire,   *Can't she swim? —On the contrary,*
  elle nage très bien.   *she swims very well.*

au courant (de)   *informed (of)*

Le président est au courant des affaires   *The president is informed of*
  étrangères.   *foreign affairs.*

au lieu de   *instead of*

Réfléchissez un peu au lieu de parler.   *Think a little instead of speaking.*

au moins   *at least*

Cela coûte au moins mille dollars.   *That costs at least a thousand dollars.*

à voix basse   *in a low voice*

À la bibliothèque on parle à voix basse.   *In the library we speak in a low voice.*

à haute voix   *aloud, out loud*

L'étudiant a récité le poème à haute voix.   *The student recited the poem aloud.*

à vrai dire   *to tell the truth*

À vrai dire, je n'en sais rien.   *To tell the truth, I don't know.*

EXERCICE S

Complétez cette lettre que Claude écrit à son ami agent de police.

Je vous écris cette lettre pour vous mettre _____ un accident fort bizarre auquel j'ai
                                          1. (informed of)

assisté. Hier, j'ai décidé d'aller _____ jusqu'_____ parc
                                        2. (on foot)   *3. (at the end of)*

_____ chez moi. Je m'approchais du lac quand un homme d'_____ quar-
      4. (next to)   *5. (about)*

ante ans m'a accosté. Il m'a parlé _____ puis m'a suivi jusqu'au bord du lac. Tout à coup,
                                      6. (in a low voice)

j'ai aperçu un garçon au regard méchant et à l'air menaçant _____ chemin. Ce garçon
                                                              7. (in the middle of)

s'est précipité sur l'homme qui me suivait et l'a poussé si fort qu'il est tombé dans l'eau. Le pauvre

homme, ne sachant pas nager, a paniqué. Moi, j'ai plongé _____ dans le lac et je l'ai
                                                                    8. (right away)

sauvé. _____ , j'étais très fier de moi. _____ , vous devriez rechercher ce
        9. (to tell the truth)   **10.** (in my opinion)

méchant garçon et éclaircir cette affaire.

EXERCICE T

*Lucienne s'est fâchée contre son ami et explique ce qu'elle lui a dit. Remplacez les mots entre parenthèses
par une expression équivalente.*

à force de	à mon avis	à vrai dire
à la maison	à partir de	au courant
à moitié	à propos de	au-dessus

EXEMPLE: (À l'avenir)   **À partir de** maintenant, ne me demande pas de t'aider.

1. (Selon moi) _____ , tu es têtu.

2. Tu te crois (supérieur aux) _____ des autres.

3. Tu fais toujours les choses (à demi) _____ .

4. Tu n'es pas (informé) _____ de mes problèmes.

5. (Si tu continues à) _____ tout critiquer, tu perdras tes amis.

6. Ne me raconte rien (au sujet) _____ de ta nouvelle copine.

7. (En réalité) _____ , tu m'embêtes.

8. Ne viens plus me voir (chez moi) _____ !

EXERCICE U

*Quelles résolutions Berthe prend-elle pour la nouvelle année ? Complétez les phrases en employant une
fois chacun des mots donnés ci-dessous.*

à	cause	droite	gauche	partir
aux	contraire	fois	l'heure	travers
basse	courant	force	moins	

1. À _____ du premier janvier, je vais mettre de l'argent de côté chaque mois.

2. Je parlerai à voix _____ quand les enfants dormiront.

3. Quand je mettrai la table, je placerai les fourchettes à _____ des assiettes et les couteaux

à _____ .

4. Je ne marcherai plus à _____ le champ de M. Périgord.

5. Je m'efforcerai de parler à la nouvelle élève _____ yeux bleus et _____ la figure ronde.

6. Je me tiendrai au _____ des actualités.

7. J'arriverai toujours à _____ à l'école.

8. Je me laverai les dents au _____ deux fois par jour.

9. Je serai à la _____ aimable et sérieuse.

10. Je ne m'occuperai plus du passé. Au _____ , je ne m'occuperai que de l'avenir.

11. Je mangerai moins à _____ de mon régime.

12. À _____ d'étudier, je finirai par réussir tous mes examens.

[8] EXPRESSIONS INTRODUCED BY *DE*

d'abord   *first, at first*
Essuyez d'abord vos larmes puis nous parlerons.   *Dry your tears first then we will talk.*

d'accord   *agreed, O.K.*
Tu veux venir avec moi ?—D'accord.   *Do you want to come with me?—O.K.*

d'ailleurs   *besides, moreover*
D'ailleurs, je ne peux pas mentir.   *Besides, I can't lie.*

d'avance   *in advance, beforehand*
Nous les avons payés d'avance.   *We paid for them in advance.*

de bon appétit   *heartily, with a good appetite*
Ce bébé mange de bon appétit.   *That baby eats heartily.*

de bon cœur   *willingly, gladly*
Je vous aiderai de bon cœur.   *I'll gladly help you.*

de bonne heure   *early*
Si tu veux trouver une place, il faut arriver de bonne heure.   *If you want to find a seat, you must arrive early.*

de jour en jour   *from day to day*
Vous parlez mieux de jour en jour.   *You speak better from day to day.*

de la part de   *on behalf of, from*
Il est venu de la part du directeur.   *He came on behalf of the director.*

de mon côté   *for my part, as for me*
De mon côté, je préfère dîner en ville.   *For my part, I prefer to dine out.*

de nouveau   *again*
Je le répète de nouveau.   *I'll repeat it again.*

d'habitude, d'ordinaire   *usually*
D'habitude il arrive de bonne heure.   *Usually he arrives early.*

de quelle couleur ... ?   *what color ...?*

De quelle couleur est le sable ?   *What color is the sand?*

de rien/il n'y a pas de quoi   *you're welcome, don't mention it*

Merci de tout ce que vous avez fait.   *Thanks for all you've done.*

   —De rien.   *—Don't mention it.*

de rigueur   *(socially) obligatory, required*

Un costume est de rigueur.   *A suit is required.*

de temps en temps   *from time to time, occasionally*

Je vais au théâtre de temps en temps.   *I occasionally go to the theatre.*

du côté de   *in the direction of, near, around*

Nous habitons du côté de Bordeaux.   *We live near Bordeaux.*

du matin au soir   *from morning till night*

Il travaille du matin au soir.   *He works from morning till night.*

du moins   *at least*

Du moins elle a exprimé ses regrets.   *At least she said she was sorry.*

[9]   EXPRESSIONS INTRODUCED BY *EN*

en   *by*   when one is inside the means of transportation

en automobile (auto)   *by automobile*   **en chemin de fer**   *by train*

en avion   *by plane*   **en voiture**   *by car*

Préférez-vous y aller en voiture   *Do you prefer to go by car or by plane?*
   ou en avion ?

en arrière (de)   *backward(s), behind*

Le soldat a fait un pas en arrière.   *The soldier took a step backward.*

en bas   *downstairs*

J'ai laissé mes clefs en bas.   *I left my keys downstairs.*

en effet   *(yes) indeed, as a matter of fact*

En effet, il est charmant.   *He is indeed charming.*

en face (de)   *opposite*

Elle s'est assise en face de nous.   *She sat down opposite us.*

en fait   *(yes) in fact, as a matter of fact*

Attends-tu depuis longtemps ?   *Have you been waiting long?*

   —Oui, en fait j'attends depuis une   *—Yes, as a matter of fact, I've been waiting*
   heure.   *for an hour.*

en famille   *as a family, within (in the privacy of) the family*

Nous avons dîné en famille.   *We dined within the family.*

en général   *generally*

En général il réussit très bien.   *Generally he succeeds very well.*

en haut   *upstairs*

Connaissez-vous la famille qui habite
  en haut ?

Do you know the family that lives upstairs?

en huit (quinze) jours   *in (during) a week (two weeks)*

Il finira tout en quinze jours.

He will finish it all in two weeks.

en même temps   *at the same time*

Ils ont commencé à parler en même
  temps.

They began to speak at the same time.

en plein air   *in the open air, outdoor(s)*

Les enfants aiment jouer en plein air.

Children like to play outdoors.

en retard   *late (not on time)*

Je suis en retard de cinq minutes.

I'm five minutes late.

en tout cas   *in any case, at any rate*

En tout cas, vous n'avez rien à craindre.

In any case, you have nothing to fear.

en ville   *downtown, in (to, into) town*

Le samedi nous allons en ville avec nos
  camarades.

*On Saturdays we go downtown with our
  friends.*

[10] Expressions Introduced by *par*

par conséquent   *therefore, consequently*

Elle est partie en vacances. Par
  conséquent, elle ne peut pas venir
  à la soirée.

*She left on vacation. Consequently she can't
  come to the party.*

par exemple   *for example*

Les fromages français, comme le
  camembert par exemple, sont
  excellents.

*French cheeses, such as Camembert for example,
  are excellent.*

par hasard   *by chance*

Si par hasard vous le retrouvez,
  faites-le moi savoir.

*If by chance you find it (if you happen to find it),
  let me know.*

par ici   *this way, in this direction*

Passez par ici, s'il vous plaît.

Step this way, please.

par là   *that way, in that direction*

Par là on peut voir la mairie.

In that direction you can see the city hall.

par jour (semaine, mois, etc.)   *a (per) day (week, month, etc.)*

Ces ouvriers gagnent cent euros
  par jour.

Those workers earn one hundred euros a day

EXERCICE V

Isabelle et Marianne ne sont jamais du même avis. Complétez les phrases d'Isabelle qui expriment le contraire de ce que sa sœur dit en employant une de ces expressions.

d'abord	en famille	en ville
de bonne heure	en haut	par
de temps en temps	en plein air	par hasard
du côté de	en tout cas	par là

EXEMPLE: MARIANNE: Asseyons-nous à l'intérieur du café.

ISABELLE: Non, asseyons-nous **en plein air.**

1. MARIANNE: Mettons la nouvelle chaîne-stéréo en bas dans le salon.

   ISABELLE: Non, mettons-la _____ dans notre chambre.

2. MARIANNE: Proposons à maman d'aller à la campagne faire un pique-nique.

   ISABELLE: Non, proposons-lui d'aller _____ faire du shopping.

3. MARIANNE: Jean-Michel habite par ici, près de ce bistro.

   ISABELLE: Mais non, il habite _____ au bout de la rue.

4. MARIANNE: Je veux passer les vacances de Noël avec mes amis.

   ISABELLE: Moi, je veux les passer _____ .

5. MARIANNE: Dimanche, je vais me réveiller tard et ne rien faire de toute la journée.

   ISABELLE: Pas moi. Moi, je vais me réveiller _____ et ranger ma chambre.

6. MARIANNE: Je ne vais jamais étudier à la bibliothèque. C'est trop calme.

   ISABELLE: Moi, j'y vais _____ parce que j'aime le silence et j'y travaille bien.

7. MARIANNE: Antoine gagne un bon salaire.

   ISABELLE: Pas du tout, il ne gagne que 250 euros _____ semaine.

8. MARIANNE: Quand je rentre, je vais tout de suite allumer la télé et me reposer.

   ISABELLE: Moi, je vais _____ faire mes devoirs et ensuite si j'ai le temps, je regarderai un peu de télé.

EXERCICE W

Exprimez ce que ces personnes vont faire en complétant les phrases avec la préposition qui convient.

1. Les Ricard vont célébrer leur anniversaire _____ famille.

2. Janine va _____ doute rester chez elle ce soir.

3. Les cyclistes du Tour de France vont passer _____ ici demain.

4. Non, Roger ne va pas rester en haut. Il va descendre _____ bas.

5. Rémi va _____ le coiffeur dans une heure.

6. Lise va s'entraîner deux fois _____ semaine.

7. Annick va planter des fleurs autour _____ la maison.

8. Les enfants préféreront sûrement s'amuser _____ plein air.

9. Roland a écrit une rédaction de cinquante pages _____ une seule journée.

10. Mes parents seront libres de partir en vacances _____ quelques jours.

11. Les enfants ont assez regardé la télévision, _____ ailleurs ils est l'heure de se coucher.

12. Je cherche un apartement à Paris _____ côté de Montmartre.

M A S T E R Y   E X E R C I S E S

EXERCICE X

Complétez cette histoire d'un homme très travailleur avec l'expression correcte.

_____ Pierre Renard travaille _____ . _____ il
    1. (At present)   *2.* (from morning till night)   *3.* (Usually)

se lève _____ . _____ il mange son petit déjeuner _____ . Il arrive à son
      4. (early)   *5.* (Generally)   *6.* (heartily)

bureau _____ . Il travaille sans arrêt. Il est si bien organisé qu'il peut parler au téléphone
    7. (on time)

et écrire ses rapports _____ . Il prend _____ dix minutes pour le déjeuner.
                  8. (at the same time)   *9.* (hardly)

_____ , il accomplit beaucoup dans une journée. _____ , son patron l'admire égale-
10. (Consequently)   *11.* (Besides)

ment parce qu'il fait tout _____ . _____ de la journée, il est _____ épuisé.
          12. (willingly)   *13.* (At the end)   *14.* (usually)

Il quitte son bureau assez tard et, _____ , arrive _____ pour le dîner.
                    15. (again)   *16.* (late)

EXERCICE Y

Exprimez vos opinions en complétant les phrases.

1. Je compte _____ .

2. J'espère _____ .

3. Je n'ose pas _____ .

4. Je rêve _____ .

5. Je m'efforce _____ .

6. Je pense _____ .

7. J'essaie _____ .

8. J'ai envie _____ .

9. À mon avis, _____ .

10. Je me prépare _____ .

EXERCICE Z

Complétez l'histoire suivante avec les prépositions appropriées choisies sur la liste.

à	dans	par	sous
après	de	près de	sur
avec	en	sans	

Paul et Catherine ont choisi _____ se marier _____ deux mois _____ la mairie _____

1.   2.   3.   4.

la ville _____ Bretagne où Catherine est née. Ils ont commencé _____ chercher un apparte-

5.   6.

ment le jour où ils ont décidé _____ se marier. _____ fait, ils aimeraient vivre _____ la

7.   8.   9.

campagne _____ une grande maison _____ un jardin plein _____ fleurs et une piscine. Un

10.   11.   12.

samedi matin, ils sont partis _____ bonne heure, _____ auto pour aller tout d'abord visiter une

13.   14.

maison _____ la ville, _____ dix kilomètres de leurs bureaux. _____ vrai dire, la maison

15.   16.   17.

était tout à fait horrible, vieille et très petite. À midi, au lieu _____ déjeuner dans un restaurant, Paul

18.

et Catherine avaient apporté quelque chose _____ manger. Ils avaient demandé à la maman de

19.

Catherine _____ préparer un repas qu'ils allaient manger _____ plein air _____ un arbre,

20.   21.   22.

à côté de la route. Il y avait du fromage _____ chèvre, un morceau _____ pain et des fruits dans

23.   24.

un sac _____ toile. Ils étaient contents _____ se reposer et ils ont mangé _____ plaisir

25.   26.   27.

_____ l'herbe. _____ avoir fini _____ manger, ils ont vu un appartement qui donnait

28.   29.   30.

_____ une jolie rue. Il comprenait une grande salle _____ séjour et une petite chambre

31.   32.

_____ coucher qui mesurait quatre mètres _____ long sur quatre mètres _____ large.

33.   34.   35.

« _____ mon avis, c'est très bien » dit Paul. Mais Catherine n'était pas d'accord. Elle voulait con-

36.

tinuer _____ visiter d'autres maisons. Elle dit, «Nous finirons _____ trouver mieux. _____

37.   38.   39.

tout cas, cela vaut la peine d'essayer. »

Part Three

Adjectives, Adverbs, and Other Structures

Chapter 24
Adjectives and Adverbs

An adjective is a word that modifies or describes a noun or pronoun.

My father speaks *perfect* German.

He is *tall* and *slim*.

An adverb is a word that modifies a verb, an adjective, or another adverb.

My father speaks German *perfectly*.

He is *very* tall and *very* slim.

[1] ADJECTIVES

French adjectives agree in gender and number with the nouns or pronouns they describe.

C'était **une nuit** *fraîche*.	*It was a cool night.*
Ces cerises sont *amères*.	*These cherries are bitter.*
Ils seront *contents* de partir.	*They will be glad to leave.*

NOTE: Participles used as adjectives also agree with the nouns they describe.

Les livres sont-ils **recouverts** ?	*Are the books covered?*
C'est une enfant **obéissante**.	*She is an obedient child.*

a. Gender of adjectives

(1) Most French adjectives form the feminine by adding *e* to the masculine.

MASCULINE	FEMININE	
petit	petite	*small*
grand	grande	*tall*
espagnol	espagnole	*Spanish*
prochain	prochaine	*next*
noir	noire	*black*
bleu	bleue	*blue*
poli	polie	*polite*

NOTE: Adjectives ending in *-é* also form the feminine by adding *e*.

MASCULINE	FEMININE	
âgé	âgée	*old*
carré	carrée	*square*
fatigué	fatiguée	*tired*

(2) **Adjectives ending in mute *e* do not change.**

MASCULINE	FEMININE	
faible	faible	*weak*
aimable	aimable	*kind*
difficile	difficile	*difficult*
sincère	sincère	*sincere*

(3) **Adjectives ending in *-x* form the feminine by changing *-x* to *-se.***

MASCULINE	FEMININE	
curieux	curieuse	*curious*
furieux	furieuse	*furious*
dangereux	dangereuse	*dangerous*
délicieux	délicieuse	*delicious*
heureux	heureuse	*happy*

(4) **Adjectives ending in *-f* form the feminine by changing *-f* to *-ve.***

MASCULINE	FEMININE	
neuf	neuve	*new*
vif	vive	*lively*
actif	active	*active*
attentif	attentive	*attentive*
naïf	naïve	*naive*

(5) **Adjectives ending in *-er* form the feminine by changing *-er* to *-ère.***

MASCULINE	FEMININE	
premier	première	*first*
dernier	dernière	*last*
cher	chère	*expensive*
entier	entière	*entire, whole*
fier	fière	*proud*
étranger	étrangère	*foreign*
léger	légère	*light*

(6) **Some adjectives form the feminine by doubling the final consonant before adding *e*.**

MASCULINE	FEMININE	
ancien	ancienne	*old, ancient, former*
bas	basse	*low*
bon	bonne	*good*
cruel	cruelle	*cruel*
européen	européenne	*European*
gentil	gentille	*nice, kind*
sot	sotte	*foolish, silly*

(7) **Some adjectives have irregular feminine forms.**

MASCULINE	FEMININE	
blanc	blanche	*white*
complet	complète	*complete*
doux	douce	*sweet, mild, gentle, soft*
faux	fausse	*false*
favori	favorite	*favorite*
frais	fraîche	*fresh, cool*
franc	franche	*frank*
inquiet	inquiète	*worried, uneasy*
long	longue	*long*
public	publique	*public*
sec	sèche	*dry*
secret	secrète	*secret*
travailleur	travailleuse	*hardworking, industrious*
beau (bel)	belle	*beautiful, fine, handsome*
fou (fol)	folle	*mad, crazy*
mou (mol)	molle	*soft*
nouveau (nouvel)	nouvelle	*new*
vieux (vieil)	vieille	*old*

NOTE: **The adjectives *beau, fou, mou, nouveau,* and *vieux* change to *bel, fol, mol, nouvel,* and *vieil* before a masculine singular noun beginning with a vowel or silent *h.* These are the only five French adjectives with two masculine forms.**

un bel homme	*a good-looking man*	un nouvel ami	*a new friend*
un fol espoir	*a mad hope*	un vieil hôpital	*an old hospital*
un mol oreiller	*a soft pillow*		

b. Plural of adjectives

(1) **The plural of adjectives is formed by adding *s* to the singular.**

SINGULAR	PLURAL	
âgé	âgés	*old*
blond	blonds	*blond*
bonne	bonnes	*good*
blanche	blanches	*white*
active	actives	*active*

(2) **Adjectives ending in *-s* or *-x* are invariable in the masculine plural.**

gris, heureux, anglais, français, frais, mauvais

(3) **Most adjectives ending in *-al* change *-al* to *-aux* in the plural.**

SINGULAR	PLURAL	
égal	égaux	*equal*
social	sociaux	*social*

	SINGULAR (cont.)	PLURAL (cont.)	
	spécial	spéciaux	*special*
	général	généraux	*general*
	national	nationaux	*national*
	loyal	loyaux	*loyal*

(4) **The adjective *tout* is irregular in the masculine plural.**

	SINGULAR	PLURAL	
	tout	tous	*all*

(5) **Both masculine forms of *beau* (*bel*), *fou* (*fol*), *mou* (*mol*), *nouveau* (*nouvel*), and *vieux* (*vieil*) have the same plural form.**

	SINGULAR	PLURAL	
	le bel ouvrage	les beaux ouvrages	*fine works*
	le beau cadeau	les beaux cadeaux	*beautiful presents*

(6) **An adjective describing two or more nouns of different genders is masculine plural.**

Son fils et sa fille sont intelligent**s**.   *Her son and daughter are intelligent.*

EXERCICE A

Charles et Colette sont jumeaux, mais leur personnalité et leurs caractéristiques sont différentes. Décrivez-les.

EXEMPLE: Charles est grand.
              Colette est petite.

1. Colette est blonde.

_____

2. Charles est poli.

_____

3. Charles est faible.

_____

4. Charles est drôle.

_____

5. Colette est maigre.

_____

6. Charles est heureux.

_____

7. Colette est paresseuse.

_____

8. Colette est cruelle.

_____

9. Charles est gentil.

_____

10. Colette est belle.

_____

EXERCICE B

Faites la description de certains élèves de votre classe de français. Choisissez des élèves et décrivez-les en employant les adjectifs suivants.

ponctuel	loyal	gentil	sage
honnête	franc	sérieux	travailleur
sportif	poli	fier	beau
heureux	appliqué	intéressant	curieux

EXEMPLE: **Marie-Claire et Christine sont sérieuses.**

1. _____

2. _____

3. _____

4. _____

5. _____

6. _____

7. _____

8. _____

9. _____

10. Tous les élèves sont _____

EXERCICE C

Votre sœur et vous n'êtes jamais du même avis. Qu'est-ce qu'elle dit pour vous contredire ?

EXEMPLE: Cette chambre est sale.
  Au contraire, cette chambre est propre.

1. Ce criminel est coupable.

_____

2. M. Degand est pauvre.

_____

3. Ces livres sont intéressants.

_____

4. Les vêtements sont mouillés.

_____

5. Cette boîte est lourde.

_____

6. Marthe et Nadine sont tristes.

_____

7. Les devoirs sont faciles.

_____

8. La chambre est large.

_____

9. Le sac est plein.

_____

10. Cette soupe est mauvaise.

_____

EXERCICE D

La rentrée scolaire approche. Tout le monde va s'acheter de nouveaux vêtements. Décrivez les vêtements.

EXEMPLES: Cécile / une robe
           Cécile a une vieille robe.
           Elle s'achète une nouvelle robe.
           Quelle belle robe !

           Pierre / des pyjamas
           Pierre a de vieux pyjamas.
           Il s'achète de nouveaux pyjamas.
           Quels beaux pyjamas !

1. André / un pantalon

_____

_____

_____

2. Michelle / des gants

_____

_____

_____

3. Roger / une cravate

_____

_____

_____

4. Danielle et Lisette / des imperméables

_____

_____

_____

5. Pierre / une écharpe

_____

_____

_____

6. Chantal / des chaussettes

_____

_____

_____

7. Olivier / un anorak

_____

_____

_____

8. Bernadette / des sandales

_____

_____

_____

EXERCICE E

M. Rameau décrit ses deux enfants, Jacques et Suzanne. Utilisez les adjectifs donnés pour exprimer ce qu'il dit.

actif	amusant	fier	gentil	jaloux	timide
ambitieux	drôle	généreux	intéressant	mince	travailleur

EXEMPLE: **Jacques est mince. Suzanne est amusante.**

1. _____

2. _____

3. _____

4. _____

5. _____

c. Position of adjectives

(1) **Descriptive adjectives normally follow the noun they modify.**

une porte secrète	*a secret door*
les vins blancs	*the white wines*

(2) **Some short descriptive adjectives usually precede the noun.** *Des* becomes *de* when the adjective precedes the noun.

beau	gentil/vilain	joli
bon/mauvais	gros	nouveau
court/long	jeune/vieux	petit/grand

un court roman	*a short novel*
de mauvais conseils	*bad advice*

(3) **Other common adjectives that precede the noun:**

autre	*other*	plusieurs	*several*	quelques (*pl.*)	*a few*
chaque	*each*	premier	*first*	tel	*such*
dernier	*last*	quelque	*some*	tout	*all, whole, every*

un autre livre	*another book*
plusieurs amis	*several friends*

(4) **The adjective *tout* precedes both the noun and definite article.**

toute la maison	*the whole house*
tous les animaux	*every animal*

(5) **When more than one adjective describes a noun, each adjective is placed in its normal position. Two adjectives in the same position are joined by *et*.**

une petite histoire intéressante	*a short, interesting story*
une étudiante intelligente et sympathique	*a nice, intelligent student*
un jeune et gentil garçon	*a kind, young boy*

NOTE: Some adjectives have different meanings, depending on their position. In normal position after the noun, the meaning tends to be literal. Before the noun, the meaning changes.

une coutume ancienne	*an old (ancient) custom*
une ancienne coutume	*a former custom*
un garçon brave	*a brave boy*
un brave garçon	*a fine (good, worthy) boy*
une étoffe chère	*an expensive material*
un cher ami	*a dear (esteemed, cherished) friend*
la semaine dernière	*last week (just passed)*
la dernière semaine	*the last week (of a series)*
un homme honnête	*an honest man*
un honnête homme	*a virtuous man*
un auteur méchant	*a spiteful (wicked, vicious) author*
un méchant garçon	*a bad (naughty) boy*

la chose même	*the very thing*
la même chose	*the same thing*
les gens pauvres	*the poor people (without money)*
les pauvres gens	*the unfortunate people*
mes gants propres	*my clean gloves*
mes propres gants	*my own gloves*
un chien sale	*a dirty (soiled) dog*
un sale chien	*a dirty (nasty) dog*
un homme seul	*a man alone, a single man (by himself)*
un seul homme	*one man only*
un type triste	*a sad (unhappy) guy*
un triste type	*a sad (wretched, sorry) guy*

EXERCICE F

En choisissant un adjectif de la liste, décrivez à votre correspondante sénégalaise les endroits intéressants à voir aux États-Unis.

beau	formidable	impressionant	renommé
célèbre	grand	joli	superbe
élégant	important	magnifique	vieux

EXEMPLE: Radio City (un théâtre)
C'est un grand théâtre.

1. L'Alamo (un fort)

_____

2. Disney World (un parc d'attractions)

_____

3. L'Empire State Building (un gratte-ciel)

_____

4. Le Lincoln Memorial et la Statue de la Liberté (des monuments)

_____

5. Le Golden Gate (un pont)

_____

6. Le Smithsonian et le Guggenheim (des musées)

_____

7. Saint Patrick (une cathédrale)

_____

8. Miami Beach et Virginia Beach (des plages)

_____

9. Yosemite et Yellowstone (des parcs)

_____

10. Hollywood et Vine (des rues)

_____

EXERCICE G

En employant les adjectifs entre parenthèses, répondez aux questions qu'un ami vous pose au sujet du mariage de votre ami.

EXEMPLE: Comment était la cérémonie ? (long, religieux)
C'était une longue cérémonie religieuse.

1. Comment était la robe de la jeune mariée ? (beau, blanc)

_____

2. Comment était le costume du marié ? (moderne, élégant)

_____

3. Comment était l'alliance de la jeune mariée ? (original, joli)

_____

4. Comment était l'église ? (vieux, formidable)

_____

5. Comment était le prêtre ? (jeune, sociable)

_____

6. Comment était la salle de réception ? (immense, magnifique)

_____

7. Comment était l'orchestre ? (grand, excellent)

_____

8. Comment était le repas ? (bon, petit)

_____

EXERCICE H

Décrivez l'appartement des jeunes mariés avec les adjectifs entre parenthèses.

EXEMPLE: un divan (grand, moderne)
Ils ont un grand divan moderne.

1. un appartement (nouveau, formidable)

_____

2. une chaîne stéréo (moderne, cher)

_____

3. une table (vieux, blanc)

_____

4. des meubles (beau, ancien)

_____

5. des chaises (confortable, large)

_____

6. une lampe (beau, européen)

_____

EXERCICE I

Vous regardez un album de photos avec votre ami(e). Décrivez les sujets indiqués en utilisant l'adjectif entre parenthèses.

EXEMPLE: Cet homme n'a pas de famille. (seul)
            C'est un homme seul.

1. Ce costume coûte beaucoup. (cher)

_____

2. Cette femme est courageuse. (brave)

_____

3. Cette voiture est à moi ! (propre)

_____

4. Cette radio date de ma jeunesse. (ancien)

_____

5. Ce garçon est mal élevé. (méchant)

_____

6. Cet enfant n'a pas d'argent. (pauvre)

_____

7. Cette fille dit toujours la vérité. (honnête)

_____

8. Cet homme ne se lave jamais. (sale)

_____

[2] ADVERBS

a. Formation of adverbs

(1) Adverbs are formed by adding *-ment* to the masculine singular form of an adjective ending in a vowel.

ADJECTIVE	ADVERB	
autre	autrement	*otherwise*
poli	poliment	*politely*
utile	utilement	*usefully*
vrai	vraiment	*truly*

(2) If the masculine singular adjective ends in a consonant, *-ment* is added to the feminine singular.

ADJECTIVE	ADVERB	
affreux	affreusement	*frightfully*
amer	amèrement	*bitterly*
doux	doucement	*gently*
fou	follement	*madly*
franc	franchement	*frankly*
secret	secrètement	*secretly*
seul	seulement	*only*
tel	tellement	*in such a manner, so*

Exceptions:

gentil	gentiment	*gently*
bref	brièvement	*briefly*

(3) A few adjectives change the feminine mute *e* ending to *é* before adding *-ment*.

ADJECTIVE	ADVERB	
aveugle	aveuglément	*blindly*
énorme	énormément	*enormously*
précis	précisément	*precisely*
profond	profondément	*profoundly*

(4) Adjectives ending in *-ant* and *-ent* have adverbs ending in *-amment* and *-emment*.

ADJECTIVE	ADVERB	
constant	constamment	*constantly*
courant	couramment	*fluently*
différent	différemment	*differently*
évident	évidemment	*evidently*
récent	récemment	*recently*

Exception:

lent	lentement	*slowly*

(5) A few adjectives are used adverbially in the masculine singular in certain fixed expressions.

bas	parler bas	*to speak low*
bon/mauvais	sentir bon/mauvais	*to smell good/bad*
cher	payer cher	*to pay (for) dearly*
court/net	s'arrêter court/net	*to stop short*
droit	aller droit	*to go straight ahead*
dur	travailler dur	*to work hard*
fort/haut	parler fort/haut	*to speak loudly*

(6) The expressions *d'une façon* or *d'une manière* are often used with a modifying adjective in place of an adverb or where no adverb exists.

Elle parle **d'une façon** charmante.   *She speaks charmingly.*

Il agit **d'une manière** intelligente.   *He acts intelligently.*

(7) Some adverbs have forms distinct from the adjective forms.

ADJECTIVE		ADVERB	
bon	*good*	bien	*well*
mauvais	*bad*	mal	*badly*
meilleur	*better*	mieux	*better*
moindre	*less*	moins	*less*
petit	*little*	peu	*little*

Robert est **bon** musicien et il joue **bien** du piano.   *Robert is a good musician and plays piano well.*

Jacques est un **mauvais** garçon qui traite **mal** sa sœur.   *Jacques is a bad boy who treats his sister badly.*

EXERCICE J

Guy apprend à conduire. Décrivez une de ses leçons.

EXEMPLE: D'abord il conduit. (lent)
D'abord il conduit lentement.

1. Le professeur lui parle. (doux)

_____

2. Guy commence à conduire. (rapide)

_____

3. Le professeur le réprimande. (sévère)

_____

4. Guy le rassure. (sincère)

_____

5. Le professeur lui parle. (sérieux)

_____

6. Il lui répète les règles. (patient)

_____

7. Guy l'écoute. (attentif)

_____

8. Cependant il n'agit pas. (prudent)

_____

9. Le professeur lui fait des reproches. (vif)

_____

10. Guy arrête la voiture. (brusque)

_____

11. Le professeur regarde Guy. (méchant)

_____

12. Guy s'excuse. (timide)

_____

EXERCICE K

Complétez l'histoire de Mireille en transposant les adjectifs donnés en adverbes.

Je vais _____ dans un petit restaurant qui a ouvert _____ près de chez
      1. (fréquent)   **2.** (récent)

moi. Le propriétaire est un homme que je connais _____ depuis très peu de temps,
                                3. (seul)

mais avec qui je me suis liée d'amitié _____ . Il parle français _____ .
                   4. (immédiat)   **5.** (courant)

_____ ,tous les plats du menu sont des spécialités françaises _____
6. (Naturel)   **7.** (soigneux)

préparées. Je suis _____ fière de mon nouvel ami parce qu'il mène ses affaires
            8. (énorme)

_____ et _____ . _____ , il gagne beaucoup d'argent qu'il
9. (prudent)   **10.** (sérieux)   **11.** (Heureux)

dépense _____ . Mon ami me traite _____ bien et il m'invite souvent à
     12. (raisonnable)   **13.** (extrême)

manger _____ . Je lui dis _____ combien je l'admire et que sa cuisine est
     14. (gratuit)   **15.** (constant)

_____ délicieuse. Il est _____ ravi d'entendre ces compliments que je lui
16. (vrai)   **17.** (absolu)

fais très _____ .
     18. (sincère)

EXERCICE L

*Vous venez de faire la connaissance de Mme Nalet. Décrivez-la en employant l'expression **d'une manière** + un adjectif.*

EXEMPLE: Elle agit. (naturel)
                Elle agit **d'une manière naturelle.**

1. Elle s'exprime. (énergique)

_____

2. Elle réagit. (intéressant)

_____

3. Elle parle. (charmant)

_____

4. Elle pense. (réaliste)

_____

b. Other common adverbs:

ailleurs *elsewhere*	dehors *outside*	peut-être *perhaps, maybe*
ainsi *thus, so*	demain *tomorrow*	plus *more*
alors *then*	encore *still, yet, again*	plutôt *rather*
après *afterwards*	enfin *at last*	près *near*
assez *enough, quite*	ensemble *together*	presque *almost*
aujourd'hui *today*	ensuite *then, afterwards*	puis *then*
auparavant *before*	environ *about*	quelquefois *sometimes*
aussi *also, too*	exprès *on purpose*	si *so*
aussitôt *immediately*	fort *very*	souvent *often*
autant *as much*	hier *yesterday*	surtout *especially*
autrefois *formerly*	ici *here*	tant *so much*
beaucoup *much*	là *there*	tard *late*
bientôt *soon*	loin *far*	tôt *soon, early*
cependant *meanwhile*	longtemps *a long time*	toujours *always, still*
comme *as*	maintenant *now*	tout *quite, entirely*
davantage *more*	même *even*	très *very*
déjà *already*	parfois *sometimes*	trop *too, too much*
dedans *inside*	partout *everywhere*	vite *quickly*

EXERCICE M

Complétez les phrases suivantes avec un adverbe de la liste.

ailleurs	bientôt	ensemble	partout	toujours
beaucoup	davantage	exprès	plutôt	vite

EXEMPLE: Luc aide Jean à faire ses devoirs. Ils travaillent _____**ensemble**_____ .

1. Le ciel est fort couvert. Il va _____ pleuvoir.

2. Hélène n'a pas assez étudié. Elle doit étudier _____ .

3. Marie n'aime pas ce restaurant. Nous allons dîner _____ .

4. Hervé et André vont à la bibliothèque. Ils y font _____ leur travail scolaire.

5. M. Ronsard se dépêche d'aller au bureau. Il marche _____ .

6. Éric aime aider sa mère. Il aime _____ cuisiner.

7. Nicolas n'a pas rangé sa chambre. Il a laissé ses vêtements traîner _____ .

8. Michel est tout le temps heureux. Il rit _____ .

9. Roger a frappé son frère intentionnellement. Quoiqu'il dise il l'a fait _____ .

10. Anne n'est jamais généreuse. Au contraire, elle est _____ égoïste.

c. Some adverbial expressions are formed by combining the prepositions *à* (*à droite*), *de* (*de nouveau*), *en* (*en retard*), *par* (*par hasard*), or *sans* (*sans doute*) with other words such as nouns or noun phrases, adjectives, or other adverbs. Many such expressions are listed in Chapter 23 under the headings Expressions Introduced by *à*, by *de*, by *en*, and by *par*.

d. The following are common adverbial expressions formed with two or more words:

encore une fois   *again, once more*

Il le répète encore une fois.	*He repeats it once more.*

et ainsi de suite   *and so on, and so forth*

Donnez d'abord le sujet, puis le verbe, et ainsi de suite pour chaque phrase.	*First give the subject then the verb and so forth for each each sentence.*

jamais de la vie   *never! out of the question!*

Vous voulez le vendre ? Jamais de la vie !	*Do you want to sell it? Never!*

peu à peu   *little by little, gradually*

Il fait des progrès peu à peu.	*He is making progress little by little.*

peut-être   *perhaps, maybe*

Peut-être le fera-t-il.	*Perhaps he will do it.*

tant bien que mal   *rather badly, so-so*

Sais-tu danser ? —Tant bien que mal.	*Can you dance? —Rather badly.*

tant mieux   *so much the better*

J'ai ma propre voiture. —Tant mieux !	*I have my own car. —So much the better!*

tant pis   *too bad, so much the worse*

Il a raté son examen. Tant pis !	*He failed his exam. Too bad!*

tout à coup   *all of a sudden, suddenly*

Tout à coup il s'est mis à crier.	*All of a sudden he started to scream.*

tout à fait   *entirely, quite*

Elle est tout à fait guérie.	*She is completely cured.*

tout à l'heure   *just now, a little while ago* (referring to immediate past); *in a little while, presently* (referring to immediate future)

Elle a nettoyé sa chambre tout à l'heure.	*She cleaned her room just now.*
Elle nettoiera sa chambre tout à l'heure.	*She will clean her room in a little while.*

tout de même   *just the same, nevertheless*

Elle l'épousera tout de même.	*She will marry him just the same.*

tout de suite   *immediately, at once*

Viens ici tout de suite.	*Come here at once!*

EXERCICE N

Exprimez ce que Jean-François pense en remplaçant les mots en caractères gras par une expression équivalente.

1. Je vais améliorer mon français **graduellement.** _____

2. Je vais faire mon travail **immédiatement.** _____

3. Je suis **complètement** étonné. _____

4. Jacques ne peut pas venir chez moi ce soir. **C'est dommage.** _____

5. Je sors **probablement** ce soir. _____

6. Moi? Préparer le dîner? **Pas question !** _____

7. Je cours dix minutes puis je marche cinq minutes **etc.** pendant une heure chaque jour.

   _____

8. Je vais écouter ce disque **de nouveau.** _____

9. Je vais m'exercer à la guitare **dans un moment.** _____

10. Mon chat dormait tranquillement quand **soudain** il s'est mis à courir. _____

    e. Adverbs of quantity

       Certain adverbs expressing quantity are followed by *de*, without an article, before a noun.

assez de	*enough*	peu de	*little, few*
autant de	*as much, as many*	plus de	*more*
beaucoup de	*much, many*	tant de	*so much, so many*
combien de	*how much, how many*	trop de	*too much, too many*
moins de	*less, fewer*		

       Avez-vous **assez de** temps et d'énergie ?   *Have you enough time and energy?*

       J'ai **autant de** poupées que toi.   *I have as many dolls as you.*

EXERCICE O

Régine prépare une surprise-partie. Exprimez ce qu'elle a acheté.

    EXEMPLE:

       beaucoup
       Elle a acheté beaucoup d'assiettes.

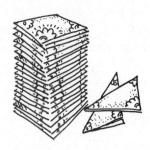

1. trop _____

_____

2. peu _____

_____

3. assez _____

_____

4. beaucoup trop _____

_____

5. beaucoup _____

_____

f. **Position of adverbs**

(1) An adverb modifying a verb in a simple tense is usually placed directly after the verb.

Il prononce **distinctement** ses mots.   *He pronounces his words distinctly.*

(2) In compound tenses the position of the adverb varies. Most adverbs generally follow the past participle. A few common ones, such as *bien, mal, souvent, toujours, déjà,* and *encore,* as well as adverbs of quantity, usually precede the past participle.

Hier, le médecin est venu **immédiatement.**   *Yesterday the doctor came immediately.*

Nous avions **beaucoup** dormi ce jour-là.   *We had slept a great deal that day.*

EXERCICE P

Exprimez le problème que Liliane raconte à son ami Paul. Placez l'adverbe à la place qui convient.

EXEMPLE: Son ami lui a parlé. (brillamment)
Son ami lui a parlé brillamment.

1. Paul est venu à l'aide de son amie. (immédiatement)

   _____ .

2. Il était au courant du problème. (déjà)

   _____ .

3. Liliane est allée lui parler. (souvent)

   _____ .

4. Elle lui a parlé. (doucement)

   _____ .

5. Paul s'est exprimé. (bien)

   _____ .

6. Liliane a écouté. (attentivement)

   _____ .

7. Elle a compris sa réaction. (tout de suite)

   _____ .

8. Elle a suivi ses conseils. (aveuglément)

   _____ .

9. Elle était heureuse. (parfaitement)

   _____ .

10. Liliane est son amie. (toujours)

   _____ .

M A S T E R Y   E X E R C I S E S

EXERCICE Q

Complétez ce questionnaire avec des phrases complètes.

1. Avez-vous beaucoup ou peu de bons amis ?

   _____

2. Prenez-vous des bains froids ou chauds ?

   _____

3. Comment saluez-vous vos amis ?

_____

4. Êtes-vous plus ou moins paresseux que vos frères et sœurs ?

_____

5. Aimez-vous être en compagnie de gens très cultivés ?

_____

6. Faites-vous de la gym tous les jours ?

_____

7. Préférez-vous un oreiller dur ou mou ?

_____

8. Comment écoutez-vous les autres ?

_____

9. Etes-vous fier (fière) de tout ce que vous faites ?

_____

10. Quand travaillez-vous mieux, le matin ou le soir ?

_____

11. Vous fâchez-vous facilement ?

_____

12. Comment traitez-vous vos parents ?

_____

EXERCICE R

Complétez chaque situation avec un commentaire approprié. Employez l'expression entre parenthèses.

EXEMPLE: Gisèle parle devant sa classe de français. Elle est très nerveuse et parle vite et à voix basse.
Son professeur lui dit: (distinctement)
Parle plus distinctement.

1. Luc et ses amis sont partis au parc. Ils en reviennent peu de temps après. Luc explique à sa mère: (malheureusement)

_____

2. Le petit André a laissé tous ses jouets par terre. Quand quelqu'un sonne à la porte, sa mère lui dit: (tout de suite)

_____

3. C'est aujourd'hui le premier juillet. Mon anniversaire est le onze juillet. Ma sœur se dit: (bientôt)

_____

4. Raoul a été écouter un concert, mais il n'y avait pas beaucoup de monde dans la salle. Il dit à son ami: (très peu)

_____

5. Les comédiens d'une pièce de théâtre ont bien joué leurs rôles, mais le décor n'était pas extraordinaire. Alice dit: (tout de même)

_____

6. M. Bertrand a trouvé un portefeuille avec cent dollars et une carte d'identité dedans. Il dit à sa femme: (évidemment)

_____

7. Vous n'allez pas bien et vous avez une forte température. Votre père vous dit: (immédiatement)

_____

8. Marie répond au téléphone. On demande quelqu'un qui n'habite pas là. Marie dit: (de nouveau)

_____

9. Joseph lit un article qui parle de séjours de longue durée dans des stations spatiales. Joseph pense: (peut-être)

_____

10. Georges est très fatigué. Mais il a encore beaucoup de choses à faire. Il pense: (tout à l'heure)

_____

Chapter 25
Comparison

[1] COMPARISON OF INEQUALITY

a. Adjectives are compared as follows:

POSITIVE	intelligent(-e, -s, -es)
COMPARATIVE	plus } moins } intelligent(-e, -s, -es) que
SUPERLATIVE	le (la, les) plus } le (la, les) moins } intelligent(-e, -s, -es) de

Marie est **intelligente**.   *Marie is intelligent.*

Marie est **plus** intelligente **que** Claudine.   *Marie is more intelligent than Claudine.*

Claudine est **moins** intelligente **que** Marie.   *Claudine is less intelligent than Marie.*

Marie est **la plus** intelligente **de** la classe.   *Marie is the most intelligent in the class.*

Claudette est **la moins** intelligente **de** la classe.   *Claudette is the least intelligent in the class.*

NOTES:

1. *Que* (*than*) introduces the second element in the comparative construction.

2. The second element of a comparison may be a noun, a stress pronoun, an adjective, an adverb, or a clause.

    Mon frère est plus gentil **que ma sœur**.   *My brother is nicer than my sister.*

    Je suis plus grand **que toi**.   *I'm taller than you.*

    Nous sommes plus fatigués **qu'ennuyés**.   *We are more tired than bored.*

    Il a réussi parce qu'il a étudié **plus qu'avant**.   *He succeeded because he studied more than before.*

    Elle est plus jolie **que je ne pensais**.   *She is prettier than I thought.*

    In the last example, where the second element is a clause, *ne* precedes the verb without a negative meaning.

3. Comparative and superlative forms of adjectives agree in number and gender with the nouns they describe.

    Les vaches sont **plus grosses** que les moutons.   *Cows are bigger than sheep.*

    L'éléphant est **le plus grand** de tous les animaux d'Afrique.   *The elephant is the biggest of all the animals in Africa.*

4. The preposition *de* + article (*du, de la, de l'*) may follow the superlative to express *in* or *of*.

    Paris est la plus belle ville **du** monde.   *Paris is the most beautiful city in the world.*

    C'est le plus beau tableau **de** l'exposition.   *It's the most beautiful painting of the exhibit.*

5. In the superlative, the adjective generally retains its normal position.

   C'est **une belle** histoire.   *It's a beautiful story.*
   C'est **la plus belle** histoire.   *It's the most beautiful story.*

6. When a superlative adjective follows the noun, the article is repeated.

   C'est l'histoire **la plus intéressante**.   *It's the most interesting story.*

EXERCICE A

M. Leroux fait des comparaisons entre ses élèves. Exprimez ce qu'il dit d'eux en utilisant les suggestions entre parenthèses.

EXEMPLES: Robert est consciencieux. (+... Claude)
           Robert est **plus consciencieux que Claude.**

           Anne est paresseuse. (−... Lucie)
           Anne est **moins paresseuse que Lucie.**

1. Nancy est active. (+... Régine)

   _____

2. Charles est curieux. (−... Richard)

   _____

3. Élise est franche. (+... Michelle)

   _____

4. Paul est intelligent. (+... Georgette)

   _____

5. Berthe est indépendante. (−... Claire)

   _____

6. Jacqueline est nerveuse. (−... Béatrice)

   _____

7. Henri est sportif. (+... Marc)

   _____

8. Georges est sérieux. (−... Lisette)

   _____

9. Marie est fière. (+... André)

   _____

EXERCICE B

Comparez les articles suivants et exprimez votre opinion au sujet de leur valeur.

EXEMPLE: une voiture / un bateau
          Une voiture est **moins chère qu'un bateau.**

1. un château / une villa

_____

2. un avion / une voiture

_____

3. un manteau de fourrure / une bague de diamants

_____

4. une bicyclette / une moto

_____

5. un voyage en Europe / un voyage en Floride

_____

6. une robe de soie / un pantalon de cuir

_____

7. un baladeur / une chaîne stéréo

_____

8. une télévision / un magnétoscope

_____

EXERCICE C

Comparez les éléments suivants. Donnez votre opinion en utilisant les adjectifs entre parenthèses.

EXEMPLE: les bandes dessinées / les livres scolaires (amusantes, éducatives)
   Les bandes dessinées sont plus amusantes que les livres scolaires.
   Les bandes dessinées sont moins éducatives que les livres scolaires.

1. les voitures de sport / les voitures de tourisme (rapides, confortables)

_____

2. la cuisine américaine / la cuisine française (simple, variée)

_____

3. la musique rock / la musique classique (bruyante, ennuyeuse)

_____

4. le français / l'espagnol (facile, répandu)

_____

5. la vie moderne / la vie d'autrefois (complexe, calme)

_____

EXERCICE D

Faites la comparaison des membres de votre famille en utilisant les adjectifs donnés.

actif	discret	gentil	patient
amusant	drôle	honnête	sage
chanceux	dynamique	inquiet	sérieux
consciencieux	énergique	intelligent	
courageux	franc	intéressant	
curieux	généreux	paresseux	

EXEMPLE: **Je suis plus active que ma sœur.**

1. _____

2. _____

3. _____

4. _____

5. _____

6. _____

7. _____

8. _____

9. _____

10. _____

EXERCICE E

Exprimez votre opinion la plus positive et la plus négative pour chaque catégorie.

EXEMPLE: l'homme / généreux
L'homme le plus généreux est le père Noël.
L'homme le moins généreux est Scrooge.

1. le programme de télévision / amusant

_____ .

_____ .

2. la voiture / luxueuse

_____ .

_____ .

3. les musiciens / doués

_____ .

_____ .

4. l'acteur / beau

_____ .

_____ .

5. l'animal / féroce

_____ .

_____ .

6. le film / intéressant

_____ .

_____ .

EXERCICE F

Exprimez l'ordre d'importance des éléments de chaque groupe selon votre opinion.

EXEMPLE: un trait important (être honnête, être sérieux, être responsable)
      Être sérieux est un trait important.
      Être responsable est un trait plus important.
      Être honnête est le trait le plus important.

1. un crime violent (le vol, le meurtre, le terrorisme)

_____ .

_____ .

_____ .

2. un problème sérieux (la pollution, la pauvreté, la faim dans le monde)

_____ .

_____ .

_____ .

3. une chose désirable (la richesse, le bonheur, une bonne santé)

_____ .

_____ .

_____ .

4. un don précieux (l'intelligence, la générosité, un talent artistique)

_____ .

_____ .

_____ .

5. un cadeau merveilleux (une voiture de sport, un collier de diamants, une villa en France)

_____ .

_____ .

_____ .

6. un espoir réalisable (voyager sur la lune, devenir président, être docteur)

_____ .

_____ .

_____ .

b. A few adjectives have irregular comparatives and superlatives.

POSITIVE	COMPARATIVE	SUPERLATIVE
bon (-ne, -s, -nes) _good_	**meilleur (-e, -s, -es)** _better_	**le (la) meilleur(-e)** **les meilleur(-e)s** } _the best_
mauvais (-e, -es) _bad_	**plus mauvais (-e, -es)** **pire (-s)** } _worse_	**le (la) plus mauvais(-e)** **les plus mauvais(-es)** **le (la) pire** **les pires** } _the worst_
petit (-e, -s, -es) _small_	**plus petit (-e, -s, -es)** _smaller_ (in size) **moindre (-s)** _lesser_ (in importance)	**le (la) plus petit(-e)** **les plus petit(-e)s** } _the smallest_ (in size) **le (la) moindre** **les moindres** } _the least, slightest_

Le printemps est **la meilleure** saison   _Spring is the best season to travel._
    pour voyager.

Vos notes sont **pires** que les miennes.   _Your grades are worse than mine._

Il n'a pas fait **le moindre** effort.   _He didn't make the least effort._

EXERCICE G

Exprimez **quel** (which) est, à votre avis, le meilleur et le pire pour chaque catégorie.

EXEMPLE: joueur de tennis
           Mon père est le meilleur joueur de tennis.
           Mon frère est le pire.

1. film

_____ .

_____ .

2. CD

_____ .

_____ .

3. émission de télévision

_____ .

_____ .

4. roman

_____ .

_____ .

5. pièce de théâtre

_____ .

_____ .

6. groupe musical

_____ .

_____ .

7. actrice

_____ .

_____ .

8. chanteur

_____ .

_____ .

EXERCICE H

Exprimez votre avis avec des phrases complètes.

1. Quel est le meilleur magasin de votre ville ?

_____

2. Qui est votre meilleur(e) ami(e) ?

_____

3. Dans votre famille, qui s'occupe des moindres détails ?

_____

4. Quel est le meilleur film que vous avez vu récemment ?

_____

5. Quel est le pire des problèmes dans le monde ?

_____

6. Quelle est la meilleure voiture qu'on puisse acheter ?

_____

7. Qui est le (la) plus petit(e) de votre famille ?

_____

8. Quel est votre meilleur cours ?

_____

c. Adverbs are compared as follows:

POSITIVE	**rapidement**	*rapidly*
COMPARATIVE	**plus (moins) rapidement**	*more (less) rapidly*
SUPERLATIVE	**le plus (moins) rapidement**	*the most (least) rapidly*

Je parle **moins** franchement **qu'**elle.	*I speak less frankly than she.*
Il me téléphone **plus** fréquemment **qu'**avant.	*He calls me more often than before.*
Il joue **plus** instinctivement **que** méthodiquement.	*He plays more instinctively than methodically.*
C'est moi qui nettoie **le plus** souvent.	*I'm the one who cleans the most often.*

NOTES:

1. The preposition *de* (alone or combined with the definite article) may follow the superlative adverb to mean *in* or *of*.

Il parle **le plus** clairement **de** tous.	*He speaks the most clearly of all.*
Le camembert est le fromage français **le mieux** connu **du** monde.	*Camembert is the best-known French cheese in the world.*

2. Since adverbs are invariable, the article in the superlative is always *le*.

Ces enfants marchent **le plus lentement**.	*These children walk the slowest.*
Marie parle **le plus rapidement** de tous.	*Marie speaks the fastest of all.*

EXERCICE I

Les élèves de la classe de français préparent un journal scolaire. Quelles observations leur professeur fait-il en les regardant travailler ?

EXEMPLE: André écrit les articles d'une façon objective. (+... Robert)
           André écrit les articles plus objectivement que Robert.

1. Régine travaille d'une façon consciencieuse. (−... Anne)

_____.

2. Nancy parle français d'une façon naturelle. (+... Janine)

_____.

3. Roland dessine d'une façon simple. (+ ... Luc)

_____.

4. Liliane admet les critiques d'une façon facile. (−... Charlotte)

_____.

5. Raoul pense d'une façon logique. (−... Michel)

_____.

6. Alice s'explique d'une façon claire. (+... Marie)

_____.

7. Joseph écoute d'une façon attentive. (−... Marc)

_____.

8. Hélène corrige les articles d'une façon sérieuse. (+... Mireille)

_____.

9. Paul critique le journal d'une façon gentille. (+... Roger)

_____.

EXERCICE J

Des parents font la comparaison de leurs enfants. Exprimez ce qu'ils disent en utilisant les verbes entre parenthèses.

EXEMPLE: Monique est plus franche que Lucie. (parler)
Monique parle plus franchement que Lucie.

1. Jean est moins prudent que son frère. (conduire)

   _____

2. Renée est plus élégante que sa sœur. (s'habiller)

   _____

3. Lucien est plus patient que les autres garçons. (écouter)

   _____

4. Élise est moins polie que Lisette. (s'exprimer)

   _____

5. Richard est plus lent que Jacques. (faire tout)

   _____

6. Danielle est plus consciencieuse que Julie. (travailler)

   _____

7. Maurice est moins brusque que son cousin. (jouer)

   _____

8. Serge est plus respectueux que Denis. (se comporter)

   _____

EXERCICE K

Exprimez en quoi les membres de la famille Renoir se distinguent.

EXEMPLE: Nanette / écouter / d'une façon attentive (+)
Nanette écoute le plus attentivement de la famille.

1. Henri / courir / d'une façon rapide (−)

   _____ .

2. Robert / travailler / d'une façon soigneuse (+)

   _____ .

3. Marianne / compter / d'une façon correcte (+)

   _____ .

4. Gisèle / danser / d'une façon gracieuse (−)

   _____ .

5. M. Renoir / agir / d'une façon généreuse (+)

   _____ .

6. Mme Renoir / conduire / d'une façon prudente (−)

_____ .

d. A few adverbs have irregular comparatives and superlatives.

POSITIVE		COMPARATIVE		SUPERLATIVE	
bien	*well*	**mieux**	*better*	**le mieux**	(*the*) *best*
mal	*badly*	**plus mal** } **pire, pis**	*worse*	**le plus mal** } **le pire, le pis**	(*the*) *worst*
beaucoup	*much*	**plus**	*more*	**le plus**	(*the*) *most*
peu	*little*	**moins**	*less*	**le moins**	(*the*) *least*

Je chante **mieux que toi.**   *I sing better than you.*
Il a joué **le mieux de** sa carrière.   *He played the best of his career.*
Ces étudiants étudient **le moins de** la classe.   *These students study the least in the class.*

NOTE: The forms (*le*) *plus mal* and *le pire* are preferred to (*le*) *pis*.

EXERCICE L

Faites un commentaire sur les joueurs de l'équipe de football de votre école.

EXEMPLE: Qui joue bien ? (Jean / Paul / Roger)
           Jean joue bien.
           Paul joue mieux.
           Roger joue le mieux.

1. Qui joue mal ? (Luc / André / Georges)

_____ .

_____ .

_____ .

2. Qui s'intéresse beaucoup au football ? (Richard / Marc / Lucien)

_____ .

_____ .

_____ .

3. Qui s'entraîne peu ? (Henri / Alain / François)

_____ .

_____ .

_____ .

4. Qui participe bien aux matches ? (Pierre / Vincent / Yves)

_____ .

_____ .

_____ .

e. Comparisons of Nouns

COMPARATIVE		SUPERLATIVE	
plus de	more	**le plus de**	the most
moins de	less	**le moins de**	the least

Cet auteur écrit **plus de romans que de pièces.** — *This author writes more novels than plays.*

Je mange **moins de viande que de légumes.** — *I eat less meat than vegetables.*

Je fais **le moins de fautes de** la classe. — *I make the least errors in the class.*

EXERCICE M

Marie et Françoise sont deux sœurs qui comparent toujours ce qu'elles et leurs amies ont. Expliquez ce qu'elles disent.

EXEMPLES: elle / − robes / pantalons
Elle a moins de robes que de pantalons.
nous / + devoirs / nos amis
Nous avons plus de devoirs que nos amis.

1. je / − chaussures / toi

_____ .

2. elle / − amis / ennemis

_____ .

3. je / + blouses / Françoise

_____ .

4. je / − CD / cassettes

_____ .

5. tu / − livres / journaux

_____ .

6. tu / − problèmes / moi

_____ .

[2] COMPARISON OF EQUALITY

a. *aussi* + adjective or adverb + *que* (as … as)

Ils sont **aussi charmants que** vous. — *They are as charming as you.*

Elles sont **aussi contentes que** les autres élèves. — *They are as happy as the other students.*

Je parle italien **aussi couramment que** ma sœur. — *I speak Italian as fluently as my sister.*

NOTE: *Si* usually replaces *aussi* in negative comparisons.

Je ne suis pas **si nerveux que toi.** — *I am not as nervous as you.*

EXERCICE N

Faites la comparaison de vos amis jumeaux qui ont des traits identiques.

EXEMPLE: calme
Pierre est aussi calme que Robert.

1. patient

_____.

2. impulsif

_____.

3. nerveux

_____.

4. amusant

_____.

5. triste

_____.

6. généreux

_____.

b. (1) *autant de* + **noun** + *que* (*as much / as many … as*)

    Mon père **a autant de patience que**   *My father has as much patience as*
    ma mère.   *my mother.*

    L'enfant a reçu **autant de jouets**   *The child received as many toys as*
    qu'il en avait demandé.   *he had asked for.*

  (2) *autant que* + **noun or pronoun** (*as much / as many … as*)

    Cette robe coûte **autant que** cette   *This dress costs as much as this blouse.*
    blouse.

    Je lis **autant que** lui.   *I read as much as he.*

EXERCICE O

Répondez aux questions que vos amis vous posent.

EXEMPLE: As-tu lu autant de livres que ton frère ?
Oui, j'ai lu autant de livres que lui.

1. Tes parents ont-ils visité autant de pays que mes parents ?

_____

2. As-tu reçu autant de bonnes notes que moi ?

_____

3. Ta sœur a-t-elle joué autant de matches de tennis que ton frère ?

_____

4. Ton frère et toi, avez-vous regardé autant de films que nous ?

_____

5. Ta sœur a-t-elle perdu autant de poids que toi ?

_____

6. As-tu écrit autant de poèmes que tes amies ?

_____

[3] COMPARATIVE AND SUPERLATIVE EXPRESSIONS

faire de son mieux   *to do one's best*
Il fait de son mieux.   *He does his best.*

le plus (moins) possible *as much (as little) as possible*
Je voyage le plus possible.   *I travel as much as possible.*

le plus (moins)... possible   *as... as possible / the least... possible*
Elle écrit le plus vite possible.   *She writes as fast as possible.*

plus... plus   *the more... the more*
Plus on travaille, plus on gagne.   *The more you work, the more you earn.*

moins... moins   *the less... the less*
Moins tu étudies, moins tu apprends.   *The less you study, the less you learn.*

plus... moins   *the more... the less*
Plus elle dort, moins elle est fatiguée.   *The more she sleeps, the less tired she is.*

de plus en plus   *more and more*
Ils parlent de plus en plus couramment.   *They speak more and more fluently.*

de moins en moins   *less and less*
Vous vous reposez de moins en moins.   *You rest less and less.*

de mieux en mieux   *better and better*
Nous chantons de mieux en mieux.   *We sing better and better.*

tant bien que mal   *not too well, with difficulty*
Elle cuisine tant bien que mal.   *She cooks rather badly.*

tant mieux (pis)   *so much the better (worse)*
Il part demain. Tant mieux.   *He is leaving tomorrow. So much the better.*
Tu as perdu cent euros. Tant pis.   *You lost one hundred euros. Too bad.*

EXERCICE P
Répondez aux questions par une phrase complète.

1. Que faites-vous de plus en plus souvent ?

_____

2. Que faites-vous de mieux en mieux ?

_____

3. Que faites-vous de moins en moins souvent ?

_____

4. Que faites-vous tant bien que mal ?

_____

5. Dans quel cours faites-vous de votre mieux ?

_____

6. Que faites-vous le plus vite possible ?

_____

MASTERY EXERCISES

EXERCICE Q

Lucien, un nouvel élève originaire de Dakar, vient d'arriver. Répondez aux questions qu'il vous pose au sujet de votre ville.

1. Est-ce qu'il pleut autant en août qu'en avril ?

_____ .

2. Fait-il aussi chaud au printemps qu'en été ?

_____ .

3. Y a-t-il autant d'insectes en décembre qu'en juillet ?

_____ .

4. Le printemps est-il aussi beau que l'hiver ?

_____ .

5. Y a-t-il autant de vent en janvier qu'en juillet ?

_____ .

6. Hier était-ce une journée moins claire qu'aujourd'hui ?

_____ .

7. Septembre est-il un meilleur mois que janvier ?

_____ .

8. Les jardins sont-ils aussi verts en mars qu'en juin ?

_____ .

9. Les rues sont-elles aussi pleines de gens en hiver qu'au printemps ?

_____ .

10. Y a-t-il moins de neige en automne qu'en hiver ?

_____ .

EXERCICE R

Comparez les éléments suivants.

1. un éléphant / un lion

_____

2. la bicyclette / le train

_____

3. la glace / le yaourt

_____

4. se promener / courir

_____

5. devenir médecin / devenir professeur

_____

6. l'été / l'hiver

_____

EXERCICE S

Vous travaillez dans une agence de publicité pour la télévision. Composez une annonce où vous décrivez les similarités et les différences entre deux produits et expliquez pourquoi votre produit est le meilleur.

_____

_____

_____

_____

_____

_____

Chapter 26
Numbers

[1] CARDINAL NUMBERS

0	zéro	17	dix-sept	70	soixante-dix
1	un(e)	18	dix-huit	71	soixante et onze
2	deux	19	dix-neuf	72	soixante-douze
3	trois	20	vingt	77	soixante-dix-sept
4	quatre	21	vingt et un(e)	80	quatre-vingts
5	cinq	23	vingt-trois	81	quatre-vingt-un(e)
6	six	30	trente	82	quatre-vingt-deux
7	sept	31	trente et un(e)	91	quatre-vingt-onze
8	huit	34	trente-quatre	99	quatre-vingt-dix-neuf
9	neuf	40	quarante	100	cent
10	dix	41	quarante et un(e)	101	cent un(e)
11	onze	47	quarante-sept	200	deux cents
12	douze	50	cinquante	201	deux cent un(e)
13	treize	51	cinquante et un(e)	250	deux cent cinquante
14	quatorze	52	cinquante-deux	251	deux cent cinquante et un(e)
15	quinze	60	soixante	500	cinq cents
16	seize	61	soixante et un(e)		

1.000	mille		3.000	trois mille
1.001	mille un(e)		100.000	cent mille
1.100	mille cent/onze cents		1.000.000	un million
1.200	mille deux cents/douze cents		1.000.000.000	un milliard

NOTES:

1. The conjunction *et* is used in 21, 31, 41, 51, 61, and 71. In all other compound numbers through 99, the hyphen is used.

2. *Un* becomes *une* before a feminine noun.

> **vingt et un garçons**   **vingt et une filles**

3. *Quatre-vingts* and the plural of *cent* drop the *s* before another number.

quatre-vingts bateaux	*eighty boats*
quatre-vingt-deux bateaux	*eighty-two boats*
quatre cents mots	*four hundred words*
quatre cent cinquante mots	*four hundred fifty words*

4. *Cent* and *mille* are not preceded by the indefinite article. *Million, milliard* (*billion*) and *billion* (*trillion*) are nouns; they are preceded by an article or a number and followed by *de* before another noun.

cent mouchoirs	*a (one) hundred handkerchiefs*
mille fois	*a thousand times*

un million d'étoiles	*a million stars*
deux milliards d'euros	*two billion euros*

5. *Mille* does not change in the plural.

six mille plantes	*six thousand plants*

6. *Mille* often becomes *mil* in dates.

Je suis né en **mil** neuf cent cinquante.	*I was born in 1950.*

7. In numerals and decimals, where English uses periods, French uses commas and vice versa. Sometimes a blank space is used instead of a period.

FRENCH	ENGLISH
4.000 / 4 000 quatre mille	*4,000 four thousand*
0,05 zéro virgule zéro cinq	*.05 point zero five*
$4,75 quatre dollars soixante-quinze	*$4.75 four dollars and seventy-five cents*

EXERCICE A

Voilà une liste du nombre d'élèves dans vos classes. Combien d'élèves y a-t-il dans chaque classe ? Combien de garçons ? Combien de filles ? Exprimez les nombres en français.

CLASSE	NOMBRE D'ÉLÈVES	NOMBRE DE GARÇONS	NOMBRE DE FILLES
1. Algèbre	28	16	12
	_____	_____	_____
2. Anglais	34	21	13
	_____	_____	_____
3. Français	25	11	14
	_____	_____	_____
4. Biologie	30	19	11
	_____	_____	_____
5. Histoire	27	6	21
	_____	_____	_____
6. Musique	76	31	45
	_____	_____	_____
7. Art	18	8	10
	_____	_____	_____
8. Gymnastique	82	41	41
	_____	_____	_____

EXERCICE B

Vous assistez à une conférence dans un grand hôtel de Paris. Vous avez la responsabilité de compter le nombre de personnes dans chaque salon. Exprimez vos totaux sur la liste.

EXEMPLE: Salon Lille, (18) _____**dix-huit**_____ personnes

1. Salon Marseille, (63) _____ personnes

2. Salon Rouen, (71) _____ personnes

3. Salon Grenoble, (15) _____ personnes

4. Salon Deauville, (98) _____ personnes

5. Salon Nice, (54) _____ personnes

6. Salon Bordeaux, (29) _____ personnes

7. Salon Cannes, (37) _____ personnes

8. Salon Lyon, (86) _____ personnes

9. Salon Chamonix, (42) _____ personnes

10. Salon Nancy, (181) _____ personnes

EXERCICE C

Vous voulez téléphoner à des amis français qui habitent des villes différentes, mais vous avez des difficultés à obtenir les lignes. Demandez au standardiste de composer les numéros pour vous.

EXEMPLE: 05.64.15.30.45 à Chambord
   Le zéro cinq, soixante-quatre, quinze, trente, quarante-cinq à Chambord, s'il vous plaît.

1. 02.33.50.25.31 à Cherbourg

_____

2. 02.21.16.82.11 à Calais

_____

3. 04.77.15.92.44 à Vichy

_____

4. 03.87.93.70.67 à Strasbourg

_____

5. 01.48.12.89.13 à Paris

_____

EXERCICE D

Votre sœur et vous voulez offrir un cadeau d'anniversaire à votre mère. Vous discutez les prix des cadeaux envisagés.

EXEMPLE:

Une raquette de tennis coûte quarante-cinq dollars.

1. _____

_____

2. _____

_____

3. _____

_____

4. _____

_____

5. _____

_____

EXERCICE E

Vous êtes caissier dans une banque martiniquaise. C'est la fin de la journée et vous notez en lettres le total des transactions.

1. 568 euros   _____

2. 1.381 euros   _____

3. 2.010 euros   _____

4. 30.432 euros   _____

5. 891 euros   _____

6. 5.755.862 euros _____

7. 12.967 euros _____

8. 184 euros _____

9. 1.989 euros _____

10. 175.322 euros _____

EXERCICE F

Vous voulez passer vos vacances sur une île française peu habitée. Exprimez les renseignements donnés dans les guides touristiques sur la population de chaque île.

1. Guadeloupe, 386.987 _____

habitants.

2. Martinique, 359.572 _____

habitants.

3. St. Pierre et Miquelon, 6.277 _____

habitants.

4. Tahiti, 131.309 _____

habitants.

5. Réunion 597.828 _____

habitants.

EXERCICE G

Répondez aux questions. Exprimez les nombres en lettres.

1. Combien d'habitants y a-t-il dans votre ville ?

_____

2. Combien d'élèves y a-t-il dans votre classe de français ? Combien de filles ? Combien de garçons ?

_____

_____

3. Combien coûte votre voiture préférée ?

_____

4. Combien avez-vous payé vos jeans favoris ?

_____

5. Combien d'argent voudriez-vous gagner par an ?

_____

6. Quel est votre numéro de téléphone ?

_____

[2] ARITHMETIC EXPRESSIONS

The following expressions are used in arithmetic problems in French:

et   *plus*   moins   *minus*

fois (multiplié par)   *times (multiplied by)*   divisé par   *divided by* (÷)

font   *equals* (=)

cinq et six font onze	$5 + 6 = 11$
huit moins cinq font trois	$8 - 5 = 3$
trois fois (multiplié par) quatre font douze	$3 \times 4 = 12$
dix divisé par deux font cinq	$10 \div 2 = 5$

EXERCICE H

Vous vous présentez pour un emploi dans un grand magasin français. Le patron voudrait vérifier votre connaissance des nombres en français. Exprimez les opérations qu'il vous donne à lire.

1. $414 - 363 = 51$

_____

2. $336 \times 12 = 4\ 032$

_____

3. $254 + 587 = 841$

_____

4. $31\ 217 \div 31 = 1\ 007$

_____

5. $1\ 818 \div 18 = 101$

_____

6. $345 + 577 = 922$

_____

7. $990 \div 9 = 110$

_____

8. $93 \times 71 = 6\ 603$

_____

[3] NOUNS OF NUMBER

Certain numerals are used as collective nouns to express a round number. The most frequent are:

une dizaine   *about ten*   une centaine   *about a hundred*

une douzaine   *a dozen*   un millier   *about a thousand*

une quinzaine	*about fifteen*	un million	*a million*
une vingtaine	*about twenty*	un milliard	*a billion*
une cinquantaine	*about fifty*		

These numerals are followed by *de* before another noun. In the plural, these numerals add *s*.

deux douzaines d'œufs	*two dozen eggs*
une centaine de vaches	*about a hundred cows*
des milliers d'oiseaux	*thousands of birds*
un million d'habitants	*a million inhabitants*
trois milliards de dollars	*three billion dollars*

EXERCICE I

Vous préparez une grande surprise-partie. Vous faites des courses au supermarché et vous demandez à un employé les produits suivants.

EXEMPLE: 30 œufs
Je voudrais une trentaine d'œufs, s'il vous plaît.

1. 100 tasses en papier

_____ .

2. 15 litres de soda

_____ .

3. 12 plaques de chocolat

_____ .

4. 20 gâteaux

_____ .

5. 60 assiettes en papier

_____ .

6. 50 fourchettes, cuillères et couteaux en plastique

_____ .

EXERCICE J

Votre bureau est en désordre. Votre père vous demande ce que vous gardez dans vos tiroirs. Répondez à ses questions.

EXEMPLE: 50 feuilles de papier
J'ai une cinquantaine de feuilles de papier.

1. 30 stylos _____

2. 40 crayons _____

3. 15 cahiers _____

4. 10 gommes _____

5. 20 bonbons _____

[4] ORDINAL NUMBERS

1st **premier, première**	*7th* **septième**	*17th* **dix-septième**
2nd **deuxième, second(e)**	*8th* **huitième**	*20th* **vingtième**
3rd **troisième**	*9th* **neuvième**	*21st* **vingt et unième**
4th **quatrième**	*10th* **dixième**	*34th* **trente-quatrième**
5th **cinquième**	*11th* **onzième**	*100th* **centième**
6th **sixième**	*16th* **seizième**	*103rd* **cent-troisième**

NOTES:

1. Ordinal numbers agree in gender and number with the noun they describe. *Premier* and *second* are the only ordinal numbers to have a feminine form different from the masculine form.

    C'est **la première** et la dernière **fois**   *It's the first and last time that I say it.*
      que je le dis.

    Les vingt-cinquièmes anniversaires de   *Twenty fifth wedding anniversaries*
      mariage sont de joyeux événements.   *are happy occasions.*

2. Except for *premier* and *second*, ordinal numbers are formed by adding *-ième* to the cardinal numbers. Silent *e* is dropped before *-ième*.

3. Observe the *u* in *cinquième* and the *v* in *neuvième*.

4. *Second(e)* generally replaces *deuxième* in a series which does not go beyond two.

    le second acte   *the second act*

5. The final *a* or *e* of the preceding word is not dropped before *huit, huitième, onze,* and *onzième*.

    la huitième maison   *the eighth house*
    le onze février   *the eleventh of February*

6. Ordinal numbers are abbreviated as follows in French:

      premier 1er (première 1re)   seizième 16^e
      deuxième 2e cinquantième 50^e
      dixième 10e centième 100^e

7. Cardinal numbers precede ordinals in French.

    les **trois premières** semaines   *the first three weeks*

EXERCICE K

Vos amis et vous dites combien de fois vous avez fait les choses suivantes.

EXEMPLE: je/visiter le musée des Beaux-Arts / 2^e
              C'est la deuxième fois que je visite le musée des Beaux-Arts.

1. nous/monter à cheval / 2^e

2. ils/faire un voyage en avion / 5ᵉ

_____ .

3. vous/voir ce film / 3ᵉ

_____ .

4. elle/faire du camping / 6ᵉ

_____ .

5. je/jouer au tennis / 4ᵉ

_____ .

6. il/faire du ski nautique / 9ᵉ

_____ .

7. tu/aller en Europe / 1ʳᵉ

_____ .

8. elles/dîner dans un restaurant français/8ᵉ

_____ .

EXERCICE L

Vous faites des courses dans un grand magasin et vous consultez le plan des étages. Exprimez à quel étage vous trouverez les articles qu'il vous faut.

1 Maquillage, Parfums, Bijouterie	6 Salon de Beauté
2 Articles Femmes: robes, jupes, blouses	7 Centre Musique: disques, radios Jouets, Livres
3 Articles Hommes: costumes, manteaux, chapeaux	8 Articles Maison: appareils électriques, cristaux, meubles
4 Chaussures, Gants, Bagages	9 Restaurant Toilettes
5 Imperméables, Manteaux	

EXEMPLE: un chapeau pour homme   **au troisième étage**

1. un CD _____

2. une cravate _____

3. une table _____

4. une robe _____

5. un imperméable _____

6. du rouge à lèvres _____

7. une boisson _____

8. des gants _____

9. un bracelet _____

10. une valise _____

EXERCICE M

Paris est divisé en vingt arrondissements. Exprimez où se trouvent les endroits que vous voulez visiter.

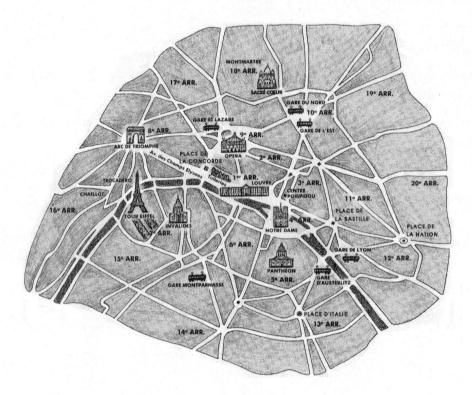

EXEMPLE: le palais de Chaillot
     Le palais de Chaillot se trouve dans le seizième arrondissement.

1. les Invalides

   _____ .

2. le Panthéon

   _____ .

3. la tour Eiffel

   _____ .

4. l'Opéra

   _____ .

5. l'Arc de Triomphe

   _____ .

6. le centre Pompidou

   _____ .

7. le Sacré Cœur

_____.

8. le Louvre

_____.

9. la cathédrale Notre Dame

_____.

10. la Place de la Bastille

_____.

[5] FRACTIONS

1/2 {	la moitié	1/3	un tiers	1/5	un cinquième	7/8	sept huitièmes
	un demi	3/4	trois quarts	3/7	trois septièmes	1/100	un centième

NOTES:

1. Fractions in French are formed, as in English, by combining cardinal and ordinal numbers. Only *moitié, tiers,* and *quart* are irregular.

2. *Moitié*, a noun, is used with an article. *Demi*, generally used as an adjective, is invariable when used with a hyphen before the noun. When it follows the noun, it agrees with the noun.

la moitié de la classe	*half the class*
une demi-bouteille	*a half bottle*
une bouteille et demie	*a bottle and a half*

EXERCICE N

Vous êtes dans un magasin d'alimentation. Vous dites au marchand:

EXEMPLE: ⅓ de terrine de pâté
Je voudrais un tiers de terrine de pâté, s'il vous plaît.

1. ¼ de brie

_____.

2. ½ livre de salade russe

_____.

3. ⅛ de camembert

_____.

4. ¾ de tarte aux poireaux

_____.

5. ½ douzaine d'œufs

_____.

6. ⅔ de quiche

[6] MULTIPLES

Multiple numerals are used in the same manner as their English equivalents.

une fois	*once*	simple	*single, simple*
deux fois	*twice*	double	*double*
trois fois	*three times*	triple	*triple*

un aller simple	*a one-way ticket*
Je lui ai téléphoné **deux fois.**	*I called him twice.*
Il est venu me voir **une fois.**	*He came to see me once.*
J'ai mangé **le double** de ce que tu as mangé.	*I ate twice as much as you.*

NOTES:

1. Numeral adverbs expressing a certain number of occurrences are formed with a cardinal number and the word *fois* (time[s]).

   J'ai vu le film trois fois.   *I saw the film three times.*

2. Multiples like *double, triple* may be either adjectives or nouns.

C'est un mot **à double sens.**	*It's a word with double meaning.*
Il a couru **le double de** la distance.	*He ran twice the distance.*

EXERCICE O

Votre ami passe le week-end chez vous. Vous ne savez plus quoi faire. Votre mère vous demande combien de fois vous avez joué aux jeux suivants.

EXEMPLE: Combien de fois avez-vous joué aux échecs ? (5)
                Cinq fois.

1. Combien de fois avez-vous joué au basket ? (1)

_____.

2. Combien de fois avez-vous joué aux cartes ? (7)

_____.

3. Combien de fois avez-vous joué aux dames ? (4)

_____.

4. Combien de fois avez-vous joué au tennis ? (3)

_____.

5. Combien de fois avez-vous joué aux jeux vidéos ? (10)

_____.

[7] TITLES OF RULERS

Charles premier (Charles Ier)	*Charles the First*
But:	
Henri deux (Henri II)	*Henry the Second*
Louis quatorze (Louis XIV)	*Louis the Fourteenth*

NOTE: *Premier* is the only ordinal used in numerical titles of rulers; in all other titles, cardinal numbers are used. The definite article is omitted in French.

EXERCICE P

Il vous faut étudier pour un examen d'histoire. Quels personnages historiques font partie de votre liste ?

EXEMPLE: Henri II
          Henri deux

1. François Ier _____

2. Louis IX _____

3. Henri IV _____

4. Louis XIV _____

5. Louis XV _____

6. Napoléon Ier _____

M A S T E R Y   E X E R C I S E S

EXERCICE Q

Exprimez ces numéros en français.

1. Louis XVI _____

2. le 16e arrondissement _____

3. ⅔ de tarte aux pommes _____

4. March 30, 1985 _____

5. 75.621 euros _____

6. 514 bateaux _____

7. 7.396 mots _____

8. 2.000.000 de dollars _____

EXERCICE R

Vous venez de recevoir une nouvelle voiture pour votre anniversaire et vous allez acheter une police d'assurance. Répondez aux questions de l'assureur.

1. Quelle est votre date de naissance ?

_____ .

2. Quel âge avez-vous ?

_____ .

3. De quelle marque et de quelle année est votre voiture ?

_____ .

4. Combien de kilomètres conduisez-vous par jour pour vous rendre à l'école ?

_____ .

5. Combien de fois avez-vous changé de voiture ?

_____ .

6. Combien avez-vous payé cette voiture ?

_____ .

7. Pour combien voulez-vous assurer votre voiture contre le vol ?

_____ .

8. Combien de personnes vont conduire cette voiture ?

_____ .

Chapter 27
Time; Dates

[1] TIME

Quelle heure est-il ?	*What time is it?*
Il est une heure.	*It is one o'clock.*
Il est neuf heures vingt.	*It is twenty after nine.*
Il est huit heures et quart.	*It is a quarter after eight.*
Il est onze heures et demie.	*It is half past eleven.*
Il est trois heures moins dix.	*It is ten (minutes) to three.*
Il est deux heures moins le (un) quart.	*It is a quarter to two.*
Il est midi.	*It is twelve o'clock (noon).*
Il est minuit.	*It is twelve o'clock (midnight).*
Il est midi (minuit) et demi.	*It is half past twelve.*

NOTES:

1. To express time after the hour, the number of minutes is added; *et* is used only with *quart* and *demi(e)*. To express time before the hour, *moins* is used.

2. *Midi* and *minuit* are masculine.

[2] TIME EXPRESSIONS

à quelle heure ?	*at what time?*
à midi précis (pile)	*at exactly noon*
à cinq heures précises	*at five o'clock sharp*
trois heures du matin	*three o'clock in the morning, 3:00 A.M.*
quatre heures de l'après-midi	*four o'clock in the afternoon, 4:00 P.M.*
sept heures du soir	*seven o'clock in the evening, 7:00 P.M.*
midi vingt-cinq; minuit et quart	*12:25 P.M.; 12:15 A.M.*
vers neuf heures	*about nine o'clock*
un quart d'heure; une demi-heure	*a quarter hour; a half hour*
Quelle heure est-il à votre montre ?	*What time is it on your watch?*
Ma montre avance (retarde) de dix minutes.	*My watch is ten minutes fast (slow).*

NOTE: In public announcements, such as timetables, the official twenty-four-hour system is commonly used, with midnight as the zero hour:

$$0h20 = \textit{12:20 A.M.}$$
$$14 \text{ heures} = \textit{2:00 P.M.}$$
$$20h45 = \textit{8:45 P.M.}$$

In the official time system, all times are expressed in full numbers:

21h45 = vingt et une heures quarante-cinq

EXERCICE A

Vous enseignez à votre neveu comment lire l'heure en français. Exprimez les heures que marquent les horloges.

1. Il est _____ .

2. Il est _____ .

3. Il est _____ .

4. Il est _____ .

5. Il est _____ .

6. Il est _____ .

7. Il est _____ .

8. Il est _____ .

9. Il est _____ .

10. Il est _____ .

11. Il est _____ .

12. Il est _____ .

EXERCICE B

On a l'habitude de faire certaines choses chaque jour à la même heure. Expliquez à quelle heure vous faites les choses indiquées.

EXEMPLE: déjeuner
         Je déjeune à midi.

1. se réveiller

_____ .

2. se lever

_____ .

3. prendre le petit déjeuner

_____ .

4. partir pour l'école

_____ .

5. arriver à l'école

_____ .

6. aller au cours de français

_____ .

7. rentrer à la maison

_____ .

8. goûter

_____ .

9. faire les devoirs

_____ .

10. regarder son émission préférée à la télévision

_____ .

11. dîner

_____ .

12. écouter les informations

_____ .

13. se laver

_____ .

14. aller se coucher

_____ .

EXERCICE C

Vos parents voudraient savoir où vous serez à certaines heures de la journée. Répondez à leurs questions.

1. Tu vas chez le dentiste à 8h15. La visite dure une heure et demie. À quelle heure quitteras-tu le cabinet du dentiste ?

_____

2. À 10h30 tu vas jouer au basket avec tes frères au parc. Tu comptes y rester une heure quarante-cinq minutes. À quelle heure auras-tu terminé ton match ?

_____

3. Tes amis et toi allez manger au bistro à midi et quart. Vous allez y rester quarante-cinq minutes. À quelle heure quitterez-vous le bistro ?

_____

4. Le film que tu vas voir commence à 2h15 et dure une heure quarante minutes. À quelle heure est-ce que le film se termine ?

_____

5. La surprise-partie sera terminée à 1h00 du matin. Il te faut quarante minutes pour retourner à la maison. À quelle heure rentreras-tu ?

EXERCICE D

Vous traversez l'Atlantique en croisière avec vos parents. Vous regardez le programme de la journée et vous indiquez l'horaire des activités à votre père qui a oublié ses lunettes dans sa cabine.

Activités du jour	
Footing	6h15
Petit déjeuner	8h30
Volley-ball	9h15
Film	10h45
Déjeuner sur le pont supérieur	13h00
Bingo	14h05
Concours de plongeons	15h20
Concours de ping-pong	16h35
Dîner: buffet froid	19h00
Soirée dansante	21h15
Bal costumé	0h30

EXEMPLE: **Le footing commence à six heures et quart du matin.**

1. le petit déjeuner

_____ .

2. le volley-ball

_____ .

3. le film

_____ .

4. le déjeuner sur le pont supérieur

_____ .

5. le bingo

_____ .

6. le concours de plongeons

_____ .

7. le concours de ping-pong

_____ .

8. le dîner : buffet froid

_____ .

9. la soirée dansante

_____ .

10. le bal costumé

_____ .

EXERCICE E

Vous êtes dans le train de Nice et vous demandez au contrôleur à quelle heure le train arrive dans les villes qui précèdent Nice. Avec un(e) camarade de classe menez le dialogue en suivant l'exemple.

Départ 16h15	
Paris—Nice	
19h10	Valence
20h10	Avignon
21h16	Marseille
22h18	Toulon
23h06	St-Raphaël
23h29	Cannes
23h41	Antibes
23h57	Nice

EXEMPLE: VOUS: À quelle heure est-ce que le train arrive à Valence ?
CONTRÔLEUR: À sept heures dix.
VOUS: **Et à Avignon ?**
CONTRÔLEUR: **À...**

1. VOUS: _____

CONTRÔLEUR: _____

2. VOUS: _____

CONTRÔLEUR: _____

3. VOUS: _____

CONTRÔLEUR: _____

4. VOUS: _____

CONTRÔLEUR: _____

5. VOUS: _____

CONTRÔLEUR: _____

6. VOUS: _____

CONTRÔLEUR: _____

7. VOUS: _____

CONTRÔLEUR: _____

EXERCICE F

Quelle heure est-il dans ces villes quand il est 7h du matin à New York ? Donnez l'heure en français.

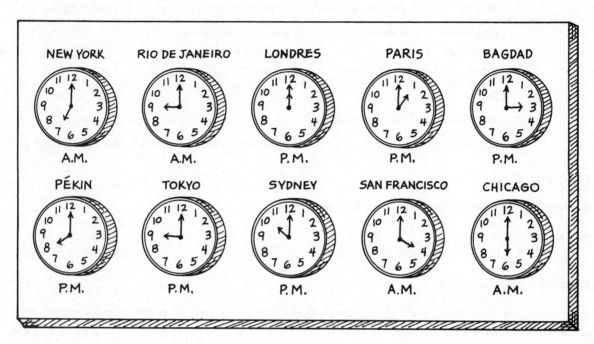

EXEMPLE: À Sydney il est ving-deux heures.

1. À Rio de Janeiro _____ .

2. À Londres _____ .

3. À Paris _____ .

4. À Bagdad _____ .

5. À Pékin _____ .

6. À Tokyo _____ .

7. À San Francisco _____ .

8. À Chicago _____ .

[3] DAYS, MONTHS, SEASONS

LES JOURS DE LA SEMAINE	LES MOIS DE L'ANNÉE	LES SAISONS DE L'ANNÉE
lundi *Monday*	**janvier** *January*	**le printemps** *spring*
mardi *Tuesday*	**février** *February*	**l'été** *summer*
mercredi *Wednesday*	**mars** *March*	**l'automne** *autumn*
jeudi *Thursday*	**avril** *April*	**l'hiver** *winter*
vendredi *Friday*	**mai** *May*	
samedi *Saturday*	**juin** *June*	
dimanche *Sunday*	**juillet** *July*	
	août *August*	
	septembre *September*	
	octobre *October*	
	novembre *November*	
	décembre *December*	

NOTES:

1. Days, months, and seasons are all masculine and not capitalized in French.

2. To express *in* with months and seasons, *en* is used, except with *printemps*.

en janvier	*in January*	**en été**	*in (the) summer*
en juillet	*in July*	**en automne**	*in (the) autumn*
en décembre	*in December*	**en hiver**	*in (the) winter*

But:

au printemps   *in (the) spring*

3. For the use of the article with days of the week, see Chapter 18, Section 3f, page 240.

EXERCICE G

Exprimez quel est votre emploi du temps de la semaine.

EXEMPLE: lundi / nettoyer ma chamber
Lundi je nettoie ma chambre.

1. mardi / travailler au café

_____.

2. mercredi / aller à la bibliothèque

_____.

3. étudier pour l'examen de biologie

_____.

4. vendredi / aller en ville faire des courses

_____.

5. samedi / aller au cinéma avec Paul

_____.

6. dimanche / rendre visite aux grands-parents

_____.

EXERCICE H

Qu'est-ce que les Caron vont faire cette semaine ? Consultez leur agenda.

lundi	*planter les fleurs*
mardi	*faire la lessive*
mercredi	*aller à la pharmacie*
jeudi	*aller à la boucherie*
vendredi	*laver la voiture*
samedi	*aller au supermarché*
dimanche	*nettoyer la maison*

EXEMPLE: jeudi / M. Caron
Jeudi M. Caron va aller à la boucherie.

1. lundi / Mme Caron

_____.

2. dimanche / M. Caron

_____.

3. mercredi / Lisette

_____.

4. mardi / Antoine

_____.

5. samedi / les Caron

_____.

6. vendredi / Suzanne

_____.

EXERCICE I

Votre nouveau correspondant français vous demande en quel mois on célèbre ces fêtes importantes aux États-Unis.

EXEMPLE: le Nouvel An
On célèbre le Nouvel An en janvier.

1. l'anniversaire de Martin Luther King

_____.

2. l'anniversaire de George Washington

_____.

3. l'anniversaire d'Abraham Lincoln

_____.

4. la Saint-Valentin

_____.

5. la fête du Travail

_____.

6. la fête des Mères

_____.

7. la fête nationale américaine

_____.

8. l'anniversaire de l'arrivée en Amérique de Christophe Colomb

_____.

9. le jour d'action de grâce

_____ .

10. Noël

_____ .

[4] DATES

Quelle est la date aujourd'hui ?	_What is today's date?_
Quel jour (de la semaine) est-ce aujourd'hui ? Quel jour sommes-nous aujourd'hui ?	_What day of the week is today?_
C'est aujourd'hui vendredi. Nous sommes vendredi.	_Today is Friday._
C'est aujourd'hui le premier août. Aujourd'hui nous sommes le premier août.	_Today is August 1st (the first of August)._
en dix-neuf cent quatre-vingt-treize en mil neuf cent quatre-vingt-treize	_in 1993_
en deux mil quatre	_in 2004_
le quatre juillet dix-sept cent soixante-seize (le 4 juillet 1776)	_(on) July 4, 1776_
Il est parti le trois août.	_He left on August 3 (on the 3rd of August)._
Nous reviendrons jeudi le dix septembre.	_We will come back on Thursday, September 10._
On revient dans quinze jours.	_We are coming back in two weeks._
Elle est née au mois de février. Elle est née en février.	_She was born in the month of February._ _She was born in February._
il y a huit jours d'aujourd'hui en huit vers la mi-juillet	_a week ago_ _a week from today_ _towards the middle of July_
la semaine des quatre jeudis un peintre du dimanche	_a month of Sundays_ _an amateur painter_

NOTES:

1. In dates, _le premier_ is used for the first day of the month. For all other days, cardinal numbers are used.

2. The English words _on_ and _of_ (between the day and the month) are not expressed in French dates.

3. Years are commonly expressed in hundreds, as in English. The word for one thousand in dates, if used, is generally written _mil_.

4. In French, the date follows the sequence day, month, year.

le 2 janvier 1994 (2.1.94)   *January 2, 1994 (1/2/94)*
le 21 septembre 1954 (21.9.54)   *September 21, 1954 (9/21/54)*

EXERCICE J

Vous expliquez à une amie quelles sont les fêtes importantes en France.

EXEMPLE: la victoire de 1945 : 8/5
       On célèbre la victoire de 1945 le huit mai.

1. le jour de l'an : 1/1

_____

2. la journée de la femme : 8/3

_____

3. la fête du travail : 1/5

_____

4. la fête nationale : 14/7

_____

5. la Toussaint : 1/11

_____

6. l'Armistice : 11/11

_____

7. Noël : 25/12

_____

EXERCICE K

Exprimez les dates suivantes en français.

1. May 2, 1808

_____ .

2. December 20, 1910

_____ .

3. October 12, 1492

_____ .

4. December 7, 1941

_____ .

5. March 31, 1519

_____ .

6. February 22, 1731

_____ .

7. April 1, 1649

_____.

8. September 16, 1820

_____.

9. November 1, 1396

_____.

10. April 12, 1823

_____.

EXERCICE L

Vous venez de recevoir un nouvel agenda. Notez-y la date d'anniversaire de chaque membre de votre famille.

1. ma mère   _____

2. mon père   _____

3. ma grand-mère paternelle   _____

4. mon grand-père maternel   _____

5. ma sœur   _____

6. mon frère   _____

7. une cousine   _____

8. un cousin   _____

9. une tante   _____

10. un oncle   _____

EXERCICE M

Êtes-vous fort(e) en histoire ? Choisissez la date correcte de chaque événement historique donné.

dix-sept cent quatre-vingt-neuf	dix-neuf cent quarante-cinq
dix-sept cent quatre-vingt-treize	dix-neuf cent quarante et un
dix-neuf cent soixante-neuf	dix-neuf cent quatorze

1. La première guerre mondiale commença en _____

_____.

2. Louis XVI et Marie-Antoinette furent guillotinés en _____

_____.

3. L'attaque de Pearl Harbor eut lieu en _____

_____.

4. La deuxième guerre mondiale se termina en _____

_____.

5. On marcha sur la lune pour la première fois en _____

_____ .

6. La prise de la Bastille à Paris, qui marqua le début de la Révolution française, eut lieu en _____

_____ .

M A S T E R Y   E X E R C I S E S

EXERCICE N

Vous parlez de votre lycée et de la vie des jeunes Américains à un étudiant de Fort-de-France qui est venu assister à votre classe de français. Répondez à ses questions.

1. ÉTUDIANT: Combien de jours par semaine vas-tu au lycée ?

   VOUS: _____

2. ÉTUDIANT: Combien d'élèves y a-t-il dans ton lycée ?

   VOUS: _____

3. ÉTUDIANT: Combien de minutes dure chaque classe ?

   VOUS: _____

4. ÉTUDIANT: À quelle heure commence ta première classe ?

   VOUS: _____

5. ÉTUDIANT: À quelle distance habites-tu du lycée ?

   VOUS: _____

6. ÉTUDIANT: Combien de temps te faut-il pour arriver à l'école ?

   VOUS: _____

7. ÉTUDIANT: Pourquoi n'y a-t-il pas classe le dernier jeudi de novembre ?

   VOUS: _____

8. ÉTUDIANT: À quel âge a-t-on le droit de voter ?

   VOUS: _____

9. ÉTUDIANT: À quelle heure quittes-tu le lycée ?

   VOUS: _____

10. ÉTUDIANT: En quelle année comptes-tu recevoir ton diplôme ?

   VOUS: _____

EXERCICE O

Vous écrivez une carte à votre nouvelle correspondante canadienne. Donnez-lui les renseignements suivants.

1. le nombre d'États qu'il y a dans votre pays

_____

2. la date de l'indépendance de votre pays

_____

3. la population de votre pays

_____

4. la population de votre ville ou de votre État (approximativement)

_____

5. votre niveau scolaire

_____

6. la date du dernier jour de classe cette année

_____

7. quand commence et finit votre journée scolaire

_____

8. votre date de naissance

_____

Chapter 28
Interrogatives; Exclamations

[1] INTERROGATIVE PRONOUNS

	PERSONS		THINGS	
SUBJECT OF A VERB	qui qu'est-ce qui	} *who?*	qui est-ce qui	*what?*
DIRECT OBJECT OF A VERB	qui qui est-ce que	} *whom?*	que qu'est-ce que	} *what?*
AFTER A PREPOSITION	qui qui est-ce que	} *whom?*	quoi quoi est-ce que	} *what?*

NOTE: The *e* of *que* is dropped before a word beginning with a vowel; the *i* of *qui* is never dropped.

Qu'a-t-il fait ?	*What did he do?*
Qui arrivera le premier ?	*Who will arrive first?*
Qui est-ce qu'il a vu ?	*Whom did he see?*

a. Interrogative pronouns as subjects

Qui and *qui est-ce qui* (*who?*) are used for people. *Qu'est-ce qui* (*what?*) is used for things. These forms are followed by the third person singular of the verb.

Qui le fera ?
Qui est-ce qui le fera ? } *Who will do it?*

Qui t'a raconté cela ?
Qui est-ce qui t'a raconté cela ? } *Who told you that?*

Qu'est-ce qui est tombé ? *What fell?*

b. Interrogative pronouns as direct objects

Qui or *qui est-ce que* (*whom?*) is used for people. *Que* or *qu'est-ce que* (*what?*) is used for things.

Qui cherchez-vous ?
Qui est-ce que vous cherchez ? } *Whom are you looking for?*

Qui Paul cherche-t-il ?
Qui est-ce que Paul cherche ? } *Whom is Paul looking for?*

Que faites-vous ?
Qu'est-ce que vous faites ? } *What are you doing?*

Que font les enfants ?
Qu'est-ce que les enfants font ? } *What are the children doing?*

419

NOTES:

1. After the short forms *qui* and *que*, the word order is inverted.

2. After the long form, the word order is regular.

3. *Que* becomes *quoi* at the end of a question with intonation.

Qu'est-ce que tu étudies ?

Tu étudies **quoi ?**

} What are you studying?

EXERCICE A

Votre professeur n'était pas là hier et veut savoir ce que vous avez fait en classe pendant son absence. En utilisant qui *et* qui est-ce qui, *posez ses questions selon les réponses données.*

EXEMPLE: **Qui a fini le travail ?**

Qui est-ce qui a fini le travail ?

Tout le monde a fini le travail.

1. _____

_____

Jean est arrivé en retard.

2. _____

_____

Personne n'a désobéi au remplaçant.

3. _____

_____

Richard et Lucie ont écrit les devoirs au tableau.

4. _____

_____

Marc et Lisette ont aidé le remplaçant.

5. _____

_____

Anne s'est amusée en classe.

6. _____

_____

Pierre et Jacques n'ont pas travaillé.

EXERCICE B

Mme Junot a essayé de travailler, mais il y a eu trop de distractions. Demandez ce qui est arrivé selon les réponses données et en utilisant **qu'est-ce qui.**

EXEMPLE: **Qu'est-ce qui a empêché Mme Junot de travailler ?**
Un coup de téléphone a empêché Mme Junot de travailler.

1. _____

La sonnette a retenti.

2. _____

Une alarme de voiture s'est mise à sonner.

3. _____

Un coup de vent a fait voler tous ses papiers.

4. _____

Son ordinateur s'est cassé.

5. _____

Plusieurs coups de téléphone ont interrompu Mme Junot.

6. _____

Un accident a eu lieu devant sa maison.

EXERCICE C

Daniel est un garçon curieux. Complétez les questions qu'il pose à sa mère en utilisant **qui** *ou* **qu'est-ce qui.**

1. _____ vient de téléphoner ?

2. _____ nous arrivera si papa se retire des affaires ?

3. _____ vient dîner chez nous ce soir ?

4. _____ sera invité à la fête des Daumier ?

5. _____ s'est passé chez les Magloire hier après-midi ?

6. _____ va arriver si je ne fais pas mes devoirs ?

7. _____ va t'aider à faire le ménage ?

8. _____ est tombé de l'étagère ?

EXERCICE D

Posez des questions en vous basant sur les situations suivantes.

EXEMPLE: Paul remercie **Lucie** de sa gentillesse.
Qui Paul remercie-t-il de sa gentillesse ?
Qui est-ce que Paul remercie de sa gentillesse ?

1. Daphnée aime **Serge.**

_____

_____

2. Patrick a embrassé **Cécile.**

_____

_____

3. M. Baptiste va accompagner **ses filles** au théâtre.

_____

_____

4. Les filles aident toujours **leurs cousins.**

_____

_____

5. Janine félicite **ses grands-parents.**

_____

_____

EXERCICE E

Demandez à vos amis ce qu'ils ont fait ce week-end. Basez vos questions sur leurs réponses.

EXEMPLE: **Qu'as-tu lu ?**
Qu'est-ce que tu as lu ?
J'ai lu un roman.

1. _____

_____

J'ai regardé un match de tennis.

2. _____

_____

Nous avons écouté de la musique classique.

3. _____

_____

Il a terminé ses devoirs.

4. _____

_____

Elles ont écrit des poèmes.

5. _____

_____

J'ai lavé ma voiture.

6. _____

_____

Ils ont dessiné des paysages.

EXERCICE F

Anne raconte à un(e) ami(e) ce qu'elle a fait samedi soir et son ami(e) lui pose des questions. Avec un(e) camarade de classe menez le dialogue entre Anne et son ami(e). Formulez les questions avec **qui** *ou* **que** *selon les exemples.*

EXEMPLES: ANNE: Je suis allée à la fête d'anniversaire de Janick samedi soir. (rencontrer)
                VOUS: **Qui as-tu rencontré ?**
                ANNE: Roger a été le centre d'attention toute la soirée. (faire)
                VOUS: **Qu'a-t-il fait ?**

1. ANNE: J'ai apporté un cadeau superbe à Janick. (acheter)

   VOUS: _____

2. ANNE: Janick a invité des gens intéressants. (venir)

   VOUS: _____

3. ANNE: Jean est venu avec une amie. (amener)

   VOUS: _____

4. ANNE: Je me suis habillée très chic. (mettre)

   VOUS: _____

5. ANNE: Nous avons entendu de la musique formidable. (écouter)

   VOUS: _____

6. ANNE: J'ai goûté la cuisine délicieuse de la mère de Janick. (manger)

   VOUS: _____

EXERCICE G

En utilisant **qui, qui est-ce que** *ou* **que, qu'est-ce que,** *demandez à votre frère quels sont ses projets pour le mois.*

1. _____ vas-tu aller écouter en concert ?

2. _____ tu comptes emmener au concert avec toi ?

3. _____ veux-tu faire le week-end prochain ?

4. _____ inviteras-tu à dîner dimanche ?

5. _____ tu désires voir au cinéma ?

6. _____ feras-tu une fois en ville ?

7. _____ tu as envie d'accompagner au bal ?

8. _____ tu vas acheter avec ton argent de poche ?

EXERCICE H

Lisez les situations, puis posez des questions en vous basant sur les expressions en caractères gras.

EXEMPLE: Samedi soir, **la rue Montaigne** était vide. Delphine y a trouvé **un portefeuille** en allant chez son amie. **Son père** lui a dit d'aller au poste de police. Un agent de police a aussitôt averti **le propriétaire.**

    a.   **Qu'est-ce qui était vide samedi soir ?**

    b.   **Qu'est-ce que Delphine y a trouvé ?**

    c.   **Qui lui a dit d'aller au poste de police ?**

    d.   **Qui est-ce que l'agent de police a aussitôt averti ?**

1. Hier soir, **André** rentrait chez lui en voiture. Tout à coup, il a remarqué qu'**un arbre** bloquait la route. Il a appelé **un gendarme.** Il a décrit **le problème** au téléphone.

    a.   _____

    b.   _____

    c.   _____

    d.   _____

2. Marie a rencontré **Sylvie** en ville. Elles ont fait **des courses** ensemble. Mais **une grève des conducteurs de métro** les a empêchées de rentrer à l'heure. **La mère de Sylvie** était très inquiète.

    a.   _____

    b.   _____

    c.   _____

    d.   _____

3. **La voiture de M. Rousseau** ne marche pas. Il décide d'appeler **son voisin** pour l'aider. **M. Dupont** essaie de réparer la voiture. Finalement, il lui donne **l'adresse de son garagiste.**

    a.   _____

b. _____

c. _____

d. _____

   c. Interrogative pronouns as objects of prepositions

   A preposition + *qui* is used to refer to people. A preposition + *quoi* is used to refer to things.

À qui pensez-vous ?	*Whom are you thinking of? (Of whom are you thinking?)*
Pour qui a-t-il acheté des fleurs ?	*Whom did he buy flowers for? (For whom did he buy flowers?)*
À quoi pensez-vous ?	*What are you thinking of? (Of what are you thinking?)*
Avec quoi lavez-vous le plancher ?	*What do you wash the floor with? (With what do you wash the floor?)*

   NOTES:

   1. *Est-ce que* may be used in place of inversion.

      À qui est-ce que vous pensez ?

      Pour qui est-ce qu'il a acheté des fleurs ?

      À quoi est-ce que vous pensez ?

      Avec quoi est-ce que vous lavez le plancher ?

   2. To show possession, use *à qui* (*whose/to whom*); to show relationship use *de qui* (*whose/ of whom*):

À qui sont ces chaussures ?	*To whom do these shoes belong? (Whose shoes are these?)*
De qui êtes-vous la nièce ?	*Whose niece are you? (Of whom are you the niece?)*

EXERCICE I

Exprimez les questions que vous poseriez à un ami, puis exprimez quelles seraient ses réponses.

à qui	être respectueux
avec qui	aller souvent
chez qui	se fâcher
contre qui	avoir de l'admiration
de qui	s'amuser
envers qui	penser souvent
pour qui	s'occuper

EXEMPLE: **Chez qui vas-tu souvent ?**
           Je vais souvent chez des amis.

1. _____

_____

2. _____

_____

3. _____

_____

4. _____

_____

5. _____

_____

6. _____

_____

EXERCICE J

Vous cherchez à mieux connaître votre ami. En utilisant une préposition + **qui** _ou_ **quoi**, _posez les questions auxquelles il répond._

EXEMPLE: **De quoi as-tu besoin ?**
        J'ai besoin d'avoir plus de confiance en moi.

1. _____ .

Je me marierai avec une femme intelligente.

2. _____ .

Je compte sur mes amis.

3. _____ .

Je suis satisfait de mes talents.

4. _____ .

J'ai peur de décevoir mes parents.

5. _____ .

Je rêve de devenir riche.

6. _____ .

Je tiens de mon père.

7. _____ .

Je compte sur la générosité de ma famille.

8. _____ .

Je me mets en colère contre l'injustice.

9. _____ .

J'ai besoin d'amour.

10. _____ .

J'ai beaucoup de respect pour les gens âgés.

11. _____ .

Je tiens à ma liberté.

12. _____ .

Je ressemble à mon frère.

EXERCICE K

Complétez les questions de vos amis en utilisant l'expression interrogative qui convient.

à qui	qu'est-ce que
avec qui	qu'est-ce qui
avec quoi	que
de qui	qui
de quoi	qui est-ce que

1. _____ as-tu fait tes devoirs ?

2. _____ tu veux faire après l'école ?

3. _____ as-tu besoin pour finir ce projet ?

4. _____ s'est passé dans la classe d'histoire ?

5. _____ est le président du cercle français ?

6. _____ fait le professeur Aupin en classe ?

7. _____ essuie-t-on le tableau ?

8. _____ est ce livre ?

9. _____ es-tu l'ami ?

10. _____ tu aides à faire son travail scolaire ?

[2] VARIABLE INTERROGATIVE PRONOUNS

	MASCULINE	FEMININE	MEANING
SINGULAR	lequel	laquelle	which? which one(s)?
PLURAL	lesquels	lesquelles	

Lequel de ces films avez-vous vu ?   *Which (one) of these films did you see?*
Lesquels de ces films avez-vous vus ?   *Which (ones) of these films did you see?*
Laquelle de ces robes préférez-vous ?   *Which (one) of these dresses do you prefer?*
De toutes ces robes **lesquelles** préférez-vous ?   *Which of all these dresses do you prefer?*

NOTES:

1. The pronoun *lequel* agrees with the noun it replaces.

2. When *à* and *de* are used before forms of *lequel*, the usual contractions take place.

	MASCULINE	FEMININE	MEANING
SINGULAR	auquel duquel	à laquelle de laquelle	to which of which
PLURAL	auxquels desquels	auxquelles desquelles	to which of which

Auquel de tes amis as-tu écrit ?   *Which (one) of your friends did you write to?*
Il est fier des enfants.   *He is proud of the children.*
   —Desquels est-il fier ?   —*Which ones is he proud of?*

EXERCICE L

Une amie vous raconte ce qu'elle a fait pendant le week-end. Demandez-lui de préciser.

EXEMPLE: J'ai lu des articles amusants.
      Ah, oui ? Lesquels ?

1. J'ai acheté des CD très bon marché.

_____ .

2. J'ai vu un film fantastique.

_____ .

3. J'ai appris une belle chanson.

_____ .

4. J'ai appelé mes amies au téléphone.

_____ .

5. J'ai pris une décision importante.

_____ .

6. J'ai rencontré mes cousines.

_____ .

EXERCICE M

Roger parle toujours de son frère d'une façon vague. Demandez-lui de préciser en lui posant des questions.

EXEMPLES: Mon frère a écrit à une de ses correspondantes.
      À laquelle ?

        Mon frère est allergique à certains produits.
      Auxquels ?

1. Mon frère s'intéresse aux films étrangers.

_____ .

2. Il téléphone toujours à une amie.

_____ .

3. Il participe à un concert.

_____ .

4. Il assiste à des conférences.

_____ .

5. Il va aux matches.

_____ .

6. Il travaille au magasin.

_____ .

EXERCICE N

Lucien et vous discutez à la sortie des cours. Posez-lui des questions afin de préciser ce qu'il dit.

EXEMPLES: Je fais partie d'une nouvelle équipe.
      De laquelle ?

        Je joue d'un instrument de musique.
      Duquel ?

1. Je suis membre d'un club.

_____ .

2. Je rêve de ma voisine.

_____ .

3. Je parle de mes amies.

_____ .

4. Je me souviens de ma petite amie.

_____ .

5. Je m'occupe des animaux.

_____ .

6. J'ai peur de l'examen.

_____ .

[3] INTERROGATIVE ADJECTIVES

The interrogative adjective _quel_ (_which?, what?_) agrees with the noun it modifies.

	MASCULINE	FEMININE	MEANING
SINGULAR	**quel**	**quelle**	_which?, what?_
PLURAL	**quels**	**quelles**	

Quel est le nom de ce village ?	_What is the name of that village?_
Dans **quelle** maison habitez-vous ?	_In which house do you live?_
Quels livres a-t-elle lus ?	_Which books has she read?_

NOTE: The only verb that may separate _quel_ from its noun is _être_.

Quelle était la question ?	_What was the question?_

EXERCICE O

Un des élèves de votre classe mène une enquête. Aidez-le à préparer ses questions en donnant la forme correcte de l'adjectif **quel,** _puis répondez aux questions._

1. _____ est ton nom de famille ?

_____ .

2. _____ est ton adresse ?

_____ .

3. _____ est ton numéro de téléphone ?

_____ .

4. _____ sont tes programmes de télévision préférés ?

_____ .

5. _____ émissions écoutes-tu à la radio ?

_____ .

6. _____ journaux lis-tu ?

_____ .

7. À _____ heure fais-tu tes devoirs ?

_____ .

8. _____ langues parles-tu ?

_____ .

9. _____ est ton sport préféré ?

_____ .

10. _____ sorte de film préfères-tu ?

_____ .

[4] INTERROGATIVE ADVERBS

combien (de) ?	*how much? how many?*	**d'où ?**	*from where?*
comment ?	*how?*	**pourquoi ?**	*why?*
où ?	*where (to)?*	**quand ?**	*when?*

a. Interrogative adverbs are used with inversion as well as with *est-ce que* to form questions.

Quand faites-vous vos devoirs ?
Quand est-ce que vous faites vos devoirs ? } *When do you do your homework?*

Pourquoi va-t-elle au magasin ?
Pourquoi est-ce qu'elle va au magasin ? } *Why is she going to the store?*

Où Pierre est-il allé ?
Où est-ce que Pierre est allé ? } *Where did Pierre go?*

b. When the subject of the verb is a noun, inverted questions are formed as follows.

Comment Paul se sent-il ?	*How is Paul feeling?*
Combien cette robe coûte-t-elle ?	*How much does this dress cost?*
Où la tour Eiffel se trouve-t-elle ?	*Where is the Eiffel Tower?*
Quand les enfants rentrent-ils ?	*When are the children coming home?*
Pourquoi ces livres sont-ils si chers ?	*Why are these books so expensive?*

NOTES:

1. With *quand, comment, combien,* and *où* (but not with *pourquoi*), questions with noun subjects may also be formed with the simple inversion of subject and verb.

   Comment se sent Paul ?   Où se trouve la tour Eiffel ?
   Combien coûte cette robe ?   Quand rentrent les enfants ?

   But:

   Pourquoi Marie pleure-t-elle ?
   Pourquoi est-ce que Marie pleure ?

2. Simple inversion may not be used when the verb has a direct object. Use inversion with the subject pronoun.

   Quand Paul voit-il sa petite amie ?   *When does Paul see his girlfriend?*

3. In colloquial spoken French, simple intonation may also be used. The interrogative is placed after the verb.

| Tu viens quand ? | *When are you coming?* |
| Tu fais ça comment ? | *How do you do that?* |

EXERCICE P

Vous êtes fort curieux. Posez des questions à votre ami Henri, qui part en voyage.

EXEMPLE: Henri fait ses valises. (pourquoi)
Pourquoi est-ce que tu fais tes valises ?

1. Henri part aux États-Unis le 21 septembre. (quand)

_____ .

2. Henri part de l'aéroport Charles de Gaulle. (d'où)

_____ .

3. Il ira à l'aéroport en taxi. (comment)

_____ .

4. Son billet a coûté 300 dollars. (combien)

_____ .

5. Il va aller chez ses cousins. (où)

_____ .

6. Il va aux États-Unis pour apprendre l'anglais. (pourquoi)

_____ .

EXERCICE Q

Votre ami vous a invité au restaurant et vous lui demandez quelques renseignements. Formulez des questions auxquelles les mots en caractères gras répondent.

EXEMPLES: **Comment allons-nous au restaurant ?**
Nous allons au restaurant **en voiture.**

Où le restaurant se trouve-t-il ?
Le restaurant se trouve **rue Jacques.**

1. _____

Le restaurant est **très élégant.**

2. _____

On va au restaurant **pour célébrer l'anniversaire de Marie.**

3. _____

Un dîner prix fixe coûte **40 dollars.**

4. _____

Leur cuisine est **très bonne**.

5. _____

Nous allons au restaurant **ce soir à 8 heures**.

[5] OTHER INTERROGATIVE EXPRESSIONS

Qu'est-ce que c'est ?	*What is it?*
Qu'est-ce que c'est que cela (ça) ?	*What is that?*
Qu'est-ce qu'un brontosaure ?	
Qu'est-ce que c'est qu'un brontosaure ?	*What is a brontosaurus?*

EXERCICE R

Vous et votre petit frère étudiez dans la même pièce. Votre frère lit plusieurs mots qu'il ne comprend pas et vous en demande le sens. Formulez ses questions selon vos réponses.

EXEMPLE: **Qu'est-ce que [c'est que] l'ornithologie ?**
L'ornithologie est la science qui traite des oiseaux.

1. _____ .

L'acier est un métal.

2. _____ .

La pétanque est un jeu de boules populaire en France.

3. _____ .

Un nomade est une personne qui n'a pas de domicile fixe.

4. _____ .

Un cobra est un serpent venimeux.

5. _____ .

Le cristal de roche est du quartz extrêmement pur.

[6] EXCLAMATIONS

The forms of **quel** are used in exclamations to express *what a… !* or *what… !*

Quel beau chien !	*What a beautiful dog!*
Quels garçons intelligents !	*What intelligent boys!*
Quelle histoire !	*What a story!*
Quelles oranges délicieuses !	*What delicious oranges!*

EXERCICE S

Qu'est-ce que vous vous exclamez en voyant les choses suivantes:

EXEMPLE:

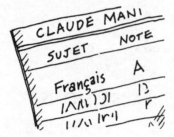

bonne note
Quelle bonne note !

1. jolie bicyclette

2. lion féroce

3. longue file d'attente

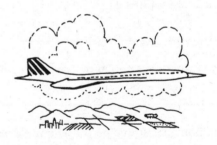

4. avion rapide

5. oiseaux bruyants

6. embouteillage affreux

7. match passionnant

8. maisons mystérieuses

_____

_____

MASTERY EXERCISES

EXERCICE T

La première fois que Louis conduit la voiture de son père, un agent de police l'arrête. En vous basant sur les réponses de Louis, formulez les questions que l'agent lui pose.

1. AGENT: _____

LOUIS: Cette voiture appartient à mon père.

2. AGENT: _____

LOUIS: Mon nom est Louis Dutour.

3. AGENT: _____

LOUIS: J'ai dix-huit ans.

4. AGENT: _____

LOUIS: Mon adresse est 40, rue Jacob.

5. AGENT: _____

LOUIS: Ce sont mes amis.

6. AGENT: _____

LOUIS: Nous allons au cinéma.

7. AGENT: _____

LOUIS: Je conduisais vite parce que nous sommes en retard.

8. AGENT: _____

LOUIS: J'ai eu mon permis de conduire la semaine dernière.

9. AGENT: _____

LOUIS: C'est la première fois qu'un agent m'arrête.

10. AGENT: _____

LOUIS: Je dirai à mon père que j'ai appris une leçon importante.

EXERCICE U

M. Laforêt va se faire opérer des yeux. Complétez les questions que des amis se posent à son égard. Utilisez l'expression interrogative qui convient.

qui	à qui	que	de qui	quel	avec quoi
quelle	auquel	qu'est-ce qui	desquels	laquelle	de quoi

EXEMPLE: _____**Qui**_____ s'occupera de lui après l'opération ?

1. _____ l'irritera ? Le bruit ou la lumière ?

2. _____ va-t-il faire tout de suite après ? Se reposer ou reprendre le travail ?

3. _____ viendra le voir avant l'opération ?

4. _____ pourra-t-il lire ? Avec ses lunettes ou avec des verres de contact ?

5. _____ peut-il téléphoner en cas d'urgence ? À ses filles ou à ses fils ?

6. _____ de ses fils veut-il parler ? Au cadet ou à l'aîné ?

7. _____ est-il le frère ? De Régis ou de Patrice ?

8. _____ âge a-t-il ? Soixante ou soixante-dix ans ?

9. _____ de ses filles va rester à l'hôpital ? Anne ou Colette ?

10. _____ de ses enfants est-il fier ? De ses fils ou de ses filles ?

11. _____ musique a-t-il envie d'écouter ? La musique classique ou le jazz ?

12. _____ a-t-il peur ? Des piqûres ou du scalpel ?

Chapter 29
Possession

[1] EXPRESSING POSSESSION

a. In French, possession and relationship are expressed by the preposition *de* (English possessive case *'s* or *s'*, or sometimes *of*).

le livre **d'**Henri	*Henry's book*
les patins **de** Michel	*Michael's skates*
le bureau **du** directeur	*the principal's office*
le mari **de l'**actrice	*the actress' husband*
la grand-mère **des** enfants	*the children's grandmother*
la couleur **des** fleurs	*the color of the flowers*

NOTE: *de* is repeated before each noun.

Les livres **de** Marc **et de** Paul.   *Marc and Paul's books.*

b. The verb *être* with the preposition *à* (*to belong to*) **also express possession.**

Ce livre **est à** Jean.	*This book belongs to Jean.*
Le cahier **est au** garçon.	*The notebook belongs to the boy.*
Cette gomme **est à** moi.	*This eraser belongs to me.*
Les règles **sont à** eux.	*The rulers belong to them.*

NOTES:

1. *à* is repeated before each noun.

   Ces journaux **sont à Paul et à Luc.**   *These newspapers belong to Paul and Luke.*

2. Forms of *être à* are used as follows in questions:

   À qui est le livre ?   *To whom does the book belong? (Whose book is it?)*

   À qui sont les stylos ?   *To whom do the pens belong? (Whose pens are they?)*

EXERCICE A

Vous expliquez à votre mère à qui sont les objets que vous avez empruntés.

EXEMPLES: la blouse/Anne
C'est la blouse d'Anne.

les gants/garçon
Ce sont les gants du garçon.

1. le baladeur/voisin

2. les chemises/Étienne

_____

3. les CD/Marie et Liliane

_____

4. la raquette/M. Martin

_____

5. les stylos/mes copines

_____

6. le livre/professeur

_____

7. les robes/sœur d'Anne

_____

8. la guitare/instructeur

_____

EXERCICE B

Danielle et son frère sont en train de nettoyer après une grande boum qu'ils ont donnée chez eux. Ils discutent à qui appartiennent les choses que certains invités ont oubliées.

EXEMPLES: les lunettes de soleil/Alexandre
À qui sont les lunettes de soleil ?
Elles sont à Alexandre.

l'agenda/Italienne
À qui est l'agenda ?
Il est à l'Italienne.

1. la veste bleue/Sylvie

_____

_____

2. le stylo rouge/professeur

_____

_____

3. la radio/François

_____

_____

4. les crayons/filles de Claudine

_____

_____

5. le manteau/la sœur de Julien

_____

_____

6. le baladeur/Robert

_____

_____

7. les cassettes/Marie et Liliane

_____

_____

8. le foulard/Jacqueline

_____

_____

EXERCICE C

Monique voudrait rendre à ses amis ce qu'elle leur a emprunté. Exprimez leurs réponses à ses questions.

EXEMPLE: Ce livre est à Paul ?
            Oui, il est à lui.

1. Ces CD sont à François et à Julien ?

_____ .

2. Ce bracelet est à toi, Georgette ?

_____ .

3. Ces vêtements sont à vous, Régine et Hélène ?

_____ .

4. Cette cassette est à Marie ?

_____ .

5. Ces romans sont à Claudette et à moi ?

_____ .

6. Cette radio est à moi ?

_____ .

7. Ce stylo est à ton père, Richard ?

_____ .

8. Ces blouses sont à vos sœurs ?

_____ .

[2] POSSESSIVE ADJECTIVES

SINGULAR		PLURAL	MEANING
MASCULINE	**FEMININE**		
mon	ma	mes	*my*
ton	ta	tes	*your* (familiar)
son	sa	ses	*his, her, its*
notre	notre	nos	*our*
votre	votre	vos	*your*
leur	leur	leurs	*their*

NOTES:

1. Possessive adjectives, like other adjectives, agree with the nouns they describe. They are repeated before each noun.

   nos rideaux et notre tapis   *our curtains and our rug*

   sa tante et son oncle   *her aunt and uncle*

2. The forms *mon, ton,* and *son* are used instead of *ma, ta,* and *sa* before a feminine singular noun beginning with a vowel or silent *h*.

   mon idée   *my idea*   **ton adresse**   *your address*

   son habitude   *his habit*

3. To clarify or emphasize possession, *à* + stress pronoun is added.

   J'ai pris mes **gants à moi.**   *I have taken MY gloves.*

   Nicole a sa guitare. C'est **sa guitare**   *Nicole has her guitar. It's HER guitar.*
   à elle.

4. With parts of the body, the possessive adjective is usually replaced by the definite article if the possessor is clear, except when the part of the body is modified.

   Je me suis coupé **le doigt.**   *I cut my finger.*

   Il avait un livre **sous le bras.**   *He had a book under his arm.*

   On lui a coupé **ses beaux cheveux.**   *She had her beautiful hair cut.*

EXERCICE D

Demandez à un(e) camarade de nommer ce qu'il (elle) préfère et exprimez ses réponses.

EXEMPLE: cours favori
   Nomme ton cours favori.
   Mon cours favori est le français.

1. acteur favori

_____

_____

2. actrice favorite

_____

_____

3. roman favori

_____

_____

4. CD préférés

_____

_____

5. programmes préférés

_____

_____

6. film favori

_____

_____

7. couleurs préférées

_____

_____

8. saison favorite

_____

_____

9. restaurant favori

_____

_____

10. sport favori

_____

_____

EXERCICE E

Vos parents et vous arrivez à la douane de l'aéroport Charles de Gaulle. Le douanier vous pose des questions et vous y répondez.

EXEMPLE: carte verte
Avez-vous votre carte verte ?
Oui, nous avons notre carte verte.

1. cartes d'identité

_____

_____

2. déclaration en douane

_____

_____

3. passeports

_____

_____

4. bagages

_____

_____

5. reçus d'enregistrement des bagages

_____

_____

6. billet de retour

_____

_____

EXERCICE F

Exprimez quel est le lien de parenté entre les personnes suivantes.

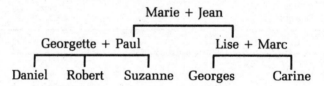

EXEMPLES: Marie est la tante de Paul ?
Non, Marie n'est pas sa tante, elle est sa mère.

Daniel est le frère de Georges et Carine ?
Non, Daniel n'est pas leur frère, il est leur cousin.

1. Paul est le père de Marie ?

_____

2. Lise est la femme de Paul ?

_____

3. Paul et Lise sont les parents de Marie et de Jean ?

_____

4. Marc est le père de Daniel, de Robert et de Suzanne ?

_____

5. Carine est la mère de Lise ?

_____

6. Paul et Georgette sont les grands-parents de Georges et de Carine ?

_____

7. Georges est le cousin de Carine ?

_____

8. Georgette est la sœur de Suzanne ?

_____

EXERCICE G

Georges et Pauline bavardent dans le couloir de l'école. Pauline, qui n'arrive pas à entendre à cause du bruit, pose des questions à son ami. Complétez leur conversation.

EXEMPLE: —J'ai un CD formidable. Je vais le prêter à Charles.
     —Qu'est-ce que tu vas prêter à Charles ?
     —Mon CD.

1. — Bertrand a une petite amie. Il la voit tous les jours.

 — Qui voit-il tous les jours ?

— _____

2. — Martine a une nouvelle voiture. Elle va la conduire.

 — Qu'est-ce que Martine va conduire ?

— _____

3. — Lisette et Paul ont des devoirs. Ils vont les faire ensemble.

 — Qu'est-ce qu'ils vont faire ensemble ?

— _____

4. — Marc a deux chiens. Il va les décrire dans sa composition.

 — Qui est-ce qu'il va décrire dans sa composition ?

— _____

5. — Jean-Luc a un oncle à Montréal. Il va bientôt aller le voir.

 — Qui est-ce que Jean-Luc va bientôt aller voir ?

— _____

6. — Marianne a une nouvelle bague. Elle la porte tous les jours.

 — Qu'est-ce qu'elle porte tous les jours ?

— _____

EXERCICE H

Michel, un garçon de cinq ans, raconte à sa mère ce qui s'est passé en classe aujourd'hui. Complétez les phrases avec un article défini ou un adjectif possessif selon le cas.

1. Robert a enlevé _____ souliers.

2. Claire s'est blessée à _____ jambe.

3. Édouard a levé _____ tête pour mieux voir.

4. La maîtresse a ouvert _____ parapluie quand nous sommes descendus de l'autobus.

5. Lucie s'est coupé _____ cheveux avec un rasoir électrique.

6. Je me suis lavé _____ mains après avoir peint.

7. L'infirmière a mis _____ blouse avant d'examiner Jean.

8. Pierre s'est cassé _____ nez en tombant.

9. J'ai perdu _____ écharpe à l'école.

10. Après avoir joué au football, Henri a eu mal à _____ tête.

[3] POSSESSIVE PRONOUNS

SINGULAR		PLURAL		MEANING
MASCULINE	**FEMININE**	**MASCULINE**	**FEMININE**	
le mien	**la mienne**	**les miens**	**les miennes**	*mine*
le tien	**la tienne**	**les tiens**	**les tiennes**	*yours* (familiar)
le sien	**la sienne**	**les siens**	**les siennes**	*his, hers, its*
le nôtre	**la nôtre**	**les nôtres**	**les nôtres**	*ours*
le vôtre	**la vôtre**	**les vôtres**	**les vôtres**	*yours*
le leur	**la leur**	**les leurs**	**les leurs**	*theirs*

NOTES:

1. A possessive pronoun replaces a possessive adjective + noun. The pronoun agrees with the noun it replaces.

Ma voiture est dans le garage.	*My car is in the garage.*
Où est **la vôtre ?**	*Where is yours?*
Mes yeux sont plus foncés que **les tiens.**	*My eyes are darker than yours.*

2. The definite article, a regular part of the possessive pronoun, contracts with the prepositions *à* and *de* in the usual way.

Il parle à nos fils et **aux leurs.**	*He speaks to our sons and theirs.*
Parles-tu de son voyage ou **du mien ?**	*Are you speaking about his trip or mine?*

3. The possessive pronoun is used after forms of *être* to express distinction.

Cette montre est **la mienne,** pas la vôtre.	*That watch is mine, not yours.*

4. Note these French expressions of possession or relationship.

un de mes amis	*a friend of mine, one of my friends*
un de ses cousins	*a cousin of his, one of his cousins*
une de leurs voisines	*a neighbor of theirs, one of their neighbors*

EXERCICE I

Georges est un garçon de six ans. Il aime dire que tout ce qu'il a est meilleur ce qu'ont les autres. En employant un pronom possessif, exprimez ce que Georges dit.

EXEMPLE: Ma bicyclette va plus vite que la bicyclette de Raymond.
Ma bicyclette va plus vite que la sienne.

1. Mon frère est plus grand que le frère d'Hélène.

   _____ .

2. Mon costume est plus beau que ton costume.

   _____ .

3. Votre chat est plus petit que notre chat.

   _____ .

4. Mes amis sont plus forts que tes amis.

   _____ .

5. Vos grands-parents sont plus jeunes que nos grands-parents.

   _____ .

6. Les amies de mon frère sont plus belles que les amies de Paul.

   _____ .

7. Ta maison est moins moderne que ma maison.

   _____ .

8. Ton ordinateur est moins sophistiqué que l'ordinateur de mes frères.

   _____ .

9. Ma mère cuisine mieux que ta mère.

   _____ .

10. Le frère d'Albert est moins courageux que mon frère.

    _____ .

EXERCICE J

Vous réfléchissez à plusieurs choses. Exprimez les phrases selon l'exemple.

EXEMPLE: Mes impressions de voyage et les impressions de Jean sont très différentes.
Mes impressions de voyage et les siennes sont très différentes.

1. Ma voiture et la voiture d'Alice sont rouges.

   _____ .

2. Mes goûts et les goûts de Georges sont similaires.

   _____ .

3. Mon anniversaire et l'anniversaire des jumeaux tombent le même jour.

   _____ .

4. Les conseils de mon père et les conseils du père d'Arthur ne sont pas les mêmes.

_____ .

5. Mes bagues et vos bagues sont très jolies.

_____ .

6. Les idées de Janine et de Claudine et nos idées sont intéressantes.

_____ .

7. Tes boums et les boums de tes amies sont amusantes.

_____ .

8. Les notes d'Anne et les notes de Béatrice sont les meilleures.

_____ .

EXERCICE K

Élise et Béatrice sont jumelles. Élise sait toujours où tout se trouve. Béatrice, au contraire, ne trouve jamais rien et doit demander à chaque fois à sa sœur. Exprimez les réponses d'Élise aux questions de Béatrice.

EXAMPLE: BÉATRICE: J'ai trouvé mon baladeur, mais je ne sais pas où est le baladeur de Georges. (dans la cuisine)

             ÉLISE: **Le sien est dans la cuisine.**

1. BÉATRICE: Où se trouve ma blouse verte ? (dans l'armoire)

     ÉLISE: _____

2. BÉATRICE: Voilà la montre de maman. Je ne trouve pas la montre de papa. (sur la commode)

     ÉLISE: _____

3. BÉATRICE: Où est-ce que j'ai laissé mon billet pour le concert ? (dans ton livre d'histoire)

     ÉLISE: _____

4. BÉATRICE: Est-ce que tu as vu ma brosse ? (dans la salle de bains)

     ÉLISE: _____

5. BÉATRICE: Je ne trouve pas ma ceinture rouge. Je peux me servir de ta ceinture rouge ? (dans le tiroir)

     ÉLISE: _____

6. BÉATRICE: Je cherche les lettres de Jean-Paul. (dans le bureau)

     ÉLISE: _____

7. BÉATRICE: Je dois emprunter ton CD de John Lennon. (là bas)

     ÉLISE: _____

EXERCICE L

Les personnes suivantes viennent d'arriver à leur hôtel en France. Exprimez ce qu'elles font en utilisant le pronom possessif correct.

EXEMPLES: Marie présente **son amie** et moi, je présente ___**la mienne**___ .

                Je ressemble **à mon père**, et toi, tu ressembles ___**au tien**___ .

1. Denis monte ses bagages et moi, je monte _____ .

2. Hubert présente sa carte d'identité et nous, nous présentons _____ .

3. Gilbert monte dans sa chambre et vous, vous montez dans _____ .

4. Yves remplit sa fiche et Martine et Olivier remplissent _____ .

5. Barbara cherche son passeport et Bernadette cherche _____ .

6. Patrick téléphone à ses cousins et toi, tu téléphones _____ .

7. Nathalie parle à sa tante et moi, je parle _____ .

8. Dominique discute de ses projets et nous, nous discutons _____ .

9. Liliane parle de sa famille et Frédéric parle _____ .

10. Jean-Pierre défait ses valises et Madeleine et Roger défont _____ .

M A S T E R Y   E X E R C I S E S

EXERCICE M

Éric aime bien porter les vêtements des autres. Pendant qu'il s'habille, il discute avec son ami qui l'attend pour sortir. Complétez leur conversation avec les adjectifs ou les pronoms possessifs qui conviennent.

PAUL: Aujourd'hui tu portes un très joli pull. Est-ce que c'est _____ ?
1.

ÉRIC: Non, ce n'est pas _____ , c'est le pull de _____ frère
2.   3.
Pierre.

PAUL: Est-ce que tu mets toujours _____ vêtements ?
4.

ÉRIC: Souvent. J'aime bien _____ pulls et _____ chapeaux.
5.   6.

PAUL: Cette cravate est jolie. Où l'as-tu achetée ?

ÉRIC: Je ne l'ai pas achetée. Ce n'est pas _____ , elle est à _____
7.   8.
frère Édouard. J'aime porter _____ cravates.
9.

PAUL: Quels autres habits empruntes-tu à _____ frères ?
10.

ÉRIC: De temps en temps je mets _____ chaussettes et _____
11.   12.
manteaux.

PAUL: N'as-tu pas _____ propre manteau ?
13.

ÉRIC: Si, mais _____ n'est pas aussi chaud que _____ .
14. 15.

PAUL: Bon. Allons-y. Il se fait tard.

ÉRIC: Attends un moment. Je dois chercher _____ ceinture noire.
16.

PAUL: Je crois qu'elle est ici sur la table, mais il me semble que c'est la ceinture de

_____ père.
17.

ÉRIC: Tu as raison, mais puisque lui et moi, nous l'utilisons, nous considérons que c'est

_____ .
18.

PAUL: Quelle chance tu as ! _____ frères ne me prêtent jamais rien !
19.

ÉRIC: Bon. Je suis prêt. Dépêchons-nous car _____ petites amies nous
20.

attendre !

EXERCICE N

M. Marcel veut rendre les objets que des étudiants ont oubliés dans les vestiaires du gymnase. Exprimez ses conversations avec les étudiants.

EXEMPLES: Ce stylo est à toi ?
Non, ce n'est pas le mien.

Ces stylos sont à toi ?
Non, ce ne sont pas les miens.

1. Ce maillot est à Jean ?

_____ .

2. Cette montre est à vous ?

_____ .

3. Ces clés sont à moi ?

_____ .

4. Ces cravates sont à Étienne et à Hervé ?

_____ .

5. Ces shorts sont à toi ?

_____ .

6. Cette écharpe est à Marie ?

_____ .

7. Ces gants sont à Lucie et Cécile ?

_____ .

8. Ces livres sont à vous ?

_____ .

Chapter 30
Demonstratives

Demonstrative adjectives and pronouns indicate or point out the person or thing referred to (*this, that, these, those*).

[1] DEMONSTRATIVE ADJECTIVES

ce	before a masculine singular noun beginning with a consonant	*ce* garçon	*this (that) boy*
cet	before a masculine singular noun beginning with a vowel or silent *h*	*cet* appareil *cet* hiver	*this (that) instrument* *this (that) winter*
cette	before a feminine singular noun	*cette* revue	*this (that) magazine*
ces	before all plural nouns	*ces* garçons *ces* appareils *ces* hivers *ces* revues	*these (those) boys* *these (those) instruments* *these (those) winters* *these (those) magazines*

Ce chapeau est à Sylvie.	*This hat belongs to Sylvie.*
Cet ascenseur ne marche pas.	*This elevator does not work.*
Voyez-vous **cette cathédrale ?**	*Do you see that cathedral?*
Ces hors-d'œuvre étaient délicieux.	*Those appetizers were delicious.*

NOTES:

1. Demonstrative adjectives agree with the nouns they modify.

2. The demonstrative adjective is repeated before each noun.

   ce lac et cette plage   *that lake and beach*

   ces aiguilles et ces épingles   *these needles and pins*

3. To distinguish between *this* and *that* or between *these* and *those*, *ci* and *là* are added with hyphens to the nouns contrasted. For *this* or *these*, -*ci* is added; for *that* or *those*, -*là* is added.

   cette écriture-**ci** ou cette écriture-**là**   *this handwriting or that handwriting*

   ces poèmes-**ci** et ces poèmes-**là**   *these poems and those poems*

EXERCICE A

Vous êtes au cirque avec votre famille. Qu'est-ce que vous vous exclamez pendant le spectacle ?

EXEMPLE: lion féroce
         Regardez ce lion féroce !

1. jongleurs adroits

_____ .

2. acrobate gracieuse

_____ .

3. trapéziste audacieux

_____ .

4. tigres sauvages

_____ .

5. éléphant gigantesque

_____ .

6. clown maladroit

_____ .

7. chevaux élégants

_____ .

8. chiens intelligents

_____ .

EXERCICE B

Vous êtes au marché. Gloria veut tous les fruits qu'elle voit. Exprimez ce qu'elle va acheter.

EXEMPLES: melon / ici
Elle va acheter ce melon-ci.

fraises / là
Elle va acheter ces fraises-là.

1. oranges / ici

_____ .

2. pêches / là

_____ .

3. avocat / ici

_____ .

4. poires / ici

_____ .

5. raisins / là

_____ .

6. pomme / là

_____ .

7. ananas / ici

_____ .

8. prunes / là

_____ .

[2] VARIABLE DEMONSTRATIVE PRONOUNS

	MASCULINE	FEMININE	MEANING
SINGULAR	**celui**	**celle**	*this one, that one, the one*
PLURAL	**ceux**	**celles**	*these, those, the ones*

Il préfère cette chemise **à celle de Paul.**   *He prefers this shirt to Paul's.*

Ce vase ressemble **à celui que**   *This vase resembles the one that*
    je viens d'acheter.   *I just bought.*

a. Demonstrative pronouns agree with the nouns they refer to.

Je prends **cette robe-ci et celle-là.**   *I am taking this dress and that one.*

Donnez-moi **ces papiers et ceux-là.**   *Give me these papers and those.*

b. *Celui* and its forms are not used alone. They are generally used with one of the following: *de, -ci, -là,* or the relative pronouns *qui, que, dont,* and *où.*

  (1) **celui de**   *the one of, that of*

    Donnez-moi mon billet et **celui de Gautier.**   *Give me my ticket and Gautier's.*

    Les cours de cette année sont plus intéressants   *This year's courses are more interesting*
      que ceux de l'année dernière.   *than those of last year.*

    Nous avons deux envies, **celle de voyager et**   *We have two desires: that of traveling*
      celle de nous amuser.   *and that of having fun.*

  (2) **celui-ci**   *this (one), the latter*
      celui-là   *that (one), the former*

    Cette composition**-ci** est meilleure que   *This composition is better than that one.*
      celle-là.

    Quels bracelets préférez-vous, **ceux-ci ou**   *Which bracelets do you prefer, these or*
      ceux-là ?   *those?*

    Lamartine et Balzac étaient écrivains;   *Lamartine and Balzac were writers;*
      celui-ci était romancier et **celui-là** poète.   *the latter was a novelist and the*
             former a poet.

  (3) **celui qui**   *the one that (subject)*
      celui que   *the one that (object)*
      celui dont   *the one of which*
      celui où   *the one in which, the one where*

    Ceux qui travaillent dur réussissent.   *Those who work hard succeed.*

    La maison blanche est *celle qu*'ils vont   *The white house is the one (that) they*
      acheter.   *are going to buy.*

C'est *celui dont* je vous ai parlé.

This is the one (that) I spoke to you about.

À quel magasin vas-tu ? —*À celui où* il y a des soldes.

Which store are you going to? —To the one where there are sales.

NOTE: **In the construction *celui* + relative pronoun, the relative pronoun may be the object of a preposition.**

J'aime tous mes frères mais Philippe est *celui avec qui* je m'amuse le plus.

I love all my brothers, but Philippe is the one with whom I have the most fun.

Ce professeur est *celui pour qui* j'ai le plus d'admiration.

This professor is the one for whom I have the most admiration.

EXERCICE C

Vous venez de louer votre premier appartement et vous avez besoin de tout acheter. Votre mère vous accompagne au grand magasin où vous comparez les articles à acheter. Complétez votre conversation avec le vendeur.

EXEMPLE: Voici un frigidaire. (le dernier modèle / plus économique)
Celui-ci est le dernier modèle.
Mais celui-là est plus économique.

1. Voici un tapis. (joli / meilleur marché)

_____ .

_____ .

2. Voici des chaises. (confortables / plus à la mode)

_____ .

_____ .

3. Voici une lampe. (très décorative / plus pratique)

_____ .

_____ .

4. Voici des tableaux. (modernes / en solde)

_____ .

_____ .

5. Voici une chaîne stéréo. (programmable / de meilleure qualité)

_____ .

_____ .

6. Voici un climatiseur. (puissant / plus silencieux)

_____ .

_____ .

7. Voici des tables. (rustiques / moins chères)

_____ .

_____ .

8. Voici un matelas. (très dur / plus mou)

_____ .

_____ .

EXERCICE D

Pierre fait des remarques sur les gens qu'il connaît. Complétez ses phrases avec les formes correctes de celui-ci ou celui-là.

1. Jean a dix-sept ans tandis que son frère en a quinze. _____ est le cadet et

_____ l'aîné.

2. Les Dupont dépensent facilement leur argent tandis que les Renard vivent simplement.

_____ sont économes et _____ dépensiers.

3. Liliane est aimable tandis que sa sœur est désagréable. _____ a un mauvais caractère et

_____ un bon caractère.

4. Pierre fait toujours ses devoirs tandis que Luc ne fait jamais les siens. _____ est pa-

resseux et _____ consciencieux.

5. Marie et Anne aiment faire du sport tandis que Laure et Françoise préfèrent aller à la bibliothèque.

_____ sont studieuses et _____ sportives.

EXERCICE E

Votre petit frère discute avec son ami. Exprimez ce qu'il dit à son ami pour l'impressionner.

EXEMPLE: La voiture de mes parents est rapide.
           Celle de mes parents est encore plus rapide.

1. Le vélo de mon frère est léger.

_____

2. La télé de mes parents est très grande.

_____

3. Les jeux vidéo de mon cousin sont difficiles.

_____

4. La caméra vidéo de ma mère est sophistiquée.

_____

5. Les chemises de mon père sont à la mode.

_____

6. Le micro-ordinateur de ma sœur est extraordinaire.

_____

7. Les recherches de mon père sont importantes.

_____

8. Les bijoux de ma mère sont précieux.

_____

EXERCICE F

Comparez le lieu indiqué dans la phrase avec le lieu entre parenthèses et donnez votre opinion selon l'exemple. Utilisez un pronom démonstratif et les expressions **moins, plus** ou **aussi.**

EXEMPLE: Les restaurants du Canada sont excellents. (États-Unis)
Ceux des États-Unis sont aussi excellents.

1. La plage de Nice est propre. (New York)

_____.

2. Les hôtels de Monte-Carlo sont luxueux. (Las Vegas)

_____.

3. Les boutiques de Paris sont élégantes. (Berlin)

_____.

4. Les vignobles de Champagne sont renommés. (San Francisco)

_____.

5. Les astronefs des États-Unis sont avancés. (Russie)

_____.

6. Les exportations du Japon sont nombreuses. (Angleterre)

_____.

7. Le temps de Paris est agréable. (Los Angeles)

_____.

8. Le président des États-Unis est intelligent. (France)

_____.

EXERCICE G

Exprimez ce que vous préférez en choisissant un des adjectifs entre parenthèses.

EXEMPLE: Quels vêtements aimez-vous mieux ? (chics / confortables)
J'aime mieux ceux qui sont confortables.

1. Quelles coupes de cheveux aimez-vous mieux ? (à la mode / traditionnelles)

_____.

2. Quelles voitures préférez-vous ? (rapides / spacieuses)

_____.

3. Quel travail choisirez-vous ? (stimulant / facile)

_____.

4. Quels sports préférez-vous ? (dangereux / amusants)

_____.

5. Quels professeurs aimez-vous mieux ? (sévères / indulgents)

_____.

6. Quelle activité préférez-vous ? (sportive / intellectuelle)

_____.

7. Quels films préférez-vous voir ? (drôles / effrayants)

_____.

8. Quelles classes préférez-vous ? (faciles / difficiles)

_____.

EXERCICE H

Répondez aux questions qu'un ami vous pose.

EXEMPLE: Quelles sont les cours que tu préfères ?
Ceux que je préfère sont le français et l'histoire.

1. Quelle est la voiture que tu préfères ?

_____.

2. Quel est le film que tu préfères ?

_____.

3. Quels sont les chanteurs que tu préfères ?

_____.

4. Quelles sont les bandes dessinées que tu préfères ?

_____.

5. Quels sont les restaurants que tu préfères ?

_____.

6. Quel est le journal que tu préfères ?

_____.

7. Quelle est la boisson que tu préfères ?

_____.

8. Quelles sont les revues que tu préfères ?

_____.

EXERCICE I

M. Georges va à un magasin spécialisé chercher le matériel qu'il a commandé la semaine dernière pour rénover sa maison. Exprimez les réponses du vendeur à ses questions.

EXEMPLE: Avez-vous reçu les planches ?
Non, je n'ai pas reçu celles dont vous avez besoin.

1. Avez-vous reçu le marteau ?

_____

2. Avez-vous reçu l'échelle ?

_____

3. Avez-vous reçu les clous ?

_____

4. Avez-vous reçu la peinture ?

_____

5. Avez-vous reçu les câbles électriques ?

_____

6. Avez-vous reçu le papier peint ?

_____

EXERCICE J

Richard rend visite à sa grand-mère. Pendant qu'ils se promènent dans son village natal, Richard lui pose des questions sur sa jeunesse. Formulez les réponses de sa grand-mère.

EXEMPLE: C'est le village où tu es née ?
Oui, c'est celui où je suis née.

1. C'est la maison où tu as grandi ?

_____.

2. Ce sont les écoles où tu as étudié ?

_____.

3. C'est le parc où tu jouais ?

_____.

4. Ce sont les magasins où tu faisais les courses ?

_____.

5. C'est le restaurant où tu as fait la connaissance de grand-père ?

_____.

6. Ce sont les boutiques où tu as travaillé ?

_____.

7. Ce sont les théâtres où tu t'es amusée ?

_____ .

8. C'est l'église où tu t'es mariée ?

_____ .

[3] INVARIABLE DEMONSTRATIVE PRONOUNS: *CECI, CELA, ÇA, CE*

a. The demonstrative pronouns *ceci* (*this*) and *cela,* (*ça*) (*that*) refer to objects, ideas, a whole sentence or clause, or facts indicated or pointed to, but not named. While, generally, *cela* (*ça*) refers to an idea or fact already mentioned, *ceci* introduces it.

Donnez-lui **ceci**.	*Give him this.*
Qu'est-ce que c'est que **cela (ça) ?**	*What is that?*
Votre fils a reçu une bonne note. **Cela (ça)** vous fera certainement plaisir.	*You son received a good grade. That will certainly please you.*
Ceci vous fera certainement plaisir: votre fils a reçu une bonne note.	*This will certainly please you: your son received a good grade.*

NOTES:

1. The form *ça* often replaces *cela* in colloquial spoken French.

2. *Ceci* refers to the object near the speaker, *cela* to the object away from the speaker.

Il regarda l'ordinateur puis la machine à écrire et dit: « **Ceci remplacera cela.** »	*He looked at the computer then at the typewriter and said: "This will replace that."*

b. The demonstrative pronoun *ce* is used as the subject of the verb *être*, before a noun, pronoun or an adjective, to replace *il(s)* or *elle(s)*. See Chapter 20, Section 2.

Ce sont mes parents.	*They are my parents.*
C'est elle.	*This is she.*
C'est joli.	*It is pretty.*

c. The demonstrative pronoun *ce* followed by a relative pronoun, *qui, que, dont,* is used to summarize or introduce a clause or an indefinite antecedent. See Chapter 22, Section 6.

Ce qui est ennuyeux, c'est le manque de temps.	*What's annoying is the lack of time.*

EXERCICE K

Il y a des commérages à l'école. Complétez les phrases des étudiants en utilisant **ceci** *ou* **cela**.

1. Écoutez _____ : Paul est tombé amoureux de Marie.

2. Mme Rouleau va se marier. _____ me paraît impossible.

3. Julien a reçu une bourse de dix mille dollars. _____ m'a beaucoup surpris.

4. _____ va te faire plaisir : notre professeur d'histoire est absent.

5. On ne peut pas aller à la piscine demain. _____ ne fait rien.

6. Lucie va aller à l'université de Paris. _____ dit, j'ajoute qu'elle le mérite.

7. Raoul fait l'école buissonnière aujourd'hui. _____ ne sera pas sans conséquences.

8. Les vacances ont _____ de bon : il n'y a pas de devoirs.

EXERCICE L

Exprimez les sentiments de Jean-Jacques en utilisant ça.

EXEMPLE: Je n'aime pas parler devant la classe. (rendre nerveux)
         Ça me rend nerveux.

1. Je n'aime pas les montagnes russes. (faire peur)

_____.

2. J'aime faire du sport. (passionner)

_____.

3. Je n'aime pas chanter devant tout le monde. (embarrasser)

_____.

4. J'aime le cinéma japonais. (intéresser)

_____.

5. Je n'aime pas parler de politique. (ennuyer)

_____.

6. J'aime recevoir des cadeaux de mon amie. (faire plaisir)

_____.

M A S T E R Y   E X E R C I S E S

EXERCICE M

Imaginez que vous êtes dans un musée où il y a des tableaux, des sculptures, des tapis et d'autres objets d'art. Décrivez huit de ces objets en utilisant un adjectif démonstratif.

bijou	sculpture	vaisselle
dessin	statue	vase
meuble	tableau	
portrait	tapis	

EXEMPLES: **Ces portraits sont jolis.**
Cette sculpture est fort bizarre.

1. _____ .

2. _____ .

3. _____ .

4. _____ .

5. _____ .

6. _____ .

7. _____ .

8. _____ .

EXERCICE N

Vous montrez des photos à votre frère. Comme il est très curieux, il vous demande des précisions. Répondez à ses questions.

EXEMPLES: Est-ce la fille avec qui Christian est sorti ?
Oui, c'est celle avec qui il est sorti.

Marc a parlé de ces amis-là ?
Oui, ce sont ceux dont il a parlé.

1. Est-ce à cet hôpital que Janine est allée ?

   _____ .

2. Ce sont ces chiens-là qui ont détruit vos plantes ?

   _____ .

3. Est-ce de cette jeune fille que Pierre a fait la connaissance ?

   _____ .

4. Ce sont les deux nouvelles voitures que M. Bertrand vient d'acheter ?

   _____ .

5. Est-ce de ce chanteur formidable que Luc m'avait parlé ?

   _____ .

6. Est-ce cette robe-ci qu'elle voulait porter au bal ?

   _____ .

7. Ce sont ces films qu'il avait envie de voir ?

   _____ .

8. Est-ce de ce petit chien-là que Marie avait peur ?

_____ .

9. Est-ce cette ville où Jean voulait aller ?

_____ .

10. Ce sont les boutiques où les Marchand ont travaillé ?

_____ .

Chapter 31
Indefinites

[1] FORMS

Indefinites may be adjectives, pronouns, or both.

ADJECTIVE	PRONOUN
aucun(e) *any, no*	**aucun(e)** *any, no one, none*
autre(s) *other*	**autre(s)** *other(s) other one(s)*
certain(e)(s) *(a) certain, some*	**certain(e)s** *certain, some*
chaque *each*	**chacun(e)** *each one, everyone*
le (la) (les) même(s) *the same*	**le (la) (les) même(s)** *the same one(s)*
	on *we, you, they, people, one*
plusieurs *several*	**plusieurs** *several*
quelque(s) *some*	**quelqu'un(e)** *someone, anyone*
	quelques-un(e)s *some, a few*
	quelque chose *something, anything*
	rien *nothing*
tout, tous, toute, toutes *all, every*	**tous, toutes** *all*
	tout *all, everything*

[2] USES

a. *aucun(e)*

Aucun(e) is used in the singular (with or without *ne*) as an adjective or a pronoun.

(1) As an adjective, *aucun(e)* may be used with a noun for stress.

Il réussira sans **aucun doute**.	*He will succeed without any doubt.*
Le ferais-tu ? —En **aucun cas**.	*Would you do it? —Under no circumstances.*

(2) As a pronoun, *aucun(e)* may be followed by *de* + noun or pronoun.

Je n'ai vu **aucun de ces films**.	*I didn't see any of those films.*
Aucune d'elles n'est partie.	*None of them left.*

EXERCICE A

Exprimez ce que la mère d'Antoine dit de son fils qui vient d'achever ses études universitaires. Utilisez l'indéfini aucun(e).

EXEMPLE: il / travailler / sans difficulté
Il a travaillé sans aucune difficulté.

1. il / choisir de se spécialiser en science / sans hésitation

_____ .

2. il / assister à tous les cours / sans exception

_____

3. il / passer tous ses examens / sans problème

_____

4. il / suivre son cours de physique / sans effort particulier

_____

5. il / faire quatre ans d'études / sans aide financière

_____

6. il / faire un bon choix / sans doute

_____

EXERCICE B

M. Carré rentre après avoir passé cinq ans à l'étranger. Durant ces années, il n'a eu aucun contact avec son pays. Exprimez ce qu'il répond à un ami qui lui pose des questions.

EXEMPLE: suivre / ces histoires
          Je n'ai suivi aucune de ces histoires.

1. voir / ces films

_____

2. lire / ces articles

_____

3. apprendre / ces danses

_____

4. entendre / ces nouvelles

_____

5. recevoir / ces revues

_____

6. écouter / ces CD

_____

   b. *autre*

     Autre **may be used as an adjective or a pronoun.**

     (1) **As an adjective,** *autre* (*other, another*) **precedes the noun it describes. It may be preceded by a definite or indefinite article.**

Il va suivre **l'autre cours.**	*He is going to take the other course.*
Donnez-moi **une autre feuille** de papier.	*Give me another (a different / one more) sheet of paper.*
J'ai **d'autres problèmes.**	*I have other problems.*

NOTE: *encore un(e)* (*another*) means an additional one.

Apportez-nous **encore un verre** car nous sommes trois.	*Bring us another glass, for there are three of us.*

(2) As a pronoun, *autre* [*other (one), others*] is preceded by an article.

Moi, j'appelle Christine et toi, Jean, tu appelles **les autres.**	*I'll call Christine and you, John, (you) call the others.*
À ma place, **un autre** aurait fait la même chose.	*In my place, another (person) would have done the same thing.*
Moi, j'ai trouvé ce film intéressant mais **d'autres** ne l'aimeront peut-être pas.	*I found this film interesting but others (other people) may not like it.*

NOTES:

1. The indefinite article used with plural *autres* is always *d'*.

Il n'y a pas **d'autres possibilités.**	*There are no other possibilities.*
D'autres viendront plus tard.	*Others will come later.*

2. The following expressions are used to show reciprocal action, especially with reflexive verbs (see Chapter 11, Section 6f, p. 148).

l'un(e) l'autre   *each other (of two)*
les un(e)s les autres   *one another (of more than two)*

Elles ne se parlent pas **l'une à l'autre.**	*They don't speak to each other.*
Ils s'aidaient **les uns les autres.**	*They used to help one another.*

3. *Autre* is used in the following expressions:

l'un(e) et l'autre *both, both of them*	l'un(e) à l'autre *to each other*
l'un(e) ou l'autre *either one*	l'un(e) pour l'autre *one for the other,*
ni l'un(e) ni l'autre *neither one*	*for each other*

Ils travaillent **l'un pour l'autre.**	*They work for each other.*
Tu as deux stylos. Donne-moi **l'un ou l'autre.**	*You have two pens. Give me either one.*
Laquelle de ces robes préfères-tu ? **—Ni l'une ni l'autre.**	*Which of these dresses do you prefer?* *—Neither one.*

EXERCICE C

Denise prépare une nouvelle recette avec son frère. Ça ne va pas très bien et elle s'énerve. Exprimez ce qu'elle dit à son frère.

EXEMPLE: un bol
Donne-moi un autre bol.

1. un œuf

_____

2. une cuillère en bois

_____ .

3. des épices

_____ .

4. un couteau

_____ .

5. des spatules

_____ .

6. un verre d'eau

_____ .

EXERCICE D

Tirez des conclusions basées sur ce que M. Hameau dit de ses fils jumeaux, Louis et Gabriel. Utilisez une expression avec **l'un... l'autre.**

EXEMPLES: Jean travaille. Gabriel travaille aussi.
Ils travaillent l'un et l'autre.

Jean écrit à Gabriel. Gabriel écrit à Jean.
Ils s'écrivent l'un à l'autre.

1. Jean parle à Gabriel. Gabriel parle à Jean.

_____

2. Jean aide Gabriel. Gabriel aide Jean.

_____

3. Jean travaille pour Gabriel. Gabriel travaille pour Jean.

_____

4. Jean est sérieux. Gabriel est sérieux.

_____

5. Jean téléphone à Gabriel. Gabriel téléphone à Jean.

_____ .

    c. _certain(e)(s)_

        (1) As an adjective, **certain(e)(s)** (_certain, some_) takes the indefinite article **un(e)** in the singular and no article in the plural, as in English.

            J'ai **un certain talent** pour les affaires.   _I have a certain talent for business._

            Certains tableaux de Degas se trouvent   _Certain (some) paintings by Degas are at_
               au Musée d'Art Moderne.   _the Museum of Modern Art._

        (2) As a pronoun, **certain(e)s** (_certain ones, some_) is used only in the plural. The phrase **d'entre eux (elles)** (_of them_) may be added.

            Certains n'ont pas fini.   _Some haven't finished._

            Certaines d'entre elles voulaient chanter.   _Some of them wanted to sing._

EXERCICE E

Dans la classe de Mme Rameau les élèves font des choses différentes. Exprimez qui d'entre eux fait certaines choses.

EXEMPLE: Il y a des élèves qui étudient beaucoup.
Certains élèves étudient beaucoup et certains n'étudient pas beaucoup.

1. Il y a des jeunes filles qui se maquillent.

_____ .

2. Il y a des élèves qui jouent d'un instrument.

_____ .

3. Il y a des garçons qui sont forts en sport.

_____ .

4. Il y a des élèves qui s'habillent à la mode.

_____ .

5. Il y a des élèves qui parlent bien le français.

_____ .

6. Il y a des élèves qui aident le professeur.

_____ .

d. *chaque* *each, every* (adjective); *chacun(e)* (pronoun)

These indefinites, used only in the singular, stress the individual.

Chaque ouvrier a sa spécialité.   *Each (Every) worker has his specialty.*
Dans notre équipe, **chacun fait**   *In our team, everyone (each one) does*
  de son mieux.   *his best.*

NOTE: The stress pronoun *soi* is used with *chacun(e)*.

Chacun(e) pour soi.   *Everyone for himself/herself.*

EXERCICE F

Viviane va en France pour la première fois. Formulez les questions qu'elle pose à son cousin Denis et les réponses de Denis.

EXEMPLE: hôtel / offrir / les mêmes services
Chaque hôtel offre les mêmes services ?
Mais non ! Chacun offre des services différents.

1. restaurant / servir / les mêmes spécialités

_____ .

_____ .

2. cinéma / jouer / les mêmes films

_____ .

_____ .

3. musée / ouvrir / à la même heure

_____ .

_____

4. région / donner / les mêmes fêtes

_____ .

_____

5. magasin / vendre / les mêmes articles

_____ .

_____

6. ville / avoir / les mêmes magasins

_____ .

_____

    e. le (la, les) même(s)   *the same* (adjective)

      le (la, les) même(s)   *the same one(s)* (pronoun)

    Ils portent **les mêmes chaussures.**   *They're wearing the same shoes.*

    Les mêmes coûtent cent euros.   *The same ones cost one hundred euros.*

EXERCICE G

Régine veut s'habiller exactement comme sa meilleure amie Nicole. Elles discutent des vêtements et de leurs prix. Exprimez ce que Régine dit et la réponse de Nicole.

EXEMPLE: pantalon (€50)

          Je voudrais acheter le même pantalon.

          Le même coûte cinquante euros.

1. robe (€80)

_____

_____

2. blouse (€35)

_____

_____

3. pull (€65)

_____

_____

4. chaussures (€100)

_____

_____

5. jupe (€75)

_____ .

_____ .

6. chaussettes (€12)

_____ .

_____ .

f. *on*

The subject pronoun **on** (*we, you, they, people, one*) refers to an indefinite person or persons and always takes a third person singular verb. It has several possible equivalents in English. The active construction with **on** is often used in French where English uses the passive (see Chapter 13).

On prépare les repas dans la cuisine.
{
We prepare meals in the kitchen.
You prepare meals in the kitchen.
They prepare meals in the kitchen.
People prepare meals in the kitchen.
One prepares meals in the kitchen.
Meals are prepared in the kitchen.

NOTES:

1. **Soi** (*oneself*) is the stress pronoun for **on**.

On ne doit pas toujours penser **à soi.**   *One should not always think of oneself.*

2. After certain monosyllables ending in a pronounced vowel sound, such as **et, ou, où, que,** and **si,** the form **l'on** may be used for the sake of pronunciation, but not if **on** precedes **le, la, les.**

la salle **où l'on** danse   *the room in which we dance*

si l'on veut   *if you like*

si on le veut   *if one wants it*

EXERCICE H

Exprimez ce qu'on fait quand on est malade.

EXEMPLE: Quand on a une forte fièvre, ___**on garde le lit**___ .

1. Quand on a mal à la tête, _____ .

2. Quand on a le nez qui coule, _____ .

3. Quand on a mal à la gorge, _____ .

4. Quand on a la grippe, _____ .

5. Quand on se casse la jambe, _____ .

6. Quand on ne peut pas dormir, _____ .

g. *plusieurs*

As an adjective and pronoun, **plusieurs** means *several;* the pronoun **plusieurs** may be followed by **d'entre eux (elles)** (*of them*).

J'ai plusieurs amis.	*I have several friends.*
Plusieurs d'entre eux sont très aimables.	*Several of them are very friendly.*

EXERCICE I

Monique raconte à son amie Colette ce qu'elle vient d'acheter. Colette dit ce qu'elle en pense. Imaginez la conversation entre les deux copines.

EXEMPLE: livres (intéressants)
    MONIQUE: **Je viens d'acheter plusieurs livres.**
    COLETTE: **Plusieurs d'entre eux sont intéressants.**

1. maillots (à la mode)

    MONIQUE: _____

    COLETTE: _____

2. CD (vieux)

    MONIQUE: _____

    COLETTE: _____

3. cassettes (formidables)

    MONIQUE: _____

    COLETTE: _____

4. affiches (drôles)

    MONIQUE: _____

    COLETTE: _____

5. blouses (chic)

    MONIQUE: _____

    COLETTE: _____

6. gâteaux (délicieux)

    MONIQUE: _____

    COLETTE: _____

h. *quelque(s)* (adjective)

quelque(s) *some, a few*

quelqu'un(e) *someone, somebody, anyone* (pronoun)

quelques-un(e)s *some, any, a few* (pronoun)

Je vais acheter **quelques bouteilles** d'eau minérale.	*I am going to buy a few bottles of mineral water.*
Quelqu'un le lui a dit.	*Someone told her so.*
Ils m'ont prêté **quelques-uns** de leurs livres.	*They lent me a few of their books.*

EXERCICE J

Henri et Julien sont allés en voyage avec l'école. À leur retour, leurs parents leur posent quelques questions. Exprimez ce que chacun répond.

EXEMPLE: voir / monuments historiques
Avez-vous vu quelques monuments historiques ?
Oui, nous en avons vu quelques-uns.

1. visiter / cathédrales

_____

_____

2. goûter / plats typiques

_____

_____

3. prendre / photos

_____

_____

4. envoyer / cartes postales

_____

_____

5. acheter / tee-shirts

_____

_____

6. voir / spectacles intéressants

_____

_____

i. *quelque chose; rien, ne... rien*

Quelque chose (*something*) and **rien** (**ne... rien**) (*nothing*) are pronouns; they take **de** before an adjective.

Y a-t-il **quelque chose** qui ne va pas ?	*Is there something wrong?*
Avez-vous remarqué **quelque chose de mystérieux ?**	*Did you notice something mysterious?*
Il **n'a rien dit d'intéressant.**	*He didn't say anything interesting.*

EXERCICE K

Jean et Vincent, son frère cadet, sont seuls à la maison. Vincent a peur. Expliquez ce que Vincent dit à Jean et la réponse de celui-ci.

EXEMPLE: mystérieux
VINCENT: **Il y a quelque chose de mystérieux ici.**
JEAN: **Il n'y a rien de mystérieux ici.**

1. effrayant

VINCENT: _____

JEAN: _____

2. menaçant

VINCENT: _____

JEAN: _____

3. bizarre

VINCENT: _____

JEAN: _____

4. sinistre

VINCENT: _____

JEAN: _____

5. étrange

VINCENT: _____

JEAN: _____

6. inquiétant

VINCENT: _____

JEAN: _____

j. *tout, tous, toute, toutes*

(1) *tout, tous, toute, toutes* (*the whole, all, every*) **(adjective)**

Il a mangé **tout le gateau.**	*He ate the whole cake.*
Il aime **tous ses amis.**	*He likes all his friends.*
Tous les enfants sont sages.	*All the children are good.*

(2) *tout, toutes, tous* (*all, everything, everyone*) **(pronoun):**

Tout est bien qui finit bien.	*All's well that ends well.*
Ils partageront **tout.**	*They will share everything.*
Tout ce qu'il dit est la vérité.	*Everything he says is the truth.*
Tous (toutes) étaient présent(e)s.	*Everyone was present. (They were all present.)*

(3) **Common expressions with tout.**

en tout cas   *in any case, at any rate*

pas du tout   *not at all*

tout à fait   *entirely, quite*

tout à l'heure   *just now, a little while ago* (referring to immediate past); *in a little while, presently* (referring to immediate future)

tout de même   *nevertheless*

tout de suite   *immediately, right away, at once*

tous/toutes (les) deux   *both*

tout le monde   *everybody, everyone*
tout le temps   *all the time*

En tout cas, vous n'avez rien à craindre.	*In any case, you have nothing to fear.*
Ça te gêne ? —**Pas du tout !**	*Does that bother you? —Not at all!*
Elle est **tout à fait guérie.**	*She is completely cured.*
Elle nettoiera sa chambre **tout à l'heure.**	*She will clean her room in a little while.*
Nous avons vu notre tante et notre oncle. **Tous les deux** vont bien.	*We saw our aunt and uncle. Both are well.*
Il répète **tout le temps** la même chose.	*He repeats the same thing all the time.*

EXERCICE L

Décrivez ce qui se passe à l'école en complétant les phrases au moyen d'une expression avec **tout.**

1. Richard interrompt toujours les autres et parle sans cesse. En fait, il parle _____ .

2. Chaque élève participera à la fête. _____ s'amusera.

3. Janine dit au professeur: «Excusez-moi, pourriez-vous répéter votre explication, s'il vous plaît ? Je n'ai

pas _____ compris.»

4. Jean est allé parler avec le conseiller. Henri l'a accompagné. _____ ont parlé de leur

emploi du temps.

5. Bien que Suzette ait beaucoup étudié pour son examen de maths, elle n'est pas _____

confiante.

6. Le remplaçant du professeur de biologie arrivera dans cinq minutes. Ça veut dire qu'il arrivera

_____ .

7. Que tu étudies ou non, téléphone-moi _____ .

8. Jacques parlera au professeur _____ après l'examen.

MASTERY EXERCISES

EXERCICE M

Mme Dubois, le professeur de français, était absente hier. Complétez la lettre que sa remplaçante lui a laissée.

_____ d'extraordinaire n'est arrivé en classe hier. Je n'ai eu _____ prob-
    1. (Nothing)   *2.* (any)
lème avec les élèves. Ils sont _____ très sympathiques. _____ d'entre eux
                                      3. (all)   *4.* (certain)

m'ont beaucoup aidée. _____ élève a fait son travail et _____ m'a écoutée.
                              5. (each)   *6.* (each one)

_____ des filles ont écrit les devoirs au tableau. _____ garçons ont essuyé
      7. (A few)   *8.* (Some)

le tableau. _____ filles ont terminé leurs devoirs en classe. _____ doivent
                  9. (Several)   *10.* (Some others)

les finir chez eux. Dans votre classe, _____ fait _____ . J'ai
                                              11. (everyone)   *12.* (everything)

_____ à vous demander. Je voudrais enseigner cette _____ classe encore
      13. (something)   *14.* (same)

une fois. Savez-vous si _____ va me téléphoner de nouveau pour vous aider ?
                              15. (someone)

EXERCICE N

Complétez avec le mot qui convient.

certains	chaque	aucune	quelque chose
plusieurs	les mêmes	on	l'un pour l'autre
autre	tout le monde		

1. Je n'ai _____ idée.

2. Donnez-moi un _____ stylo, s'il vous plaît.

3. _____ hommes cuisinent mieux que leurs femmes.

4. Ils travaillent _____ .

5. _____ fille de la classe joue d'un instrument.

6. Elles ont choisi _____ réponses que moi.

7. _____ doit travailler pour réussir.

8. Il a _____ amis intelligents.

9. Il y a _____ de suspect.

10. _____ admire ce professeur.

Part Four
Word Study

Chapter 32
Synonyms and Antonyms

[1] SYNONYMES / *SYNONYMS*

Although synonyms are words equivalent or nearly equivalent in meaning, they are not identical. The accurate choice between synonyms can be made only with reference to a specific context.

a. Nouns

l'adresse (*f.*), l'habileté (*f.*)   *skill*

l'affiche (*f.*), la pancarte (*f.*)   *poster*

l'aliment (*m.*), la nourriture   *food*

l'angoisse (*f.*), l'inquiétude (*f.*)   *worry*

le brouillard, la brume   *fog*

le but, l'intention (*f.*)   *goal,*

le chagrin, la douleur   *grief, pain*

le chemin, la route   *road*

le début, le commencement   *beginning*

le dédain, le mépris   *scorn*

l'endroit (*m.*), le lieu   *place*

la faute, l'erreur (*f.*)   *mistake*

l'haleine (*f.*), le souffle   *breath*

le médecin, le docteur   *doctor*

le métier, la profession   *occupation*

le milieu, le centre   *middle, center*

l'opinion (*f.*), l'avis (*m.*)   *opinion*

l'orage (*m.*), la tempête   *storm*

le songe, le rêve   *dream*

la teinte, la couleur   *color*

la vague, l'onde (*f.*)   *wave*

les vêtements (*m.*), les habits (*m.*)   *clothing*

le vœu, le souhait   *wish*

b. Adjectives

bête, stupide   *stupid*

bizarre, étrange   *strange*

ennuyeux, embêtant   *annoying*

épouvantable, affreux   *frightful*

favori, préféré   *favorite*

grave, sérieux   *serious*

heureux, content   *happy*

inattendu, imprévu   *unexpected*

net, propre   *clean*

obstiné, têtu   *stubborn*

pareil, semblable   *similar*

c. Verbs

achever, finir   *to finish*

s'accoutumer à, s'habituer à   *to become accustomed to*

acquérir, obtenir   *to obtain*

briser, casser   *to break*

craindre, redouter   *to fear*

employer, utiliser   *to use*

enchanter, ravir   *to delight*

établir, fonder   *to set up*

frémir, trembler   *to tremble*

habiter, demeurer   *to live*

inquiéter, troubler   *to worry*

interdire, defendre   *to forbid*

lancer, jeter   *to throw*

lutter, combattre   *to fight*

mêler, mélanger   *to mix*

mener, diriger   *to lead*

préférer, aimer mieux   *to prefer*

réduire, diminuer	*to reduce*	soulager, calmer	*to soothe*
remuer, bouger	*to move*	tâcher, tenter	*to try*
répandre, distribuer	*to spread*	terminer, compléter	*to finish*
résonner, retentir	*to resound*	vouloir dire, signifier	*to mean*
réussir à, arriver à	*to succeed in*		

d. Adverbs

aussitôt, immédiatement	*immediately*	pourtant, cependant	*however*
autrefois, jadis	*formerly*	puis, ensuite	*then*
davantage, plus	*more*	rapidement, vite	*quickly, fast*
parfois, quelquefois	*sometimes*		

e. Prepositions

entre, parmi	*among*	pendant, durant	*during*
excepté, sauf	*except*		

EXERCICE A

Dans une composition d'au moins 100 mots où vous emploierez des synonymes, décrivez deux membres de votre famille qui se ressemblent.

[2] ANTONYMES, CONTRAIRES / *ANTONYMS*

a. Nouns

l'ami (*m.*) / le copain, la copine	*friend*	l'ennemi (*m.*)	*enemy*
le début	*beginning*	la fin	*end*
la honte	*shame*	l'orgeuil (*m.*)	*pride*
la joie	*joy*	la tristesse	*sadness*
la veille	*eve, day before*	le lendemain	*next day*
la vente	*sale*	l'achat (*m.*)	*to purchase*
la ville	*city*	la campagne	*country*
la vitesse	*speed*	la lenteur	*slowness*

b. Adjectives

aîné	*eldest*	cadet	*youngest*
ancien	*old*	moderne	*modern*
avare	*miserly*	dépensier	*extravagant*
bas	*low*	haut	*high*
beau	*beautiful*	laid	*ugly*
cher	*expensive*	bon marché	*cheap*
clair	*light*	foncé	*dark*
courageux	*brave*	lâche	*cowardly*
court	*short*	long	*long*
doux	*sweet*	amer	*bitter*

droit	*right*	gauche	*left*
ennuyeux	*boring*	amusant	*fun*
facile	*easy*	difficile	*hard*
fort	*strong*	faible	*weak*
humide	*moist*	sec	*dry*
large	*wide*	étroit	*narrow*
léger	*light*	lourd	*heavy*
mince	*thin*	épais	*thick*
nouveau	*new*	vieux	*old*
propre	*clean*	sale	*dirty*

c. Verbs

acheter	*to buy*	vendre	*to sell*
aimer	*to love*	détester	*to hate*
aller	*to go*	venir	*to come*
arriver	*to arrive*	partir	*to leave*
attirer	*to attract*	repousser	*to repel*
augmenter	*to increase*	diminuer	*to decrease*
avancer	*to advance*	reculer	*to retreat*
donner	*to give*	recevoir	*to receive*
économiser	*to save*	dépenser	*to spend*
emprunter	*to borrow*	prêter	*to lend*
entrer	*to enter*	sortir	*to go out*
lever	*to raise*	baisser	*to lower*
mépriser	*to scorn*	estimer	*to esteem*
monter	*to go up*	descendre	*to go down*
perdre	*to lose*	trouver	*to find*
permettre	*to allow*	defendre	*to forbid*
pleurer	*to cry*	rire	*to laugh*
remplir	*to fill*	vider	*to empty*
réussir	*to succeed*	rater	*to fail*

d. Adverbs

beaucoup	*many, a lot*	peu	*few, a little*
bien	*well*	mal	*badly*
ici	*here*	là	*there*
plus	*more*	moins	*less*
vite	*quickly*	lentement	*slowly*

e. Prepositions

avant	*before*	après	*after*
avec	*with*	sans	*without*
devant	*in front of*	derrière	*behind*

près de	*near*	loin de	*far*
sur	*on*	sous	*under*

EXERCICE B

Dans une composition d'au moins 100 mots où vous emploierez des antonymes, décrivez deux de vos ami(e)s qui sont différent(e)s.

Chapter 33
Thematic Vocabulary

[1] PERSONAL IDENTIFICATION

a. Les informations biographiques / *Biographical information*

(1) La nationalité / *Nationality*

africain *African*	espagnol *Spanish*	indien(ne) *Indian*
allemand *German*	français *French*	italien(ne) *Italian*
américain *American*	francophone *French-*	japonais *Japanese*
anglais *English*	*speaking*	sénégalais *Senegalese*
canadien(ne) *Canadian*	grec(que) *Greek*	sud-américain *South*
chinois *Chinese*	haïtien(ne) *Haitian*	*American*

(2) La famille / *Family*

l'aîné(e) *oldest*	le cadet *youngest*	le mari *husband*
le beau-fils *son-in-law,*	le demi-frère *stepbrother*	le mariage *marriage*
stepson	la demi-sœur *stepsister*	les noces (*f.*) *wedding*
le beau-frère *brother-in-law*	l'époux *husband*	le nom de famille
le beau-père *father-in-law,*	l'épouse *wife*	*last name*
stepfather	la famille d'accueil *host*	le neveu *nephew*
la belle-fille *daughter-in-*	*family*	la nièce *niece*
law, stepdaughter	la femme *wife*	l'orphelin(e) *orphan*
la belle-mère *mother-*	les fiançailles (*f.*) *engagement*	le prénom *first name*
in-law, stepmother	la fille unique *only daughter*	le surnom *nickname*
la belle-sœur *sister-in-law*	le fils unique *only son*	le veuf *widower*
les beaux-parents	le gendre *son-in-law*	la veuve *widow*
parents-in-law	le jumeau (la jumelle) *twin*	le voyage de noces
le benjamin *youngest child*	la lune de miel *honeymoon*	*honeymoon (the trip)*

b. Les caractéristiques physiques / *Physical characteristics*

âgé *old*	joli *pretty*	avoir... ans *to be . . . years old*
aveugle *blind*	laid *ugly*	avoir les cheveux blonds *to have blond hair*
beau (belle) *beautiful*	maigre *skinny*	bruns *brown*
chauve *bald*	mignon(ne) *cute*	roux (rousse) *red*
faible *weak*	mince *thin*	raides *straight*
grand *tall*	muet(te) *mute*	châtains *light brown*
gros(se) *stout*	petit *short*	bouclés *curly*
handicapé *handicapped*	sourd *deaf*	noirs *black*
jeune *young*	vieux (vieille) *old*	frisés *curly*

avoir les yeux bleus *to*   noisette *hazel*   verts *green*
have blue eyes   marron *brown*   noirs *black*
bruns *brown*

c. Les caractéristiques psychologiques / *Psychological characteristics*

actif (–ve) *active*   curieux (–se) *curious*   méchant *mean*
agréable *nice*   drôle *funny*   naïf (–ve) *naïve*
agressif (–ve) *aggressive*   égoïste *selfish*   orgueilleux (–se) *proud*
aimable *friendly*   étourdi *absent-minded*   ouvert *open*
ambitieux (–se)   fier (fière) *proud*   paresseux (–se) *lazy*
  ambitious   franc(he) *frank*   perspicace *insightful*
amusant *fun*   gentil(le) *kind*   poli *polite*
animé *animated*   heureux (–se) *happy*   prudent *wise*
antipathique *nasty*   honnête *honest*   raisonnable *reasonable*
audacieux (–se) *daring*   impulsif (–ve) *impulsive* renfermé *quiet, shy*
avare *stingy*   inquiet (–ète) *worried*   revêche *surly, arrogant*
aventureux (–se)   intéressant *interesting*   sage *wise*
  adventurous   intuitif (–ve) *intuitive* soupçonneux (–se) *suspicious*
bavard *talkative*   jaloux (–se) *jealous*   sportif (–ve) *athletic*
bien élevé *well-*   mal élevé *ill-mannered*   sympathique *congenial*
  mannered   maladroit *clumsy*   taciturne *quiet*
consciencieux (–se)   malheureux (–se)   tendre *tender*
  conscientious   *unhappy*   tolérant *tolerant*
coquette (*f.*) *flirtatious*   malin (malign) *nasty*

d. Les émotions et les sentiments / *Emotions and feelings*

l'amour (*m.*) *love*   la honte *shame*   le plaisir *pleasure*
le bonheur *happiness*   la jalousie *jealousy*   la reconnaissance *gratitude*
le chagrin *grief*   la joie *joy*   la sagesse *wisdom*
la colère *anger*   le malheur *unhappiness*   le sang-froid *composure*
le désespoir *despair*   l'orgueil (*m.*) *pride*   le souci *worry*
l'espoir (*m.*) *despair*   la peine *pain*   la tristesse *sadness*
la haine *hate*   le peur *fear*

EXERCICE A

Dans une lettre d'au moins 100 mots décrivez votre meilleur(e) ami(e).

[2] HOUSE AND HOME

a. Le logement et les pièces / *Lodging and rooms*

l'ascenseur (*m.*) *elevator*   le balcon *balcony*
le bail *lease*   la cave *cellar*

la chambre (à coucher) *bedroom*
la cheminée *fireplace, chimney*
la climatisation *air-conditioning*
le couloir *corridor, hallway*
la cour *courtyard*
la cuisine *kitchen*
l'escalier (*m.*) *stairs*
l'étage (*m.*) *floor, story*
le fenêtre *window*
le grenier *attic*
l'immeuble (*m.*) *apartment house*
le jardin *garden*
le/la locataire *tenant*
le loyer *rent*
la maison *house*
le mur *wall*
la pelouse *lawn*

la penderie *clothes closet*
la pièce *room*
le placard *closet, cabinet*
le plafond *ceiling*
le plancher *floor*
la porte *door*
le/la propriétaire *owner*
le rez-de-chaussée *ground floor*
la salle à manger *dining room*
la salle de bains *bathroom*
la salle de séjour *living room*
le salon *living room*
le sous-sol *basement*
la terrasse *terrace*
les toilettes (*f.*) *toilet*
le toit *roof*
le volet *shutter*

b. **Les meubles et les appareils ménagers /** *Furniture and appliances*

l'armoire (*f.*) *wardrobe*
l'aspirateur (*m.*) *vacuum cleaner*
la baignoire *bathtub*
le canapé *sofa*
la chaine stéréo *stereo*
la chaise *chair*
le chandelier *candlestick*
la commode *dresser*
le congélateur *freezer*
la cuisinière *stove*
la douche *shower*
l'étagère (*f.*) *bookcase*
l'évier (*m.*) *sink*
le fauteuil *armchair*
le four *oven*
   à micro-ondes *microwave oven*
la glace *mirror*
la glacière *icebox*
le grille-pain *toaster*
l'horloge (*f.*) *clock*
le lampadaire *floor lamp*
la lampe *lamp*

le lavabo *washbasin*
le lit *bed*
le lustre *chandelier*
la machine à laver *washing machine*
le magnétoscope *VCR*
le meuble *piece of furniture*
le mixeur *blender*
la moquette *carpet*
la pendule *clock*
le poêle *stove*
la radio-réveil *clock radio*
le réfrigérateur *refrigerator*
le réveil (-matin) *alarm clock*
le rideau *curtain*
le robinet *faucet*
le robot de cuisine *food processor*
le sèche-linge *clothes dryer*
le store *shade*
la table de nuit *night table*
le tableau *painting, picture*
le tapis *rug*

c. Travaux ménagers / *Housework*

arroser le jardin *to water the garden*	faire la vaisselle *to do the dishes*
balayer *to sweep*	garder les enfants *to watch the children*
cuisiner *to cook*	mettre le couvert *to set the table*
débarrasser la table *to clear the table*	nettoyer la maison *to clean the house*
faire les courses *to go shopping*	passer l'aspirateur *to vacuum*
faire la cuisine *to cook*	repasser les vêtements *to iron the clothing*
faire le ménage *to do the housework*	tondre la pelouse *to mow the lawn*
faire la lessive *to do the laundry*	vider les ordures *to throw out the garbage*

EXERCICE B

Dans une composition d'au moins 100 mots décrivez votre appartement ou votre maison et les responsabilités ménagères de chaque membre de votre famille.

[3] COMMUNITY; NEIGHBORHOOD; PHYSICAL ENVIRONMENT

a. La ville / *The city*

l'aéroport (*m.*) *airport*	la mairie *town hall*
l'arrêt d'autobus (*m.*) *bus stop*	la maison des jeunes *youth center*
la banlieue *suburb*	le marchand de jouets *toy salesman*
la banque *bank*	le marchand de meubles *furniture store*
le bâtiment *building*	le marché *market*
la bibliothèque *library*	le musée *museum*
la bijouterie *jewelry store*	le Palais de justice *courthouse*
la boucherie *butcher shop*	la parfumerie *perfume shop*
la boulangerie *bakery*	la pâtisserie *pastry shop*
le bureau de poste *post office*	la pharmacie *drugstore*
le carrefour *intersection*	le piéton *pedestrian*
le centre commercial *mall*	la piscine *swimming pool*
le citadin *city dweller*	la place *square*
la confiserie *candy shop*	le pont *bridge*
le cordonnier *shoemaker*	le quartier *neighborhood*
l'édifice (*m.*) *building*	la quincaillerie *hardware store*
l'église (*f.*) *church*	la rue *street*
l'épicerie (*f.*) *grocery store*	le salon de beauté *beauty shop*
le/la fleuriste *florist*	le stade *stadium*
la foule *the crowd*	la station de métro *subway stop*
la fruiterie *fruit store*	la teinturerie *dry cleaner's*
la gare *station*	le théâtre *theater*
le gratte-ciel *skyscraper*	le trottoir *sidewalk*
l'hôpital (*m.*) *hospital*	l'usine (*f.*) *factory*
l'hypermarché (*m.*) *large supermarket*	le village *village*
l'immeuble (*m.*) *apartment house*	le voisinage *neighborhood*
la librairie *bookstore*	

b. Les matériaux de construction / *Building materials*

l'acier (*m.*) *steel*	le ciment *cement*	le marbre *marble*
le béton *concrete*	le cuivre *copper*	la pierre *stone*
le bois *wood*	l'étain (*m.*) *tin, pewter*	le plomb *lead*
la brique *brick*	le fer *iron*	

c. La nature / *Nature*

l'arbre (*m.*) *tree*	le fleuve *river*	le paysage *landscape*
les bois (*m.*) *woods*	la forêt *forest*	la plage *beach*
la campagne *country(side)*	l'herbe (*f.*) *grass*	la plante *plant*
le champ *field*	l'île (*f.*) *island*	la pluie *rain*
le ciel (les cieux) *sky*	le lac *lake*	la rive *bank, shore*
la colline *hill*	la lune *moon*	la rivière *stream*
la côte *coast*	la mer *sea*	le ruisseau *brook*
le désert *desert*	le monde *world*	le sable *sand*
l'étoile (*f.*) *star*	la montagne *mountain*	le soleil *sun*
la feuille *leaf*	la neige *snow*	la terre *earth*
la fleur *flower*	l'océan (*m.*) *ocean*	le vent *wind*

d. Les animaux / *Animals*

l'abeille (*f.*) *bee*	le corbeau *crow*	la panthère *panther*
l'agneau (*m.*) *lamb*	le cygne *swan*	le papillon *butterfly*
l'alouette (*f.*) *lark*	l'écureuil (*m.*) *squirrel*	la poule *hen*
l'âne (*m.*) *donkey*	la fourmi *ant*	le renard *fox*
la baleine *whale*	le hibou (*m.*) *owl*	le rossignol *nightingale*
le bétail *livestock*	le kangourou *kangaroo*	le serpent *snake*
le bœuf *ox*	le lapin *rabbit*	le singe *monkey*
le cerf *deer*	le loup *wolf*	la souris *mouse*
le chameau *camel*	la mouche *fly*	le taureau *bull*
le cheval *horse*	le moustique *mosquito*	le tigre *tiger*
la chèvre *goat*	le mouton *sheep*	la tortue *turtle*
la cigogne *stork*	l'oiseau (*m.*) *bird*	la vache *cow*
le cochon *pig*	l'ours (*m.*) *bear*	le zèbre *zebra*
le coq *rooster*		

EXERCICE C

Dans une composition d'au moins 100 mots décrivez votre ville.

[4] MEALS; FOOD

a. Les repas / *Meals*

l'addition (*f.*) *bill*	le bol *bowl*	la carte *menu*
l'assiette (*f.*) *plate*	la bouteille *bottle*	le couteau *knife*

le couvert   *place setting*

la cuiller   *spoon*

le déjeuner   *lunch*

le dîner   *dinner*

la fourchette   *fork*

le moulin à poivre   *pepper mill*

la nappe   *tablecloth*

le petit déjeuner   *breakfast*

le plat   *dish*

le plateau   *tray*

la poivrière   *pepper shaker*

le pourboire   *tip*

la salière   *salt shaker*

la serviette   *napkin*

la soucoupe   *saucer*

le sucrier   *sugar bowl*

la tasse   *cup*

le verre   *glass*

b.   La nourriture / *Food*

l'abricot (*m.*)   *apricot*

l'agneau (*m.*)   *lamb*

l'ananas (*m.*)   *pineapple*

l'artichaut (*m.*)   *artichoke*

l'asperge (*f.*)   *asparagus*

l'aubergine (*f.*)   *eggplant*

la betterave   *beet*

le beurre   *butter*

le bifteck   *steak*

le bœuf   *beef*

les bonbons (*m.*)   *candies*

le boudin   *blood pudding*

le canard   *duck*

les céréales (*f.*)   *cereal*

la cerise   *cherry*

le champignon   *mushroom*

le chou   *cabbage*

le chou-fleur   *cauliflower*

le citron   *lemon*

la citronnade   *lemonade*

la confiture   *jam*

la consommation   *order, usually a drink*

le cornichon   *pickle*

la crêpe   *pancake*

la crevette   *shrimp*

la dinde   *turkey*

l'épice (*m.*)   *spice*

les épinards (*m.*)   *spinach*

la fraise   *strawberry*

le framboise   *raspberry*

les frites (*f.*)   *french fries*

le fromage   *cheese*

les fruits de mer (*m.*)   *seafood*

le gâteau   *cake*

la glace   *ice cream*

le goûter   *snack*

les haricots verts (*m.*)   *green beans*

le homard   *lobster*

le hors-d'oeuvre   *appetizer*

l'huile (*f.*)   *oil*

le jambon   *ham*

le jus de fruit   *fruit juice*

les légumes (*m.*)   *vegetables*

le limon (citron vert)   *lime*

le miel   *honey*

la moutarde   *mustard*

la noix   *nut*

les nouilles (*f.*)   *noodles*

les œufs (*m.*)   *eggs*

   à la coque   *soft-boiled*

   brouillés   *scrambled*

   durs   *hard-boiled*

   en omelette   *omelette*

   sur le plat   *fried*

l'oie (*f.*)   *goose*

l'oignon (*m.*)   *onion*

le pain   *bread*

le pamplemousse   *grapefruit*

les pâtes (*f.*)   *pasta*

la pastèque   *watermelon*

la pêche   *peach*

les petits pois (*m.*)   *peas*

la poire   *pear*

le poisson   *fish*

le poivre   *pepper*

la pomme   *apple*

la pomme de terre   *potato*

le poulet   *chicken*

la prune   *plum*

le pruneau   *prune*

le raisin *grape*	le veau *veal*	
le raisin sec *raisin*	la viande *meat*	
le riz *rice*	...bleue *very rare*	
la saucisse *sausage*	...saignante *rare*	
le sel *salt*	...à point *medium*	
le sucre *sugar*	...bien cuite *well done*	
le thé *tea*	le vin *wine*	
le thon *tuna*	le vinaigre *vinegar*	

EXERCICE D

Dans une composition d'au moins 100 mots expliquez ce qu'il faut manger chaque jour aux trois repas et au goûter.

[5] HEALTH AND WELFARE

a. Les parties du corps / *Parts of the body*

la barbe *beard*	la figure *face*	l'oreille (*f.*) *ear*
la bouche *mouth*	le front *forehead*	l'orteil (*m.*) *toe*
le bras *arm*	le genou *knee*	l'os (*m.*) *bone*
le cerveau *brain*	la gorge *throat*	la paupière *eyelid*
la cervelle *brain*	la hanche *hip*	la peau *skin*
les cheveux (*m.*) *hair*	la jambe *leg*	le pied *foot*
la cheville *ankle*	la joue *cheek*	le poignet *wrist*
le cœur *heart*	la langue *tongue*	la poitrine *chest*
le cou *neck*	la lèvre *lip*	le poumon *lung*
le coude *elbow*	la main *hand*	le sang *blood*
la dent *tooth*	le menton *chin*	le talon *heel*
le doigt *finger*	la moustache *mustache*	la tête *head*
le dos *back*	le nez *nose*	le ventre *stomach, belly*
l'épaule (*f.*) *shoulder*	l'œil (*m.*) (*pl.* yeux) *eye*	le visage *face*
l'estomac (*m.*) *stomach*	l'ongle (*m.*) *nail*	

b. Les maladies / *Illnesses*

avoir mal à la gorge *to have a sore throat*
avoir mal à la tête *to have a headache*
avoir mal au pied *to have a pain in the foot*
avoir mal au ventre *to have a stomach ache*

l'angine (*f.*) *tonsillitis*	la douleur *pain*
l'appendicite (*f.*) *appendicitis*	la fièvre *fever*
l'asthme (*m.*) *asthma*	la fracture *fracture*
la brûlure *burn*	les frissons (*m.*) *chills*
le coup de soleil *sunburn*	la gencive *gum*
la crise cardiaque *heart attack*	la grippe *flu*

la guérison	*cure*	la santé	*health*
le malade	*patient*	la scarlatine	*scarlet fever*
le médicament	*medicine*	le soin	*care*
l'ordonnance (*f.*)	*prescription*	la sueur	*sweat*
les oreillons (*m.*)	*mumps*	la température	*temperature*
la piqûre	*injection*	la toux	*cough*
la pneumonie	*pneumonia*	le traitement	*treatment*
la radiographie	*X-ray*	l'urgence (*f.*)	*emergency*
le repos	*rest*	le vaccin	*vaccine*
le rhume	*cold (illness)*	la varicelle	*chicken pox*
la rougeole	*measles*		

EXERCICE E

Dans une composition d'au moins 100 mots parlez de votre dernière maladie et dites ce que vous avez fait pour vous rétablir.

[6] EDUCATION

a. L'école / *School*

le banc	*seat, bench*	l'examen (*m.*)	*test*
le bureau	*desk*	l'explication (*f.*)	*explanation*
le cahier	*notebook*	la faute	*mistake*
la calculette	*calculator*	la gomme	*eraser*
le calendrier	*calendar*	la grammaire	*grammar*
le cartable	*schoolbag*	l'horaire (*m.*)	*schedule*
la carte	*map*	l'instituteur (-trice)	*elementary school teacher*
les ciseaux (*m.*)	*scissors*	l'interrogation (*f.*)	*quiz*
le classeur	*looseleaf binder*	la leçon	*lesson*
la cloche	*bell*	la lecture	*reading*
la conduite	*behavior*	la ligne	*line*
conseiller(-ère)	*counselor*	le maître, la maîtresse	*elementary school teacher*
le comportement	*behavior*	le manuel (scolaire)	*textbook*
la cour	*courtyard*	le matériel scolaire	*school supplies*
le cours	*course*	la matière	*subject*
la craie	*chalk*	le mot	*word*
le crayon	*pencil*	la note	*grade*
la dictée	*dictation*	la pendule	*clock*
directeur (-trice)	*principal*	la phrase	*sentence*
l'élève (*m./f.*)	*pupil*	la poésie	*poetry*
l'emploi du temps (*m.*)	*class schedule*	la règle	*ruler*
l'erreur (*f.*)	*error*	la réponse	*answer*
l'étude (*f.*)	*study*	le résumé	*summary*
l'étudiant(e)	*student*	le sac à dos	*backpack*

la salle de classe   *classroom*

le scotch   *Scotch tape*

le stylo   *pen*

le sujet   *subject, topic*

le taille-crayon   *pencil sharpener*

le tableau   *chalkboard*

le travail   *work*

la trousse   *pencil case*

b. **Les matières scolaires /** *School subjects*

l'anglais (*m.*)   *English*

la biologie   *biology*

la chimie   *chemistry*

le dessin   *drawing*

l'éducation physique (*f.*)   *gym*

l'espagnol (*m.*)   *Spanish*

le français   *French*

la géographie   *geography*

l'histoire (*f.*)   *history*

l'informatique (*f.*)   *computer science*

le latin   *Latin*

les mathématiques (*f.*)   *math*

la physique   *physics*

les sciences (*f.*)   *science*

la technologie   *technology*

les travaux manuels (*m.*)   *shop, arts and crafts*

c. **Les activités scolaires /** *School activities*

le cercle   *club*

  dramatique   *drama*

  international   *international*

  de maths   *math*

l'équipe (*f.*)   *team*

  de football   *soccer team*

la fanfare   *band*

le membre   *member*

l'orchestre (*m.*)   *orchestra*

la répétition   *rehearsal, practice*

la réunion   *meeting*

le service dans la communauté   *community service*

le tableau d'honneur   *honor roll*

d. **L'informatique /** *Computer science*

allumer   *to turn on*

la cartouche d'impression   *print cartridge*

le CD-ROM, cédérom   *CD-ROM*

le clavier   *keyboard*

cliquer   *to click*

la commande   *control*

le courrier électronique, e-mail   *E-mail*

le curseur   *cursor*

le dépannage   *troubleshooting*

la disquette   *diskette, floppy disk*

l'écran (*m.*)   *screen*

le fichier   *file*

formaté   *formatted*

l'imprimante (*f.*)   *printer*

l'internaute (*m./f.*)   *Internet user*

le logiciel   *software*

le matériel   *hardware*

le moteur de recherche   *search engine*

le navigateur   *browser*

l'ordinateur (*m.*)   *computer*

le PC   *personal computer*

personnaliser   *to customize*

le portable   *laptop*

sauvegarder   *to save*

la souris   *mouse*

surfer sur Internet   *to surf the internet*

le traitement de texte   *word processing*

EXERCICE F

Dans une composition d'au moins 100 mots décrivez tout ce dont vous avez besoin pour les cours que vous suivez et ce que vous faites après l'école.

[7] EARNING A LIVING

acteur (–trice)   *actor*

agent (*m.*) de police   *police officer*

animateur (–trice)   *group leader*

architecte (*m. /f.*)   *architect*

artiste (*m. /f.*)   *artist*

banquier (–ière)   *banker*

le camionneur   *truck driver*

le charpentier   *carpenter*

chercheur (–euse)   *researcher*

le chirurgien   *surgeon*

coiffeur (–euse)   *hair stylist*

comédien(ne)   *actor*

commerçant(e)   *merchant*

couturier (–ière)   *dressmaker*

cuisinier (–ière)   *cook*

dentiste (*m. /f.*)   *dentist*

directeur (–trice)   *director*

éboueur (–euse)   *garbage collector*

écrivain (*m.*)   *writer*

éditeur (–trice)   *publisher*

épicier (–ière)   *grocer*

esthéticien(ne)   *beautician*

facteur (–trice)   *mail carrier*

fermier (–ière)   *farmer*

gérant(e)   *manager of a shop*

hôtelier (–ière)   *hotel manager*

hôtesse de l'air (*f.*)   *stewardess*

imprimeur (*m.*)   *printer*

infirmier (–ière)   *nurse*

ingénieur (*m.*)   *engineer*

interprète (*m. /f.*)   *interpreter*

le juge   *judge*

libraire (*m. /f.*)   *bookseller*

le livreur   *delivery person*

le maçon   *mason*

le médecin   *doctor*

le menuisier   *carpenter*

le métier   *trade, profession*

le metteur en scène   *director*

musicien(ne)   *musician*

opticien (ne)   *optician*

ouvreur (–euse)   *usher*

ouvrier (–ière)   *factory worker*

le pasteur   *minister*

patron(ne)   *boss*

le peintre   *painter*

le photographe   *photographer*

le pilote   *pilot*

poète (poétesse)   *poet*

le pompier   *firefighter*

postier (–ière)   *postal worker*

le prêtre   *priest*

programmeur (–euse)   *programmer*

le rabbin   *rabbi*

rédacteur (–trice)   *editor*

le salaire   *salary*

le savant   *scientist, scholar*

le sculpteur   *sculptor*

serveur (–euse)   *waiter, waitress*

speaker (*f.* speakerine)   *TV announcer*

le steward   *steward*

styliste (*m. /f.*)   *stylist*

le tailleur   *tailor*

traducteur (–trice)   *translator*

vendeur (–euse)   *salesperson*

EXERCICE G

Dans une composition d'au moins 100 mots dites pourquoi vous préférez un certain métier et ce qu'il faut faire pour y réussir.

[8] LEISURE

a. Les loisirs / *Leisure activities*

l'appareil-photo (*m.*) *camera*	la montagne *mountain*
les actualités (*f.*) *newsreel*	le musée *museum*
le bal *ball*	les mots croisés (*m.*) *crossword puzzle*
le ballet *ballet*	la musique *music*
la boum *party*	l'œuvre (*f.*) *work*
la campagne *country*	l'orchestre (*m.*) *orchestra*
le carnaval *carnival*	le parc zoologique *zoo*
les cartes (*f.*) *cards*	la peinture *painting*
le chef-d'œuvre *masterpiece*	la pièce de théâtre *play*
le chœur *choir*	la poésie *poetry*
le cirque *circus*	la plage *beach*
le cinéma *movies*	la promenade *walk*
le concert *concert*	la répétition *rehearsal*
l'écran (*m.*) *screen*	la représentation *performance*
l'entracte (*m.*) *intermission*	la scène *stage, scene*
l'exposition (*f.*) *exhibit, show*	la soirée *evening party*
la fête *holiday, celebration, party*	le spectacle *show*
la foire *fair*	le théâtre *theater*
le jour de congé *day off*	les vacances (*f.*) *vacation*
le jour férié *legal holiday*	la vedette *star*

b. Les sports et les jeux / *Sports and games*

l'alpinisme (*m.*) *mountain climbing*	le football *soccer*
l'aérobic (*m.*) *aerobics*	le football américain *football*
l'athlétisme (*m.*) *track and field*	le golf *golf*
l'aviron (*m.*) *rowing*	la lutte *wrestling*
le bateau à voiles *sailboat*	la mise en forme *fitness*
le bicross *dirt biking*	la musculation *body building*
la boxe *boxing*	la natation *swimming*
le canot *small boat*	le patin *skating*
le canotage *boating*	à glace *ice skating*
la chasse *hunting*	à roulettes *roller skating*
le cyclisme *cycling*	la pêche *fishing*
les dames (*f.*) *checkers*	la planche à voile *windsurfing*
les échecs (*m.*) *chess*	le ski nautique *water skiing*
l'équitation (*f.*) *horseback riding*	le stade *stadium*
l'escrime (*f.*) *fencing*	le vélo *bicycle*

EXERCICE H

Écrivez une composition d'au moins 100 mots intitulée : Une journée extraordinaire.

[9] PUBLIC AND PRIVATE SERVICES

a. Le téléphone / *Telephone*

l'annuaire (*m.*) *phone book*
l'appel (*m.*) *call*
le bottin *phone book*
la cabine téléphonique *phone booth*
décrocher *to pick up (the phone)*
l'opérateur (-trice) *operator*
le portable *cell phone*

raccrocher *to hang up*
le récepteur *receiver*
le répondeur *answering machine*
le standard *switchboard*
standardiste (*m. /f.*) *switchboard operator*
la télécarte *calling card*

b. La poste / *Post office*

la boîte aux lettres *mailbox*
la carte postale *postcard*
le code postal *zip code*
le colis *parcel, package*
la correspondance *letters*
le courrier *mail*
emballer *to wrap*

l'enveloppe (*f.*) *envelope*
le guichet *window (for service)*
le paquet *package*
par avion *air mail*
la poste restante *post office box*
le timbre *stamp*

c. La banque / *Bank*

les affaires (*f.*) *business*
l'argent (*m.*) *money*
l'argent liquide (*m.*) *cash*
le billet *bill*
la caisse *cash register*
la caisse d'épargne *savings bank*
le carnet de chèques *checkbook*
la caution *guarantee*
changer *to change*
le chèque (de voyage) *(traveler's) check*
le chéquier *checkbook*
le coffre-fort *safe*
le compte-chèques *checking account*
le compte épargne *savings account*
le cours de change *exchange rate*
la devise *currency*
l'emprunt (*m.*) *loan*
endosser *to endorse*
la facture *invoice*
les frais (*m.*) *expenses*

faire un versement *to make a deposit*
les fonds (*m.*) *funds*
les frais (*m.*) *expenses*
le guichet *window*
l'impôt (*m.*) *tax*
la monnaie *change*
payer comptant *to pay cash*
payer en espèces *to pay in cash*
payer en liquide *to pay in cash*
le placement *investment*
la remise *discount*
le retrait *withdrawal*
la signature *signature*
signer *to sign*
la succursale *branch*
le taux d'intérêt *interest rate*
toucher un chèque *to cash a check*
la valeur *value*
le versement *deposit*
le virement *transfer*

EXERCICE I

Écrivez un message d'au moins 100 mots que vous allez laisser au répondeur de votre ami(e).

[*10*] Shopping for Clothing

a. Les vêtements / *Clothing*

les bas (*m.*)   *stockings*
les baskets (*f.*)   *sneakers*
le blouson   *outer jacket*
les bottes (*f.*)   *boots*
la boucle   *buckle*
la casquette   *cap*
la ceinture   *belt*
le chapeau   *hat*
les chaussettes (*f.*)   *socks*
les chaussures (*f.*)   *shoes*
la chemise   *shirt*
le chemisier   *blouse*
le col roulé   *turtleneck*
le collant   *pantyhose*
le complet   *suit (man's)*
la confection   *ready-made clothing*
le costume   *suit (man's)*
la cravate   *tie*
l'écharpe (*f.*)   *scarf*
la fermeture-éclair   *zipper*
les gants (*m.*)   *gloves*
le gilet   *vest*
les habits (*m.*)   *clothing*
l'imperméable (*m.*)   *raincoat*
le jean   *jeans*
la jupe   *skirt*

le jupon   *slip*
les lacets (*m.*)   *shoelaces*
le maillot de bain   *bathing suit*
la manche   *sleeve*
le manteau   *coat*
le pantalon   *pants*
la pantoufle   *bedroom slipper*
le parapluie   *umbrella*
le pardessus   *overcoat (man's)*
la poche   *pocket*
la pointure   *shoe size*
le portefeuille   *wallet*
le prêt-à-porter   *ready-made clothing*
le pyjama   *pajamas*
la robe   *dress*
les sandales (*f.*)   *sandals*
le short   *shorts*
les souliers (*m.*)   *shoes*
le survêt(ement)   *jogging suit*
le tablier   *apron*
la taille   *size, waist*
le tailleur   *suit (woman's)*
le talon   *heel*
les tennis (*f.*)   *sneakers*
le veston   *jacket*
les vêtements (*f.*)   *clothing*

b. Les couleurs / *Colors*

beige   *beige*
blanc(he)   *white*
bleu   *blue*
bleu marine   *navy blue*
brun   *brown*

gris   *gray*
jaune   *yellow*
mauve   *purple*
marron (*invariable*)   *reddish brown*
noir   *black*

orange (*invariable*)   *orange*
rose   *pink*
rouge   *red*
vert   *green*
violet(te)   *purple*

c. Les tissus et les matériaux / *Fabrics and materials*

le caoutchouc   *rubber*
le coton   *cotton*
le cuir   *leather*
le daim   *suede*
la dentelle   *lace*
le feutre   *felt*

la flanelle   *flannel*
la fourrure   *fur*
la laine   *wool*
le lin   *linen*
le nylon   *nylon*
la paille   *straw*

la rayonne   *rayon*
le satin   *satin*
la soie   *silk*
la toile   *linen*
le velours   *velvet*
le velours côtelé   *corduroy*

d. Les bijoux / *Jewelry*

l'alliance (*f.*) *wedding ring*	la chaîne(tte) *chain*
l'anneau (*m.*) *plain ring* (*without stone*)	le collier *necklace*
la bague *ring* (*with or without stone*)	la montre *watch*
les boucles d'oreille (*f.*) *earrings*	le pendant d'oreille *drop earring*
le bracelet *bracelet*	le pendentif *pendant on necklace*
la broche *pin*	

e. Pierres précieuses et métaux / *Gems and metals*

l'améthyste (*f.*) *amethyst*	la perle *pearl*
le diamant *diamond*	le rubis *ruby*
l'émeraude (*f.*) *emerald*	le saphir *sapphire*
le jade *jade*	la topaze *topaz*
l'opale (*f.*) *opal*	la turquoise *turquoise*

l'argent (*m.*)   *silver*   l'or (*m.*)   *gold*   le platine   *platinum*

EXERCICE J

Dans une lettre d'au moins 100 mots, remerciez votre ami(e) d'un cadeau de vêtements ou de bijoux qu'il (elle) vous a donné

[11] TRAVEL AND TRANSPORTATION

l'aéroport (*m.*) *airport*	la correspondance *transfer*
l'arrêt (*m.*) *stop*	la couchette *berth*
l'arrivée (*f.*) *arrival*	la croisière *cruise*
l'atterrissage (*m.*) *landing*	le décollage *takeoff*
l'auberge (*f.*) *inn*	le départ *departure*
l'autoroute (*f.*) *highway*	la douane *customs*
l'avion (*m.*) *airplane*	l'équipage (*m.*) *crew*
les bagages (*m.*) *luggage*	la gare *train station*
le bateau *boat*	la gare routière *bus station*
la bicyclette *bicycle*	le guichet *ticket window*
le billet *ticket*	l'horaire (*m.*) *schedule*
la billetterie automatique *ticket machine*	l'itinéraire (*m.*) *itinerary*
la boussole *compass*	le logement *lodging*
le camion *truck*	la malle *trunk*
la camionnette *van*	le métro *subway*
le car *tour bus*	la mobylette *moped*
la carte routière *road map*	la moto *motorcycle*
le chemin *road*	le moyen de transport *means of transportation*
le chemin de fer *railroad*	le navire *ship*
le compartiment *compartment*	la panne *breakdown*
la consigne *baggage room*	le/la pensionnaire *boarder, guest*

le permis de conduire	*driver's license*	le tramway	*streetcar*
la place	*seat*	la traversée	*crossing*
la porte	*gate*	la valise	*suitcase*
le quai	*pier*	la vitesse	*speed*
la route	*route, road*	la voie	*track*
la salle d'attente	*waiting room*	la voiture	*car*
le séjour	*stay*	le vol	*flight*
la station balnéaire	*seaside resort*	le voyage	*trip, travel*
la station de ski	*ski resort*	le voyageur	*traveler*
le tarif	*rate, price*	le wagon	*coach, car in a train*
le TGV (train à grande vitesse)	*high speed train*	le wagon-restaurant	*dining car*
le trajet	*journey*	le wagon-lit	*sleeping car*

EXERCICE K

Dans une composition d'au moins 100 mots décrivez un voyage que vous avez fait.

[12] POLITICS

l'aide militaire (*f.*)	*military aid*	le gouverneur	*governor*
l'ambassade (*f.*)	*embassy*	la grève	*strike*
l'ambassadeur (*m.*)	*ambassador*	la guerre	*war*
l'armée (*f.*)	*army*	l'inflation (*f.*)	*inflation*
l'armée de l'air (*f.*)	*airforce*	les informations (*f.*)	*news*
l'assemblée (*f.*)	*assembly*	le journal	*newspaper*
le candidat	*candidate*	le/la journaliste	*journalist*
le chef d'État	*head of state*	la loi	*law*
la conférence	*conference*	le maire	*mayor*
le congrès	*congress*	la mairie	*town hall*
le coup d'état	*coup*	la marine	*navy*
le défilé	*parade*	le ministre	*minister*
la démocratie	*democracy*	la monarchie	*monarchy*
le député	*deputy, representative*	les nouvelles (*f.*)	*news*
la dictature	*dictatorship*	le palais de justice	*courthouse*
les droits (*m.*)	*rights*	le parlement	*parliament*
l'économie (*f.*)	*economy*	le parti	*party*
l'égalité (*f.*)	*equality*	la politique	*politics*
élire	*to elect*	le pouvoir exécutif	*executive power*
l'émeute (*f.*)	*riot*	le procès	*lawsuit*
l'époque (*f.*)	*era, period*	le programme	*program, platform*
la flotte	*fleet*	la puissance	*power*
le fonctionnaire	*civil servant*	la rébellion	*riot*
la frontière	*border*	la reine	*queen*
le gouvernement	*government*	le règne	*reign*

le reportage   *news report*

la république   *republic*

la révolte   *revolt*

le roi   *king*

le royaume   *kingdom*

le sénat   *senate*

le sénateur   *senator*

les (gros) titres (*m.*)   *headlines*

le traité   *treaty*

l'urne (*f.*)   *ballot box*

EXERCICE L

Dans une composition d'au moins 100 mots faites un reportage sur des événements importants dont on a récemment parlé dans les nouvelles.

Part Five
Civilization

Chapter 34
La Langue française et la francophonie

Le français—comme l'italien, l'espagnol, le portugais et le roumain—est une **langue romane,** c'est-à-dire une langue dérivée du latin. C'est le latin populaire ou vulgaire, la langue parlée par les légionnaires romains et adoptée par le peuple gaulois, qui est devenu peu à peu le français.

Au Moyen Âge, deux idiomes principaux régnaient en France : **la langue d'oïl** dans le Nord et **la langue d'oc** dans le Midi. Les mots **oïl** et **oc** expriment l'affirmation (oui). La Loire formait la frontière entre ces deux régions linguistiques. Puisque l'Île-de-France était devenue le centre politique de la France, c'est le dialecte de cette province, un dialecte de la langue d'oïl, qui est devenu la langue officielle du pays.

Néanmoins, la langue d'oc est toujours vivante. Elle a donné son nom à l'ancienne province méridionale du Languedoc. **Le provençal,** le dialecte le plus important de la langue d'oc, se parle encore dans le midi de la France. Il a donné naissance à toute une littérature provençale, dont le représentant le plus illustre est le poète **Frédéric Mistral** (1830–1914).

D'autres dialectes existent encore en France : le **breton** issu du **celtique,** la langue des Gaulois, en Bretagne ; **le basque,** dans les Pyrénées ; **le bas-allemand,** en Alsace. Dans la langue française d'aujourd'hui, on peut trouver des traces du celtique et de l'allemand. Le français a emprunté aussi beaucoup de termes modernes d'origine anglaise, par exemple, **club, détective, match, steak, jazz, parking, tunnel, interview, week-end.**

Le français est connu pour la clarté de sa syntaxe, de son expression et de sa pensée. Au XVIIIe siècle, l'écrivain Antoine Rivarol exprima l'importance de cette clarté en ces termes : « Ce qui n'est pas clair n'est pas français. »

Pour étudier, conserver et perfectionner le français, le cardinal de Richelieu fonda **l'Académie française** en 1635. L'Académie fut chargée de la rédaction (*writing*) du Dictionnaire de la langue française et d'une grammaire. Une nouvelle édition de ce dictionnaire paraît environ tous les cinquante ans. On appelle les membres de l'Académie « les quarante immortels ».

Le français a exercé une influence profonde sur la langue anglaise. Quand le duc de Normandie, Guillaume le Conquérant, traversa la Manche en 1066 et fit la conquête de l'Angleterre, le français devint la langue officielle de la cour royale, des nobles anglais et de la justice. Par conséquent, un grand nombre de mots français sont entrés dans la langue anglaise.

LA LANGUE FRANÇAISE DANS LE MONDE

Le français n'est pas une langue parlée exclusivement en France. Il y a des francophones—des personnes qui parlent français—un peu partout à travers le monde. Pour presque 200 millions d'habitants dans plus de 40 pays et territoires sur les sept continents, le français est la langue maternelle ou la deuxième langue.

La presse étrangère de langue française compte environ 2000 journaux et périodiques. Le français est une des langues officielles de l'O.N.U. (Organisation des Nations Unies, *United Nations*). Aux Nations Unies plus de 40 pays utilisent le français pour toutes leurs communications. Le français est également une langue officielle de l'Union Européenne et la deuxième langue de l'Internet, et de nombreuses organisations internationales comme, entre autres, la Croix Rouge Internationale, les Jeux Olympiques et la Commission des Grands Barrages (*dams*). L'Agence de Coopération Culturelle et Technique (A.C.C.T.), créée en 1970, rassemble plus de 45 pays-membres et organise des « sommets » des pays francophones et divers organismes comme l'Association des universités partiellement ou entièrement de langue française. Il existe également en France un ministère de la Francophonie.

AUX ÉTATS-UNIS

Aux États-Unis le français subsiste encore au Maine, au New Hampshire, au Vermont, au Massachusetts et surtout en Louisiane (le territoire dont l'explorateur français Robert Cavelier de La Salle prit possession en 1682 et qu'il nomma en l'honneur du roi de France, Louis XIV). Il y a plus de quatre cents ans

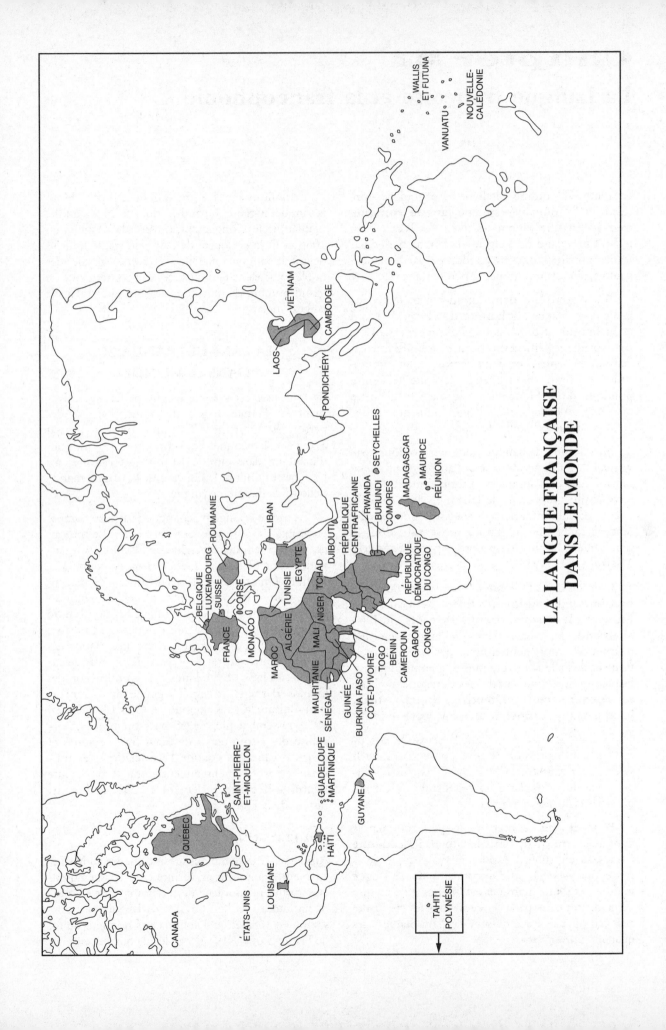

**LA LANGUE FRANÇAISE
DANS LE MONDE**

des colons français habitaient l'Acadie, un territoire s'étendant du Québec à la mer (maintenant la Nouvelle-Écosse et le Nouveau-Brunswick). Les cajuns sont les descendants de ces Acadiens francophones. Quand les Anglais chassèrent les Français de leurs colonies en 1755, ceux-ci se réfugièrent en Louisiane autour de La Nouvelle-Orléans où ils ont établi un grand nombre de villes et de villages aux noms français. Leurs descendants sont appelés les « créoles. » Le français bénéficie d'un statut officiel en Louisiane ; il est enseigné dans les écoles élémentaires.

AU CANADA

Au Canada, un tiers de la population parle français, surtout à l'est dans la province de Québec, où, en 1534, Jacques Cartier, un explorateur français, fit plusieurs voyages et découvrit la Nouvelle-France et le fleuve St. Laurent. Samuel de Champlain fonda la ville de Québec en 1608. Des colons français établirent la première vraie colonie, Ville-Marie de Montréal, en 1642. Maintenant, la plupart des habitants du Québec parlent français, leur langue officielle depuis 1974, et le français et l'anglais sont les langues officielles du Canada. Le français est donc langue de la vie quotidienne. Paris est la seule ville francophone dont la population dépasse celle de Montréal dans la province de Québec. Lorsqu'on visite le Canada on remarque des différences entre la langue française qu'on y parle et celle de la France, car l'évolution de la langue dans les deux pays a été différente. Au Canada on a tendance à emprunter beaucoup de mots ou d'expressions à l'anglais.

AUX ANTILLES FRANÇAISES

Les îles de la Martinique et de la Guadeloupe sont des départements d'outre-mer [*overseas*] (D.O.M.) de la France depuis 1946. Les habitants de ces îles sont des citoyens français, c'est à dire qu'ils ont les mêmes droits, les mêmes privilèges, les mêmes lois, le même gouvernement, le même système d'éducation et les mêmes responsabilités que leurs compatriotes en France. Leur monnaie est l'euro comme en France.

La Martinique a été découverte par Christophe Colomb en 1502 et colonisée par la France en 1635. On appelle cette île « L'île des fleurs » et « La perle des Antilles » à cause de sa végétation luxuriante. Fort-de-France, sa capitale, donne sur une large baie. Au nord se trouve un volcan, la Montagne Pelée, qui détruisit complètement la ville de St.-Pierre en 1902. Joséphine de Beauharnais, la femme de l'Empereur Napoléon Bonaparte, est née à Trois-Ilets.

La Guadeloupe a été découverte par Christophe Colomb en 1493. Des colons français s'y sont installés dès 1635 et malgré une longue rivalité avec l'Angleterre, l'île est redevenue définitivement française en 1816. Elle est appelée « L'île aux Belles Eaux » ou « L'île d'Émeraude » à cause de ses belles eaux vertes. La Guadeloupe se compose de deux îles jointes par un pont : Basse-Terre, une région volcanique, montagneuse et riche en végétation, et Grande-Terre, l'île plus peuplée, célèbre pour ses belles plages. Sa capitale, Pointe-à-Pitre, est un très grand port.

Plusieurs petites îles touristiques près de la Guadeloupe, Les Saintes, Marie Galante, La Désirade, St. Barthélemy et St. Martin, sont sous l'administration de la France. L'île de St. Martin est divisée en deux : une partie française et une partie hollandaise. Le secteur français, qui a une superficie de 21 miles carrés et une population de plus de 28 000 personnes, est administré par la Guadeloupe.

En 1492 Christophe Colomb découvrit une île aux Antilles qu'il nomma Hispaniola. Au XVIIᵉ siècle, la partie occidentale de cette île est devenue une colonie française, Saint-Domingue, où de riches colons français cultivaient des produits recherchés en France : le sucre, le café, l'indigo. Une révolte des esclaves noirs dirigée par Toussaint Louverture conduisit à l'indépendance du pays en 1804 qui devint la République d'Haïti. Ce pays, qui partage aujourd'hui l'île d'Hispaniola avec un pays de langue espagnole, la République Dominicaine, fut appelé originairement « Île Montagneuse » à cause de ses nombreuses montagnes. Il y a aussi de très belles plages. L'influence française est encore importante en Haïti : la langue française est toujours sa langue officielle même si la plupart des habitants parlent créole, un dialecte influencé par des éléments africains.

EN AMÉRIQUE DU SUD

La Guyane française est aussi un département d'outre-mer. Ele est située entre le Surinam et le Brésil. Le pays est presque entièrement recouvert d'une forêt dense, et la majorité de la population habite Cayenne, la capitale.

EN EUROPE

Le français est non seulement la langue de la France, mais aussi celle de la Belgique, du Luxembourg, de la Suisse, de la principauté de Monaco, et d'une île à l'ouest de l'Italie, la Corse.

La Belgique avec plus de 10 millions d'habitants a une densité de population parmi les plus élevées du monde. La capitale, Bruxelles, est le siège de l'OTAN (*NATO*), une alliance de défense internationale créée en 1949, et le siège du Conseil de l'Europe et de la Commission européenne. Le français est la langue officielle des Wallons, les habitants du sud du pays.

Le Luxembourg est un des plus petits et plus anciens pays indépendants de l'Europe. Ce pays boisé et vallonné est très industrialisé même s'il est plus petit que notre état de Rhode Island. Plus de 130 châteaux pittoresques attirent de nombreux touristes. La Cour de Justice européenne siège à Luxembourg, la capitale.

La Suisse compte quatre langues officielles dont le français est parlé par environ 20% des habitants à l'ouest près de la frontière avec la France. Genève, à l'ouest du pays, est le siège européen des Nations Unies et de nombreux organismes internationaux bien que la politique extérieure de la Suisse soit marquée par une stricte neutralité.

Monaco, sur la côte sud de la France, est un état indépendant mais sous la protection de la France. Un musée océanographique et le palais des Princes de Monaco attirent beaucoup de touristes.

La Corse, une île au sud de la France, est française depuis 1767. Elle forme deux départements français. Ajaccio, son chef-lieu, est le lieu de naissance de Napoléon Bonaparte en 1769.

AU MOYEN-ORIENT

Le français est parlé par de nombreuses personnes au Liban, en Syrie et en Égypte. De grands écrivains d'expression française viennent de ces pays et des journaux en français y sont publiés régulièrement.

EN AFRIQUE

La France construisit un vaste empire colonial en Afrique dès 1830 avec la conquête de l'Algérie. Toutes ses anciennes colonies africaines devinrent indépendantes entre 1956 et 1962, sauf pour la Réunion qui est toujours un département d'outre-mer, et Mayotte, une des îles des Comores. La plupart de ces nations, cependant, continuent à garder des liens culturels et économiques très forts avec la France et ont choisi de garder le français comme langue officielle. Le français est parlé dans 24 pays en Afrique qui comptent à peu près 150 millions d'habitants. La France leur fournit une aide économique et technique, surtout dans les domaines de la santé et de l'éducation. Il est possible de suivre leurs progrès et leur histoire en leurs émissions en français à Radio France Internationale.

L'Algérie, le Maroc et la Tunisie font partie d'une région appelée le Maghreb (le soleil qui se couche). L'arabe est leur langue officielle mais ces trois pays maintiennent l'usage du français et ils ont gardé des institutions administratives et le système d'éducation installé par la France. Le tourisme est important dans les trois pays où l'on peut parler français et voir des ruines romaines, des villes anciennes et des stations modernes. Les habitants de ces pays mènent une vie qui mélange les cultures de l'Ouest et du Moyen-Orient.

Le Sénégal, à l'ouest de l'Afrique, maintient de fortes relations avec la France depuis son indépendance en 1960. Dakar, sa capitale, est située au bord de la mer. Son premier président, Léopold Senghor, était aussi un poète et un grand écrivain de langue française. Une grande diversité de cultures existe dans ce pays et la langue française sert à faciliter la communication entre tous les habitants en ce qui concerne le gouvernement, l'éducation et les médias.

La Côte-d'Ivoire gagna son indépendance de la France en 1960. Ce pays est l'un des plus prospères dans la région et jusqu'à récemment l'un des plus stables. Les Ivoiriens maintiennent des liens très proches avec la France et parlent français comme langue officielle. La ville cosmopolite d'Abidjan a une population de deux millions et est reconnue dans le monde comme un grand centre commercial. La plus grande église en Afrique, et une des plus grandes dans le monde, a été bâtie à Yamoussoukro, la capitale depuis 1983.

La république du Mali est un pays en partie désertique et pauvre mais où un peuple, les Dogons, développa une riche culture artistique. Le Niger, un pays deux fois plus grand que le Texas, se trouve en grande partie dans le désert du Sahara. Ce pays pauvre a une économie rurale. Le Tchad à l'intérieur des terres est en voie de développement grâce à la découverte d'importantes réserves de pétrole. Une gestion internationale de ces réserves promet de protéger les intérêts des populations locales.

Un immense territoire contient depuis 1875 deux pays francophones : le Congo français dont la capitale est Brazzaville et l'ancien Congo belge, appelé Zaïre en 1971 puis République Démocratique du Congo, qui est le pays francophone le plus peuplé après la France.

La Réunion, un département d'outre-mer de la France, est une île volcanique (un seul volcan reste en activité maintenant) à l'est de l'Afrique dans l'océan Indien. L'île a appartenu à la France depuis 1663.

Madagascar, une belle île tropicale, se trouve dans l'océan Indien, au sud-est de l'Afrique. Le premier établissement français à Madagascar date de 1643 et l'île a été une colonie française de 1890 à 1960, mais aujourd'hui c'est un pays indépendant. Sa capitale est Antananarivo.

EN ASIE

Au 17ᵉ siécle la France avait développé des plantations en Indochine. C'était devenu une colonie importante. Mais en 1954 les pays composant l'Indochine gagnèrent leur indépendance. Une présence française reste en Extrême-Orient où il y a toujours des traces de culture et d'héritage français dans ces pays : le Vietnam, le Laos et le Cambodge. Le français est encore parlé et enseigné dans les écoles.

TERRITOIRES D'OUTRE-MER

Les territoires d'outre-mer (T.O.M.), tels que les îles de la Polynésie française dont Tahiti et de la Nouvelle-Calédonie, sont autonomes et ont leur propre gouvernement : ils n'ont pas de rôle dans la politique du gouvernement français. Mais leurs liens culturels et économiques avec la France sont multiples et l'influence française y reste importante.

EXERCICE

Examinez la carte sur l'usage du français dans le monde à la page 498. Trouvez tous les pays qui sont mentionnés dans le texte.

EXERCICE CRÉATIF

Choisissez une ou deux des activités suivantes :

1. Faites une brochure touristique pour un pays francophone à votre choix.

2. Dessinez une carte du monde où vous marquez tous les pays francophones.

3. Écrivez une liste de mots que le français a empruntés de l'anglais et que l'anglais a empruntés du français. Trouvez d'autres mots que ceux qui sont donnés dans le chapitre.

4. Écrivez une dissertation de 100 mots sur un pays francophone que vous voudriez visiter et expliquez pourquoi.

Chapter 35
La Géographie de la France

Le pays qu'on appelle souvent « la douce France » ou « la belle France » occupe une position favorable dans le continent européen, entre deux des mers les plus importantes du monde : la Méditerranée et la Manche. La France est un pays extrêmement varié. Elle est remarquable par la diversité et l'harmonie de ses aspects: le climat, le relief (*topography*), le paysage, le sol, les ressources naturelles et les produits.

POSITION GÉOGRAPHIQUE, CLIMAT

Située en pleine zone tempérée, la France est presque à égale distance de l'équateur et du pôle nord. Paris est à la même latitude que Montréal.

Grâce à cette latitude, à son relief de moyenne élévation, à l'influence modératrice du Gulf Stream qui réchauffe ses côtes et à la proximité de quatre mers, la plus grande partie de la France jouit d'un climat doux. Cependant, le climat devient graduellement plus rigoureux quand on s'éloigne de la mer. Puisque les mers qui entourent la France régularisent les températures et les pluies, la France est, en général, bien arrosée (*watered*) ; il n'y a presque pas de région tout à fait sèche.

SUPERFICIE, POPULATION, FRONTIÈRES

La France a une superficie (*area*) de 551.000 kilomètres carrés (=213.000 miles carrés). Quoiqu'elle soit plus petite que l'état du Texas, la France est le pays le plus grand de la Communauté Européenne.

La France a une population d'environ 60 millions d'habitants dans la France métropolitaine, auxquels il faut ajouter 1,8 million dans ses quatre départements d'outre-mer et 672 000 dans les territoires d'outre-mer.

Le pays a la forme d'un hexagone (mot employé par les Français pour décrire leur pays), c'est-à-dire d'une figure géométrique à six faces. Trois de ces faces sont des frontières maritimes, baignées par les plus importantes mers européennes. La France est bornée au nord par **la Manche** et **la mer du Nord**, à l'ouest par **l'océan Atlantique**, au sud par **la mer Méditerranée.** Les côtes de la France présentent les aspects les plus variés.

Les trois autres faces de l'hexagone ont des frontières continentales. La France est bornée par six pays : au nord-est par **la Belgique** et **le Luxembourg ;** à l'est par **l'Allemagne, la Suisse** et **l'Italie ;** au sud par **l'Espagne.**

Cinq des faces de l'hexagone sont des frontières naturelles. La seule frontière artificielle se trouve au nord-est, entre le Rhin et Dunkerque.

La Corse, une île dans la Méditerranée au sud-est de la France, fait partie du pays. C'est une île montagneuse avec une côte sauvage et une étroite plaine sur la côte est. Le climat est méditerranéen. C'est ici, dans la ville d'Ajaccio, qu'est né Napoléon Bonaparte.

MONTAGNES

Il y a cinq massifs montagneux (*mountain ranges*) en France. Les Alpes, les Pyrénées et le Jura sont des montagnes jeunes. Leur altitude est élevée et leur relief très accidenté (*jagged*). Ces montagnes servent de frontières à la France. Les Vosges et le Massif Central sont des massifs anciens. Ce sont des montagnes peu élevées dont les sommets ont été arrondis par l'érosion.

1. **Les Alpes,** les montagnes les plus élevées, s'étendent entre la France, l'Italie et la Suisse. C'est dans les Alpes que se trouve le plus haut sommet de l'Europe, **le mont Blanc** (4.807 mètres = 15.780 pieds).

2. **Les Pyrénées** forment une barrière naturelle entre la France et l'Espagne. Moins hautes que les Alpes, les Pyrénées ont de nombreux pics élevés et aigus.

3. **Le Jura,** une chaîne moins élevée, s'étend du Rhin aux Alpes. C'est la frontière principale entre la France et la Suisse.

4. **Les Vosges** se trouvent en Alsace, près de l'Allemagne.

5. **Le Massif Central,** ou plateau central, est un vaste ensemble de hautes terres au centre de la France. C'est la chaîne de montagnes la plus ancienne où se trouvent de nombreux volcans

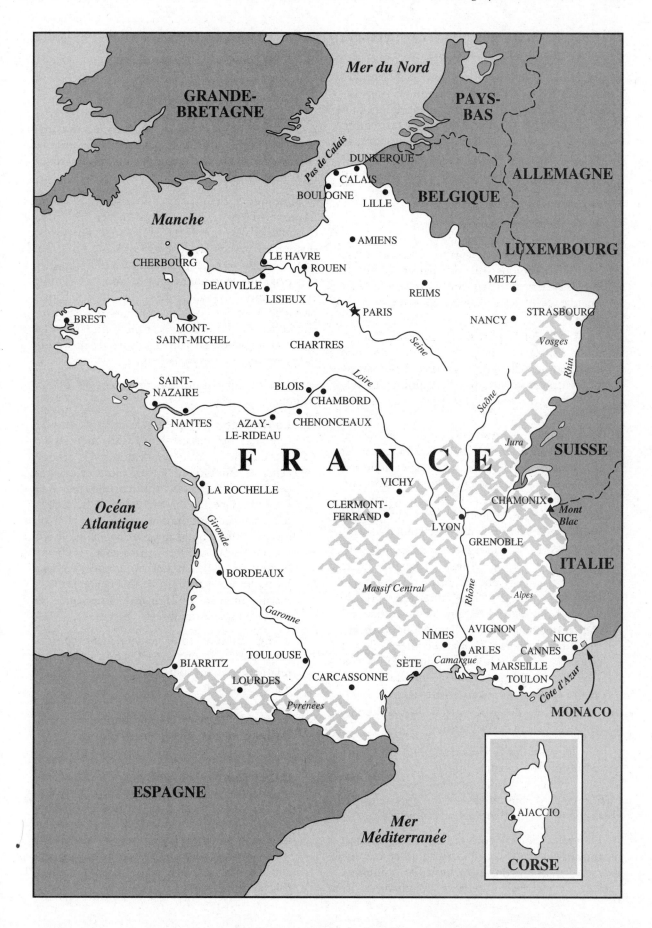

éteints qu'on appelle « puys ». **Les Cévennes** font partie du Massif Central.

La France a un relief varié. La distribution des montagnes est favorable aux communications intérieures et extérieures. Les plaines occupent plus de la moitié de la superficie du pays. Des régions très fertiles et bien cultivées sont : au nord, **le bassin parisien,** la plaine la plus vaste ; au sud-ouest, **le bassin aquitain ;** et au sud, **la vallée du Rhône.**

FLEUVES

1. **La Seine** est le plus navigable et le plus utilisé des fleuves français . Elle naît dans le centre de la France, traverse Paris, coule à travers la Normandie et se jette dans la Manche près du Havre.
2. **La Loire** est le plus long fleuve de France, mais le moins utile au point de vue économique. Elle prend sa source dans le Massif Central et se jette dans l'Atlantique. La vallée de la Loire est célèbre pour ses châteaux magnifiques.
3. **La Garonne,** le plus court des fleuves importants, prend naissance dans les Pyrénées et après Bordeaux se jette dans l'Atlantique, où elle s'élargit pour former **la Gironde,** un véritable bras de mer. C'est un fleuve médiocre pour la navigation, mais qui produit beaucoup d'énergie hydro-électrique.
4. **Le Rhône** est un fleuve rapide et puissant. Descendant des Alpes suisses, il traverse le lac Léman (lac de Genève), reçoit **la Saône** à Lyon et se jette dans la Méditerranée près de Marseille. Le vaste delta que forme ce fleuve à son embouchure (*mouth*) s'appelle **la Camargue.** Les barrages (*dams*) énormes qu'on a construits sur le Rhône, tels que Génissiat et Donzère-Mondragon, fournissent de grandes quantités d'énergie hydro-électrique.
5. **Le Rhin,** un des plus longs fleuves d'Europe, sépare la France de l'Allemagne.

Les fleuves et les rivières navigables sont reliés par de nombreux canaux, dont le plus célèbre est le vieux canal du Midi, construit vers 1670. Ce canal relie la Méditerranée avec la Garonne et, par conséquent, avec l'Atlantique.

Le réseau fluvial (*river system*) français sert de moyen de transport, à l'irrigation et comme source d'énergie hydro-électrique. De nombreux bateaux de plaisance sillonnent les canaux et les rivières en été ; le tourisme fluvial est en grand développement.

LES PROVINCES

Avant la Révolution de 1789, la France était composée de 32 **provinces.** Chacune avait ses propres coutumes, ses propres traditions culturelles et ses traits particuliers.

Quoique la France soit aujourd'hui divisée en **départements,** les Français ont encore l'habitude d'employer les noms des anciennes provinces, surtout en parlant de leur terre natale. En 1982, une nouvelle unité administrative a été créée, les **régions,** qui reprennent plus ou moins les noms et les limites des anciennes provinces. Chaque province avait un costume régional qu'on porte encore aujourd'hui à l'occasion d'une fête. La coiffe et les sabots se voient encore de nos jours dans certaines parties de la France.

Voici quelques-unes des provinces les mieux connues :

1. **La Bretagne** est la péninsule au nord-ouest de la France qui s'avance dans l'Atlantique. Une grande partie de sa population est d'origine celte, et aujourd'hui encore nombreux sont ceux qui parlent **breton,** l'ancienne langue de cette province. Dans cette région de faible altitude, baignée de trois côtés par la mer et arrosée de pluies abondantes, les habitants vivent surtout de la mer. Les marins et les pêcheurs bretons ont toujours joué un grand rôle dans les traditions maritimes de la France. Dans la marine militaire et la marine marchande se trouve un grand nombre de Bretons.

   Les Bretons sont généralement conservateurs et traditionnels. À l'occasion des fêtes religieuses et des **pardons,** pélerinages (*pilgrimages*) religieux consacrés à la pénitence et à la miséricorde, on porte le costume traditionnel. Celui de la Bretonne se distingue surtout par sa **coiffe** (*headress*) blanche.

   Il y a en Bretagne de grandes pierres préhistoriques, isolées ou alignées l'une derrière l'autre, dont la signification est demeurée mystérieuse. On les appelle **menhirs** ou **dolmens ;** les menhirs sont des pierres verticales isolées ou en rangs ; les dolmens se composent de deux ou quatre pierres verticales supportant une énorme pierre plate ; ils ont pu autrefois servir de tombes.

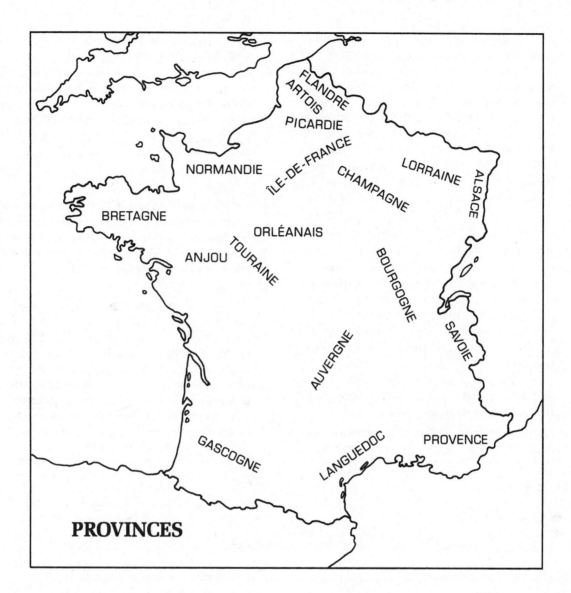

PROVINCES

2. **La Normandie** est située au nord-ouest de la France, sur les côtes de la Manche. Avec son climat humide, c'est une région de fermes fertiles et de pâturages (*pastures*). La Seine coule à travers cette province. Le long des côtes, il y a plusieurs ports de commerce et de pêche ainsi que des plages bien connues. Les belles vaches de la Normandie produisent le lait qui sert à fabriquer le beurre et les fromages normands de renommée mondiale. Il y a aussi en Normandie de grands centres industriels. Deux événements importants sont liés à l'histoire de la Normandie : la conquête de l'Angleterre en 1066, par Guillaume le Conquérant, duc de Normandie, et le débarquement en 1944 des forces alliées de la Libération.

3. **L'Île-de-France,** dans le bassin parisien, est une région fertile et industrialisée. Avec sa capitale, Paris, ce fut le véritable cœur administratif du pays et le berceau (*cradle*) de la monarchie française. La langue parlée en Île-de-France est devenue la langue officielle de la France.

4. **L'Alsace** et **la Lorraine** se trouvent au nord-est de la France. Pendant de nombreuses années, la France et l'Allemagne se disputèrent ces deux provinces. L'Alsace est principalement une région agricole, dont le vin et la charcuterie (pâtés et saucissons) sont réputés. La Lorraine, avec ses mines de fer les plus riches d'Europe, est importante au point de vue industriel.

5. **La Provence,** la province ensoleillée, se trouve au sud-est. Elle est bornée par le Rhône, les Alpes et la Méditerranée. Puisque le climat y est doux la plupart du temps,

on y voit toute une végétation exotique. Les fleurs, qui poussent en toute saison, sont une des richesses de la terre et servent à faire des parfums réputés. Entre Marseille et la frontière italienne se trouve le littoral célèbre qui s'appelle **la Côte d'Azur (la Riviera)** à cause du bleu intense du ciel et de la Méditerranée. En certaines saisons, un vent violent, froid et sec—**le mistral**—souffle du nord et descend la vallée du Rhône. En Provence, on trouve des monuments romains bien conservés. Même aujourd'hui, certains Provençaux parlent **provençal**, la langue des anciens troubadours.

6. Dans la vallée de la Loire se trouvent trois anciennes provinces : **la Touraine, l'Orléanais** et **l'Anjou.** Cette région s'appelle « le pays des châteaux » parce qu'aucune autre région ne possède tant de châteaux sur une étendue si limitée. **Azay-le-Rideau, Blois, Chambord,** et **Chenonceaux** sont les plus connus de ces beaux châteaux. La Touraine, « le jardin de la France », produit une grande quantité de fruits et de légumes.

7. **La Bourgogne** et **la Champagne** sont deux provinces fertiles où l'on cultive la vigne. Les vins de ces provinces sont estimés dans le monde entier.

8. **L'Auvergne,** au centre du Massif Central, est une province de terre volcaniques. On y trouve les **puys,** des volcans éteints. C'est une région vouée essentiellement à l'élevage.

9. **La Savoie,** à la frontière de l'Italie, est la province principale des Alpes françaises. En Savoie, connue pour la beauté de son paysage, se trouve le mont Blanc.

10. **La Flandre, l'Artois** et **la Picardie,** au nord de la France, sont des plaines fertiles et des régions industrielles. La Flandre, qui forme la frontière avec la Belgique, est la région industrielle la plus importante de France.

11. D'autres provinces dont les noms sont bien connus sont **la Gascogne** et **le Languedoc,** dans le Midi. La région qu'on appelle « le pays basque » se trouve près des Pyrénées et de l'Atlantique. Les Basques parlent une langue différente et compliquée dont l'origine est un mystère. Ils ont donné au monde le **béret** et leur jeu régional, la **pelote** (jai alai—semblable au handball, se joue sur un court avec une balle et une sorte de panier recourbé attaché au poignet).

EXERCICE

Complétez en français.

1. La France est presque à égale distance du pôle nord et de _____ .

2. On peut voir de nombreux _____ magnifiques dans la vallée de la Loire.

3. La France compte _____ millions d'habitants.

4. _____ est la frontière principale entre la France et la Suisse.

5. Les Pyrénées séparent la France de _____ .

6. Les femmes en _____ porte souvent une coiffe blanche sur la tête.

7. C'est la langue de _____ qui est devenue la langue officielle de la nation française.

8. Deux provinces souvent disputées par la France et l'Allemagne sont _____ et

_____ .

9. La Côte d'Azur se trouve dans la province de _____ .

10. _____ est une province qui a beaucoup de fermes fertiles et de pâturages.

EXERCICE CRÉATIF

Choisissez une des activités suivantes.

1. Faites une carte de la France où vous indiquez les fleuves, les montagnes et les provinces.

2. Composez une brochure publicitaire pour une province française que vous voudriez visiter.

Chapter 36
Paris et Autres Villes Importantes

PARIS

À l'origine, Paris s'appelait **Lutèce.** C'était le village des Parisii, tribu gauloise qui a donné son nom à la ville. Lutèce se trouvait sur une île qu'on appelle aujourd'hui **l'île de la Cité,** « le berceau de Paris ».

Paris, la capitale politique, économique et intellectuelle de la France, est située au centre du bassin parisien. La « Ville Lumière » est le cerveau du pays. C'est le centre de la vie artistique et littéraire, le premier centre commercial et industriel de la France, le centre de la mode féminine et le premier port français de navigation intérieure.

Comme toutes les villes, le visage de Paris change de jour en jour. Tandis que la ville proprement dite compte plus de deux millions d'habitants, la région parisienne—Paris et ses environs—a une population de plus de dix millions d'habitants. Cette concentration humaine fait de Paris l'une des villes du monde dont la densité de la population est la plus forte.

Pour son administration, Paris est divisé en vingt **arrondissements,** chacun dirigé par un maire. C'est une ville de beauté, célèbre pour ses monuments magnifiques, ses musées, ses églises et ses jardins.

La Seine divise la ville en deux parties: la rive droite et la rive gauche. **La rive droite,** au nord, est plus grande et plus animée. C'est le centre des affaires—maisons de commerce, grands magasins—et de la vie mondaine—grands boulevards, théâtres, restaurants. C'est sur la rive droite que se trouve **Montmartre.**

Le **Quartier latin,** où les étudiants parlaient latin au Moyen Âge, et **Montparnasse** sont sur **la rive gauche.** C'est au Quartier latin—centre de l'enseignement et d'activités culturelles que la plupart des grandes écoles s'étaient installées : la Sorbonne, le Collège de France, l'École Polytechnique, l'École de Médecine et l'École Normale Supérieure. Certaines ont maintenant construit de plus grands locaux en banlieue.

Montparnasse et Montmartre sont connus comme centres de la vie bohémienne. Quelques-uns des cafés bien connus de la rive gauche sont **le Dôme, les Deux Magots** et **le Café de Flore.**

Le Pont-Neuf, construit au XVIᵉ siècle, est le plus ancien et le plus renommé des nombreux ponts de Paris. Il traverse la Seine à l'île de la Cité.

MUSEES

Il y a plus de trente musées à Paris. En voici quelques-uns qui attirent un grand nombre de visiteurs :

1. **Le musée du Louvre,** dans l'ancien palais royal, est le musée d'art le plus important de France. C'est un des musées les plus vastes et les plus riches du monde. On peut y voir des chefs-d'œuvre tels que *la Joconde* de Léonard de Vinci (portrait de Monna Lisa), *la Vénus de Milo,* et *la Victoire de Samothrace.* Une pyramide de verre de 22 mètres de haut a été érigée en 1987 pour servir d'entrée au musée.

2. **L'Hôtel des Invalides,** construit par Louis XIV pour les anciens combattants blessés, contient le tombeau de Napoléon et un musée militaire.

3. **Le Panthéon,** au Quartier latin, était à l'origine une église construite en l'honneur de sainte Geneviève, patronne de Paris. Il sert maintenant de mausolée à de nombreux Français illustres : Voltaire, Jean-Jacques Rousseau, Victor Hugo, Émile Zola. Par conséquent, on l'appelle souvent le « Westminster Abbey » de France. L'édifice porte l'inscription : « Aux grands hommes la Patrie reconnaissante ». Les murs intérieurs du Panthéon sont décorés de peintures dont les plus célèbres, par Puvis de Chavannes, représentent la vie de sainte Geneviève.

4. **Le musée de Cluny,** au Quartier latin, est consacré à l'art du Moyen Âge. Il renferme aussi des ruines de bains romains.

5. **Le Centre national d'art et de culture Georges Pompidou,** inauguré en 1977, est composé de plusieurs parties. Dans le musée des arts modernes et contemporains se trouvent des collections permanentes et des expositions itinérantes (*traveling exhibitions*). Ce centre culturel comprend aussi un institut

PARIS

BD DE BELLEVILLE

BD VOLTAIRE

BD DIDEROT

BD MASSENA

Bois de Vincennes

Rive Droite

Rive Gauche

GRANDS BOULEVARDS

BD SEBASTOPOL

RUE DE RIVOLI

RUE LA FAYETTE

MONTMARTRE

BD ROCHECHOUART

BD SAINT-GERMAIN

BD DU MONTPARNASSE

MONTPARNASSE

BD LEFÈBVRE

RUE DE VAUGIRARD

BD MALESHERBES

BD HAUSSMANN

CHAMPS-ÉLYSÉES

AV. DE LA GRANDE ARMÉE

AV. VICTOR HUGO

Bois de Boulogne

pour l'expérimentation musicale, un centre de création industrielle, des facilités audio-visuelles et une bibliothèque d'information. Georges Pompidou, premier ministre de la France de 1962 à 1968, puis président de 1969 à 1974, joua un rôle essentiel dans la création de ce centre culturel.

6. **Le musée d'Orsay** a été installé dans l'ancienne gare d'Orsay. On a restauré l'extérieur de la gare et transformé l'intérieur en musée. Les collections illustrent l'ensemble de la création artistique de la seconde moitié du XIXe siècle et des premières années du XXe siècle dans toute sa richesse et sa diversité.

7. **La Cité des sciences et de l'industrie** est un musée très moderne où l'on présente des expositions relatives aux sciences et à la technologie d'aujourd'hui. Dans son théâtre spectaculaire—la Géode—on joue des films à trois dimensions.

8. **Le Muséum d'histoire naturelle,** créé en 1626, devint un grand centre scientifique sous la direction de Buffon au 18e siècle et fut rénové en 1994 avec la construction de la superbe *Grande Galerie de l'évolution.*

9. **Le Musée Picasso,** dans un vieil hôtel du Marais, à l'est de Paris, présente les collections privées de Picasso et un grand nombre de ses œuvres.

ÉGLISES

1. La cathédrale **Notre-Dame de Paris,** dans l'île de la Cité, est une merveille de l'architecture gothique. Commencée au XIIe siècle, c'est le plus bel édifice religieux de la ville.

2. L'élégante église de **la Madeleine,** avec sa majestueuse colonnade, a l'aspect d'un temple grec.

3. **Le Sacré-Cœur** est une église blanche qui ressemble à une mosquée. Bâtie au XIXe siècle sur la colline de Montmartre, l'église domine la ville. De là, la vue sur Paris est magnifique.

4. **La Sainte-Chapelle,** dans l'île de la Cité, est célèbre pour ses beaux vitraux *(stained glass windows)* aux couleurs superbes. C'est Louis IX (Saint Louis) qui l'a fait construire au XIIIe siècle pour servir de chapelle à la famille royale et pour abriter *(to shelter)* des reliques précieuses. On appelle l'église « le bijou de l'architecture gothique ».

5. L'église romane *(romanesque)* de **Saint-Germain-des-Prés,** au Quartier Latin, est une des plus anciennes de Paris.

JARDINS ET BOIS

1. **Le bois de Boulogne,** ancienne forêt, est le vaste parc à l'ouest de Paris. On y trouve des lacs, des jardins de fleurs, deux champs de courses *(race tracks)* et des restaurants.

2. **Le jardin des Tuileries** était autrefois un jardin particulier des rois de France. Ce parc, avec ses nombreuses statues, est situé près de la Seine, entre le Louvre et la place de la Concorde. Il a été restauré récemment.

3. **Le jardin du Luxembourg,** sur la rive gauche, créé en 1612 par la reine Marie de Médicis, est un rendez-vous favori des étudiants.

4. Dans **le bois de Vincennes,** au sud-est de Paris, il y a un jardin zoologique célèbre.

5. **Le parc André Citroën** a été construit récemment le long de la Seine à l'ouest de Paris sur l'emplacement des anciennes usines Citroën. C'est un parc très moderne au dessin varié.

6. **Le parc de la Villette** avec **la Cité de la musique,** construit de 1985 à 1992 au nord-est de Paris, est orné de **folies,** petits pavillons fantastiques. Il longe un canal et contient des théâtres et le Conservatoire de Musique.

7. **La Promenade plantée** a été construite sur le viaduc long de quatre kilomètres d'une ancienne voie ferrée de la Bastille au bois de Vincennes. Au-dessous sont les ateliers d'artisans d'art.

8. **Le Parc de Bercy,** le long de la Seine à l'est sur l'emplacement des anciennes Halles au vin *(wholesale wine market),* est un merveilleux jardin moderne.

PLACES

1. **La place de la Concorde** est la plus grande et la plus belle de Paris. C'est ici qu'on a guillotiné des centaines de Français, y compris Louis XVI et Marie-Antoinette, pendant la Révolution de 1789. Au milieu de la place se trouvent l'obélisque égyptien de Louqsor, entre deux belles fontaines, et des statues qui représentent huit grandes villes de France.

2. **La place Charles de Gaulle** portait le nom de « place de l'Étoile » jusqu'à 1970 ; elle s'appelait ainsi parce que les douze avenues qui rayonnent autour de **l'Arc de Triomphe** dessinent une étoile. Napoléon avait ordonné de construire ce monument pour commémorer ses victoires. Sous l'arche, où brûle la

flamme éternelle, se trouve **le tombeau du Soldat Inconnu,** mort pour la France pendant la Première Guerre mondiale. Le célèbre bas-relief, **la Marseillaise,** chef-d'œuvre de l'artiste François Rude, décore une des faces du monument.

3. **La place de l'Opéra** est située au cœur de la ville. Le grandiose **Opéra,** qui date de 1875, domine l'animation de la place. Le splendide édifice, avec ses façades sculptées, son grand escalier en marbre et son foyer somptueux, est l'œuvre de Charles Garnier. Au coin de la place se trouve **le Café de la Paix,** rendez-vous international, où l'on entend parler toutes les langues du monde.

4. **La place Vendôme** est au centre d'un quartier de magasins élégants. Au milieu de la place s'élève la **colonne Vendôme,** avec ses spirales de bronze où sont representées des scènes des campagnes militaires de Napoléon. Au sommet de la colonne se trouve la statue de l'empereur.

5. C'est sur **la place de la Bastille** que se trouvait autrefois la vieille prison que les Français ont prise et détruite en 1789. Aujourd'hui, au centre de la place se dresse **la colonne de Juillet,** élevée à la mémoire des Parisiens tués dans la révolution de juillet 1830 (une révolution qui dura trois jours et aboutit en l'abdication du roi ultraroyaliste Charles X et la mise au pouvoir de Louis-Philippe Ier). Au sud-est de la place se trouve le nouvel **Opéra de la Bastille,** un grand bâtiment blanc très moderne.

AUTRES MONUMENTS ET CURIOSITÉS

1. **La tour Eiffel** est le monument parisien que tout le monde connaît. Construite en acier par l'ingénieur Gustave Eiffel pour l'Exposition de 1889, elle mesure 336 mètres de haut. On peut monter au sommet par des ascenseurs ou des escaliers. Deux restaurants, dont l'un de luxe et l'autre plus simple, sont à différents étages. La tour est utilisée comme poste émetteur de radio et de télévision.

2. **La Sorbonne,** fondée en 1253 par Robert de Sorbon, chapelain de Louis IX, est la partie la plus ancienne de l'Université de Paris. C'est la Faculté des lettres et des sciences de l'université Paris IV.

3. **Le palais de Chaillot,** construit en 1937, est un exemple typique de l'architecture des années 30. Le palais contient plusieurs musées

et un théâtre. L'Assemblée des Nations Unies s'y est réunie.

4. **La Conciergerie** est l'ancienne prison dans l'île de la Cité. C'est ici qu'un grand nombre de victimes de la Révolution, y compris Marie-Antoinette, ont passé leurs dernières heures

5. **La Cité Universitaire,** composée d'un grand nombre de bâtiments, est la section résidentielle de l'Université de Paris. Des étudiants français et étrangers y demeurent. La Cité encourage la compréhension mutuelle entre les jeunes gens de tous les pays du monde et facilite l'organisation de leur vie d'étudiant.

6. **Le Forum des Halles,** à l'endroit où se trouvaient les Halles, le grand marché central de Paris, maintenant transféré dans la banlieue à Rungis, contient un centre commercial et des équipements de loisir.

7. Quelque-uns des grands magasins de Paris sont : **les Galeries Lafayette, le Bon Marché** et **Au Printemps.**

8. Il y a deux palais célèbres près de Paris. Situé dans un immense parc est le magnifique château de **Versailles,** construit au XVIIe siècle par Louis XIV. Dans la **Galerie des Glaces,** on a signé le traité (*treaty*) de Versailles le 28 juin 1919 qui a mis fin à la Première Guerre mondiale entre la France et ses alliés et l'Allemagne. Le château de **Fontainebleau,** entouré d'une belle forêt, était la retraite préférée de Napoléon.

RUES

1. **L'avenue des Champs-Élysées** est la promenade large et splendide qui s'étend de la place de la Concorde à la place Charles de Gaulle. Le long de cette avenue—centre de commerce et de divertissement—se trouvent des boutiques, des magasins d'automobiles, des maisons de couture, de grands hôtels, des théâtres et des cinémas.

2. **L'avenue de l'Opéra, la rue de la Paix, la rue Royale et la rue St-Honoré** sont connues pour leurs boutiques élégantes.

3. Sous les arcades de **la rue de Rivoli,** qui s'étend parallèlement à la Seine, il y a des magasins de luxe et des boutiques de souvenirs, qui attirent des milliers de touristes.

4. **Les grands boulevards** sont de larges avenues bordées d'arbres qui forment les artères de Paris. **Le boulevard St-Michel** est la rue principale du Quartier latin. D'autres boulevards également bien connus sont **les**

boulevards **Montmartre, Montparnasse, Haussmann, des Capucines, de la Madeleine** et **des Italiens.**

5. Les **quais** sont les rues qui bordent les deux rives de la Seine. C'est ici que les bouquinistes, dont les boîtes garnissent les parapets, vendent des livres d'occasion (*second-hand*).

TRANSPORTS

La situation commerciale de Paris est excellente. C'est le premier port fluvial de la France et le centre du réseau routier. Deux aéroports desservent (*serve*) la ville : Charles de Gaulle, le vaste aéroport international à Roissy, et Orly. Toutes les grandes lignes de chemin de fer passent par Paris, où se trouvent plusieurs gares. Le TGV, train à grande vitesse, relie Paris à Lyon, Marseille, Genève, le sud-ouest et la Bretagne.

Pour voyager dans la ville même, il y a trois moyens de transport public :

1. **le métro (métropolitain)** est le chemin de fer souterrain. Le vaste réseau de métro relie tous les points de la ville et on peut aller n'importe où dans Paris en changeant de métro à des correspondances (*transfers*). Dans la plupart des stations, il y a une grande carte murale qui montre aux voyageurs l'itinéraire à suivre avec des voyants lumineux de couleurs différentes. Le métro est assez silencieux parce que les rames (*trains*) roulent sur des pneus en caoutchouc. Les nouvelles stations de métro ont des murs de verre qui s'ouvrent automatiquement devant les portes du train quand il arrive dans la station.

2. **Le R.E.R. (Réseau Express Régional)** est un ensemble de lignes traversant Paris et sa banlieue (*suburbs*). Ce « supermétro » très rapide a un système de contrôle unique automatisé. Les banlieues sont également desservies par des trains partant des gares de chemins de fer (*railroads*)

3. Un réseau d'**autobus** dessert la ville entière et les banlieues.

Si l'on prend un des **bateaux-mouches** qui descendent et remontent la Seine, on peut faire une belle excursion sur le fleuve et admirer plusieurs des monuments historiques de la ville. Des bateaux vont aussi le long des canaux à l'est de Paris jusqu'au parc de la Villette traversant quelques écluses (*locks*). Pendant la journée, il y a aussi des bateaux qui permettent de traverser Paris en évitant les embarras (*traffic jams*) de la circulation automobile.

AUTRES VILLES IMPORTANTES

Parmi les villes principales de la France, du point de vue de la population, sont **Lyon, Marseille, Lille, Toulouse, Bordeaux** et **Nice.**

PORTS

1. **Marseille,** sur la Méditerranée, près de l'embouchure du Rhône, est le plus grand port de mer français. Marseille, qui relie la France à l'Afrique du Nord et à l'Orient, est aussi un centre industriel très actif. C'est la deuxième ville de France pour la population.

2. **Le Havre,** à l'embouchure de la Seine, est le plus grand port sur la Manche. Par ce port se fait la plus grande partie du trafic orienté vers l'Amérique du Nord.

3. **Bordeaux,** à l'embouchure de la Garonne, est un port actif, surtout dans le commerce des vins renommés de la région. La ville a de beaux monuments datant du XVIIIe siècle.

4. **Nantes,** à l'embouchure de la Loire, est un centre de constructions navales et de l'industrie agro-alimentaire.

5. D'autres ports maritimes sont :

   sur la Manche : **Cherbourg** (port militaire), **Boulogne, Calais, Dunkerque**

   sur l'Atlantique : **Brest** (port militaire), **Saint-Nazaire** (où a été construit le Queen Mary II), **La Rochelle**

   sur la Méditerranée : **Toulon** (port militaire), **Sète**

VILLES INDUSTRIELLES

1. **Lyon** se trouve au confluent du Rhône et de la Saône. C'est une ville commerciale et le centre traditionnel de l'industrie de la soie. C'est aussi une ville historique et artistique. On y célèbre un festival de Musique et de Théâtre dans l'amphithéâtre romain. C'est la troisième ville de France pour la population.

2. **Lille,** au nord-est de la France, était un grand centre de l'industrie textile. C'est également un centre de constructions mécaniques et un carrefour européen en plein développement.

3. **Strasbourg,** sur le Rhin, est une ville industrielle et un port fluvial important. Cette ancienne capitale de l'Alsace est connue pour son université, sa choucroute (*sauerkraut*) et son pâté de foie gras. C'est maintenant le siège du

Parlement européen. C'est donc avec Bruxelles une ville européenne. Dans la magnifique cathédrale gothique se trouve une célèbre horloge astronomique.

4. **Reims,** au centre de la région où se fait le champagne, possède une des plus belles cathédrales gothiques de France, un chef-d'œuvre d'architecture et de sculpture. Dans cette cathédrale, on couronnait autrefois les rois de France. D'autres villes connues pour leur splendide cathédrale gothique sont **Chartres** et **Amiens.**

5. **Nancy,** ancienne capitale de la Lorraine, et **Metz,** également en Lorraine, se trouvent dans une ancienne région d'industrie métallurgique.

6. **Rouen,** sur la Seine en Normandie, est une ville industrielle et un port fluvial. Jeanne d'Arc y fut brûlée en 1431. Très prospère au XVIe siècle, Rouen a de beaux monuments.

7. **Grenoble,** au sud-est, est le centre principal de la fabrication des gants aussi bien qu'un grand centre universitaire et de recherches.

8. **Toulouse,** sur la Garonne, est le centre industriel et commercial de la région. L'ancienne et belle « ville rose » est un centre universitaire important. On y fabrique les avions de l'Airbus Industrie, ce qui fait de la ville le centre européen de l'aviation.

9. **Clermont-Ferrand,** dans le centre du pays, est la métropole française du caoutchouc. On y fabrique des pneus.

STATIONS D'ÉTÉ ET D'HIVER

1. **Nice,** la plus grande ville de la Côte d'Azur, et la ville avoisinante de **Cannes** sont deux stations balnéaires (*seaside resort*) qui attirent beaucoup de touristes, surtout en hiver et au printemps. C'est à Cannes que le Festival international de cinéma se tient chaque année au mois de mai et à Nice qu'a lieu un célèbre Carnaval en février.

2. **Chamonix,** situé au pied du mont Blanc, est un centre important d'alpinisme (*mountain climbing*) et de sports d'hiver.

3. **Deauville** et **Trouville** sont des plages populaires et élégantes sur la Manche.

4. **Vichy** est la grande station thermale (*spa*) du Massif Central. Ses eaux minérales sont exportées aux quatre coins du monde. D'autres stations thermales sont **Évian, Vittel** et **Aix-les-Bains.**

5. **Biarritz,** dans le pays basque, est une station balnéaire sur l'Atlantique, près de l'Espagne.

VILLES HISTORIQUES

1. **Carcassonne** se trouve dans le midi de la France. Célèbre à cause des remparts qui l'entourent, c'est le meilleur exemple d'une ville fortifiée du Moyen Âge.

2. **Le Mont-Saint-Michel,** qu'on appelle « la Merveille de l'Occident », est situé sur un îlot rocheux de la Manche, entre les côtes de la Bretagne et de la Normandie. C'est une forteresse médiévale dominée par une abbaye bénédictine de style gothique.

3. **Avignon** est une ville provençale sur le Rhône renommée pour son **palais des Papes.** Ce palais était la résidence du pape au quatorzième siècle. **Le pont Saint-Bénézet** est bien connu, grâce à la vieille chanson fameuse, *Sur le pont d'Avignon.*

4. **Nîmes** et **Arles,** deux villes méridionales, conservent quelques-uns des plus beaux monuments romains de France. À Nîmes se trouvent la Maison Carrée, un temple romain, et des arènes. Pas loin de la ville, on peut voir **le pont du Gard,** un aqueduc romain bien conservé. **Arles** également a un théâtre antique et des arènes.

5. **Lourdes,** dans les Pyrénées, est le lieu de pèlerinage (*pilgrimage*) le plus célèbre de France. Ce grand centre religieux attire chaque année des milliers de catholiques du monde entier. **Lisieux,** en Normandie, est un autre lieu de pèlerinage.

EXERCICE A

Identifiez :

1. l'édifice qui contient le tombeau de Napoléon Ier _____

2. le musée d'art médiéval au Quartier Latin _____

3. le grand marché qui alimentait Paris _____

4. « le bijou de l'architecture gothique » _____

5. l'église en forme de temple grec _____

6. l'ancienne prison où Marie-Antoinette passa ses dernières heures _____

7. le monument qui se trouve au milieu de la place Charles de Gaulle _____

8. le musée installé dans une ancienne gare _____

9. la statue de bronze qui domine la colonne Vendôme _____

10. le momument en acier utilisé come poste émetteur de télévision _____

EXERCISE B

Pour chaque description de la première colonne, donnez la lettre du nom correspondant de la seconde colonne.

1. grande station thermale	_____	**a.** Bordeaux
		b. Cannes
2. on y fabrique des avions	_____	**c.** Le Havre
		d. Lourdes
3. ville normande où Jeanne d'Arc mourut	_____	**e.** Marseille
		f. Vichy
4. premier port de mer, sur la Méditerranée	_____	**g.** Reims
		h. Rouen
5. ville industrielle sur le Rhin	_____	**i.** Strasbourg
		j. Toulouse
6. station balnéaire de la Côte d'Azur	_____	
7. grand port au sud-ouest, actif dans le commerce des vins	_____	
8. lieu de pèlerinage dans les Pyrénées	_____	
9. centre de la préparation du champagne	_____	
10. port transatlantique à l'embouchure de la Seine	_____	

EXERCICE CRÉATIF

Choisissez une des activités suivantes.

1. Dessinez une carte de Paris où vous indiquerez tous les monuments et sites touristiques importants.

2. Choisissez une ville française autre que Paris. Faites une brochure publicitaire pour cette ville.

3. Imaginez que vous allez visiter Paris pendant une semaine. Regardez la carte de Paris et composez un itinéraire compréhensif et logique qui vous permettra de visiter le plus de sites possible.

Chapter 37
L'Histoire de la France

LA PRÉHISTOIRE

La France est riche en vestiges de civilisations préhistoriques. On a découvert dans plusieurs grottes françaises, comme celles des Eyzies et de Lascaux en Dordogne, au sud-ouest de la France, et dans la grotte Chauvet au sud-est près du Rhône, des squelettes d'hommes et des dessins sur pierre. Les murs de ces grottes sont décorés de peintures et de gravures d'animaux qui datent du XVIe siècle avant Jésus-Christ. On croit que ces grottes ont été utilisées pour des rites cérémoniels aux temps préhistoriques. Les menhirs et les dolmens—des blocs de pierre préhistoriques—sont nombreux en Bretagne.

Au premier siècle avant J.-C., la France s'appelait **la Gaule.** C'était le territoire des **Celtes,** ou **Gaulois,** qui avaient une civilisation primitive. Les Gaulois étaient divisés en un grand nombre de tribus rivales qui se faisaient souvent la guerre. Leurs prêtres, appelés **druides,** occupaient une place importante dans leur société. Les druides, qui étaient aussi médecins et juges, exerçaient une influence sociale et politique en même temps que religieuse. Ils adoraient la nature et enseignaient que le gui (*mistletoe*), une plante toujours verte, était sacré et que l'âme était immortelle.

LES ROMAINS

Jules César, le général romain, profita de la désunion des Gaulois pour entreprendre la conquête du pays entier. Cette conquête se termina par la bataille d'Alésia en 52 avant J.-C. **Vercingétorix,** chef courageux et général habile, avait réussi à former une coalition des peuples gaulois contre César. Après la défaite des Gaulois à Alésia, Vercingétorix fut emmené à Rome, où il figura dans le triomphe de César. Au bout de six ans de prison, le chef gaulois fut exécuté. On considère Vercingétorix comme le premier héros national de la France.

Sous le gouvernement des Romains, qui dura plus de 400 ans, la Gaule prospéra. Les Gaulois adoptèrent les coutumes, la religion et le code de justice des vainqueurs, et ils apprirent le latin, la langue de Rome. Les Romains développèrent l'agriculture et le commerce. Ils construisirent de belles routes, des aqueducs, des amphithéâtres, des temples et d'autres bâtiments publics. La conquête romaine donna à la Gaule la paix et la sécurité.

LES FRANCS

L'empire romain était très vaste et, par conséquent, difficile à défendre. À partir du IIIe siècle de notre ère, des peuplades barbares—Visigoths, Vandales, Burgondes, Huns—commencèrent à envahir la Gaule. Au Ve siècle, une tribu germanique, **les Francs,** conquit le pays et s'y installa. Ce sont eux qui ont donné leur nom à la France.

Clovis (465–511), roi des Francs, battit les Romains et se fit maître de presque toute la Gaule. Il se convertit au christianisme, qui devint la religion officielle du pays.

Sainte Geneviève est la patronne de Paris. Au Ve siècle, quand les Huns étaient sur le point d'attaquer Paris (alors Lutèce), Geveniève, une bergère, donna aux habitants le courage de rester dans la ville. Elle avait raison, car l'armée d'Attila changea de direction, et Paris fut sauvé.

En 732, **Charles Martel** sauva la France de l'invasion musulmane en écrasant les Arabes à la bataille de Poitiers.

LES CAROLINGIENS

Charlemagne, ou Charles le Grand, petit-fils de Charles Martel, fut le souverain le plus puissant du Moyen Âge. En 800, à Rome, le pape le couronna empereur d'Occident (*west*). Il gouverna un empire immense : la plus grande partie de l'Europe occidentale. Charlemagne était un administrateur sage qui essayait d'améliorer la condition de son peuple. Il promulga des lois bonnes et justes. Protecteur des arts et des lettres, il encouragea l'enseignement en créant de nombreuses écoles. Ses exploits guerriers sont célébrés dans *La Chanson de Roland,* le premier chef-d'œuvre de la littérature française. Malheureusement, après la mort de Charlemagne, son vaste empire fut divisé.

LES NORMANDS

À la fin du IXe siècle, quand la France ne pouvait plus se défendre, le pays fut ravagé par **les Normands,** les hommes du Nord. Ces pirates, qui venaient par mer, remontaient les fleuves et pillaient (*looted*) tout sur leur passage. Ils finirent par rester dans la région qu'on appelle aujourd'hui la Normandie.

En 1066, **Guillaume le Conquérant,** duc de Normandie, traversa la Manche, fit la conquête de l'Angleterre et devint roi de ce pays.

Louis IX, ou **Saint Louis,** est connu pour son amour de la justice et de la paix. Il s'intéressait à ses sujets, surtout aux pauvres. Très pieux, il prit une part active aux Croisades du XIIIe siècle. Louis IX fit beaucoup pour consolider le pouvoir royal.

LA GUERRE DE CENT ANS

Pendant la guerre de Cent Ans, de 1337 à 1453, les armées anglaises envahirent la France. Les rois d'Angleterre, qui prétendaient à la couronne de France, dévastèrent le pays. Grâce au courage d'une jeune paysanne française, la France fut sauvée.

Jeanne d'Arc, appelée « la Pucelle (*Maid*) d'Orléans », est l'héroïne nationale de la France. Elle naquit en 1412 à Domrémy, en Lorraine. Jeanne crut entendre des voix surnaturelles qui lui commandaient de délivrer la France. À la tête d'une armée française, elle battit les Anglais à Orléans et fit sacrer Charles VII roi de France dans la cathédrale de Reims. Trahie, elle fut prise et vendue aux Anglais. Ceux-ci, l'ayant accusée d'hérésie, la brûlèrent vive à Rouen en 1431. Après la mort de Jeanne d'Arc, les Français, inspirés par son courage, chassèrent les Anglais de France.

DU XVIe SIÈCLE AU XVIIIe SIÈCLE

Francois Ier fut roi de France pendant la première moitié du XVIe siècle, l'époque de la Renaissance. Administrateur brillant et patron des arts, il fit venir à sa cour de grands artistes italiens, des hommes de lettres et des savants. Il fonda le Collège de France, fit construire de beaux châteaux le long de la Loire et encouragea l'exploration. Sous son règne, Jacques Cartier prit possession du Canada.

Henri IV, le premier monarque de la famille des Bourbons, est le plus aimé des rois de France. On l'appelle souvent « le bon roi Henri » parce qu'il gouvernait avec intelligence et humanité. Né protestant, il se convertit au catholicisme pour mettre fin aux guerres de religion et pour restaurer la paix en France. Par le célèbre **Édit de Nantes** de 1598, il accorda aux protestants la liberté du culte (*worship*). Henri IV entreprit l'œuvre de restaurer l'autorité royale, de réorganiser l'administration et de rétablir la prospérité du pays. Il encouragea l'industrie, le commerce et l'agriculture. Il fit construire des routes et des ponts. Un de ses capitaines, Samuel de Champlain, fonda Québec en 1608.

Le cardinal de Richelieu, le premier ministre intelligent et énergique de Louis XIII, fut un grand homme d'état. En abaissant la puissance des grands seigneurs et en forçant les protestants à se soumettre au roi, il fonda l'absolutisme royal. Il améliora la vie économique de la France et réforma les finances et la législation. Protecteur des lettres, des arts et des sciences, il fonda l'Académie française en 1635. Richelieu fit de la France une des plus grandes nations du monde.

Louis XIV, appelé « le roi Soleil », fut le maître absolu de la France et le monarque le plus puissant de l'Europe. Son despotisme se résume dans les fameuses paroles : « L'État, c'est moi ». Son règne de soixante-douze ans fut d'abord une époque de gloire militaire et de grandeur littéraire et artistique. Le magnifique palais qu'il fit construire à Versailles devint le centre politique, social et culturel de la France. Son ministre brillant et infatigable **Jean-Baptiste Colbert** mit de l'ordre dans les finances, développa le commerce et l'industrie et encouragea les travaux publics. Mais l'égotisme et l'ambition du roi causèrent de longues guerres qui finalement furent désastreuses pour la France. Ces guerres et la cour somptueuse du roi finirent par ruiner le pays. En 1685, Louis XIV révoqua l'Édit de Nantes et persécuta les protestants dont beaucoup quittèrent la France.

Louis XV régna de 1715 à 1774. Au lieu de s'intéresser aux affaires du royaume, il s'occupait de ses propres plaisirs. La guerre de Sept ans aboutit à la perte du Canada et de la partie est de la Louisiane au profit de l'Angleterre (Traité de Paris, 1763). On prête à Louis XV la phrase sinistre « Après moi, le déluge ». En effet, le mécontentement créé sous son règne fut une des causes principales de la Révolution française.

LA RÉVOLUTION DE 1789

Louis XVI, plein de bonnes intentions, mais manquant de décision, ne savait pas gouverner. Il écoutait les mauvais conseils de sa femme frivole, **Marie-Antoinette.** Ennemie des réformes, la reine perdit tout de suite l'estime du peuple. Louis était incapable de résoudre la crise financière, politique et sociale qui troublait le pays. Le 14 juillet 1789, le peuple de Paris attaqua la Bastille et prit la prison détestée. Cet événement historique marqua le commencement de **la Révolution française** et la chute (*fall*) de la royauté. En 1793, le roi et la reine furent condamnés à mort et guillotinés.

En 1789, on vota la *Déclaration des droits de l'homme et du citoyen* qui proclamait les droits fondamentaux de l'individu que le gouvernement devait respecter. **La Première République** française fut établie en 1792 dans le but (*goal*) de substituer à un régime fondé sur le privilège une société basée sur l'égalité de tous. Mais les premières années de la république furent une période de crises et de violence. Parmi les grandes personnalités de cette époque révolutionnaire, il faut mentionner **Mirabeau,** partisan d'une monarchie constitutionnelle ; **Danton,** grand orateur ; **Marat,** journaliste et député à la Convention ; et **Robespierre,** chef de **la Terreur** (de 1793 à 1794, les lois furent suspendues pour permettre à Robespierre et à ses alliés de détruire leurs ennemis politiques).

NAPOLÉON BONAPARTE

Napoléon Bonaparte, né à Ajaccio, en Corse, en 1769, exerça sur son temps une grande influence. Dans l'armée de la République, il se distingua comme capitaine et plus tard comme général. Il devint Premier consul après un coup d'état et en 1804 se fit couronner Empereur des Français sous le nom de Napoléon Ier. Génie militaire d'une énorme ambition, il essaya de conquérir l'Europe et d'en faire une sorte de fédération. En 1814, les ennemis de la France envahirent le pays, et Napoléon, obligé d'abdiquer, se retira à l'île d'Elbe, une île alors française près de la Corse. Quelques mois plus tard, il retourna en France. Mais en 1815, il fut vaincu à Waterloo, en Belgique, par les armées réunies de ses ennemis. Les Anglais l'exilèrent à Sainte-Hélène, où il mourut en 1821.

Malgré ses guerres désastreuses et ses mesures despotiques qui épuisèrent (*exhausted*) la France, Napoléon fit des contributions permanentes à son pays. Il réforma l'organisation judiciaire ; **le Code Napoléon** est encore aujourd'hui à la base des lois françaises. Il encouragea l'industrie et l'agriculture et fit construire un réseau (*network*) de routes modernes. Dans le but de renforcer le gouvernement central, il établit l'administration préfectorale : la France fut divisée en départements dirigés par un **préfet** nommé par le gouvernement. Le préfet représentait le gouvernement dans les affaires du département et était assisté par un **conseil général** élu par vote populaire. En donnant à la France un système d'éducation centralisé, en fondant des lycées et en réorganisant l'Université de Paris, il réforma l'enseignement. Napoléon institua un nouveau système financier et **la Banque de France** et créa **la Légion d'Honneur,** décoration accordée en récompense de services militaires ou civils. C'est lui qui vendit la Louisiane aux États-Unis.

XIXᵉ SIÈCLE

Les rois **Louis XVIII** en 1815, **Charles X** en 1824 et **Louis-Philippe** après la révolution de juillet 1830 ne réussirent pas à concilier les traditions de l'Ancien Régime et les idées nouvelles en France. La révolution de 1848 conduisit à **la Seconde République,** et **Louis Napoléon,** neveu de Napoléon Bonaparte, fut élu Président. En 1852, il se fit nommer empereur sous le nom de Napoléon III et fonda **le Second Empire.** Il enleva beaucoup des libertés qu'avaient gagnées les Français, mais il donna au pays une période de prospérité économique. Son gouvernement entreprit de nombreux travaux publics et stimula l'agriculture, l'industrie et le commerce. À cette époque la France devint une puissance industrielle et Paris fut transformé et embelli. Pourtant la politique extérieure de l'empereur fut désastreuse. Après la défaite de la France dans la guerre franco-allemande de 1870–1871, les Français renversèrent l'empire et établirent **la Troisième République.**

LA FRANCE CONTEMPORAINE

La Grande Guerre éclata en 1914 entre la France et ses alliés et l'Allemagne et ses alliés. Le maréchal **Ferdinand Foch** fut le généralissime à la tête de toutes les troupes alliées, y compris les troupes américaines. En 1918, après une longue guerre, les armées alliées obligèrent l'Allemagne à se rendre. La France fut victorieuse, mais épuisée. Elle avait perdu dix pour cent de sa population active.

En 1940, la France fut encore une fois envahie par l'Allemagne. Ce fut la Seconde Guerre Mondiale qui marqua la fin de la Troisième République. Pendant l'occupation allemande, le maréchal **Pétain** dirigea de la ville de Vichy un gouvernement qui collabora avec l'Allemagne. En juin 1940, le général Charles de Gaulle se réfugia en Angleterre et prit la tête d'un mouvement de résistance contre l'Allemagne. Il encouragea le peuple par son appel à tous les Français le 18 juin 1940 : « La France a perdu une bataille ! Mais la France n'a pas perdu la guerre ! » Les alliés débarquèrent en Normandie en 1944, et bientôt après la France fut libérée. **La Quatrième République** date de 1947. Elle est marquée par de nombreux problèmes et l'instabilité politique.

En 1958, les Français ont approuvé une nouvelle constitution et Charles de Gaulle fut élu le premier Président de la **Cinquième République.** C'est l'époque où les colonies françaises ont revendiqué et conquis leur indépendance. Ce fut une époque difficile pour les Français qui étaient souvent divisés entre le désir de conserver les anciennes colonies et celui d'accepter l'autodétermination des peuples. Après la guerre d'Indochine il y eut la guerre d'Algérie. Un million de Français établis en Algérie durent quitter leurs résidences et revenir en France. De Gaulle a été réélu Président au suffrage universel en 1965 ; mais en mai 1968 une crise politique et sociale sérieuse a éclaté avec des grèves et des émeutes causées par les étudiants dans toute la France. De nombreuses réformes ont été instituées et de Gaulle s'est retiré de la présidence en 1969.

Georges Pompidou est élu Président en juin 1969. Jusqu'à sa mort en 1974 la France jouit d'une expansion économique stable. **Valéry Giscard d'Estaing** est ensuite Président de 1974 à 1981 ; il doit faire face à une nouvelle crise économique qui amène les partis de gauche au pouvoir. En 1981, le socialiste **François Mitterand** est élu Président et institue une politique de réformes sociales et économiques. En 1986 la droite reprend le pouvoir et **Jacques Chirac** est nommé Premier Ministre. C'est le début de la difficile **cohabitation** entre la gauche et la droite dans le même gouvernement. Mitterand est réélu Président en 1988.

Une évolution très importante s'est faite au cours de ces années : celle de la conception de l'Europe en tant qu'unité économique et politique. L'idée en avait été lancée après la fin de la Deuxième Guerre mondiale et la France s'y était ralliée très tôt. En 1958, un Parlement européen a été créé qui siège à Strasbourg et représente les pays membres de l'Union européenne. Dans les années 60 une coopération entre la France et l'Allemagne est devenue un moteur du développement de l'Europe. En 1992, la France approuve par référendum le traité de Maastricht qui prévoit l'établissement d'une monnaie unique (l'**euro**); l'ouverture des frontières internes; et une coopération dans le domaine de la justice, des affaires intérieures et de la politique étrangère. En 2004, dix pays de l'Europe de l'est entrent dans l'Union européenne qui compte maintenant 27 pays membres.

Jacques Chirac a été élu Président en 1995 et réélu en 2002. En 2007, **Nicolas Sarkozy** a été élu Président.

INSTITUTIONS POLITIQUES

1. La France est une république démocratique et sociale. Elle garantit l'égalité devant la loi de tous les citoyens sans distinction d'origine, de race ou de religion. Le suffrage est universel, égal et secret. Tous les citoyens français âgés de plus de 18 ans des deux sexes ont le droit de voter. Les femmes ont gagné le droit de vote en 1945.

2. **Le pouvoir exécutif** appartient au Président de la République et au Governement dirigé par le Premier Ministre.

   Le Président de la République représente l'autorité suprême de la nation. C'est le véritable chef du gouvernement. Il est élu pour cinq ans (pour sept ans jusqu'en 2002) directement par tous les électeurs. Le Président de la République nomme le Premier Ministre et, sur la proposition de celui-ci, les autres membres du Gouvernement. Il promulgue les lois. Il est le chef des armées. Il assure la stabilité des institutions du pays. Il peut soumettre des projets de loi au **référendum** (vote populaire pour l'approbation ou le rejet de mesures proposées par le gouvernement). Il peut, après consultation du Premier Ministre et des présidents des deux Chambres du Parlement, prononcer la dissolution de l'Assemblée Nationale. En période de crise, il peut exercer des pouvoirs exceptionnels. Sa résidence officielle est **le palais de l'Élysée,** à Paris.

   Le Gouvernement, composé du Premier ministre et de ses ministres, assure l'exécution des lois. **Le Premier ministre** dirige l'action du Gouvernement. Avec le **Conseil des ministres** il détermine (*formulates*) et conduit la politique (*the policy*) de la nation. Il est responsable de la défense nationale. Le Gouvernement est responsable devant l'Assemblée Nationale.

3. **Le pouvoir législatif** appartient au **Parlement** qui comprend **l'Assemblée Nationale** et **le Sénat.** Les députés à l'Assemblée Nationale sont élus au suffrage direct pour cinq ans. Les sénateurs, élus pour neuf ans au suffrage indirect (les candidats sont élus par des délégués choisis par le peuple), représentent les départements et les Français établis hors de France. Le Parlement vote les lois et autorise la déclaration de guerre. L'Assemblée Nationale ne peut obliger le Gouvernement à démissionner (*to resign*) que si une motion de censure est votée à la majorité absolue des députés.

   Le Conseil Constitutionnel a pour rôle d'assurer le respect de la constitution et la régularité des élections et des opérations de référendum. Il se prononce sur la conformité des lois à la constitution.

4. **Le pouvoir judiciaire** est indépendant des autres pouvoirs. L'autorité judiciaire, garantie par la constitution, est la gardienne de la liberté individuelle. **La Cour de cassation,** qui siège à Paris, est le tribunal suprême ; elle juge le droit et non les faits. Les **cours d'assises,** qui jugent les crimes, sont les seules à avoir un jury populaire composé de neuf personnes. Dans les autres tribunaux, la décision est rendue par trois juges.

5. Le territoire français est divisé en 96 **départements** au point de vue administratif. La République compte également quatre départements d'outre mer, (D.O.M. : Guadeloupe, Martinique, Réunion et Guyane). **Le préfet,** qui est nommé par le Gouvernement, est à la tête du département. Il est assisté d'un **conseil général,** élu au suffrage universel. Depuis 1982, les départements sont regroupés en 22 **régions,** formées plus ou moins d'après les anciennes provinces. Ceci a permis de décentraliser le gouvernement. À la tête de chaque région est un **conseil régional** élu au suffrage universel.

6. L'emblème national est le drapeau tricolore: bleu, blanc et rouge. L'hymne national, *La Marseillaise,* a été composé en 1792 par **Rouget de Lisle.** La devise de la République est « Liberté, Égalité, Fraternité »—la devise même de la Révolution française. Le quatorze juillet—l'anniversaire de la prise de la **Bastille** par le peuple de Paris en 1789—est la date de la fête nationale française. La Bastille, prison royale, était le symbole de la tyrannie de l'ancien régime. On peut voir la clef de la Bastille à Mount Vernon en Virginie ; c'est le marquis de La Fayette qui l'a donnée à George Washington. Pour célébrer la fête nationale, il y a des revues militaires, des cérémonies au tombeau du Soldat Inconnu, des représentations gratuites dans les théâtres et des feux d'artifice dans toute la France. Le soir, on danse dans les rues et il y a de la musique partout.

LA FRANCE ET L'AMÉRIQUE DU NORD

Les explorateurs français ont joué un rôle important dans l'histoire de l'Amérique du Nord.

Jacques Cartier découvrit le Saint-Laurent en 1535 et prit possession du Canada au nom du roi de France. Plus tard il remonta le fleuve jusqu'à la montagne qu'il appela Montréal.

Samuel de Champlain fonda la ville de Québec en 1608 et découvrit le lac Champlain.

Le père Jacques Marquette explora la région des Grands Lacs et découvrit le Mississippi. Avec **Louis Joliet** il descendit le fleuve en 1673.

Robert Cavelier de La Salle explora le Mississippi jusqu'au Golfe du Mexique en 1682. Il prit possession de l'immense vallée du fleuve, la nommant « Louisiane » en l'honneur de Louis XIV.

Trois nobles français qui aidèrent les colonies américaines à conquérir leur indépendance dans la lutte contre l'Angleterre se sont assuré la reconnaissance affectueuse du peuple américain :

Le jeune **marquis de La Fayette** prit une part active à la guerre d'Indépendance en Amérique. Il devint un ami personnel du général Washington. Après la Révolution américaine, La Fayette retourna en France pour défendre les causes libérales dans son pays natal. En 1917, quand les troupes américaines débarquèrent en France, un des officiers du général Pershing exprima ces paroles célèbres : « La Fayette, nous voici ».

Le comte de Rochambeau commanda l'armée française envoyée à l'aide des Américains, et

l'amiral de Grasse commanda la flotte (*fleet*) française.

Tous les trois contribuèrent à la défaite des Anglais à la bataille de Yorktown en 1781.

On trouve aujourd'hui aux États-Unis beaucoup de noms géographiques d'origine française, tels que Bayonne, Champlain, Detroit, Eau Claire, Joliet, Havre de Grasse, Louisiana, New Orleans, New Rochelle, St. Louis, Terre Haute et Vermont.

EXERCICE

Mettez dans l'ordre chronologique :

l'invasion des Francs
la Cinquième République
la conquête de l'Angleterre par les Normands
la Déclaration des droits de l'homme
la Renaissance

la Troisième République
la vente de la Louisiane aux États-Unis
le conquête de la Gaule par les Romains
le couronnement de Charlemagne
la Seconde Guerre mondiale

1. _____

2. _____

3. _____

4. _____

5. _____

6. _____

7. _____

8. _____

9. _____

10. _____

EXERCICE CRÉATIF

1. Faites un tableau où vous comparez et contrastez le gouvernement de la France avec celui des États-Unis.

2. Écrivez la biographie d'un personnage historique ou d'un explorateur français.

3. Faites une affiche chronologique où vous montrerez les dates importantes dans l'histoire de la France.

Chapter 38
L'Agriculture, l'Industrie, le Commerce

L'AGRICULTURE

1. L'agriculture, l'industrie et le commerce font la force de l'économie française. La France, pays fortement industrialisé, est aussi le premier producteur agricole de l'Union européenne (U.E.). Rappelons que l'Union européenne en 1992 a fait suite à la Communauté européenne qui avait été fondée en 1957 pour enlever les barrières douanières (*trade barriers*) entre les pays membres et créer un marché commun. À partir de janvier 1993, les économies des pays-membres sont officiellement un seul marché au sein d'une Union économique et monétaire. Une agriculture intensive et commercialisée, basée sur des techniques modernes, continue à se développer en France. Un regroupement des terres cultivées permet d'améliorer la productivité.

La fertilité de son sol permet à la France d'être presque indépendante en matière d'alimentation. Les plaines et les bassins des fleuves sont les régions les plus fertiles. L'excellence des produits et la variété du sol et du climat ont contribué à faire de la France un pays dont

AGRICULTURE

la gastronomie attire des gourmets du monde entier.

2. Le blé, dont on fait le pain—la nourriture fondamentale des Français—est un produit agricole important. Les Français sont de grands mangeurs de pain. On cultive aussi une abondance d'autres céréales et une variété de fruits et de légumes, ainsi que des plantes industrielles comme la betterave sucrière (*sugar beet*). Les bois et les forêts, qui couvrent environ 25% de la superficie totale du pays, fournissent une bonne quantité de bois pour l'industrie. La forêt française, la plus étendue de l'Union européenne, joue un rôle essentiel dans la protection de l'environnement.

3. La viticulture est une des grandes richesses agricoles de la France. La France fournit une grande partie de la production mondiale des vins. Parmi les vins les plus renommés sont **le champagne, le bourgogne** et **le Bordeaux. Le cognac,** une eau-de-vie (*brandy*) distillée du vin ; les nombreuses liqueurs—**chartreuse, bénédictine, cointreau,** entre autres—et les apéritifs qui stimulent l'appétit—**dubonnet, lillet,** par exemple—sont très estimés. D'autres boissons produites en France sont le cidre, surtout en Normandie et en Bretagne, la bière et les eaux minérales, comme celles de Vichy, Vittel, Evian ou Perrier.

4. La France, connue pour l'excellence de sa volaille (*poultry*) et de son bétail (*livestock*)—vaches, bœufs, moutons, chèvres, porcs, chevaux—est un grand pays d'élevage. Elle est exportatrice de viande (bœuf) et de volaille. Le pays est renommé aussi pour ses foies gras d'oie ou de canard.

5. La production de produits laitiers continue à augmenter. La Normandie, en particulier, est une région de production laitière très riche. Les Français sont experts dans la fabrication des fromages, plus de 350 fromages différents, dont les plus connus sont le **brie,** le **camembert,** le **reblochon,** le **roquefort,** qui est fabriqué avec du lait de brebis, et les nombreux fromages de **chèvre,** qui sont fabriqués avec du lait de chèvre.

6. Les Français se nourrissent aussi des produits de la mer. L'industrie de la pêche est active sur les côtes, spécialement en Bretagne.

Grâce à toutes ces richesses de la terre et de la mer, les industries agro-alimentaires qui fournissent des produits destinés à la consommation d'origine principalement agricole sont très développées en France.

7. De plus, le sol fertile et ensoleillé de la Côte d'Azur fournit des quantités de fleurs qu'on envoie à Grasse, où l'on extrait les essences parfumées. La fabrication des parfums est achevée à Paris, centre des cosmétiques. Quelques-uns des parfumeurs réputés dans le monde entier sont : **Caron, Chanel, Dior, Lancôme, Guerlain, Patou** et **Saint Laurent.**

L'INDUSTRIE

1. L'industrie française est très variée, depuis la production d'équipement lourd jusqu'à la fabrication d'instruments de précision délicats, depuis l'immense usine moderne jusqu'à l'atelier du petit artisan. En général, les ouvriers français sont des artistes qui, préférant la bonne qualité à la grande quantité, sont fiers de leur travail : une combinaison d'originalité et d'habileté artistique. Pour maintenir sa position dans la compétition internationale, la France intensifie ses efforts dans le domaine de la recherche scientifique et des applications industrielles. Le gouvernement encourage le développement d'industries de pointe dans des secteurs nouveaux tout en aidant les industries en difficulté (les textiles, l'acier, le fer)

2. Depuis longtemps, des résultats souvent remarquables ont été atteints dans plusieurs secteurs de diverses industries : nucléaire, électrique et électronique, aéronautique, aérospatiale et ferroviaire (*railroad*), plaçant la France dans les premiers rangs mondiaux. Les principaux centres industriels sont Paris, Lille, Lyon, Toulouse et la Lorraine. La France est le sixième pays du monde pour la production de l'acier. Elle possède beaucoup de bauxite, dont on fabrique l'aluminium. La métallurgie est une industrie très importante.

3. Dans les industries mécaniques—la production de machines et d'appareils divers—ainsi que dans la construction électrique et électronique, l'activité française est remarquable. L'application de la haute technique de ces industries n'a pas été limitée au territoire français. Les Français ont réalisé dans divers pays à l'étranger des œuvres de grande importance.

4. L'industrie automobile joue un rôle important dans l'équilibre de la balance commerciale. On exporte des voitures françaises dans toutes les parties du monde. Les marques principales sont : **Renault** et **Peugeot-Citroën.**

INDUSTRIE

5. L'industrie aéronautique et aérospatiale construit des avions, des hélicoptères et des engins spatiaux. L'Aérospatiale fabrique les avions d'Airbus Industrie en coopération avec les Pays-Bas, l'Allemagne, la Grande Bretagne et l'Espagne. Cette industrie a réalisé des dimensions internationales avec les **Airbus,** un succès commercial, et avec l'avion franco-britannique, le supersonique **Concorde.** La plus grande ligne aérienne en Europe, **Air France,** couvre le monde entier. Dans le domaine spatial, la fusée (*rocket*) européenne **Ariane** est un grand succès.

6. Le rôle des industries textiles, qui étaient florissantes surtout dans le nord-est, est moins important qu'au passé. Mais on continue à produire de belles soies à Lyon.

7. L'industrie chimique prend une importance de plus en plus considérable. Par conséquent, la France est maintenant un pays exportateur de produits chimiques et pharmaceutiques. La production du verre, du caoutchouc et des matières plastiques est toujours en augmentation.

8. À cause de son manque de ressources énergétiques naturelles, la France a développé un programme nucléaire très ambitieux, l'énergie nucléaire étant devenue sa principale source de production d'électricité. On assiste au déclin du charbon et du pétrole et à la progression constante de l'énergie nucléaire, dont la France a progressivement acquis la maîtrise. On utilise l'énergie hydro-électrique des torrents ou des grands fleuves (Rhône, Rhin) pour produire de l'électricité. Le gaz naturel contribue aussi aux besoins de l'économie. De plus, le vent, le soleil et les marées de la mer contribuent un peu à la production totale de l'énergie. La France doit importer du pétrole brut, du charbon et du gaz naturel pour satisfaire ses besoins.

LE COMMERCE

1. Sa situation stratégique a fait de la France une puissance maritime. Les ports de mer sont nombreux. Il y a des constructions navales surtout dans les régions des ports de l'Atlantique et de la Manche. Le Queen Mary II qui a fait son premier voyage en 2004 a été construit à Saint-Nazaire.

2. Paris est la capitale de la haute couture (*trend-setting fashion*). C'est ici que la mode féminine est devenue un art. Quelques-uns des couturiers les plus connus sont : **Coco Chanel, Christian Dior, Pierre Cardin, Yves Saint-Laurent, André Courrèges, Hubert de Givenchy** et **Pauline Trigère.**

3. Dans un pays où l'art et l' industrie s'unissent, les ouvriers qualifiés peuvent se distinguer dans les métiers qui exigent de l'élégance et de la délicatesse—les industries de luxe. Les Français ont une renommée universelle pour la perfection de leurs produits. Paris fabrique une grande quantité d'articles de luxe : bijoux, argenterie, objets en cuir, tapisseries des Gobelins, objets d'art, produits photographiques, instruments de précision. D'autres villes aussi doivent leur réputation à des spécialités :

Alençon—	**Besançon—**
dentelles	montres et horloges
Aubusson et	**Grenoble—**
Beauvais—	gants
tapis	
Baccarat—	**Limoges** et **Sèvres—**
cristallerie	porcelaine de luxe

4. Le tourisme, surtout le tourisme étranger, mérite une mention spéciale puisqu'il contribue beaucoup à l'économie française.

5. La France importe des matières premières (*raw materials*) pour ses industries : pétrole, laine, coton, soie, caoutchouc; et des produits alimentaires : café, cacao, fruits tropicaux. Elle est le cinquième pays importateur du monde.

Elle exporte : tissus (*fabrics*), vêtements, automobiles, avions, produits chimiques et pharmaceutiques, équipement électrique et électronique, articles de luxe, parfums et produits alimentaires—vins, fromages, conserves (*canned food*). Elle est le quatrième pays exportateur du monde.

6. Les activités économiques sont liées aux moyens de transport intérieurs et extérieurs : le réseau fluvial, le réseau routier, les chemins de fer, la navigation maritime et la navigation aérienne.

7. La France possède un excellent réseau fluvial—l'ensemble des fleuves, des rivières et des canaux permet un transport économique des marchandises lourdes. Les principaux ports fluviaux sont Paris, Rouen, Strasbourg et Lyon.

8. Le réseau routier est très dense. On modernise les routes et l'on crée un ensemble d'autoroutes (*superhighways*). Les principales routes nationales rayonnent de Paris vers les frontières. Sur les routes, généralement bordées d'arbres, en plus des voitures et des camions on voit une grande quantité de bicyclettes et de motocyclettes.

9. La **S.N.C.F. (Société Nationale des Chemins de Fer),** sous le contrôle du gouvernement, administre le réseau ferroviaire, les chemins de fer. Toutes les grandes lignes forment une toile d'araignée (*spider's web*) autour de Paris. Ce réseau relie la capitale avec les autres villes importantes de France et d'Europe. Les trains français sont les plus rapides du monde. Le **TGV** (Train à Grande Vitesse) a atteint le record mondial avec une vitesse de pointe de 260 kilomètres (162 miles) à l'heure. Dans le domaine des métros, la France jouit d'une excellente réputation.

10. Certains autres moyens de communication en France sont également la responsabilité du gouvernement central. Le service postal et les télécommunications, les **P.T.T.**—postes, télégraphes et téléphones—est administré par l'État. Les P.T.T. ont créé le **Minitel,** un service électronique qui permet d'obtenir toutes sortes de renseignements chez soi, au bureau ou dans les postes avec un terminal d'ordinateur. On peut acheter des timbres dans les bureaux de tabac aussi bien que dans les bureaux de poste. En France, le tabac est un monopole du gouvernement.

11. Les communications aériennes sont assurées par la **Compagnie Air France** et quelques compagnies privées. Le plus fort trafic est à destination de l'étranger. **Charles de Gaulle,** près de Paris, est le plus grand aéroport international en France.

12. Le **Chunnel** est un tunnel construit sous la Manche en 1994 qui permet de voyager ra-

pidement entre l'Angleterre, la France, et la Belgique. Un service, *le Shuttle,* transporte des voitures (avec passagers) et des marchandises entre Folkstone en Angleterre et Calais en France en 35 minutes. Le service est disponible vingt-quatre heures sur vingt-quatre, et aux heures de pointe, il y a un train toutes les quinze minutes. L'autre service, *Eurostar*, transporte seulement les passagers entre Londres et Paris et Londres et Bruxelles.

La France, qui a une situation privilégiée dans l'Union européenne, joue un rôle important dans la vie économique de l'Europe.

EXERCICE

Identifiez :

1. centre de haute couture

2. région de production laitière très riche

3. service électronique créé par les P.T.T.

4. ville connue pour sa cristallerie

5. fromage fabriqué avec du lait de brebis

6. région qui fournit des quantités énormes de fleurs

7. aéroport international de Paris

8. grande ligne aérienne française

9. train le plus rapide

10. principale source d'énergie en France

EXERCICE CRÉATIF

1. Écrivez une composition de 100 mots en français où vous expliquez comment la France joue un rôle important dans la vie économique de l'Europe.

2. Chaque année plus de touristes visitent la France (plus de 60 millions) que n'importe quel autre pays. Dans une composition de 100 mots expliquez pourquoi.

Chapter 39
La Vie quotidienne

La vie quotidienne (*daily*) en France est par certains côtés très différente de la vie quotidienne aux États-Unis mais il y a aussi bien des similarités entre les deux pays.

RELIGION

La plupart des Français sont catholiques, mais il n'y a pas de religion officielle en France. La Cinquième République respecte toutes les croyances, y compris le manque de croyance. Le gouvernement, les écoles publiques sont totalement laïques, c'est à dire indépendants des organisations religieuses, et ne font aucune référence à un Dieu, quel qu'il soit. La population compte environ 85% de catholiques, 2% de protestants, 1% de juifs et 7% de musulmans. Il y a environ 8% d'immigrants récents, la plupart venus de l'Afrique du Nord ou de l'Indochine.

ENSEIGNEMENT

L'instruction en France est gratuite (*free*) et obligatoire pour tous les enfants de six à seize ans. L'enseignement est administré par le ministère (*ministry*) de l'Éducation nationale, et à cet effet la France est divisée en régions, appelées **Académies.** À côté des écoles publiques, il y a des établissements privés, souvent catholiques. Toutes les écoles suivent les mêmes programmes et administrent les mêmes examens. Les écoles françaises cherchent à donner à chaque élève un enseignement en rapport avec ses aptitudes.

L'enseignement préscolaire, donné dans des écoles maternelles (*nursery schools*) aux enfants de deux à cinq ans, n'est pas obligatoire.

L'enseignement élémentaire, commun à tous les enfants français, dure cinq ans. Les jours de congé (*days off*) sont le mercredi et le dimanche. Le samedi, il y a des classes de huit heures du matin jusqu'à midi.

L'enseignement secondaire consiste en deux cycles. Le premier cycle, donné dans les collèges, est obligatoire. Il dure quatre ans. Le second cycle est facultatif (*optional*) et peut être **long** ou **court.** Le second cycle long, de trois ans, est donné dans les lycées. Il mène au **baccalauréat**—appelé familièrement bac ou bachot—et à l'enseignement supérieur. Le second cycle court, de deux ans, offre des cours techniques.

L'enseignement supérieur se donne dans les facultés des universités et dans les « grandes écoles », des écoles spécialisées qui préparent aux carrières supérieures de l'administration, de l'enseignement, de l'industrie, du commerce, de l'armée, de la marine, etc. Parmi les grandes écoles, citons : **l'École Normale Supérieure** (où sont préparés les professeurs de l'enseignement secondaire et supérieur) ; **l'École Polytechnique** (qui forme des ingénieurs) ; **l'École des Beaux-Arts** pour l'architecture et les arts plastiques ; **l'École des Mines** pour les ingénieurs des mines ; et les écoles militaires— **l'École Interarmes** (autrefois l'École militaire de Saint-Cyr), qui est le « West Point » de France ; **l'École Navale** pour la Marine ; et **l'École de l'Air.**

LOISIRS

Environ les trois quarts des Français habitent dans des villes d'au moins 2 000 habitants, mais ils sont souvent restés très proches de leur province d'origine où ils ont fréquemment une résidence secondaire, c'est à dire une maison de campagne. La France était traditionnellement une société fondée sur l'agriculture.

1. Les sports ont conquis une place importante en France, où l'on trouve aujourd'hui des milliers de sociétés sportives. Parmi les sports favoris, il faut mentionner le football (*soccer*), le rugby, le cyclisme, l'alpinisme (*mountain climbing*), le ski et le tennis. Chaque année les sports de l'eau, la natation, l'aviron (*rowing*), la planche à voile, la pêche sous-marine ou en mer deviennent de plus en plus à la mode. Les Français, qui aiment vivre en plein air, font beaucoup de camping. Il y a aussi des sports régionaux: du pays basque vient **la pelote ;** le jeu de **boules** est populaire surtout dans le Midi.

La course de bicyclettes la plus célèbre est **Le Tour de France,** qui se dispute tous les ans en juillet. Cette épreuve internationale, qui dure plus de trois semaines, est sans doute l'événement auquel les Français s'intéressent le plus. Un grand nombre de Français font partie de clubs de football et jouent tous les dimanches. Un grand stade moderne de 80.000 places a été construit à Paris pour la Coupe du monde de football en 1998, le Stade de France. La France a gagné cette Coupe. Le football est également très populaire en Afrique francophone.

2. **Le café** joue un rôle important dans la vie quotidienne des Français. C'est le lieu où l'on rencontre ses amis. Au café, les clients peuvent lire le journal, écrire des lettres, jouer aux cartes ou simplement bavarder. La plupart des cafés ont aussi des terrasses en plein air sur le trottoir, où sont placées des tables et des chaises.

3. Le théâtre, le cinéma, l'opéra, le ballet et les concerts attirent un grand nombre de Français. Paris est le centre de la vie théâtrale, mais il y a des centres dramatiques dans toutes les parties de la France. Les théâtres nationaux, subventionnés par l'État, sont : **l'Opéra** avec ses deux théâtres, **la Salle Garnier, l'Opéra Bastille,** et **l'Opéra Comique** qui donnent des opéras et des ballets ; **la Comédie-Française** et **l'Odéon Théâtre de l'Europe,** qui jouent des pièces classiques ; **le Théâtre National de Chaillot** et **le Théâtre National de la Colline,** où l'on peut souvent voir des pièces nouvelles ou expérimentales. Il y a plus de cent théâtres à Paris sans compter les cafés-théâtres. **Le Théâtre National Populaire,** créé en 1947 par **Jean Vilar,** a contribué fortement à un mouvement de décentralisation du théâtre avec ses représentations à Paris et à Avignon dans le cadre d'un festival qui est toujours très renommé

Dans les théâtres français, on annonce le lever du rideau par trois coups frappés derrière la scène. On donne un pourboire aux placeurs ou ouvreuses (personnes qui placent les spectateurs dans les théâtres et les cinémas). Le programme n'est pas gratuit, mais les places sont en général moins chères qu'aux États-Unis.

4. Les Français aiment aussi lire et visiter les musées et les expositions d'art. On publie des milliers de livres en France chaque année. Parmi les journaux de Paris, citons : *Le Monde, Le Figaro, Le Parisien libéré* et *France-soir,* un journal qui paraît en fin d'après-midi. Le nombre de postes récepteurs de télévision augmente sans cesse bien que les usagers doivent payer une taxe annuelle au gouvernement. Quant à la Loterie nationale, autorisée par le gouvernement, elle est très populaire.

5. À la longue liste d'attractions, ajoutons celle qui s'appelle « Son et Lumière ». C'est un spectacle dramatique qui a lieu dans le cadre d'un monument historique, comme les châteaux de la Loire, le palais des Papes à Avignon et la Cité de Carcassonne. Le *Son* est la narration des événements y ayant pris place accompagnée d'une partie musicale appropriée; la *Lumière* est constituée par des effets de lumière et de couleurs qui soulignent l'intensité de la présentation.

FÊTES

Les Français célèbrent beaucoup de fêtes, dont la plupart sont d'origine religieuse. Les fêtes légales sont :

1. **le jour de l'An**—le 1er janvier; on donne et on reçoit des étrennes (*New Year's presents*) et on souhaite à tout le monde « une bonne et heureuse année ».

2. **Pâques** (*Easter*)—fête religieuse, en mars ou avril (dimanche et lundi).

3. **la Fête du Travail**—le 1er mai ; le muguet (*lily of the valley*), qui doit porter bonheur, se vend partout dans les rues.

4. **l'Ascension**—fête religieuse célébrée quarante jours après Pâques.

5. **la fête de Jeanne d'Arc**—et la fin de la Seconde Guerre Mondiale sont célébrées le 8 mai.

6. **la Pentecôte** (*Pentecost, Whitsuntide*)—fête religieuse qui a lieu le septième dimanche après Pâques (dimanche et lundi).

7. **la Fête nationale**—le 14 juillet ; l'anniversaire de la prise de la Bastille.

8. **l'Assomption**—fête religieuse qui tombe le 15 août.

9. **la Toussaint**—le 1er novembre ; fête religieuse en l'honneur de tous les saints.

10. **la Fête de la Victoire**—le 11 novembre ; commémore la fin de la guerre de 1914–1918.

11. **Noël**—le 25 décembre. En France, seulement les enfants reçoivent des cadeaux. Ils déposent leurs chaussures devant la cheminée ou près

de l'arbre de Noël pour la visite du Père Noël. Après la messe de minuit à l'église, la famille prend un grand repas, le réveillon.

En plus des fêtes légales, les Français jouissent de longues vacances. En 1936, les deux semaines de congés payés ont été instaurées ; en 1956, trois semaines ; en 1969, quatre semaines et en 1982, cinq semaines pour pratiquement tout le monde.

CUISINE

Pour le Français, la cuisine est un art et une tradition. Puisque le Français est un **gourmet,** c'est-à-dire, quelqu'un qui aime la bonne chère (*good food*), les repas sont toujours préparés avec soin. Il faut beaucoup de temps pour prendre un repas en France parce que manger est un grand plaisir. Il ne faut pas se presser (*hurry*). Comme le climat et le sol du pays, la cuisine française est très variée. Chaque région a ses propres spécialités délicieuses. Le Français ne peut rien manger sans pain. Son régime (*diet*) en comprend une grande quantité.

Le matin, on prend le petit déjeuner : du café au lait ou du chocolat et du pain beurré (des tartines), des croissants ou des brioches. Le déjeuner, qu'on prend vers midi, et le dîner, pris après sept heures du soir, consistent en plusieurs plats : hors-d'œuvre ou potage, poisson, viande ou volaille (*poultry*) avec des légumes, salade, fromage et fruits. Pendant le repas, on boit du vin, du cidre ou de l'eau minérale. À la fin du repas, le Français préfère du café très fort.

Quelques-uns des plats célèbres dont la France a enrichi l'art culinaire sont : la soupe à l'oignon, le pâté de foie gras, le coq au vin, le pot-au-feu, la bouillabaisse (spécialité culinaire de Marseille) et les crêpes Suzette.

Dans les restaurants français, les plats sont généralement servis sur commande. On peut commander un repas **à la carte** (le prix de chaque plat étant indiqué) ou **à prix fixe** (le prix du repas entier étant déterminé d'avance). La carte du jour se trouve bien en vue devant chaque restaurant pour faire savoir aux clients les plats du jour et les prix. **Le bistro,** petit restaurant simple, est très fréquenté par les Français.

UNITÉS DE MESURE

1. **Le système métrique** fut institué en France au début du XIXe siècle. Ce système, dont le mètre est la base, est très simple parce qu'il n'a que des multiples et des subdivisions décimales. Il est en vigueur aujourd'hui dans presque tous les pays de l'Europe et de l'Amérique du Sud. Les scientifiques du monde entier l'emploient.

   Le mètre est l'unité de longueur.
   1 mètre = 100 centimètres (39.37 *inches*)
   1.000 mètres = 1 kilomètre (⅝ *mile*)
   Le gramme est l'unité de masse.
   1.000 grammes = 1 kilogramme (2.2 *pounds*)
   Le litre est l'unité de mesure de capacité. Il vaut un peu plus que le « quart » américain.

2. L'unité monétaire en France et dans presque toute l'Europe qui fait partie de l'Union Européenne est **l'euro,** qui est à peu près l'équivalent d'un dollar. En France jusqu'en janvier 2 002 **le franc** était l'unité monétaire.

3. Le thermomètre **centigrade,** qu'on emploie en France, comprend 100 divisions. Le point 0 correspond à la température de la glace fondante et le point 100 à celle de la vapeur d'eau bouillante. La température normale du corp est 37.

EXERCICE

Pour chaque expression de la première colonne, donnez la lettre du nom correspondant de la seconde colonne :

1. spectacle dramatique	_____	**a.** bistro
2. fête des étrennes	_____	**b.** école maternelle
3. enseignement préscolaire	_____	**c.** gramme
4. spécialité culinaire	_____	**d.** Jour de l'An
5. unité de capacité	_____	**e.** litre
		f. Pâques
		g. pâté de foie gras
		h. petit déjeuner
		i. réveillon
		j. Son et Lumière

6. croissants et brioches   _____

7. repas fait après minuit le jour de Noël   _____

8. petit restaurant populaire   _____

9. unité de masse   _____

10. fête religieuse   _____

EXERCICE CRÉATIF

1. Faites un calendrier français où vous noterez toutes les fêtes importantes qui sont célébrées en France.

2. Écrivez une composition de 100 mots où vous parlez du Tour de France.

3. Trouvez la recette pour un plat typiquement français. Traduisez-la en français et préparez le plat pour votre classe.

4. Faites une liste des différences entre l'enseignement en France et l'enseignement aux États-Unis.

Chapter 40
La Littérature

MOYEN ÂGE

On considère traditionnellement les *Serments de Strasbourg*—le traité d'alliance conclu par Louis le Germanique et Charles le Chauve en 842—comme le premier document en vieux français. Mais les premières œuvres littéraires, **les chansons de geste** (*medieval epic poems*), datent du Moyen Âge. Ces poèmes épiques célèbrent avec un enthousiasme patriotique et religieux les exploits légendaires des chevaliers, les héros de la société féodale.

La Chanson de Roland, composée au commencement du XIIe siècle, est la plus ancienne et la plus belle des chansons de geste. Ce premier chef-d'œuvre de la littérature française, dont on ne connaît pas l'auteur, raconte l'histoire idéalisée de Charlemagne et de son neveu, Roland, dans les guerres contre les Sarrasins d'Espagne.

François Villon, poète éloquent du XVe siècle, mena une vie aventureuse, une vie de bohème. On le considère comme le premier des grands poètes lyriques français. Avec un accent personnel, plein de sincérité et de sentiment, il chante ses propres fautes, les misères du temps et la mort. Dans une de ses ballades, on trouve le vers si souvent cité : « Mais où sont les neiges d'antan ? » (*But where are the snows of yesteryear?*)

XVIe SIÈCLE

Au XVIe siècle, la littérature française perd son caractère populaire. On découvre l'antiquité gréco-latine et on écrit pour une élite cultivée. C'est l'époque de **la Renaissance.**

François Rabelais (vers 1494–1553) exprime l'enthousiasme de la Renaissance et l'amour de la vie sous toutes les formes. Dans ses romans amusants et satiriques *Gargantua* et *Pantagruel,* où il raconte les aventures de deux géants imaginaires, il nous peint avec une verve extraordinaire la société et les mœurs de son temps. Esprit érudit, il énonce des idées modernes sur l'éducation et sur le développement complet de l'individu.

Pierre de Ronsard (1524–1585), le plus grand poète du XVIe siècle, fut le chef de **la Pléiade,** un groupe de sept jeunes poètes. S'inspirant de l'antiquité, il essaya de renouveler (*to renew*) la forme de la poésie française à l'imitation des anciens et des Italiens. **Joachim du Bellay** décrivit en 1549 le programme de la Pléiade dans *Défense et illustration de la langue française.*

Michel de Montaigne (1533–1592), philosophe, humaniste et moraliste, inventa un nouveau genre de littérature. Ses observations personnelles et morales se trouvent dans ses *Essais,* où il étudie l'homme en général et lui-même en particulier. Affirmant que l'homme ne peut trouver la vérité et la justice, Montaigne recommande la modération, du bon sens et un esprit de tolérance. Son scepticisme se résume dans la question: « Que sais-je ? »

XVIIe SIÈCLE : L'ÂGE D'OR

Le XVIIe siècle, surtout le règne de Louis XIV, est vraiment l'âge d'or de la littérature française. C'est la période du classicisme, doctrine littéraire fondée sur le respect de la tradition antique. Le classicisme est un mouvement d'ordre et de discipline dans tous les genres. Les auteurs, en analysant les sentiments humains, cherchent une perfection de forme, d'expression et de style. Dans le théâtre, on établit la règle des trois unités : action, temps et lieu. D'après cette règle, la pièce entière doit se développer en une seule action principale, dans l'espace d'une journée et dans le même lieu.

Pierre Corneille (1606–1684) est le créateur de l'art classique au théâtre. Ses héros intellectuels, attirés par les sentiments les plus nobles, doivent choisir entre leur devoir et leur passion dans des situations compliquées. C'est la volonté (*will*), plutôt que l'amour, qui influence leurs actions. Les tragédies remarquables de Corneille comprennent *Le Cid, Cinna, Horace* et *Polyeucte.*

Jean Racine (1639–1699), le plus grand des poètes tragiques, analysa les passions humaines en état de crise. Son théâtre est l'expression la plus pure du génie classique. Parmi ses œuvres principales, citons *Andromaque, Athalie* et *Phèdre.*

Molière, pseudonyme de Jean-Baptiste Poquelin (1622–1673), est le plus grand écrivain français de comédies classiques. Appelé souvent le Shakespeare français, il peint des types éternels plutôt que des individus. Il s'attaque d'une façon comique aux vices humains dans ses chefs-d'œuvre : *Les Précieuses ridicules, Le Misanthrope, Le Bourgeois Gentilhomme, Tartuffe, L'Avare, Le Malade imaginaire.*

Jean de la Fontaine (1621–1695), l'admirable fabuliste (*writer of fables*) français, peint, sous le couvert du règne animal, un tableau de la vie humaine et de la société de son époque. Ses *Fables* en vers sont des chefs-d'œuvre de morale et de style.

D'autres écrivains illustres du XVIIᵉ siècle sont les philosophes **Blaise Pascal** (1623–1662) et **René Descartes** (1596–1650) La philosophie de Descartes se résume dans la proposition célèbre : « Je pense, donc je suis. » (Voir chapitre 42.)

XVIIIᵉ SIÈCLE

La littérature du XVIIIᵉ siècle est une littérature militante, presque entièrement en prose, opposant à la tradition et à l'autorité la raison humaine et l'individualisme. C'est l'époque de l'esprit critique et scientifique, l'époque des nouvelles idées politiques et sociales, l'époque des grands philosophes. C'est le siècle des « Lumières ». Les principaux précurseurs de la Révolution française sont Montesquieu, Voltaire, Rousseau et Diderot. Les auteurs de la Constitution américaine adoptèrent plusieurs de leurs idées.

Charles de Montesquieu (1689–1755) est l'auteur des *Lettres persanes*, une satire et une critique des institutions françaises, et de *l'Esprit des lois*. Dans ces livres, Montesquieu expose des idées originales sur la législation, la séparation des pouvoirs gouvernementaux et la liberté politique. Ses idées contribuèrent à renverser la monarchie française et à créer la Constitution américaine. Montesquieu est un des fondateurs de la sociologie moderne.

Voltaire (1694–1778), dont le vrai nom était François-Marie Arouet, domine le XVIIIᵉ siècle. Esprit satirique, il attaque l'absolutisme, l'injustice sociale et les autres abus des institutions françaises. Il se fait le défenseur de l'humanité et de la liberté sous tous les aspects. Son œuvre immense et de genres variés comprend les *Lettres philosophiques* et *Candide,* roman philosophique et satirique. Voltaire a puissamment agi sur la pensée du XVIIIᵉ siècle.

Jean-Jacques Rousseau (1712–1778) est le théoricien de la démocratie. En attaquant violemment l'ordre social, il inspire la révolte intellectuelle qui mène à la Révolution. Rousseau est le défenseur de la liberté et de l'égalité de l'individu et de la souveraineté du peuple. Ses théories pédagogiques, surtout celle du retour à la nature, ont profondément influencé l'éducation moderne. Son amour de la nature et sa sentimentalité font de Rousseau le précurseur du mouvement romantique. Ses principales œuvres sont : *La Nouvelle Héloïse, Le Contrat social* et *Émile.*

Denis Diderot (1713–1784) dirigea, avec Jean d'Alembert (1717–1783), la publication de *l'Encyclopédie*, le grand arsenal de propagande des nouvelles idées philosophiques. Cette œuvre gigantesque fut écrite avec la collaboration de tous les savants et de tous les hommes de lettres du siècle. Attaquant la tradition, Diderot exprime sa foi dans le progrès de l'humanité.

Caron de Beaumarchais (1732–1799) fait dans ses comédies, *Le Barbier de Séville* et *Le Mariage de Figaro,* une critique de la société qui contribua à préparer la révolution.

XIXᵉ SIÈCLE

La première moitié du XIXᵉ siècle produit une réaction littéraire contre la tradition classique. C'est l'époque du **romantisme,** qui veut laisser à l'écrivain toute liberté. Ce mouvement, qui trouve son origine dans les œuvres de Rousseau, continue à se développer au début du XIXᵉ siècle dans les théories de **Mme de Staël** (1766–1817) et dans les ouvrages de **François René de Chateaubriand** (1768–1848). Dans la littérature romantique, où règne l'émotion, chaque écrivain exprime librement sa personnalité et son individualisme. C'est une littérature lyrique dont les éléments essentiels sont : l'imagination, le sentiment et l'amour de la nature, le thème de l'aliénation et du « mal du siècle ».

Victor Hugo (1802–1885) fut le chef de l'école romantique et son plus grand poète. Il est renommé aussi pour ses pièces de théâtre et ses romans *Notre-Dame de Paris* et *Les Misérables.*

Les autres poètes romantiques de cette époque sont **Alphonse de Lamartine** (1790–1869), **Alfred de Vigny** (1797–1863) et **Alfred de Musset** (1810–1857).

Stendhal (nom de plume de Henri Beyle) (1783–1842) reflète dans ses romans psychologiques (*Le Rouge et le Noir ; La Chartreuse de Parme*) l'influence du romantisme et décrit avec ironie les conflits entre la passion et l'ambition. **George Sand** (nom de plume d'Aurore Dupin) (1804–1876) est l'auteur de romans lyriques.

Honoré de Balzac (1799–1850) peint un tableau des mœurs et des problèmes de son temps dans *La Comédie humaine*, une série de vingt-quatre romans admirables et dans de nombreuses nouvelles (*novelettes*). Deux de ses chefs-d'œuvre sont *Eugénie Grandet* et *Le père Goriot*. Avec Balzac, le roman évolue du romantisme vers **le réalisme.** C'est un écrivain remarquable par la puissance de son observation, par sa peinture exacte de toutes les classes de la société et par son imagination féconde.

Alexandre Dumas père (1802–1870) écrivit un grand nombre de romans historiques, qui sont populaires encore aujourd'hui dans le monde entier, comme *Les Trois Mousquetaires* et *Le Comte de Monte-Cristo*.

Au milieu du XIXᵉ siècle naissent des tendances nouvelles qui s'opposent au romantisme. La littérature se rapproche de la vie réelle, de la vérité et du matérialisme. Ce mouvement réaliste évolue vers **le naturalisme,** qui cherche à analyser et à peindre la vie et la nature telles qu'elles sont. L'écriture devient impersonnelle, intellectuelle et même scientifique.

Gustave Flaubert (1821–1880), quoique romancier réaliste, garde quelques traits de l'imagination romantique. Ses romans, *Madame Bovary* par exemple, sont caractérisés par une observation et une documentation minutieuses.

Alexandre Dumas fils (1824–1895) essaie de défendre dans ses pièces de théâtre dramatiques et brillantes une thèse de morale sociale. Citons : *La Dame aux camélias.*

Jules Verne (1828–1905) est l'auteur de romans d'aventures fantastiques et le créateur de la fiction scientifique : *Vingt mille lieues sous les mers, Le Tour du monde en 80 jours.*

Alphonse Daudet (1840–1897) est connu surtout pour ses romans d'une sensibilité (*sensitivity*) délicate qui représentent la vie du midi (*south*) de la France, comme *Tartarin de Tarascon, Lettres de mon moulin* et *Le Petit Chose.*

Émile Zola (1840–1902), chef de l'école naturaliste, observa et analysa d'une façon scientifique les personnages de ses romans sur la société de son époque. Il est sans égal dans la peinture du peuple. *L'Assomoir* et *Germinal* sont parmi ses ouvrages principaux.

Guy de Maupassant (1850–1893) est le type même du romancier naturaliste. C'est le plus grand maître français de contes, tels que *La Parure* (*necklace*) et *La Ficelle* (*string*).

Les poètes de l'époque naturaliste veulent être impersonnels, intellectuels et scientifiques. **Charles Leconte de Lisle** (1818–1894) est le chef des **Parnassiens,** poètes qui défendent le formalisme et l'art pour l'art.

Charles Baudelaire (1821–1867), poète des correspondances trouvées dans l'univers, **Stéphane Mallarmé** (1842–1898) dont le langage et les images sont d'une beauté raffinée et **Paul Verlaine** (1844–1896), musical et sensible, contribuent à la fondation du **mouvement symboliste.** Ce mouvement recherche la valeur symbolique et musicale des mots, l'essence des choses. **Sully Prudhomme** (1839–1907), un poète didactique, reçut le premier prix Nobel de littérature en 1901 et **Frédéric Mistral** (1830–1914), qui écrivit son œuvre en dialecte provençal, le reçut en 1904.

XXᵉ SIÈCLE ET APRÈS...

C'est un nouvel âge d'or pour la littérature française. De nombreux écrivains exercent par leurs œuvres variées une profonde influence sur leurs contemporains.

Parmi les romanciers il faut citer :

Anatole France (1844–1924), fut romancier, satiriste et philosophe plein d'érudition. Ses ouvrages sont d'une ironie délicate et d'un style parfait. Citons : *Le Crime de Sylvestre Bonnard* et *Le Livre de mon ami.*

Pierre Loti (1850–1923), romancier impressionniste, est attiré par les paysages et les civilisations exotiques. Il est l'auteur de *Pêcheur d'Islande.*

Romain Rolland (1866–1944) est l'auteur de romans et de pièces de théâtre. Il inaugure le genre du **roman-fleuve,** un roman très long, organisé en épisodes successifs et souvent en plusieurs volumes, avec de longues fresques psychologiques et sociales. *Jean-Christophe,* (10 volumes) peint l'indépendance de l'esprit et la foi en l'humanité. (Prix Nobel de littérature 1915).

Le roman-fleuve continue avec **Roger Martin du Gard** (1881–1958), qui analyse les problèmes intellectuels et moraux de son époque dans *Jean Barois* en 1913 et *Les Thibault* (huit volumes) où il rapproche le roman de l'histoire. (Prix Nobel de littérature 1937)

Georges Duhamel (1884–1966), médecin-biologiste et romancier, a une profonde compassion pour l'humanité. Dans son roman-cycle en dix volumes, *La Chronique des Pasquier,* il peint une tapisserie romanesque d'une société en état de crise et essaie de concilier le réalisme et l'idéalisme.

Jules Romains (1885–1972) est l'initiateur de l'**unanimisme.** Cette théorie affirme l'absorption de la personnalité individuelle par le groupe, la foule, la ville, le pays. C'est une fraternité universelle où le groupe, et non l'individu, domine. Romains est l'auteur de pièces de théâtre (*Knock*), de poèmes, d'essais et d'un roman monumental, *Les Hommes de bonne volonté* (vingt-sept volumes).

André Gide (1869–1951) est l'écrivain le plus important de la France entre les deux guerres mondiales. Il a fondé avec un groupe d'amis *La Nouvelle Revue française.* Son œuvre, qui compte plus de soixante titres, est étonnamment variée : contes, récits, romans, drames. Dans ses romans célèbres, *La Symphonie pastorale* et *les Faux monnayeurs,* Gide se révèle comme un humaniste au style lucide, médité et subtil. Son œuvre est dominée par la haine du mensonge et le rejet de la tradition et de l'hypocrisie. Trois de ses récits bien connus sont *Si le Grain ne meurt, L'Immoraliste* et *La Porte étroite.* Ses récits sont souvent autobiographiques. Parfois il aime exprimer ses idées sous forme de fables et de mythes. Gide a un style entièrement original, avec un vocabulaire très étudié. Ses goûts artistiques l'attirent vers le classicisme. Son influence a été considérable. (Prix Nobel de littérature 1947)

Marcel Proust (1871–1922), dans son vaste roman, *À la recherche du temps perdu,* qui compte douze volumes, utilise des faits de sa vie pour une recherche allégorique de la vérité. Tout ce qui est transitoire dans la vie, la recherche du bonheur à travers la vie sociale, l'amour, l'art conduisent au désappointement et à la tristesse. Mais la mémoire inconsciente conserve la réalité à la fois présente et passée de tout ce qui est beau ou bon, qui devient ainsi indestructible et éternel comme une œuvre d'art.

André Maurois (1885–1967) est l'auteur de souvenirs de guerre romancés, de romans, d'essais, d'études historiques et de biographies littéraires. Il a écrit des histoires de l'Angleterre et des États-Unis. Il s'est rendu célèbre comme biographe d'écrivains anglais et français : Shelley, Byron, Proust, George Sand, Hugo, Dumas. Très connu à l'étranger, il trouve une large audience dans les pays de langue anglaise.

François Mauriac (1885–1970), romancier, dramaturge et essayiste catholique se plaît à analyser les âmes tourmentées. Ses romans, tels *Thérèse Desqueyroux* ou *Nœud de vipères,* offrent la vision d'un monde humain en lutte contre le mal et la douleur, mais aidé par la grâce. Son style est riche, puissant, varié, tour à tour chargé d'orages et harmonieux. (Prix Nobel de littérature 1952)

C'est l'héroisme qui domine avec les deux écrivains suivants : **Antoine de Saint-Exupéry** (1900–1944), pilote de ligne, puis pilote de guerre, évoque dans ses romans la vie héroïque des aviateurs civils et militaires et le monde du danger perpétuel, des aventures mortelles et des joies de l'aviation. Dans ses romans, *Vol de nuit, Pilote de guerre, Terre des hommes,* il ressent dans le contact avec le vent, le sable et la mer une solidarité fraternelle avec la terre des hommes. En 1942 il écrit un conte sur l'amitié et le sens de la vie pour les enfants et les adultes, *Le Petit Prince.* Saint-Exupéry est légendaire pour son courage et son charme. En 1944, il disparaît sur le front méditerranéen au retour d'une mission de reconnaissance.

André Malraux (1901–1976) exprime dans ses romans le tragique et la noblesse de l'espèce humaine. Il étudie les passions qui conduisent ses héros à lutter et à mourir pour un idéal. Agnostique, il fait de la fraternité une religion. Il participe à la guerre des républicains espagnols contre Franco et pendant la libération de la France, il commande la célèbre brigade « Alsace-Lorraine ». Il participe à la vie politique aux côtés du général de Gaulle et devient ministre de l'Information, puis ministre des Affaires culturelles. Pour le roman qui domine son œuvre, *La Condition humaine,* on lui a décerné le Prix Goncourt en 1933.

Marguerite Yourcenar (1903–1987) est l'auteur de romans historiques d'une analyse pénétrante : *Le Coup de grâce, Les Mémoires d'Hadrien.* Ses romans évoquent un passé qui illumine le présent. Son œuvre reflète en détails précis et pittoresques ses voyages à travers le monde. Yourcenar, érudite et philosophe, est un écrivain de tendance classique. Elle est la première femme de lettres admise à l'Académie Française. Elle était citoyenne de la France et des États-Unis où elle a passé de nombreuses années.

À partir de 1957, un groupe d'écrivains français crée un nouveau genre de roman qu'on appelle le « **nouveau roman** ». Ces auteurs rejettent les éléments du roman traditionnel : le déroulement chronologique d'une histoire et les complications psychologiques. Ce qui compte, c'est la manière plutôt que l'idée, c'est l'objectivité. En employant des descriptions méticuleuses et répétées, on veut faire sentir les mystérieux rapports des objets, des gestes, des personnages, même si leurs traits restent vagues. Le sujet n'est que suggéré ; le lecteur doit le découvrir.

Quelques membres de ce groupe sont :

Alain Robbe-Grillet (1922–2008), théoricien de cette nouvelle école, oppose dans ses romans l'homme à une réalité impénétrable. Il écrit aussi des scénarios pour le cinéma. Son roman *La Jalousie* (1957) est un récit dans l'espace et dans le temps par un narrateur qui n'a pas de nom, qui n'est pas décrit. Ce récit, avec de longues phrases, a lieu dans un décor exotique de mystère, de sensualité et de fortes passions. Son roman, *La Reprise,* publié en 2001, est une remise en question du soi et du monde, du réel et de sa représentation.

Nathalie Sarraute (1900–1999) refuse les conventions du roman et la psychologie traditionnelle et recherche les états d'âme fugaces (*fleeting*) (*Tropismes, Le Planétarium*).

Claude Simon (1913–2005) a obtenu le prix Nobel de littérature en 1985. Ses romans, tel *La Route des Flandres,* sont caractérisés par un style fluide de longues phrases compliquées, souvent sans ponctuation. Ils donnent des descriptions précises et détaillées d'impressions sensuelles.

Marguerite Duras (1914–1996) présente les évènements du point de vue de leur importance psychologique. Ses romans et son théâtre composent une dénonciation des aliénations culturelles et sociales (*L'Amant, Moderato cantabile*).

Michel Butor (1926–) donne une apparence poétique au roman. Il explore la culture et le chaos naturel des humains. Dans *La Modification,* le narrateur se parle de lui-même à lui-même : son *Vous* est un *Je* qui observe et un *Il* observé.

Jean-Marie Le Clézio (1940–) décrit dans un style très personnel la diversité de la vie, « l'aventure d'être vivant » et la hantise de la mort. (*Le Livre des fuites, Onitsha*) Prix Nobel 2008.

Patrick Modiano (1945–) recherche l'identité de ses personnages à travers des passés douloureux et des présents énigmatiques. Il reçut le prix Goncourt en 1978 pour *Rue des boutiques obscures.*

Parmi les auteurs dramatiques, il faut noter :

Edmond Rostand (1868–1918), un écrivain brillant dont le *Cyrano de Bergerac* a inspiré plusieurs films.

Paul Claudel (1868–1955), diplomate, poète mystique et dramaturge puissant. D'inspiration catholique, son œuvre entière, théâtre et poésie, est un hymne à la confiance de l'homme en Dieu. C'est une œuvre difficile et parfois obscure, mais toujours optimiste. *L'Annonce faite à Marie, Partage de Midi* sont des pièces importantes.

Jean Giraudoux (1882–1944) évoque les thèmes classiques et les préoccupations modernes dans un monde plein d'humour et de fantaisie (*La Guerre de Troie n'aura pas lieu, La Folle de Chaillot*)

Jean Anouilh (1910–1987) est un célèbre auteur dramatique. Son théâtre va de la fantaisie et de l'humour (*Le Bal des voleurs*) à la satire et au pessimisme (*Antigone, Le Voyageeur sans bagages*). Ses pièces, même brillantes, ne sont jamais loin d'une vue pessimiste de l'humanité.

Samuel Beckett (1906–1990), écrivain irlandais, compose des pièces de théâtre et des romans en anglais et en français, mais sa carrière littéraire est principalement en France. Dans ses drames, il dénonce l'absurdité de la condition humaine et crée une allégorie comiquement pessimiste (*En attendant Godot, Happy Days*). Il a reçu le prix Nobel de littérature en 1969.

Eugéne Ionesco (1912–1994) peint dans ses pièces la tragédie dérisoire de l'homme (*La Leçon, Rhinocéros*). On trouve dans son œuvre une compassion satirique face à un monde irrationnel. C'est le théâtre de l'absurde : le comique naît de l'absurde et conduit au désespoir.

Parmi les écrivains philosophes, il faut mentionner :

Henri Bergson (1859–1941) qui a eu une grande influence sur la pensée française. Il a défini l'intuition comme le moyen d'atteindre toute connaissance et il a créé une morale basée sur la liberté (*L'Évolution créatrice*). Il a reçu le prix Nobel de littérature en 1927.

Jean-Paul Sartre (1905–1980), philosophe et écrivain, est le brillant théoricien de l'**Existentialisme.** Il affirme que l'existence de l'homme exclut l'existence de Dieu ; l'homme doit construire sa propre destinée ; il est ce qu'il se fait. À l'angoisse créée par l'absurdité de la vie il faut opposer l'action et l'engagement. Il a développé ses thèses dans des romans (*La Nausée*), des nouvelles et des essais. Mais c'est au théâtre que Sartre a le mieux réussi (*Les Mouches, Huis Clos*). On lui a décerné le prix Nobel de littérature en 1964, mais il l'a refusé.

Simone de Beauvoir (1908–1986), disciple de Sartre, est l'auteur de romans (*Les Mandarins*), d'essais et de mémoires. Elle a consacré une volumineuse étude à la condition de la femme (*Le deuxième sexe*). Elle a reçu le prix Goncourt en 1954.

Albert Camus (1913–1960), philosophe et moraliste, est tour à tour essayiste (*Le mythe de Sisyphe*), romancier (*L'Étranger, La Peste*) et auteur dramatique. Un des représentants de la « philosophie de l'absurde », il parle de l'absence de toute raison profonde de vivre, du non-sens de la vie, du caractère machinal de l'existence sans but. (Prix Nobel de littérature 1957)

Roland Barthes (1915–1980). L'œuvre de ce philosophe s'inspire des travaux de la linguistique, de la psychanalyse et de l'anthropologie modernes. Il a créé une « nouvelle » critique en réaction contre la critique universitaire.

Parmi les poètes du XXe siècle, il faut mentionner :

Paul Valéry (1871–1945) qui combine le goût de la littérature et l'étude des mathématiques. Il publie des poèmes, des dialogues et des essais. Valéry veut être maître de sa pensée et de ses émotions. Il a une passion pour la culture de l'intellect et écrit une poésie d'un symbolisme difficile, d'un art subtil, brillant et mystérieux (*La Jeune Parque, Le Cimetière marin*).

Saint-John Perse (1887–1975), diplomate et poète, montre dans ses vers une joie triomphale de la conquête du monde par l'homme. Il y crée des images exotiques, le reflet de ses voyages et de sa culture. (Prix Nobel de littérature 1960)

Guillaume Apollinaire (1880–1918) a eu une grande influence sur le mouvement **surréaliste** qui explore l'inconscient et défie toutes les conventions. Son recueil *Alcools* est une brillante célébration de l'imagination.

Louis Aragon (1897–1982), un des fondateurs du mouvement surréaliste, s'est ensuite consacré à l'illustration des thèmes du communisme et de la Résistance. Plus tard, il est revenu au réalisme et au lyrisme traditionnels.

Paul Éluard (1895–1952) participe à la création du groupe surréaliste, puis devient pendant l'occupation allemande un des poètes de la Résistance. Il y a dans toute la poésie d'Éluard une sincérité simple et forte, un mélange intime de vérité et d'imagination, une harmonie de clarté et de mystère.

Jacques Prévert (1900–1977), poète et brillant scénariste au cinéma, mêle le rêve et le réel, le rire et la révolte. Il est l'auteur de poèmes où la fantaisie anticonformiste s'allie à la gouaille (*banter*) populaire. Sa poésie, souvent en forme de caricature et de satire, attaque les sottises de l'époque, la guerre en particulier. Elle peint aussi l'amour et la tendresse humaine et sert de texte à de nombreuses chansons.

LA LITTÉRATURE FRANCOPHONE

La littérature française ne se limite pas aux œuvres écrites en France. On ne doit pas oublier les auteurs qui viennent des pays francophones. Ce sont des écrivains d'expression française, qui ont choisi le français comme langue d'expression littéraire. Pour certains le français est la langue maternelle, un français qu'ils parlent tous les jours, peut-être avec quelques petites variations locales. Pour d'autres le français est langue de communication dans les pays où de nombreux dialectes coexistent. Pour d'autres encore le français est devenu langue d'enseignement et de culture et il a donné naissance à toute une littérature francophone internationale. Parfois le langage se colore d'expressions locales qui lui donnent une saveur toute particulière. Léopold Senghor, le grand écrivain sénégalais, a écrit : « Il est question de se servir de ce merveilleux outil, trouvé dans les décombres (*rubble*) du Régime colonial. De cet outil qu'est la langue française.... Nous nous exprimons en français parce que le français est une langue à vocation universelle,... qu'il est la langue des dieux. » (*Esprit,* novembre 1962, « Le français, langue de culture ») Il y a tellement d'écrivains francophones de qualité qu'il est difficile de choisir quelques noms parmi eux.

Au Canada où le français est parlé depuis les premiers colons venus de France au XVIIeme siècle et a été proclamé langue officielle en 1969, il existe une abondante littérature francophone. Les écrivains québécois cherchent à définir leur identité culturelle et linguistique en face du joual, le parler populaire de Montréal, et le français pur parlé par les gens cultivés.

Louis Hémon (1880–1913) écrivit *Maria Chapdelaine, récit du Canada français* qui eut un grand succès et encouragea la littérature du terroir (*the land*).

Gabrielle Roy (1909–1983), née au Manitoba, est l'auteur de romans psychologiques évoquant la vie urbaine de Montréal (*Bonheur d'occasion*, 1945, Prix Fémina en France) ou de sa province natale (*La Route d'Altamont*).

Rina Lasnier (1915–1997), poète et dramaturge, fonda l'Académie canadienne-française. Ses poèmes expriment une recherche spirituelle et contemplative (*Escale, L'Arbre blanc*).

Anne Hébert (1916–2000) poète et romancière, dit l'angoisse de la solitude (*Le Tombeau des rois*). Ses romans, tel *Kamouraska* (1970), décrivent les passions, les dualités qui déchirent à la fois ses personnages et le Québec.

Gaston Miron (1928–1996) fut un des plus grands poètes militants du mouvement indépendantiste québecois. Sa poésie riche et mélodieuse est rassemblée dans *L'Homme rapaillé*, c'est à dire réunifié, comme le Québec.

Antonine Maillet (1929–) évoque son Acadie natale dans une langue savoureuse qui emprunte des expressions anciennes et locales. Son roman *Pélagie-la-Charette* a obtenu le Prix Goncourt en 1979 et sa pièce de théâtre *La Sagouine* en 1971 a été un grand succès

Jacques Godbout (1933–) est romancier, journaliste, cinéaste, et poète. Dans un langage truculent et plein d'humour, il raconte la dualité de la culture canadienne et de la langue populaire, le joual (*Salut, Galarneau, Une Histoire américaine*)

Jacques Poulin (1937–) écrit ses romans avec ironie en une sorte de collage (*Les Grandes marées, Volkswagen Blues*)

Michel Tremblay (1942–) a créé avec succès un théâtre nouveau qui emploie le joual, français populaire de Montréal et qui, comme ses romans, décrit l'aliénation de la société québécoise (*Les Belles-Sœurs*).

Réjean Ducharme (1942–) est peut-être le plus mystérieux, le plus novateur des écrivains canadiens. C'est un virtuose de l'invention verbale (*L'Avalée des avalés, L'Océantume*).

En Belgique et au Luxembourg, il y a eu dès le Moyen Âge une tradition littéraire française. Quand la Belgique moderne a été créée en 1830, divisant le pays en deux populations et deux langues, la division, plus ou moins artificielle, a créé une dualité difficile à résoudre. Les écrivains belges de langue française sont souvent très intégrés à la culture française. Les écrivains symbolistes, qui représentent l'essence spirituelle des idées et des émotions par la valeur musicale et symbolique des mots, en Belgique comprennent :

Maurice Maeterlinck (1862–1949), dramaturge et poète, a reçu le Prix Nobel de littérature en 1911. Parmi ses pièces les plus célèbres se trouvent *Pélleas et Mélisande,* dont Debussy fit un opéra, et *L'Oiseau Bleu,* un conte de fées dont le thème principal est la recherche du bonheur.

Georges Rodenbach (1855–1898) écrit une poésie musicale et mélancolique. Son roman *Bruges-la Morte* exprime, comme Bruges, les reflets et les ressemblances.

Émile Verhaeren (1855–1916) parle du développement du monde industriel avec ambiguïté et lyrisme, *Les Villes tentaculaires.*

Jean Ray (1887–1964) fut un maître du fantastique en de nombreux romans populaires qui eurent un énorme succès. Charles Plisnier (1896–1952) peint les mœurs des familles et la révolte contre l'ordre établi (*Faux Passeports*)

Michel de Ghelderode (1898–1962) a écrit de nombreuses pièces de théâtre expressionnistes, souvent avec jeux de masques et de cruauté, rappelant les peintres flamands Bosch ou Brueghel (*Escurial*).

Henri Michaux (1899–1984), peintre, journaliste et poète, explora le moi intérieur et la souffrance humaine à travers la peinture des rêves et des fantaisies.

Georges Simenon (1903–1987) est l'auteur de multiples romans policiers reliés par le personnage du Commissaire Maigret. Plus de 500 millions de ses livres ont été imprimés et ils ont été traduits en 50 langues

En Suisse, **Ramuz** (1878–1947) a écrit des romans réalistes sur la vie dans le pays vaudois et sur la nature. Il a également écrit *L'Histoire du soldat,* en 1918, qui, mise en musique par Igor

Stravinski, a connu un grand succès. Il a beaucoup influencé les écrivains suisses.

Bien avant lui, **Rodolphe Toepffer** (1799–1846) (*Voyages en zigzag*) avait inventé la B.D. (bande dessinée) en albums de dessins comiques.

De nombreux romanciers viennent de Suisse, dont **Robert Pinget** (1919–1997), auteur de *L'Inquisitoire,* et **Jacques Chessex** (1934–   ) qui a reçu le Prix Goncourt pour *L'Ogre* en 1973.

En Afrique, un grand nombre d'auteurs se sont distingués :

Léopold Sédar Senghor (1906–2002) fut non seulement président de la République du Sénégal (1960–1980) mais aussi, peut-être, le poète le plus célèbre et le plus important de la littérature africaine. Il fut co-fondateur, avec Aimé Césaire, tous deux étudiants noirs à Paris vers 1935, du mouvement culturel de la « négritude » qui insiste sur la lutte contre le colonialisme, la recherche de l'identité noire et le combat contre la tyrannie après l'indépendance. Sa poésie contraste les merveilles de l'Afrique du passé avec l'aliénation résultant de l'assimilation avec la culture européenne. Son *Anthologie de la nouvelle poésie nègre et malgache* (1948) a fait date (*is a landmark*) dans la littérature africaine écrite en français.

Birago Diop (1906–1989), poète sénégalais, qui s'associa au mouvement de la « négritude », rendit hommage à la tradition orale de son pays en publiant en français des contes de l'ouest africain qu'il avait recueillis, notamment *Les Contes d'Amadou Koumba* (1947), *Nouveaux Contes d'Amadou Koumba* (1958), et *Contes et Lavanes* (1963). Il publia également un recueil de poèmes, *Leurres et Lueurs* (1960). Ces contes étaient racontés la nuit rituellement à un groupe par un conteur professionnel, le *griot* ; ils étaient ensuite répétés par les gens qui les écoutaient.

Ousmane Sembène, né en 1923 au Sénégal, jouit d'une renommée internationale en tant que réalisateur de films et en tant que romancier. Joignant une vision humaniste à un engagement politique passionné, il critique les injustices sociales dans l'Afrique de la fin de la colonisation et les problèmes et les erreurs après l'indépendance. Il contraste les relations entre les colonisateurs et les colonisés, l'état et le peuple, les hommes et les femmes, les riches et les pauvres, les vieux et les jeunes, évoquant les tensions universelles causées par la lutte pour le pouvoir. Il donne aussi des descrip-

tions réalistes de la force et de la faiblesse de l'être humain, de l'héroïsme et de la solidarité communautaire. *Les Bouts de bois de Dieu* (1960) est un chef d'œuvre. Voulant améliorer la condition des classes exploitées, il emploie un langage accessible aux masses populaires et a cherché dans le cinéma une plus grande audience. Ses films, *La Noire de...* (1966), *Emitaï* (1971), *Le camp de Thiaroye* (1988) entre autres lui assurent une place éminente dans le cinéma international.

David Diop (1927–1960), représenté par plusieurs de ses poèmes dans l'anthologie de Senghor, était membre du mouvement de la « négritude ». Son recueil de poèmes, *Coups de pilon* (1956) fait appel à la révolution et attaque la domination de la culture européenne en Afrique. Il critique les valeurs de l'ouest et le colonialisme ; il encourage le sacrifice de l'individu pour le bien-être de tous et fait l'éloge de la force et du courage de la femme africaine.

Mariama Bâ (1929–1981) décrit en un style simple et direct les problèmes de la femme sénégalaise. Son roman *Une si longue lettre* (1979) fut un succès remarquable pour l'édition africaine.

Ahmadou Kourouma, né en 1927 en Côte d'Ivoire, dans son roman, *Les Soleils des Indépendances,* a construit une langue romanesque qui a renouvelé le roman africain en suivant le rythme et la démarche de la pensée et de la parole des caractères locaux.

Mongo Beti, né au Cameroun en 1932, a écrit avec humour de nombreux romans qui dénoncent la colonisation et les abus qui ont suivi les indépendances, *Le Pauvre Christ de Bomba, Les Deux mères de Guillaume Ismaël Dzewatma.*

Aminata Sow Fall (1941–   ) est un écrivain sénégalais qui a fondé le Bureau africain de défense des libertés et de l'écrivain. Il a écrit, entre autres, *La Grève des battus.*

Patrice Nganang, né au Cameroun, a écrit des romans, *La Promesse des Fleurs, Temps de chien* (Prix Yourcenar 2001) et des poèmes, *Elobi.*

Dans le Maghreb, c'est à dire les pays d'Afrique du nord, parmi de nombreux écrivains qui esssaient de concilier la culture et la langue arabes et françaises, leur propre histoire de colonisation et d'indépendance, on peut citer :

Albert Memmi, né en Tunisie en 1920, a exposé la rencontre des cultures juive, française et arabe et son ambiguïté, *La Statue de sel,* 1953.

Kateb Yacine, né en Algérie en 1929, est un écrivain important dont l'œuvre théâtrale et romanesque montre l'engagement politique et le grand talent (*Nedjma, Le Polygone étoilé*)

Assia Djebar, née en Algérie en 1936, raconte les problèmes des femmes obligées de vivre le rôle que leur donne une tradition millénaire, et la double présence en elles de la langue française, écrite et orale, et de la langue maternelle, l'arabe, orale seulement, alternant les voix des aïeules et celle de la femme moderne : *Femmes d'Alger dans leur appartement* (1980)*, L'Amour, la fantasia* (1985). (Académie française, 2005).

Tahar Ben Jalloun (1944–) est l'écrivain marocain le plus célèbre. Poète et romancier, il est influencé par les légendes, les rites maghrébiens et les mythes ancestraux. Il se fit connaître par son premier récit, *Harrouda* (1973). Il raconte la solitude et les difficultés de la vie des immigrés en France en un style qui mélange poésie et prose. Il a reçu le Prix Goncourt en 1987 pour son roman *La Nuit sacrée.*

Dans les Antilles, il faut citer au moins les auteurs suivants :

Aimé Césaire (1913–2008), poète, dramaturge et homme politique, est un des auteurs les plus importants des Antilles françaises. Césaire, avec Léopold Senghor et Léon Damas, un poète né en Guyane en 1912, lança la notion de la « négritude », l'affirmation de la fierté d'être noir. Il exprima ses pensées en 1939 dans un poème célèbre, *Cahier d'un retour au pays natal.* Césaire attaqua la civilisation européenne et le racisme colonial dans son *Discours sur le colonialisme* (1955). Son œuvre, *Et les chiens se taisaient* (1956), sur l'humiliation des noirs, marqua sa transition de la poésie au drame. De 1956 à 1973 il se consacra principalement au théâtre, sur les thèmes du héros noir, du colonialisme, de la libération du Tiers Monde (*La Tragédie du roi Christophe*).

Frantz Fanon (1925–1961) avec son premier livre important *Peau noire, masques blancs* (1952) exerça une influence profonde sur les mouvements anti-colonialistes radicaux à travers le monde, mais surtout aux États-Unis et en Europe pendant les années 60. Fanon rejeta l'idée de la « négritude » : selon lui le prestige d'un individu dépend de sa position économique et sociale. La révolution violente est la seule manière d'éliminer la répression coloniale et le traumatisme culturel dans les pays du Tiers Monde. Son livre, *Les Damnés de la terre* (1961), inspiré par son expérience de la guerre d'indépendance en Algérie, est une critique passionnée contre le colonialisme.

Édouard Glissant, né en 1928 à la Martinique, un des écrivains les plus importants des Antilles, a développé un concept du dépassement de la négritude et de l'acceptation du « divers ». Il a reçu le prix Renaudot en 1958 pour *La Lézarde* et son chef d'œuvre, *Le Quatrième Siècle,* reconstruit l'histoire et la société antillaises autour de deux figures mythiques, l'esclave de plantation et l'esclave marron (*fugitive*) en une prose imagée.

Simone Schwarz-Bart, née à la Guadeloupe en 1938, a composé des fresques de la Guadeloupe et des Antilles anciennes dans un style lyrique plein de couleurs où les femmes jouent un rôle très important, *Pluie et Vent sur Télumée Miracle* et *Ti Jean l'horizon.*

Maryse Condé (1939–) née à Pointe-à-Pitre, habita la Côte-d'Ivoire puis retourna à la Guadeloupe. Elle reçut le Grand prix littéraire de la femme en 1986 pour *Moi, Tituba, sorcière noire de Salem,* le Prix de l'Académie Française en 1987 pour *La Vie scélérate,* et le Prix Marguerite Yourcenar pour *Le Cœur à rire et à pleurer : contes de mon enfance* (1999). Les personnages de Maryse Condé sont fréquemment des anti-héros en proie au doute et pleins de faiblesses humaines. Ils retournent souvent au passé en Afrique en quête de leurs origines.

Daniel Maximin, né en 1947 à la Guadeloupe, fut directeur littéraire aux Éditions Présence africaine de 1980 à 1989. Ses œuvres principales sont ses romans : *L'isolé soleil* (1981), *Soufrières* (1987), *L'île et une nuit* (1995) et ses poésies : *L'invention des Désirades* (2000).

Patrick Chamoiseau (1953–) est renommé pour ses romans dont la langue se colore d'expressions créoles : *Chronique des sept misères* (1986), qui dépeint les marchés de Fort-de-France ; *Au temps de l'antan* et *Solibo le magnifique* (1988), hommages à la littérature orale et aux conteurs antillais ; et *Texaco* (1992) un roman traitant de l'esclavage et de la liberté du peuple martiniquais, pour lequel il reçut le Prix Goncourt.

Parmi les auteurs haïtiens, il faut citer :

Jacques Roumain (1907–1944), un écrivain prolifique dont le roman *Gouverneurs de la rosée* a eu un grand succès international ; il y raconte l'histoire simple et tragique des paysans de son pays, Haïti. Dans une langue superbe colorée par les parlers locaux, il aborde, avec une violence poétique, les thèmes de la révolte des noirs : l'exil, l'esclavage, l'oppression, l'espoir et la nostalgie de l'Afrique. Il s'adresse à tous les opprimés.

Jean Brièrre-Contenu (1909–1992), poète, fonda le journal, *La Bataille*. Son poème, *Black Soul* (1947) est très renommé.

Jacques-Stephen Alexis (1922–1961) fut écrivain, romancier, essayiste, et conteur.

René Depestre (1926–) est renommé pour sa poésie d'exil et d'aliénation, marquée d'une rare sensibilité. En 1988 il reçut le Prix Renaudot pour son roman, *Hadriana dans tous mes rêves*.

Un Guyanais, **Léon-Gontran Damas** (1912–1978) est à l'origine du mouvement de la « négritude » avec Aimé Césaire et Léopold Senghor par leur revue littéraire, *L'étudiant noir*. Damas fut le premier à publier un recueil de poésie, *Pigments,* qu'on reconnut comme le manifeste du mouvement et qui influença chaque ouvrage suivant.

EXERCICE

Identifiez chaque auteur par une phrase complète en français.

1. Michel de Montaigne _____

_____

2. Jean de la Fontaine _____

_____

3. René Descartes _____

_____

4. Denis Diderot _____

_____

5. Victor Hugo _____

_____

6. Antoine de Saint-Exupéry _____

_____

7. Jean-Paul Sartre _____

8. Léopold Sedar Senghor _____

_____

9. Ousmane Sembène _____

_____

10. Maryse Condé _____

11. Aimé Césaire _____

_____

12. Frantz Fanon _____

_____

13. Georges Simenon _____

_____

14. Anne Hébert _____

_____

15. Antonine Maillet _____

_____

16. Tahar Ben Jalloun _____

_____

EXERCICE CRÉATIF

1. Écrivez la biographie d'un écrivain célèbre.

2. Lisez une nouvelle (*short story*) ou un livre en français et composez une jaquette pour cet ouvrage avec une description de l'auteur et du texte.

3. Apprenez par cœur un poème d'un poète francophone ; décrivez-le et récitez-le devant votre classe.

Chapter 41
Les Beaux-Arts, la musique et le cinéma

LES BEAUX-ARTS

L'histoire des beaux-arts en France remonte aux temps préhistoriques. Dans les cavernes du Périgord on a trouvé les premières œuvres d'art—d'admirables peintures d'animaux dessinées sur les murs par l'homme primitif.

À l'époque gallo-romaine, des édifices remarquables furent construits : des temples, des arènes, des amphithéâtres. Les meilleurs exemples de ces monuments romains se trouvent aujourd'hui dans les régions de Nîmes et d'Arles, en Provence.

Au Moyen Âge, les arts étaient associés à la religion. Les églises romanes (*Romanesque*) étaient des édifices lourds à cause de l'épaisseur des murs. Puisque les ouvertures étaient rares et petites, l'intérieur était nécessairement sombre. C'est aussi à cette époque que la reine Mathilde, femme de Guillaume le Conquérant, aurait brodé la célèbre *tapisserie de Bayeux,* qui représente la conquête de l'Angleterre par les Normands.

Pour remplacer la sombre église romane la France créa un nouveau style d'architecture qui montre le génie artistique français. **L'architecture gothique,** née au XIIᵉ siècle en Île-de-France, permet la construction d'édifices de vastes dimensions. Cette architecture, avec l'arc de voûte (*vaulted arch*) pointu supporté par des piliers et des arcs-boutants (*flying buttresses*) à l'extérieur, permet d'amincir l'épaisseur des murs, de les percer de nombreuses ouvertures et d'élever les édifices à de grandes hauteurs. Pour ne pas avoir un excès de lumière à l'intérieur des églises, on couvre les ouvertures de vitraux dont les couleurs sont souvent magnifiques. L'architecture gothique est ornée de sculpture, de statues et de gargouilles.

Quelques-uns des chefs-d'œuvre de cette architecture essentiellement religieuse sont : la Sainte-Chapelle et la cathédrale Notre-Dame de Paris et les cathédrales d'Amiens, de Chartres et de Reims.

PEINTRES

(*Voir le chapitre 34 pour une liste de quelques musées célèbres de Paris où l'on peut voir des chefs-d'œuvre de l'art de toutes les époques : le musée du Louvre, le Centre Pompidou, le musée d'Orsay, le musée Rodin, le musée Picasso.*)

Georges de la Tour (1593–1652) a été un maître du clair-obscur. Dans des compositions très simplifiées et mesurées, il accordait une expressivité extraordinaire à la lumière.

Nicolas Poussin (1594–1665), qui composait avec le plus grand soin ses « paysages historiques », combinait l'antiquité et la nature. On trouve dans ses tableaux la perfection de la forme et de la couleur évoluant vers un pur **classicisme.**

Antoine Watteau (1684–1721), le plus grand peintre du XVIIIᵉ siècle, créa des scènes pastorales pleines de charme. Ses tableaux des fêtes galantes (*merry celebrations*) sont des reflets de la société élégante de son époque. Watteau est un coloriste de premier ordre.

Louis David (1748–1825), chef de l'école néo-classique, était le peintre de la Révolution française et plus tard de la cour de Napoléon. Il peignait avec précision des scènes de l'histoire grecque aussi bien que des portraits.

Dominique Ingres (1780–1867), élève de David, devint le champion de la peinture académique : l'exactitude de l'observation, la perfection du dessin et la pureté de la ligne.

Au XIXᵉ siècle, la peinture française jouissait d'une célébrité universelle. Plusieurs écoles fleurissaient et Paris devint un centre mondial de la peinture.

Le romantisme, voulant rompre avec la discipline et les règles du classicisme, réagit contre l'art antique de David. L'école romantique laissa dominer les sentiments de l'artiste et la couleur, et s'illustra avec Géricault et Delacroix.

Théodore Géricault (1791–1824), le premier des peintres romantiques, peint de nombreuses scènes historiques pleines de mouvement et de grandeur, tel *Le radeau de la Méduse.*

Eugène Delacroix (1798–1863), le chef de l'école romantique et son plus grand peintre, était un coloriste extraordinaire. Ses tableaux allégoriques, orientaux ou historiques débordent (*overflow*) de vitalité et de mouvement dramatique.

Le réalisme fut la réaction à la fois contre le romantisme et le classicisme. Les artistes réalistes voulaient peindre la vie quotidienne et la nature telles qu'ils les voyaient et sans les idéaliser.

Honoré Daumier (1808–1879) est connu surtout pour ses caricatures politiques et sociales. C'était un peintre réaliste de talent.

Gustave Courbet (1819–1877), le champion du réalisme, préférait des scènes de la vie quotidienne et des paysages.

Plusieurs peintres paysagistes (*landscape painters*) qui s'établirent à Barbizon, un petit village près de Fontainebleau, formèrent un groupe connu sous le nom de **l'École de Barbizon.**

Jean-Baptiste Corot (1796–1875), le plus grand paysagiste de l'École de Barbizon, savait peindre avec un charme poétique la lumière et l'atmosphère d'un paysage.

Jean-François Millet (1814–1875) aimait peindre la vie des paysans : *L'Angélus, Les Glaneuses* (*gleaners*).

En 1872, une peinture de **Claude Monet** (1840–1926) intitulée *Impression, soleil levant* donna son nom à **l'impressionisme,** un nouveau mouvement artistique. Les impressionistes essayaient de traduire leurs sensations visuelles. Ils choisissaient leurs sujets dans la vie moderne et faisaient de la lumière l'objet essentiel de leur peinture. **Monet** était le plus grand paysagiste de l'impressionisme. Il se plaisait à rendre les jeux de la lumière, à représenter le même sujet éclairé différemment à des moments différents du jour : *Cathédrale de Rouen.*

Édouard Manet (1832–1883) fut un des fondateurs de l'école impressionniste. Il aimait travailler en plein air.

Edgar Degas (1834–1917) savait exprimer les formes et le mouvement. Il est bien connu pour ses tableaux de danseuses de l'Opéra et de courses de chevaux.

Auguste Renoir (1841–1919), un des maîtres de l'impressionisme, fit un grand nombre de portraits de femmes et de jeunes filles, souvent dans des paysages fleuris.

Georges Seurat (1859–1891) fonda **le pointillisme,** une technique néo-impressionniste qui consiste à peindre en se servant d'une multitude de points de couleurs pures : *Un dimanche après-midi à la Grande Jatte.*

Malgré les nouveaux mouvements artistiques du XIXᵉ siècle, il y avait des artistes qui préféraient le traditionalisme. **Pierre Puvis de Chavannes** (1824–1898) est l'auteur de peintures murales qui décorent le Panthéon—la *Vie de Sainte Geneviève*—et la Sorbonne. Ses œuvres, aux sobres couleurs, ont une douceur et une noblesse admirables.

Le post-impressionnisme, le mouvement moderne de la fin du XIXᵉ siècle, fut la réaction contre les excès de l'impressionnisme et du réalisme. Les modernistes, en évitant la représentation photographique, n'hésitent pas à déformer la nature et le corps humain. Chacun de ces artistes est un individualiste qui peint à sa manière particulière.

Paul Cézanne (1839–1906) est le père de l'art moderne et l'inspirateur de la nouvelle peinture. Ses paysages et ses natures mortes (*still lifes*), où il déforme souvent les objets, donnent l'impression d'une troisième dimension.

Paul Gauguin (1848–1903) voulait exprimer des émotions d'ordre spirituel dans ses peintures. Après avoir fait des paysages bretons, il partit pour Tahiti, où il composa des scènes tahitiennes saisissantes (*arresting*) en vives couleurs. « *D'où venons-nous ? Que sommes-nous ?* » est le titre d'une de ses peintures.

Vincent Van Gogh (1853–1890), peintre expressionniste d'origine hollandaise, trouva son inspiration en Provence, dans la région d'Arles. Ses toiles—natures mortes, paysages, portraits—sont pleines de couleurs brillantes et de soleil.

Henri de Toulouse-Lautrec (1864–1901), peintre de scènes de music-hall et de cirque, fit du dessin des affiches (*posters*) un nouvel art.

Henri Matisse (1869–1954) était le chef du **fauvisme,** mouvement artistique de la première moitiè du XXᵉ siècle. Les artistes qui s'appelaient **les Fauves** (bêtes sauvages) réagirent contre l'analyse impressionniste et décidèrent de peindre à leur gré, en couleurs pures très vives. On considère Matisse, qui aimait la simplicité et l'harmonie, comme un des plus grands peintres de son époque. Son chef-d'œuvre d'art décoratif est la chapelle de Vence.

Parmi les fauves, il faut également citer **Maurice de Vlaminck** (1876–1958), **Raoul Dufy** (1877–1953) et **André Derain** (1880–1954).

Pablo Picasso (1881–1973), d'origine espagnole, est l'artiste le plus illustre de l'époque moderne. Il a exercé une influence profonde sur l'évolution de l'art moderne. Essayant une variété de techniques, il a réalisé une synthèse entre le cubisme et le surréalisme.

Le **cubisme** se proposait de représenter les objets sous des formes géométriques en plusieurs angles de vue simultanés. **Georges Braque** (1882–1963) a été un grand peintre de natures mortes.

Le surréalisme s'opposait à toutes les formes d'ordre et de conventions et voulait atteindre le fonctionnement réel de la pensée par l'automatisme, la libre association des idées et le rêve. Parmi les surréalistes, **André Masson** (1896–1987) et **René Magritte** (1898–1967) sont importants. **Henri Rousseau,** dit *le Douanier* (1844–1910), peintre primitif et poétique, était apprécié par les surréalistes.

D'autres artistes importants du XXe siècle sont : **Pierre Bonnard** (1867–1947), un coloriste subtil et lyrique, **Georges Rouault** (1871–1958), peintre connu pour l'expressionnisme mystique ; **Fernand Léger** (1881–1955), le peintre de la vie moderne et des éléments mécaniques ; **Maurice Utrillo** (1883–1955), peintre des paysages de Montmartre ; **Marc Chagall** (1887–1985), peintre dont les peintures sont pleines d'une fantaisie poétique ; **Nicolas de Staël** (1914–1955), un peintre abstrait très raffiné.

À l'heure actuelle, l'**école de Paris** continue à rassembler de nombreux artistes, de tendance abstraite comme **Hans Hartung** (1904–1989), **Georges Mathieu** (1921–   ), ou de tendance figurative comme **Balthus** (1908–2001) et **Bernard Buffet** (1928–1999). **Christian Boltanski** (1944–   ) se distingue par ses œuvres composées de matériaux divers et par ses installations.

SCULPTEURS

Jean-Antoine Houdon (1741–1828) exécuta des statues classiques et les bustes de plusieurs personnages célèbres : Voltaire, Rousseau, Diderot, La Fayette, Washington, Franklin et Jefferson.

François Rude (1784–1855), sculpteur de l'école romantique, est l'auteur de *La Marseillaise*, le haut-relief qui décore une des faces de l'Arc de Triomphe de l'Étoile à Paris.

Jean-Baptiste Carpeaux (1827–1875) donna le mouvement et le rythme à ses œuvres. Son groupe de *La Danse* embellit la façade de l'Opéra Garnier de Paris.

Frédéric-Auguste Bartholdi (1834–1904) est le sculpteur de la statue colossale qui se trouve à l'entrée du port de New York, *La Liberté éclairant le monde*. Une version miniature se trouve à Paris dans une île au milieu de la Seine.

Auguste Rodin (1840–1917), le plus grand sculpteur des temps modernes, savait exprimer en marbre les émotions et la puissance de la vie. Ses œuvres principales sont : *Le Penseur, Le Baiser, Les Bourgeois de Calais,* et *La Porte de l'Enfer.*

Aristide Maillol (1861–1944) allie la grâce et la simplicité à des formes solides. Il est connu surtout pour ses statues de femmes dont beaucoup ornent le jardin des Tuileries à Paris.

Jacques Lipchitz (1891–1973) a donné à ses sculptures cubistes une puissante expressivité lyrique.

ARCHITECTES

L'art gothique, succédant à l'art roman, construisit des églises. Des châteaux et des hôtels particuliers furent également construits dont beaucoup subsistent encore aujourd'hui.

Jules Hardouin Mansard, (1646–1708), premier architecte de Louis XIV, construisit la plus grande partie du palais de Versailles, le dôme des Invalides et la place Vendôme. **André Le Nôtre** (1613–1700) créa les jardins à la française et fut l'architecte des jardins de Versailles.

Georges Haussmann modernisa Paris de 1853 à 1870 avec la construction des grands boulevards. **Eugène Viollet-le-Duc** (1814–1879) restaura de nombreux monuments historiques du Moyen Âge, tels que Notre-Dame de Paris, la cathédrale d'Amiens et la cité de Carcassonne.

Le Corbusier (1887–1965) est le chef de l'école moderne. Architecte créateur, il chercha des solutions nouvelles pour l'habitation, surtout pour les ensembles urbains.

Jean Prouvé (1901–1984) fut un pionnier de la construction métallique et de l'emploi des murs-rideaux, murs extérieurs non porteurs (*nonbearing*).

Bernard Zehrfuss (1911–1996) est un des architectes contemporains qui donnent à de nouveaux quartiers, comme celui de la Défense à Paris, une apparence toute nouvelle.

Les grands projets d'architecture exécutés à Paris au cours des dernières années ont permis la réalisation d'œuvres importantes, comme la Cité de la Musique de **Christian de Portzamparc** (1944–   ) qui a reçu le prix Pritzker en 1994, l'Institut du Monde arabe et la Fondation Cartier, un immeuble tout en verre, de **Jean Nouvel** (1945–   ) et la Grande Bibliothèque de France de **Dominique Perrault** (1953–   ).

LA MUSIQUE

COMPOSITEURS

Jean-Baptiste Lully, ou **Lulli** (1632–1687), Italien de naissance, fut le créateur de l'opéra français. Il était le compositeur de la cour de Louis XIV, qui le nomma directeur de l'Opéra de Paris. Pour amuser le roi, il écrivit de la musique pour plusieurs comédies de Molière comme *Le Bourgeois Gentilhomme,* et des opéras comme *Atys.*

François Couperin (1668–1733), le plus grand maître français du clavecin (*harpsichord*), composa de nombreuses œuvres pour cet instrument.

Jean-Philippe Rameau (1683–1764), claveciniste et organiste, était le plus célèbre compositeur français de son temps. Il écrivit un *Traité de l'Harmonie* qui définit la science de l'harmonie et il composa des œuvres diverses, dont *Hyppolyte et Aricie* et *Les Indes Galantes.*

Au XIXe siècle, la musique française brilla d'un grand éclat.

Hector Berlioz (1803–1890), le plus grand compositeur de l'époque romantique, était un maître de l'orchestration. Ses œuvres, comme *La Damnation de Faust, Les Troyens* et la *Symphonie fantastique*, sont remarquables par la force du sentiment dramatique.

César Franck (1822–1890), Belge de naissance, était un organiste de grand renom. Il a formé de nombreux disciples et il a composé de nombreuses œuvres.

Camille Saint-Saëns (1835–1921) était un virtuose du piano et de l'orgue. Il écrivit des poèmes symphoniques, tels que la *Danse macabre,* le *Carnaval des animaux* et des opéras, dont le mieux connu est son chef-d'œuvre, *Samson et Dalila.*

Claude Debussy (1862–1918), le plus illustre des compositeurs du début du XXe siècle, fut influencé par les symbolistes et par les impressionnistes. Sa musique est raffinée et élégante. Parmi ses œuvres principales sont *L'Après-midi d'un faune, La Mer, Clair de lune* et l'opéra *Pelléas et Mélisande.*

Maurice Ravel (1875–1937), un des grands artistes de la musique moderne, écrivit des œuvres marquées par la virtuosité et la sensibilité. Il composa des pièces pour le piano et pour l'orchestre symphonique : *Ma mère l'Oye, Boléro, Daphnis et Chloé, Concerto pour la main gauche.*

D'autres compositeurs d'opéras célèbres sont :

Jacques Offenbach (1819–1880) : *Les Contes d'Hoffmann, La belle Hélène*

Charles Gounod (1818–1893) : *Faust, Roméo et Juliette*

Léo Delibes (1836–1891) : *Lakmé*

Jules Massenet (1842–1912) : *Manon, Thaïs*

Georges Bizet (1838–1875) : *Carmen, Les Pêcheurs de perles*

Gustave Charpentier (1860–1956) : *Louise*

Au XXe siècle, la musique française reste toujours vivante avec des compositeurs de grand talent comme **Arthur Honegger** (1892–1955), **Darius Milhaud** (1892–1974), **Georges Auric** (1899–1983) et **Francis Poulenc** (1899–1963). **Edgard Varèse** (1883–1965), **Olivier Messiaen** (1908–1992) et **Pierre Boulez** (1925–   ) sont des musiciens contemporains qui s'orientent vers une musique originale et non-traditionnelle. **Maurice Jarre** (1924–   ) est un compositeur spécialisé dans la musique pour le cinéma. Aux États-Unis il composa la musique de nombreux films dont *Lawrence of Arabia* (1962), *Dr. Zhivago* (1965), *Witness* (1984), *Fatal Attraction* (1987), *Ghost* (1990) et *I Dreamed of Africa* (2000). En France, parmi bien d'autres, il a composé la musique pour *Des yeux sans visages* (1959).

LA CHANSON

La chanson française a une longue tradition. Elle commença avec les chansons d'amour des troubadours du Moyen Âge, puis les chansons galantes ou satiriques du XVIIe siècle. Le XVIIIe siècle découvrit les chansons révolutionnaires. Vers 1885, les poètes-chansonniers créèrent la chanson politique d'actualité dans les cabarets. Au XXe siècle, le music-hall et le jazz influencent la chanson avec **Mistinguett, Maurice Chevalier, Joséphine Baker.** Les chansons françaises traditionnelles sont généralement poétiques et mélodieuses. Leurs paroles expriment des sentiments sur l'amour, la paix, la famille, la vie quotidienne, quelquefois la politique. Parmi les auteurs-compositeurs-chanteurs renommés, on doit citer : **Charles Trenet** (1913–), plein de fantaisie et de poésie (*Y a de la joie, La Mer, Douce France*) ; **Édith Piaf** (1915–1963), surnommée « le petit moineau » (*the little sparrow*) bien connue pour ses chansons d'amour dont la plus célèbre *La vie en rose* est populaire encore aujourd'hui ; **Léo Ferré** (1916–1993) chanteur des poètes Apollinaire, Baudelaire, Rimbaud ; **Yves Montand** (1921–1991) à la fois chanteur et acteur de talent (*Une demoiselle sur une balançoire, Sanguine*) ; **Charles Aznavour** (1924–) un acteur et chanteur qui a composé plus de 600 chansons et qui a vendu plus de 100 millions de disques ; **Gilbert Bécaud** (1927–2001) une star des années 50 et 60, surnommé « le monsieur à 100.000 volts » (*Mes mains, Nathalie mon guide*) ; **Georges Brassens** (1921–1981) qui a chanté les poèmes des poètes Villon, Aragon, Jammes et qui a chanté ses propres poèmes (*Chanson pour l'Auvergnat, Le Gorille*) ; **Jacques Brel** (1929–1978) auteur et compositeur belge de chansons mélancoliques (*Quand on n'a que l'amour*) ; **Joe Dassin** (1938–1980) a eu un très grand succès en France et en Europe [*Les Feuilles mortes (Autumn Leaves)*].

La période yéyé des années 60 vit la popularité de **Johnny Hallyday** (1943–) qui a chanté des chansons américaines rock traduites en français ; **Françoise Hardy,** connue pour *Tous les garçons et les filles* ; **Michel Polnareff,** connu pour *La Poupée qui fait non ; **Sylvie Vartan,** connue pour *Tous mes copains* et *Si je chante*.

Depuis longtemps, la chanson est peut-être le véhicule le plus populaire de la langue française dans tous les pays francophones. L'album *D'eux* de **Céline Dion** a vendu plus de copies en France qu'aucun autre. Cette chanteuse de Montréal est une véritable ambassadrice de la langue française. Le Canada a aussi donné **Félix Leclerc** et **Gilles Vigneault** ; et la Louisiane, **Zachary Richard,** un « cajun ». Aujourd'hui en France tous les genres de musique sont populaires :

Le rock alternatif : Cette musique fut popularisée par **Noir Désir,** un groupe de quatre jeunes hommes qui chantent en français et en anglais, et **Mano Negra,** un groupe qui chante en français, espagnol, et arabe.

Le néo-psyché : Ses enthousiastes adorent la musique des années 70, le pantalon à pattes d'élé-

phant (*bell-bottoms*), et les chaussures à semelles compensées (*platform shoes*). On chante la paix et les chansons sont considérées « très cool ». **Vanessa Paradis,** surnommée « La Madone française » est une star de cette musique.

Le Rap : Le rappeur le plus célèbre en France, **M.C. Solaar,** est né au Sénégal. Ses chansons sont pleines de poésie et d'humour. Sa musique parle des problèmes de la vie, de la jeunesse et de l'amour, bien entendu.

Le raggamuffin : C'est la version reggae du rap. À l'origine, cette musique est destinée à la communauté rasta en France.

La World Musique : C'est une combinaison de musique ethnique et des rythmes du monde entier. Parmi ses musiciens sont : **Papa Wemba** du Congo, **Baaba Maal** du Sénégal, **Angélique Kidjo** du Bénin, connue pour son album *Logozo* ; **Alpha Blondy** de la Côte d'Ivoire ; **Oumou Sengaré,** du Mali, qui chante la cause féminine et la culture de son pays ; **Youssou N'Dour** du Sénégal, également compositeur ; et le groupe français, **Lo'Jo Triban.**

La Musique Pop : Un des chanteurs les plus romantiques est **Patrick Bruel** de Tunisie ; **Étienne Daho** est connu pour *Le Grand sommeil* ; **Jean-Jacques Goldman** est un chanteur très populaire ; **Véronique** et **Patricia Kaas** ont un énorme succès.

LE CINÉMA

Le cinéma est né en France avec **Louis Lumière** en 1895 et les premières projections animées. En 1897 **Georges Méliès** construit le premier studio du monde et se spécialise dans le trucage (*special effects*) et réalise des films de science-fiction, *Voyage dans la lune* (1902). **Émile** et **Charles Pathé** créent un studio, fabriquent des pellicules (*film*) et lancent le journal d'actualités (*newsreel*) cinématographiques (1909). Depuis, les cinéastes français n'ont cessé de faire des contributions importantes au « septième art » . Parmi les grands réalisateurs de films qui sont devenus des classiques dans le monde entier, il faut mentionner les noms suivants :

Abel Gance (1889–1981) inventa de nombreux procédés techniques : le triple écran, la couleur (*Napoléon*). **René Clair** (1898–1981) réalisa de nombreuses comédies fantaisistes et poétiques (*Sous les toits de Paris, À nous la liberté*). **Jean Vigo** avec *L'Atalante ;* **Marcel Carné** avec le réalisme poétique de *Quai des Brumes, Les Enfants du paradis, Le Jour se lève* ; **Jean Renoir** avec *La Grande Illusion, La Règle du Jeu* ; voilà seulement quelques-uns des cinéastes et des films français justement célèbres.

Après la Deuxième Guerre mondiale, la production cinématographique a repris, aidée par des subventions accordées par le gouvernement. Un mouvement de renouveau a voulu imposer un nouveau ton, un nouveau style plus libre au moyen de décors réels, un jeu plus naturel, une technique légère. Les critiques ont appelé ce groupe « la **Nouvelle Vague** ».

Louis Malle (1932–1995) créa un scandale avec son film *Les Amants* en 1958. Il fit aussi *Lacombe Lucien* (1973), *Au revoir les enfants* (1987), deux très beaux films sur la période de la Seconde Guerre mondiale.

Éric Rohmer (1920–) qui réalisa l'un des manifestes de la Nouvelle Vague , *le Signe du Lion* (1959), est célèbre pour ses séries de films tels les Comédies et Proverbes, les Contes moraux dont *Ma Nuit Chez Maud* (1969), *La Marquise d'O* (1976) et *Les Nuits de la Pleine Lune* (1984).

Alain Resnais (1922–), explora de nouvelles relations entre le cinéma et la littérature dans ses œuvres *Hiroshima mon amour* (1959), *l'Année dernière à Marienbad* (1961), *Muriel ou le Temps d'un retour* (1963) et *Mon Oncle d'Amérique* (1980).

Jacques Rivette (1928–) fait des recherches sur la durée, le récit et crée des films profondément originaux, *la Religieuse* (1966), *L'Amour fou* (1968), *l'Histoire de Marie et Julien* (2003).

Claude Chabrol (1930–), autre pionnier de la Nouvelle Vague, admirait les films d'Alfred Hitchcock et le genre du film policier. Sa carrière prolifique produisit plus de cinquante films en trente ans. Il est connu pour *les Cousins* (1958), *la Femme infidèle* (1968), *Le Boucher* (1970), *Une Affaire de Femmes* (1988), *Betty* (1992), entre autres films.

Jean-Luc Godard (1930–2008) eut une grande influence par sa remise en question des idéologies et de la création artistique. Parmi ses films : *À bout de souffle* (1959), *Pierrot le Fou* (1960), *Alphaville* (1965), *Masculin-Féminin* (1966), *La Chinoise, Week-End* (1967), *Passion* (1981), *Prénom Carmen* (1984).

François Truffaut (1932–1984) exprima les sentiments, les bonheurs ou les blessures de la passion, la fragilité de l'homme dans les rapports amoureux et les aventures de la vie. Il est connu

pour : *Les Quatre Cents Coups* (1959), *Tirez sur le pianiste* (1960), *Jules et Jim* (1962), *Farenheit 451* (1966), *La Nuit américaine* (1973), *L'Histoire d'Adèle H.* (1975), *Le Dernier Métro* (1980), *La Femme d'à Côté* (1981).

Jacques Tati (1907–1982), un original faisant bande à part, a renouvelé le film comique en France et réussi des comédies très drôles qui se moquent des prétentions de certains Français : *Les Vacances de M. Hulot* (1953), *Mon Oncle* (1958).

De nos jours, il faut citer **Jean-Pierre Jeunet** (1955–), dont l'imagination fertile et l'humour un peu noir ont donné *Delicatessen* (1991) et *Amélie* (2001)

Il faut aussi noter les films suivants :

Henri-Georges Clouzot	Le Salaire de la peur (1953)
Agnès Varda	Le Bonheur (1965) ; Les Glaneurs et la Glaneuse (2000)
Jacques Demi	Les Parapluies de Cherbourg (musique de Michel Legrand) (1964)
Claude Miller	L'Effrontée (1985)
Coline Serreau	Trois Hommes et un couffin (1985)
Claude Berri	Jean de Fleurette, Manon des sources (1986)
Maurice Pialat	Sous le soleil de Satan (1987)
Claire Devers	Chimère (1989)
Jean-Paul Rappeneau	Cyrano de Bergerac (1990)
Yves Robert	La Gloire de Mon Père (1990)
Olivier Assayas	Les Destinées sentimentales (1990)
Alain Desplechin	La Sentinelle (1992)
Krysztof Kieslowski	La trilogie tricolore : Bleu, Blanc, Rouge (1992–1993)
Laurence Ferreira Barbosa	Les gens normaux n'ont rien d'exceptionnel (1993)

Mathieu Kassowitz — Café au Lait (1993)
Marion Vernous — Personne ne m'aime (1994)
Cédric Klapish — Un air de famille (1996)
Manuel Poirier — Western (1997)
Jean-Paul Dardenne — Rosetta (1999)

Le cinéma francophone est en plein essor ; en Afrique, on peut citer, entre autres, deux réalisateurs de la Côte-d'Ivoire : **Timité Bassori** et **Désiré Écaré,** dont les films ont un ton ironique : *Concerto pour un exil* (1968), *À nous deux, France* (1970), et *Visages de femmes* (1985).

Ousmane Sembène, écrivain et réalisateur sénégalais, peut être considéré comme le vrai fondateur du cinéma africain. Pour lui le cinéma est une façon moderne de raconter une histoire et d'atteindre un grand public. Il est connu pour : *la Noire de...* (1966), pour lequel il reçut le prix Jean-Vigo en France, *Emita* (1972), *Xala* (1974), *Ceddo* (1977) et *Camp de Thiaroye* (1988), entre autres.

Souleymane Cissé, du Mali, critique la société malienne dans ses films : *La Jeune Fille* (1974), *Le Vent* (1982), *Yeelen la Lumière* (1987), et *Waati* (1995).

En Haïti, **Raoul Peck,** ancien ministre de la culture, est connu pour ses documentaires qui ont une renommée internationale. Les plus célèbres sont : *Lumumba—La mort d'un prophète* (1991), *Haïti, le silence des chiens* (1994), et *Chère Catherine* (1997).

À la Guadeloupe, **Euzban Palcy** réalise *Siméon* en 1992. *La Rue Cases-Nègres* est tiré du livre de **Joseph Zobel** de la Martinique. En Algérie, **Nadir Mokneche** fait *Le Harem de Mme Osmane* en 1999, un autre film à succès. En 1983, **Lam Le** réalise le premier film vietnamien, *Poussière d'Empire.*

EXERCICE

Vrai ou faux ? Indiquez si chaque phrase est vraie ou fausse. Si elle est fausse, changez-la pour la rendre vraie :

1. L'architecture gothique a construit des églises **sombres.**

2. David et Ingres sont les principaux représentants du **réalisme.**

3. L'impressionnisme voulait rompre avec la discipline du **classicisme.**

4. Les **réalistes** essayaient de traduire leurs sensations visuelles.

5. Le **surréalisme** est une technique qui consiste à peindre en se servant d'une multitude de points de couleurs pures.

6. Le **post-impressionnisme** s'opposait à toutes les formes d'ordre et de conventions et voulait atteindre le réel par la libre association des idées et le rêve.

7. Le compositeur de l'opéra *Carmen* est **Charles Aznavour.**

8. **Françoise Hardy** chanta *La Vie en rose* et fut surnommée « le petit moineau. »

9. Le cinéaste Nouvelle Vague, connu pour son film *Les Quatre Cents Coups,* s'appelle **Jean-Luc Godard.**

---

10. **Ousmane Sembène** est un cinéaste haïtien connu pour ses documentaires.

EXERCICE CRÉATIF

1. Écrivez en français la biographie d'un artiste, d'un musicien ou d'un cinéaste francophone.

2. Choisissez un artiste que vous aimez et faites votre propre dessin selon son style.

3. Écoutez une œuvre d'un grand compositeur français. Dans une composition de 100 mots en français, exprimez les sentiments que vous avez éprouvés en écoutant cette musique.

4. Regardez un film français/francophone et écrivez un résumé de l'intrigue.

Chapter 42
Les Sciences

SAVANTS : LES SCIENTIFIQUES

La civilisation française a toujours fait preuve d'une curiosité intellectuelle qui a aidé au développement d'un esprit scientifique fondé sur la raison et le goût de la recherche. De grands noms ont assuré, et continuent d'assurer, une place de premier plan à la science française.

LES MATHÉMATIQUES

René Descartes (1596–1650), philosophe, mathématicien et physicien (*physicist*), fonda la méthode scientifique, basée sur le raisonnement. Il expliqua son point de vue dans le *Discours de la méthode*. Descartes est le créateur de la géométrie analytique.

Pierre de Fermat (1601–1665) fut un précurseur dans le calcul différentiel, la géométrie analytique, la théorie des nombres et le calcul des probabilités.

Blaise Pascal (1623–1662), mathématicien, physicien et philosophe, formula les lois de la pression atmosphérique et de l'équilibre des liquides. Il est l'inventeur de la presse hydraulique, de la première machine à calculer et, avec Fermat, du calcul des probabilités.

Pierre-Simon de Laplace (1749–1827) fit des travaux sur la mécanique céleste, le calcul des probabilités et conçut une théorie importante sur la formation du système planétaire.

Henri Poincaré (1854–1912) un des plus grands mathématiciens de tous les temps, fit des contributions importantes aux mathématiques, à la physique et à l'astronomie.

LA PHYSIQUE

L'abbé **Edme Mariotte** (1620–1684) fut l'un des fondateurs de la physique expérimentale et étudia la compressabilité des gaz.

Charles-Augustin de Coulomb (1736–1806) établit les lois de l'électrostatique et du magnétisme. (Le *coulomb* est l'unité de quantité d'électricité).

André Ampère (1775–1836) créa l'électrodynamique. On lui doit l'invention de l'électro-aimant (*electromagnet*) et les principes de la télégraphie électrique. L'*ampère*, l'unité d'intensité des courants électriques, porte son nom.

Joseph Gay-Lussac (1778–1850) découvrit les lois de la dilatation (*expansion*) et de la combinaison des gaz.

Léon Foucault (1819–1868) démontra le mouvement de rotation de la terre avec un pendule (*pendulum*).

Henri Becquerel (1852–1908) découvrit la radioactivité en 1896. (Prix Nobel 1903)

Pierre Curie (1859–1906) (Prix Nobel 1903) et sa femme, **Marie Curie** (1867–1934) (Prix Nobel de physique 1903, de chimie 1911), découvrirent le radium en 1899. Leur découverte a complètement changé nos idées sur la constitution de la matière et les sources de l'énergie. Leur fille, **Irène Joliot-Curie** (1897–1956), et son mari, **Frédéric Joliot** (1900–1958), poursuivirent ces recherches sur la structure de l'atome et découvrirent la radioactivité artificielle et la fission de l'atome d'uranium (Prix Nobel 1935).

Jean Perrin (1870–1942) apporta la preuve définitive de l'existence des atomes et fit des recherches sur les rayons cathodiques. (Prix Nobel 1926)

Louis de Broglie (1892–1976) développa la théorie de la mécanique ondulatoire (*wave mechanics*). (Prix Nobel 1929)

LA CHIMIE

Antoine-Laurent de Lavoisier (1743–1794) est un des fondateurs de la chimie moderne. Il établit la nomenclature chimique, découvrit les lois de la combustion et détermina la composition de l'air et de l'eau. Il exprima la loi de la conservation de la matière en ces mots: « Rien ne se perd, rien ne se crée ; dans la nature tout se transforme ». Lavoisier fut guillotiné sous la Terreur.

Marcelin Berthelot (1827–1907) fit d'importants travaux en chimie organique.

Bernigaud de Chardonnet (1839–1924) inventa la rayonne et les tissus artificiels.

LES SCIENCES NATURELLES

Georges Louis de Buffon (1707–1788), naturaliste et grand écrivain, publia *L'Histoire Naturelle* en 44 volumes et *Les Époques de la nature* sur la naissance du monde. Il fonda le Muséum d'Histoire Naturelle à Paris.

Jean-Baptiste de Lamarck (1744–1829), le grand précurseur de Darwin, énonça une théorie sur les transformations des êtres vivants.

Antoine Jussieu (1748–1836) établit une classification naturelle des plantes.

Georges Cuvier (1769–1832) est le créateur de l'anatomie comparée et de la paléontologie, la science qui traite des fossiles.

LA BIOLOGIE ET LA MÉDECINE

René Laennec (1781–1826) inventa le stéthoscope.

Claude Bernard (1813–1878) est le fondateur de la physiologie moderne et de la médecine expérimentale. Il a défini les principes fondamentaux de toute recherche scientifique.

Louis Pasteur (1822–1895), chimiste et biologiste, fut un grand bienfaiteur de l'humanité. En établissant que les fermentations sont causées par des cellules vivantes, les mirobes, il fonda la bactériologie moderne. Il prouva que les maladies contagieuses sont dues à la transmission de microbes et créa des vaccins pour les combattre. Il trouva le moyen de guérir la rage (*rabies*) et le charbon (*anthrax*) des moutons. Il découvrit les procédés de la pasteurisation, l'élimination des fermentations dangereuses. Ses travaux remarquables ont révolutionné la médecine.

L'Institut Pasteur de Paris fut fondé en 1886 par souscription internationale pour étudier les maladies infectieuses et pour perfectionner la chimie biologique. Aujourd'hui cet institut continue les travaux de Pasteur avec plusieurs laboratoires dans le monde entier.

Émile Roux (1853–1933) fit la découverte d'un sérum pour guérir la diphtérie.

Charles Richet (1850–1935) étudia l'anaphylaxie et l'allergie (Prix Nobel 1913)

Alexis Carrel (1873–1944) fit des recherches importantes sur la conservation, la culture et la greffe (*transplanting*) des tissus. Il écrivit *L'homme, cet inconnu.* (Prix Nobel 1912)

En d'autres domaines, il faut citer ces savants français et leurs contributions :

Jean-François Champollion (1790–1832) réussit à déchiffrer les hiéroglyphes égyptiens de la pierre de Rosette.

Émile Levassor (1843–1897) et **René Panhard** (1841–1908) ont créé l'industrie de l'automobile avec un moteur à essence.

Louis-Jacques Daguerre (1789–1851) et **Nicéphore Niepce** (1765–1833) ont perfectionné la photographie.

Louis Lumière (1864–1948) inventa le cinématographe en 1895 avec son frère **Auguste**. Ils montrèrent le premier film en public à Paris.

Louis Braille (1809–1852) créa un système d'écriture et de lecture en relief pour les aveugles qui porte son nom.

Alphonse Bertillon (1853–1914) suggéra l'usage des empreintes digitales (*fingerprints*) pour établir l'identité des criminels.

Jacques Cousteau (1910–1997) océanographe, fut un pionnier de l'exploration sous-marine et réalisa des films extraordinaires, *Le Monde du silence, Le Monde sans soleil.*

Plus récemment, le *prix Nobel* a été attribué à plusieurs Français pour leurs travaux en de nombreux domaines :

1965, Médecine : **François Jacob, André Lwoff** et **Jacques Monod** pour leurs recherches sur les mécanismes de la génétique bactérienne, la synthèse des protéines et le rôle de l'acide ribonucléique.

1966, Physique : **Alfred Kastler** pour la découverte du pompage optique (l'effet laser).

1970, Physique : **Louis Néel** pour l'ensemble de ses travaux concernant le magnétisme.

1980, Médecine : **Jean Dausset** pour ses recherches sur les antigènes et les tissus dans les transplantations d'organes.

1983, Économie : **Gérard Debreu** pour ses études sur l'application des méthodes statistiques en économie.

1987, Chimie : **Jean-Marie Lehn** pour la synthèse des molécules artificielles.

1988, Économie : **Maurice Allais** pour ses études sur l'équilibre économique de la monnaie et du crédit.

1991, Physique : **Pierre-Gilles de Gennes,** pour l'ensemble de ses recherches en physique, notamment sur le magnétisme, la supraconductivité, les cristaux liquides et l'hydrodynamique.

1992, Physique : **Georges Charpak,** pour son invention de détecteurs électroniques de particules subatomiques.

1997, Physique : **Claude Cohen-Tannoudji,** pour son travail sur les atomes.

La recherche scientifique est aujourd'hui concentrée dans le **Centre national de la recherche scientifique (C.N.R.S.),** qui regroupe plus de 1000 laboratoires et des milliers de chercheurs à travers toute la France. Le C.N.R.S. a pour mission de développer et de coordonner les recherches de tous ordres. Le gouvernement français pratique une politique de soutien à la recherche scientifiqie dans tous les domaines importants.

EXERCICE

Complétez avec la réponse convenable :

1. L'unité de quantité d'électricité porte le nom de _____ .

   (a) Charles-Augustin de Coulomb   (b) Marcelin Berthelot   (c) Marie Curie

2. Irène Joliot-Curie et son mari, Frédéric Joliot, découvrirent _____ .

   (a) la radioactivité artificielle   (b) le radium   (c) le magnétisme

3. Un savant français découvrit un sérum pour guérir _____ .

   (a) les fermentations dangereuses   (b) la diphtérie   (c) la pneumonie

4. Alphonse Bertillon imagina l'usage des empreintes digitales pour établir l'identité des _____ .

   (a) hiéroglyphes   (b) criminels   (c) insectes

5. _____ a défini les principes fondamentaux de la recherche scientifique.

   (a) Claude Bernard   (b) Louis de Broglie   (c) André Ampère

6. Henri Becquerel gagna le prix Nobel pour sa découverte _____ .

   (a) de la radioactivité   (b) de la paléonthologie   (c) de l'électrodynamique

7. Le naturaliste _____ forma des théories que reprit Charles Darwin sur les transformations des êtres vivants.

   (a) Georges Cuvier   (b) Joseph Gay-Lussac   (c) Jean-Baptiste de Lamarck

8. _____ contribua au perfectionnement de la photographie.

   (a) René Descartes   (b) Louis Pasteur   (c) Louis-Jacques Daguerre

9. _____ prouva que les microbes sont la cause de maladies contagieuses.

   (a) Louis Pasteur   (b) Marie Curie   (c) Émile Roux

10. _____ créa un systèm d'écriture et de lecture pour les aveugles.

(a) Alphonse Bertillon   (b) Louis Pasteur   (c) Louis Braille

EXERCICE CRÉATIF

1. Choisissez un scientifique français célèbre. Écrivez un article de 100 mots pour un journal français où vous expliquez sa contribution à la science.

2. Faites un tableau où vous notez tous les Français qui ont remporté le Prix Nobel dans le domaine des sciences.

3. Écrivez la biographie d'un(e) scientifique français(e) célèbre.

APPENDIX

[1] VERBS WITH REGULAR FORMS

a. Simple Tenses

INFINITIVE			
parler	finir	vendre	s'amuser

PAST PARTICIPLE			
parlé	fini	vendu	amusé

PRESENT PARTICIPLE			
parlant	finissant	vendant	s'amusant

PERFECT PARTICIPLE			
ayant parlé	ayant fini	ayant vendu	s'étant amusé(e)(s)

PRESENT			
parle	finis	vends	m'amuse
parles	finis	vends	t'amuses
parle	finit	vend	s'amuse
parlons	finissons	vendons	nous amusons
parlez	finissez	vendez	vous amusez
parlent	finissent	vendent	s'amusent

IMPERATIVE			
parle	finis	vends	amuse-toi
parlons	finissons	vendons	amusons-nous
parlez	finissez	vendez	amusez-vous

IMPERFECT			
parlais	finissais	vendais	m'amusais
parlais	finissais	vendais	t'amusais
parlait	finissait	vendait	s'amusait
parlions	finissions	vendions	nous amusions
parliez	finissiez	vendiez	vous amusiez
parlaient	finissaient	vendaient	s'amusaient

PASSÉ SIMPLE

parlai	finis	vendis	m'amusai
parlas	finis	vendis	t'amusas
parla	finit	vendit	s'amusa
parlâmes	finîmes	vendîmes	nous amusâmes
parlâtes	finîtes	vendîtes	vous amusâtes
parlèrent	finirent	vendirent	s'amusèrent

FUTURE

parlerai	finirai	vendrai	m'amuserai
parleras	finiras	vendras	t'amuseras
parlera	finira	vendra	s'amusera
parlerons	finirons	vendrons	nous amuserons
parlerez	finirez	vendrez	vous amuserez
parleront	finiront	vendront	s'amuseront

CONDITIONAL

parlerais	finirais	vendrais	m'amuserais
parlerais	finirais	vendrais	t'amusereais
parlerait	finirait	vendrait	s'amuserait
parlerions	finirions	vendrions	nous amuserions
parleriez	finiriez	vendriez	vous amuseriez
parleraient	finiraient	vendraient	s'amuseraient

PRESENT SUBJUNCTIVE

parle	finisse	vende	m'amuse
parles	finisses	vendes	t'amuses
parle	finisse	vende	s'amuse
parlions	finissions	vendions	nous amusions
parliez	finissiez	vendiez	vous amusiez
parlent	finissent	vendent	s'amusent

b. Compound Tenses

PASSÉ COMPOSÉ

ai parlé	ai fini	ai vendu	me suis amusé(e)
as parlé	as fini	as vendu	t'es amusé(e)

PASSÉ COMPOSÉ (*continued*)

a parlé	a fini	a vendu	s'est amusé(e)
avons parlé	avons fini	avons vendu	nous sommes amusé(e)s
avez parlé	avez fini	avez vendu	vous êtes amusé(e)(s)
ont parlé	ont fini	ont vendu	se sont amusé(e)s

PLUPERFECT

avais parlé	avais fini	avais vendu	m'étais amusé(e)
avais parlé	avais fini	avais vendu	t'étais amusé(e)
avait parlé	avait fini	avait vendu	s'était amusé(e)
avions parlé	avions fini	avions vendu	nous étions amusé(e)s
aviez parlé	aviez fini	aviez vendu	vous étiez amusé(e)(s)
avaient parlé	avaient fini	avaient vendu	s'étaient amusé(e)s

FUTURE PERFECT

aurai parlé	aurai fini	aurai vendu	me serai amusé(e)
auras parlé	auras fini	auras vendu	te seras amusé(e)
aura parlé	aura fini	aura vendu	se sera amusé(e)
aurons parlé	aurons fini	aurons vendu	nous serons amusé(e)s
aurez parlé	aurez fini	aurez vendu	vous serez amusé(e)(s)
auront parlé	auront fini	auront vendu	se seront amusé(e)s

PAST CONDITIONAL

aurais parlé	aurais fini	aurais vendu	me serais amusé(e)
aurais parlé	aurais fini	aurais vendu	te serais amusé(e)
aurait parlé	aurait fini	aurait vendu	se serait amusé(e)
aurions parlé	aurions fini	aurions vendu	nous serions amusé(e)s
auriez parlé	auriez fini	auriez vendu	vous seriez amusé(e)(s)
auraient parlé	auraient fini	auraient vendu	se seraient amusé(e)s

PAST SUBJUNCTIVE

aie parlé	aie fini	aie vendu	me sois amusé(e)
aies parlé	aies fini	aies vendu	te sois amusé(e)
ait parlé	ait fini	ait vendu	se soit amusé(e)
ayons parlé	ayons fini	ayons vendu	nous soyons amusé(e)s
ayez parlé	ayez fini	ayez vendu	vous soyez amusé(e)(s)
aient parlé	aient fini	aient vendu	se soient amusé(e)s

[2] *-er* VERBS WITH SPELLING CHANGES

	-cer VERBS	*-ger* VERBS	*-yer* VERBS*	*-eler* / *-eter* VERBS		e + CONSONANT + *er* VERBS	é + CONSONANT(S) + *er* VERBS
INFINITIVE	placer	manger	employer	appeler	jeter	mener	espérer
PRESENT	place	mange	emploie	appelle	jette	mène	espère
	places	manges	emploies	appelles	jettes	mènes	espères
	place	mange	emploie	appelle	jette	mène	espère
	plaçons	mangeons	employons	appelons	jetons	menons	espérons
	placez	mangez	employez	appelez	jetez	menez	espérez
	placent	mangent	emploient	appellent	jettent	mènent	espèrent
IMPERATIVE	place	mange	emploie	appelle	jette	mène	espère
	plaçons	mangeons	employons	appelons	jetons	menons	espérons
	placez	mangez	employez	appelez	jetez	menez	espérez
IMPERFECT	plaçais	mangeais					
	plaçais	mangeais					
	plaçait	mangeait					
	placions	mangions					
	placiez	mangiez					
	plaçaient	mangeaient					
PASSÉ SIMPLE	plaçai	mangeai					
	plaças	mangeas					
	plaça	mangea					
	plaçâmes	mangeâmes					
	plaçâtes	mangeâtes					
	placèrent	mangèrent					
FUTURE			emploierai	appellerai	jetterai	mènerai	
			emploieras	appelleras	jetteras	mèneras	
			emploiera	appellera	jettera	mènera	
			emploierons	appellerons	jetterons	mènerons	
			emploierez	appellerez	jetterez	mènerez	
			emploieront	appelleront	jetteront	mèneront	

	-cer VERBS	*-ger* VERBS	*-yer* VERBS*	*-eler / -eter* VERBS		*e +* CONSONANT + *er* VERBS	*é +* CONSONANT(S) + *er* VERBS
CONDITIONAL			emploierais	appellerais	jetterais	mènerais	
			emploierais	appellerais	jetterais	mènerais	
			emploierait	appellerait	jetterait	mènerait	
			emploierions	appellerions	jetterions	mènerions	
			emploieriez	appelleriez	jetteriez	mèneriez	
			emploieraient	appelleraient	jetteraient	mèneraient	
PRESENT SUBJUNCTIVE			emploie	appelle	jette	mène	espère
			emploies	appelles	jettes	mènes	espères
			emploie	appelle	jette	mène	espère
			employions	appelions	jetions	menions	espérions
			employiez	appeliez	jetiez	meniez	espériez
			emploient	appellent	jettent	mènent	espèrent
PRESENT PARTICIPLE	plaçant	mangeant					

*Verbs ending in **-ayer**, like **payer** and **balayer**, may be conjugated like **employer** or retain the **y** in all conjugations: je **paye** or je **paie**.

[3] VERBS WITH IRREGULAR FORMS

NOTE: **1.** Verbs conjugated with **être** in compound tenses are indicated with an asterisk (*).

2. See p. 574 for irregular verbs with similar conjugations.

INFINITIVE, PARTICIPLES	PRESENT	IMPERATIVE	IMPARFAIT	PASSÉ SIMPLE
aller*	vais	va	allais	allai
to go	vas	allons	allais	allas
	va	allez	allait	alla
allant	allons		allions	allâmes
allé	allez		alliez	allâtes
	vont		allaient	allèrent
s'asseoir*	m'assieds	assieds-toi	m'asseyais	m'assis
to sit	t'assieds	asseyons-nous	t'asseyais	t'assis
	s'assied	asseyez-vous	s'asseyait	s'assit
s'asseyant	nous asseyons	*or*	nous asseyions	nous assîmes
assis	vous asseyez	assois-toi	vous asseyiez	vous assîtes
	s'asseyent	assoyons-nous	s'asseyaient	s'assirent
	or	assoyez-vous	*or*	
	m'assois		m'assoyais	
	t'assois		t'assoyais	
	s'assoit		s'assoyait	
	nous assoyons		nous assoyions	
	vous assoyez		vous assoyiez	
	s'assoient		s'assoyaient	
avoir	ai	aie	avais	eus
to have	as	ayons	avais	eus
	a	ayez	avait	eut
ayant	avons		avions	eûmes
eu	avez		aviez	eûtes
	ont		avaient	eurent
battre	bats	bats	battais	battis
to beat	bats	battons	battais	battis
	bat	battez	battait	battit
battant	battons		battions	battîmes
battu	battez		battiez	battîtes
	battent		battaient	battirent

FUTURE	CONDITIONAL	SUBJUNCTIVE	COMPOUND TENSES
irai	irais	aille	PASSÉ COMPOSÉ: je suis allé(e)
iras	irais	ailles	PLUPERFECT: j'étais allé(e)
ira	irait	aille	FUTURE PERFECT: je serai allé(e)
irons	irions	allions	PAST CONDITIONAL: je serais allé(e)
irez	iriez	alliez	PAST SUBJUNCTIVE: je sois allé(e)
iront	iraient	aillent	
m'assiérai	m'assiérais	m'asseye	PASSÉ COMPOSÉ: je me suis assis(e)
t'assiéras	t'assiérais	t'asseyes	PLUPERFECT: je m'étais assis(e)
s'assiéra	s'assiérait	s'asseye	FUTURE PERFECT: je me serai assis(e)
nous assiérons	nous assiérions	nous asseyions	PAST CONDITIONAL: je me serais assis(e)
vous assiérez	vous assiériez	vous asseyiez	PAST SUBJUNCTIVE: je me sois assis(e)
s'assiéront	s'assiéraient	s'asseyent	
or	*or*	*or*	
m'assoirai	m'assoirais	m'assoie	
t'assoiras	t'assoirais	t'assoies	
s'assoira *etc.*	s'assoirait *etc.*	s'assoie *etc.*	
aurai	aurais	aie	PASSÉ COMPOSÉ: j'ai eu
auras	aurais	aies	PLUPERFECT: j'avais eu
aura	aurait	ait	FUTURE PERFECT: j'aurai eu
aurons	aurions	ayons	PAST CONDITIONAL: j'aurais eu
aurez	auriez	ayez	PAST SUBJUNCTIVE: j'aie eu
auront	auraient	aient	
battrai	battrais	batte	PASSÉ COMPOSÉ: j'ai battu
battras	battrais	battes	PLUPERFECT: j'avais battu
battra	battrait	battes	FUTURE PERFECT: j'aurai battu
battrons	battrions	battions	PAST CONDITIONAL: j'aurais battu
battrez	battriez	battiez	PAST SUBJUNCTIVE: j'aie battu
battront	battraient	battent	

INFINITIVE, PARTICIPLES	PRESENT	IMPERATIVE	IMPARFAIT	PASSÉ SIMPLE
boire *to drink*	bois	bois	buvais	bus
	bois	buvons	buvais	bus
	boit	buvez	buvait	but
buvant	buvons		buvions	bûmes
bu	buvez		buviez	bûtes
	boivent		buvaient	burent
conduire *to drive*	conduis	conduis	conduisais	conduisis
	conduis	conduisons	conduisais	conduisis
	conduit	conduisez	conduisait	conduisit
conduisant	conduisons		conduisions	conduisîmes
conduit	conduisez		conduisiez	conduisîtes
	conduisent		conduisaient	conduisirent
connaître *to know*	connais	connais	connaissais	connus
	connais	connaissons	connaissais	connus
	connaît	connaissez	connaissait	connut
connaissant	connaissons		connaissions	connûmes
connu	connaissez		connaissiez	connûtes
	connaissent		connaissaient	connurent
courir *to run*	cours	cours	courais	courus
	cours	courons	courais	courus
	court	courez	courait	courut
courant	courons		courions	courûmes
couru	courez		couriez	courûtes
	courent		couraient	coururent
craindre *to fear*	crains	crains	craignais	craignis
	crains	craignons	craignais	craignis
	craint	craignez	craignait	craignit
craignant	craignons		craignions	craignîmes
craint	craignez		craigniez	craignîtes
	craignent		craignaient	craignirent

FUTURE	CONDITIONAL	SUBJUNCTIVE	COMPOUND TENSES
boirai	boirais	boive	PASSÉ COMPOSÉ: j'ai bu
boiras	boirais	boives	PLUPERFECT: j'avais bu
boira	boirait	boive	FUTURE PERFECT: j'aurai bu
boirons	boirions	buvions	PAST CONDITIONAL: j'aurais bu
boirez	boiriez	buviez	PAST SUBJUNCTIVE: j'aie bu
boiront	boiraient	boivent	
conduirai	conduirais	conduise	PASSÉ COMPOSÉ: j'ai conduit
conduiras	conduirais	conduises	PLUPERFECT: j'avais conduit
conduira	conduirait	conduise	FUTURE PERFECT: j'aurai conduit
conduirons	conduirions	conduisions	PAST CONDITIONAL: j'aurais conduit
conduirez	conduiriez	conduisiez	PAST SUBJUNCTIVE: j'aie conduit
conduiront	conduiraient	conduisent	
connaîtrai	connaîtrais	connaisse	PASSÉ COMPOSÉ: j'ai connu
connaîtras	connaîtrais	connaisses	PLUPERFECT: j'avais connu
connaîtra	connaîtrait	connaisse	FUTURE PERFECT: j'aurai connu
connaîtrons	connaîtrions	connaissions	PAST CONDITIONAL: j'aurais connu
connaîtrez	connaîtriez	connaissiez	PAST SUBJUNCTIVE: j'aie connu
connaîtront	connaîtraient	connaissent	
courrai	courrais	coure	PASSÉ COMPOSÉ: j'ai couru
courras	courrais	coures	PLUPERFECT: j'avais couru
courra	courrait	coure	FUTURE PERFECT: j'aurai couru
courrons	courrions	courions	PAST CONDITIONAL: j'aurais couru
courrez	courriez	couriez	PAST SUBJUNCTIVE: j'aie couru
courront	courraient	courent	
craindrai	craindrais	craigne	PASSÉ COMPOSÉ: j'ai craint
craindras	craindrais	craignes	PLUPERFECT: j'avais craint
craindra	craindrait	craigne	FUTURE PERFECT: j'aurai craint
craindrons	craindrions	craignions	PAST CONDITIONAL: j'aurais craint
craindrez	craindriez	craigniez	PAST SUBJUNCTIVE: j'aie craint
craindront	craindraient	craignent	

INFINITIVE, PARTICIPLES	PRESENT	IMPERATIVE	IMPARFAIT	PASSÉ SIMPLE
croire *to believe*	crois	crois	croyais	crus
	crois	croyons	croyais	crus
	croit	croyez	croyait	crut
croyant	croyons		croyions	crûmes
cru	croyez		croyiez	crûtes
	croient		croyaient	crurent
cueillir *to pick*	cueille	cueille	cueillais	cueillis
	cueilles	cueillons	cueillais	cueillis
	cueille	cueillez	cueillait	cueillit
cueillant	cueillons		cueillions	cueillîmes
cueilli	cueillez		cueilliez	cueillîtes
	cueillent		cueillaient	cueillirent
devoir *to have to, to owe*	dois	dois	devais	dus
	dois	devons	devais	dus
	doit	devez	devait	dut
devant	devons		devions	dûmes
dû, due, dus, dues	devez		deviez	dûtes
	doivent		devaient	durent
dire *to say, tell*	dis	dis	disais	dis
	dis	disons	disais	dis
	dit	dites	disait	dit
disant	disons		disions	dîmes
dit	dites		disiez	dîtes
	disent		disaient	dirent
dormir *to sleep*	dors	dors	dormais	dormis
	dors	dormons	dormais	dormis
	dort	dormez	dormait	dormit
dormant	dormons		dormions	dormîmes
dormi	dormez		dormiez	dormîtes
	dorment		dormaient	dormirent

FUTURE	CONDITIONAL	SUBJUNCTIVE	COMPOUND TENSES
croirai	croirais	croie	PASSÉ COMPOSÉ: j'ai cru
croiras	croirais	croies	PLUPERFECT: j'avais cru
croira	croirait	croie	FUTURE PERFECT: j'aurai cru
croirons	croirions	croyions	PAST CONDITIONAL: j'aurais cru
croirez	croiriez	croyiez	PAST SUBJUNCTIVE: j'aie cru
croiront	croiraient	croient	
cueillerai	cueillerais	cueille	PASSÉ COMPOSÉ: j'ai cueilli
cueilleras	cueillerais	cueilles	PLUPERFECT: j'avais cueilli
cueillera	cueillerait	cueille	FUTURE PERFECT: j'aurai cueilli
cueillerons	cueillerions	cueillions	PAST CONDITIONAL: j'aurais cueilli
cueillerez	cueilleriez	cueilliez	PAST SUBJUNCTIVE: j'aie cueilli
cueilleront	cueilleraient	cueillent	
devrai	devrais	doive	PASSÉ COMPOSÉ: j'ai dû
devras	devrais	doives	PLUPERFECT: j'avais dû
devra	devrait	doive	FUTURE PERFECT: j'aurai dû
devrons	devrions	devions	PAST CONDITIONAL: j'aurais dû
devrez	devriez	deviez	PAST SUBJUNCTIVE: j'aie dû
devront	devraient	doivent	
dirai	dirais	dise	PASSÉ COMPOSÉ: j'ai dit
diras	dirais	dises	PLUPERFECT: j'avais dit
dira	dirait	dise	FUTURE PERFECT: j'aurai dit
dirons	dirions	disions	PAST CONDITIONAL: j'aurais dit
direz	diriez	disiez	PAST SUBJUNCTIVE: j'aie dit
diront	diraient	disent	
dormirai	dormirais	dorme	PASSÉ COMPOSÉ: j'ai dormi
dormiras	dormirais	dormes	PLUPERFECT: j'avais dormi
dormira	dormirait	dorme	FUTURE PERFECT: j'aurai dormi
dormirons	dormirions	dormions	PAST CONDITIONAL: j'aurais dormi
dormirez	dormiriez	dormiez	PAST SUBJUNCTIVE: j'aie dormi
dormiront	dormiraient	dorment	

INFINITIVE, PARTICIPLES	PRESENT	IMPERATIVE	IMPARFAIT	PASSÉ SIMPLE
écrire *to write*	écris	écris	écrivais	écrivis
	écris	écrivons	écrivais	écrivis
	écrit	écrivez	écrivait	écrivit
écrivant	écrivons		écrivions	écrivîmes
écrit	écrivez		écriviez	écrivîtes
	écrivent		écrivaient	écrivirent
envoyer *to send*	envoie	envoie	envoyais	envoyai
	envoies	envoyons	envoyais	envoyas
	envoie	envoyez	envoyait	envoya
envoyant	envoyons		envoyions	envoyâmes
envoyé	envoyez		envoyiez	envoyâtes
	envoient		envoyaient	envoyèrent
être *to be*	suis	sois	étais	fus
	es	soyons	étais	fus
	est	soyez	était	fut
étant	sommes		étions	fûmes
été	êtes		étiez	fûtes
	sont		étaient	furent
faire *to do, make*	fais	fais	faisais	fis
	fais	faisons	faisais	fis
	fait	faites	faisait	fit
faisant	faisons		faisions	fîmes
fait	faites		faisiez	fîtes
	font		faisaient	firent
falloir *to be necessary* fallu	il faut		il fallait	il fallut

FUTURE	CONDITIONAL	SUBJUNCTIVE	COMPOUND TENSES
écrirai	écrirais	écrive	PASSÉ COMPOSÉ: j'ai écrit
écriras	écrirais	écrives	PLUPERFECT: j'avais écrit
écrira	écrirait	écrive	FUTURE PERFECT: j'aurai écrit
écrirons	écririons	écrivions	PAST CONDITIONAL: j'aurais écrit
écrirez	écririez	écriviez	PAST SUBJUNCTIVE: j'aie écrit
écriront	écriraient	écrivent	
enverrai	enverrais	envoie	PASSÉ COMPOSÉ: j'ai envoyé
enverras	enverrais	envoies	PLUPERFECT: j'avais envoyé
enverra	enverrait	envoie	FUTURE PERFECT: j'aurai envoyé
enverrons	enverrions	envoyions	PAST CONDITIONAL: j'aurais envoyé
enverrez	enverriez	envoyiez	PAST SUBJUNCTIVE: j'aie envoyé
enverront	enverraient	envoient	
serai	serais	sois	PASSÉ COMPOSÉ: j'ai été
seras	serais	sois	PLUPERFECT: j'avais été
sera	serait	soit	FUTURE PERFECT: j'aurai été
serons	serions	soyons	PAST CONDITIONAL: j'aurais été
serez	seriez	soyez	PAST SUBJUNCTIVE: j'aie été
seront	seraient	soient	
ferai	ferais	fasse	PASSÉ COMPOSÉ: j'ai fait
feras	ferais	fasses	PLUPERFECT: j'avais fait
fera	ferait	fasse	FUTURE PERFECT: j'aurai fait
ferons	ferions	fassions	PAST CONDITIONAL: j'aurais fait
ferez	feriez	fassiez	PAST SUBJUNCTIVE: j'aie fait
feront	feraient	fassent	
il faudra	il faudrait	qu'il faille	PASSÉ COMPOSÉ: il a fallu PLUPERFECT: il avait fallu FUTURE PERFECT: il aura fallu PAST CONDITIONAL: il aurait fallu PAST SUBJUNCTIVE: il ait fallu

INFINITIVE, PARTICIPLES	PRESENT	IMPERATIVE	IMPARFAIT	PASSÉ SIMPLE
lire *to read*	lis	lis	lisais	lus
	lis	lisons	lisais	lus
	lit	lisez	lisait	lut
lisant	lisons		lisions	lûmes
lu	lisez		lisiez	lûtes
	lisent		lisaient	lurent
mettre *to put*	mets	mets	mettais	mis
	mets	mettons	mettais	mis
	met	mettez	mettait	mit
mettant	mettons		mettions	mîmes
mis	mettez		mettiez	mîtes
	mettent		mettaient	mirent
mourir★ *to die*	meurs	meurs	mourais	mourus
	meurs	mourons	mourais	mourus
	meurt	mourez	mourait	mourut
mourant	mourons		mourions	mourûmes
mort	mourez		mouriez	mourûtes
	meurent		mouraient	moururent
naître★ *to be born*	nais	nais	naissais	naquis
	nais	naissons	naissais	naquis
	naît	naissez	naissait	naquit
naissant	naissons		naissions	naquîmes
né	naissez		naissiez	naquîtes
	naissent		naissaient	naquirent
ouvrir *to open*	ouvre	ouvre	ouvrais	ouvris
	ouvres	ouvrons	ouvrais	ouvris
	ouvre	ouvrez	ouvrait	ouvrit
ouvrant	ouvrons		ouvrions	ouvrîmes
ouvert	ouvrez		ouvriez	ouvrîtes
	ouvrent		ouvraient	ouvrirent

FUTURE	CONDITIONAL	SUBJUNCTIVE	COMPOUND TENSES
lirai	lirais	lise	PASSÉ COMPOSÉ: j'ai lu
liras	lirais	lises	PLUPERFECT: j'avais lu
lira	lirait	lise	FUTURE PERFECT: j'aurai lu
lirons	lirions	lisions	PAST CONDITIONAL: j'aurais lu
lirez	liriez	lisiez	PAST SUBJUNCTIVE: j'aie lu
liront	liraient	lisent	
mettrai	mettrais	mette	PASSÉ COMPOSÉ: j'ai mis
mettras	mettrais	mettes	PLUPERFECT: j'avais mis
mettra	mettrait	mette	FUTURE PERFECT: j'aurai mis
mettrons	mettrions	mettions	PAST CONDITIONAL: j'aurais mis
mettrez	mettriez	mettiez	PAST SUBJUNCTIVE: j'aie mis
mettront	mettraient	mettent	
mourrai	mourrais	meure	PASSÉ COMPOSÉ: je suis mort(e)
mourras	mourrais	meures	PLUPERFECT: j'étais mort(e)
mourra	mourrait	meure	FUTURE PERFECT: je serai mort(e)
mourrons	mourrions	mourions	PAST CONDITIONAL: je serais mort(e)
mourrez	mourriez	mouriez	PAST SUBJUNCTIVE: je sois mort(e)
mourront	mourraient	meurent	
naîtrai	naîtrais	naisse	PASSÉ COMPOSÉ: je suis né(e)
naîtras	naîtrais	naisses	PLUPERFECT: j'étais né(e)
naîtra	naîtrait	naisse	FUTURE PERFECT: je serai né(e)
naîtrons	naîtrions	naissions	PAST CONDITIONAL: je serais né(e)
naîtrez	naîtriez	naissiez	PAST SUBJUNCTIVE: je sois né(e)
naîtront	naîtraient	naissent	
ouvrirai	ouvrirais	ouvre	PASSÉ COMPOSÉ: j'ai ouvert
ouvriras	ouvrirais	ouvres	PLUPERFECT: j'avais ouvert
ouvrira	ouvrirait	ouvre	FUTURE PERFECT: j'aurai ouvert
ouvrirons	ouvririons	ouvrions	PAST CONDITIONAL: j'aurais ouvert
ouvrirez	ouvririez	ouvriez	PAST SUBJUNCTIVE: j'aie ouvert
ouvriront	ouvriraient	ouvrent	

INFINITIVE, PARTICIPLES	PRESENT	IMPERATIVE	IMPARFAIT	PASSÉ SIMPLE
plaire *to please*	plais	plais	plaisais	plus
	plais	plaisons	plaisais	plus
	plaît	plaisez	plaisait	plut
plaisant	plaisons		plaisions	plûmes
plu	plaisez		plaisiez	plûtes
	plaisent		plaisaient	plurent
pleuvoir *to rain* plu	il pleut		il pleuvait	il plut
pouvoir *to be able*	peux (puis)		pouvais	pus
	peux		pouvais	pus
	peut		pouvait	put
pouvant	pouvons		pouvions	pûmes
pu	pouvez		pouviez	pûtes
	peuvent		pouvaient	purent
prendre *to take*	prends	prends	prenais	pris
	prends	prenons	prenais	pris
	prend	prenez	prenait	prit
prenant	prenons		prenions	prîmes
pris	prenez		preniez	prîtes
	prennent		prenaient	prirent
recevoir *to receive*	reçois	reçois	recevais	reçus
	reçois	recevons	recevais	reçus
	reçoit	recevez	recevait	reçut
recevant	recevons		recevions	reçûmes
reçu	recevez		receviez	reçûtes
	reçoivent		recevaient	reçurent

FUTURE	CONDITIONAL	SUBJUNCTIVE	COMPOUND TENSES
plairai	plairais	plaise	PASSÉ COMPOSÉ: j'ai plu
plairas	plairais	plaises	PLUPERFECT: j'avais plu
plaira	plairait	plaise	FUTURE PERFECT: j'aurai plu
plairons	plairions	plaisions	PAST CONDITIONAL: j'aurais plu
plairez	plairiez	plaisiez	PAST SUBJUNCTIVE: j'aie plu
plairont	plairaient	plaisent	
			PASSÉ COMPOSÉ: il a plu
il pleuvra	il pleuvrait	qu'il pleuve	PLUPERFECT: il avait plu
			FUTURE PERFECT: il aura plu
			PAST CONDITIONAL: il aurait plu
			PAST SUBJUNCTIVE: il ait plu
pourrai	pourrais	puisse	PASSÉ COMPOSÉ: j'ai pu
pourras	pourrais	puisses	PLUPERFECT: j'avais pu
pourra	pourrait	puisse	FUTURE PERFECT: j'aurai pu
pourrons	pourrions	puissions	PAST CONDITIONAL: j'aurais pu
pourrez	pourriez	puissiez	PAST SUBJUNCTIVE: j'aie pu
pourront	pourraient	puissent	
prendrai	prendrais	prenne	PASSÉ COMPOSÉ: j'ai pris
prendras	prendrais	prennes	PLUPERFECT: j'avais pris
prendra	prendrait	prenne	FUTURE PERFECT: j'aurai pris
prendrons	prendrions	prenions	PAST CONDITIONAL: j'aurais pris
prendrez	prendriez	preniez	PAST SUBJUNCTIVE: j'aie pris
prendront	prendraient	prennent	
recevrai	recevrais	reçoive	PASSÉ COMPOSÉ: j'ai reçu
recevras	recevrais	reçoives	PLUPERFECT: j'avais reçu
recevra	recevrait	reçoive	FUTURE PERFECT: j'aurai reçu
recevrons	recevrions	recevions	PAST CONDITIONAL: j'aurais reçu
recevrez	recevriez	receviez	PAST SUBJUNCTIVE: j'aie reçu
recevront	recevraient	reçoivent	

INFINITIVE, PARTICIPLES	PRESENT	IMPERATIVE	IMPARFAIT	PASSÉ SIMPLE
rire *to laugh*	ris	ris	riais	ris
	ris	rions	riais	ris
	rit	riez	riait	rit
riant	rions		riions	rîmes
ri	riez		riiez	rîtes
	rient		riaient	rirent
savoir *to know, know how to*	sais	sache	savais	sus
	sais	sachons	savais	sus
	sait	sachez	savait	sut
sachant	savons		savions	sûmes
su	savez		saviez	sûtes
	savent		savaient	surent
sortir★ *to go out*	sors	sors	sortais	sortis
	sors	sortons	sortais	sortis
	sort	sortez	sortait	sortit
sortant	sortons		sortions	sortîmes
sorti	sortez		sortiez	sortîtes
	sortent		sortaient	sortirent
suivre *to follow*	suis	suis	suivais	suivis
	suis	suivons	suivais	suivis
	suit	suivez	suivait	suivit
suivant	suivons		suivions	suivîmes
suivi	suivez		suiviez	suivîtes
	suivent		suivaient	suivirent
tenir *to hold*	tiens	tiens	tenais	tins
	tiens	tenons	tenais	tins
	tient	tenez	tenait	tint
tenant	tenons		tenions	tînmes
tenu	tenez		teniez	tîntes
	tiennent		tenaient	tinrent

FUTURE	CONDITIONAL	SUBJUNCTIVE	COMPOUND TENSES
rirai	rirais	rie	PASSÉ COMPOSÉ: j'ai ri
riras	rirais	ries	PLUPERFECT: j'avais ri
rira	rirait	rie	FUTURE PERFECT: j'aurai ri
rirons	ririons	riions	PAST CONDITIONAL: j'aurais ri
rirez	ririez	riiez	PAST SUBJUNCTIVE: j'aie ri
riront	riraient	rient	
saurai	saurais	sache	PASSÉ COMPOSÉ: j'ai su
sauras	saurais	saches	PLUPERFECT: j'avais su
saura	saurait	sache	FUTURE PERFECT: j'aurai su
saurons	saurions	sachions	PAST CONDITIONAL: j'aurais su
saurez	sauriez	sachiez	PAST SUBJUNCTIVE: j'aie su
sauront	sauraient	sachent	
sortirai	sortirais	sorte	PASSÉ COMPOSÉ: je suis sorti(e)
sortiras	sortirais	sortes	PLUPERFECT: j'étais sorti(e)
sortira	sortirait	sorte	FUTURE PERFECT: je serai sorti(e)
sortirons	sortirions	sortions	PAST CONDITIONAL: je serais sorti(e)
sortirez	sortiriez	sortiez	PAST SUBJUNCTIVE: je sois sorti(e)
sortiront	sortiraient	sortent	
suivrai	suivrais	suive	PASSÉ COMPOSÉ: j'ai suivi
suivras	suivrais	suives	PLUPERFECT: j'avais suivi
suivra	suivrait	suive	FUTURE PERFECT: j'aurai suivi
suivrons	suivrions	suivions	PAST CONDITIONAL: j'aurais suivi
suivrez	suivriez	suiviez	PAST SUBJUNCTIVE: j'aie suivi
suivront	suivraient	suivent	
tiendrai	tiendrais	tienne	PASSÉ COMPOSÉ: j'ai tenu
tiendras	tiendrais	tiennes	PLUPERFECT: j'avais tenu
tiendra	tiendrait	tienne	FUTURE PERFECT: j'aurai tenu
tiendrons	tiendrions	tenions	PAST CONDITIONAL: j'aurais tenu
tiendrez	tiendriez	teniez	PAST SUBJUNCTIVE: j'aie tenu
tiendront	tiendraient	tiennent	

INFINITIVE, PARTICIPLES	PRESENT	IMPERATIVE	IMPARFAIT	PASSÉ SIMPLE
valoir *to be worth*	vaux vaux vaut	vaux valons valez	valais valais valait	valus valus valut
valant	valons		valions	valûmes
valu	valez valent		valiez valaient	valûtes valurent
venir* *to come*	viens viens vient	viens venons venez	venais venais venait	vins vins vint
venant	venons		venions	vînmes
venu	venez viennent		veniez venaient	vîntes vinrent
vivre *to live*	vis vis vit	vis vivons vivez	vivais vivais vivait	vécus vécus vécut
vivant	vivons		vivions	vécûmes
vécu	vivez vivent		viviez vivaient	vécûtes vécurent
voir *to see*	vois vois voit	vois voyons voyez	voyais voyais voyait	vis vis vit
voyant	voyons		voyions	vîmes
vu	voyez voient		voyiez voyaient	vîtes virent
vouloir *to want*	veux veux veut	veuille veuillons veuillez	voulais voulais voulait	voulus voulus voulut
voulant	voulons		voulions	voulûmes
voulu	voulez veulent		vouliez voulaient	voulûtes voulurent

FUTURE	CONDITIONAL	SUBJUNCTIVE	COMPOUND TENSES
vaudrai	vaudrais	vaille	PASSÉ COMPOSÉ: j'ai valu
vaudras	vaudrais	vailles	PLUPERFECT: j'avais valu
vaudra	vaudrait	vaille	FUTURE PERFECT: j'aurai valu
vaudrons	vaudrions	valions	PAST CONDITIONAL: j'aurais valu
vaudrez	vaudriez	valiez	PAST SUBJUNCTIVE: j'aie valu
vaudront	vaudraient	vaillent	
viendrai	viendrais	vienne	PASSÉ COMPOSÉ: je suis venu(e)
viendras	viendrais	viennes	PLUPERFECT: j'étais venu(e)
viendra	viendrait	vienne	FUTURE PERFECT: je serai venu(e)
viendrons	viendrions	venions	PAST CONDITIONAL: je serais venu(e)
viendrez	viendriez	veniez	PAST SUBJUNCTIVE: je sois venu(e)
viendront	viendraient	viennent	
vivrai	vivrais	vive	PASSÉ COMPOSÉ: j'ai vécu
vivras	vivrais	vives	PLUPERFECT: j'avais vécu
vivra	vivra	vive	FUTURE PERFECT: j'aurai vécu
vivrons	vivrons	vivions	PAST CONDITIONAL: j'aurais vécu
vivrez	vivrez	viviez	PAST SUBJUNCTIVE: j'aie vécu
vivront	vivraient	vivent	
verrai	verrais	voie	PASSÉ COMPOSÉ: j'ai vu
verras	verrais	voies	PLUPERFECT: j'avais vu
verra	verrait	voie	FUTURE PERFECT: j'aurai vu
verrons	verrions	voyions	PAST CONDITIONAL: j'aurais vu
verrez	verriez	voyiez	PAST SUBJUNCTIVE: j'aie vu
verront	verraient	voient	
voudrai	voudrais	veuille	PASSÉ COMPOSÉ: j'ai voulu
voudras	voudrais	veuilles	PLUPERFECT: j'avais voulu
voudra	voudrait	veuille	FUTURE PERFECT: j'aurai voulu
voudrons	voudrions	voulions	PAST CONDITIONAL: j'aurais voulu
voudrez	voudriez	vouliez	PAST SUBJUNCTIVE: j'aie voulu
voudront	voudraient	veuillent	

Other irregular verbs:

accueillir *to welcome* (like cueillir)	obtenir *to obtain* (like tenir)
admettre *to admit* (like mettre)	offrir *to offer* (like ouvrir)
apercevoir *to notice* (like recevoir)	paraître *to seem, appear* (like connaître)
apparaître *to appear* (like connaître)	partir* *to leave* (like sortir)
appartenir *to belong* (like tenir)	peindre *to paint* (like craindre)
apprendre *to learn* (like prendre)	permettre *to allow* (like mettre)
atteindre *to reach* (like peindre)	plaindre *to pity* (like craindre)
combattre *to fight* (like battre)	poursuivre *to pursue* (like suivre)
comprendre *to understand* (like prendre)	prévoir *to foresee* (like voir)
construire *to build* (like conduire)	produire *to produce* (like conduire)
contenir *to contain* (like tenir)	promettre *to promise* (like mettre)
couvrir *to cover* (like ouvrir)	reconnaître *to recognize* (like connaître)
décevoir *to disappoint* (like recevoir)	redire *to repeat* (like dire)
découvrir *to discover* (like ouvrir)	réduire *to reduce* (like conduire)
décrire *to describe* (like écrire)	relire *to reread* (like lire)
défaire *to undo* (like faire)	remettre *to put/give back* (like mettre)
détruire *to destroy* (like conduire)	ressentir *to feel* (like sortir)
devenir* *to become* (like venir)	retenir *to hold back* (like tenir)
disparaître *to disappear* (like connaître)	revenir* *to come back* (like venir)
éteindre *to turn off* (like craindre)	sentir *to feel* (like sortir)
inscrire *to register, enroll* (like écrire)	servir *to serve* (like sortir)
instruire *to instruct* (like conduire)	souffrir *to suffer* (like ouvrir)
interdire *to forbid* (like dire)	sourire *to smile* (like rire)
joindre *to join* (like craindre)	surprendre *to surprise* (like prendre)
maintenir *to maintain* (like tenir)	traduire *to translate* (like conduire)
mentir *to lie* (like sentir)	

[4] PUNCTUATION

(a) The comma is not used before **et** or **ou** in a series.

> **Elle a laissé tomber le livre, le stylo et le crayon.**
>
> *She dropped the book, the pen, and the pencil.*

(b) In numbers, French uses a comma where English uses a period and a period where English uses a comma.

> **7.100 (sept mille cent)**   *7,100 (seven thousand one hundred)*
> **7,25 (sept virgule vingt-cinq)**   *7.25 (seven point twenty five)*

(c) French final quotation marks, contrary to English, precede the comma or period; however, the quotation mark follows a period if the quotation mark closes a completed statement.

> **Elle demande: « Est-ce que tu m'aimes ? »**   *She asks: "Do you love me?"*
> **— « Oui », répond-il.**   *— "Yes," he answers.*

(d) The ellipsis in French is 3 close dots followed by a space: **Je pense... donc**

[5] SYLLABICATION

French words are generally divided at the end of a line according to units of sound or syllables. A French syllable generally begins with a consonant and ends with a vowel.

(a) If a single consonant comes between two vowels, the division is made before the consonant.

ba-la-der   pré-**c**is   cou-**t**eau

NOTE: A division cannot be made either before or after **x** or **y** when they come between two vowels: **tuyau, exact** cannot be divided.

(b) If two consonants are combined between two vowels, the division is made between the two consonants.

es-**p**oir   al-**l**er   chan-**t**er

NOTE: If the second consonant is **r** or **l**, the division is made before the two consonants.

sa-**bl**e   pro-**pr**e

(c) If three or more consonants are combined between two vowels, the division is made after the second consonant.

o**bs**-tiné   co**mp**-ter   i**ns**-truit

(d) Two vowels may not be divided:

oa-sis   th**éâ**-tre   es-**pio**n

nor can there be a division immediately after **l'** or **j', t', m'**:

l'avion   **j'en**-voie   etc.

[6] PRONUNCIATION

Each syllable in a French word has about equal stress. The last syllable of word groups is usually slightly more stressed. For instance, in the sentence : Quand le train est arrivé, nous sommes sortis sur le *quai* pour parler à nos a*mis, vé, quai* and *mis* stand out slightly.

Liaison and Elision

Liaison refers to the linking of the final consonant of one word with the beginning vowel (*a, e, i, o, u*) or vowel sound (generally, silent *h* and *y*) of the following word, as in the following example:

vous adorez
z̆

Pronunciation of the final "*s*" of *vous* takes on the sound of "*z*" and combines with the pronunciation of the beginning '*a*' of *adorez*.

Elision usually occurs when two pronounced vowel sounds follow each other, one at the end of a word and the other at the beginning of the next word. Drop the final vowel of the first word and replace it with an apostrophe. The two words then simply slide together:

je + adore = j'adore

Note that the final "e" sound of *je* is dropped.

Accents

An accent mark may change the sound of a letter and the meaning of a word. It may replace an "*s*" that existed in old French or have no perceivable affect at all. Accents are used only on vowels.

- An **accent aigu** (´) is used only on the letter "*e*" (*é*) and produces the sound *ay,* as in "day." It may replace an "*s*" from old French. When you see this letter, replace the *é* with an imaginary "*s*" to see if its meaning becomes more evident.

    étranger = stranger

- An **accent grave** (`) may be used on an "*a*" (*à*) *or* "*u*" (*ù*) where it causes no sound change, or on the letter "*e*" (*è*), producing the sound of *eh* as in the "*e*" in "met."

    là,   où,   très

- An **accent circonflexe** (ˆ) may be placed on any vowel but causes no perceptible sound change, though '*ê*' is usually pronounced like '*è*'. It, too, often replaces an "*s*" from old French, which may give a clue to the meaning of the word.

    forêt = forest

- A **cédille** (¸) is placed under a "*c*" (*ç*), to create a soft (*s*) sound before the letters "*a,*" "*o,*" or "*u.*"

    ça

- A **tréma** (¨) is placed on the second of two consecutive vowels to indicate that each vowel is pronounced independently.

    Noël

Vowels

Some vowels in French have multiple pronunciations determined by specific linguistic rules, letter combinations, and/or accent marks.

Table 1. Vowels and Their Sound

Vowel	Sound	
a, à, â	ah as in *pa*	chat, là, pâte
é, final *er* and *ez, es* in some one-syllable words, some *ai* and *et* combinations	ay as in *pay*	été, aimer, aimez, et, les
e in one syllable words or in the middle of a word followed by one consonant	uh as in *the*	me, petit
è, ê, and *e* (plus two consonants or a final pronounced consonant), *et, ei, ai*	eh as in *bet*	très, être, sept, belle, avec, ballet, seize, mais
i, î, y	i as in *magazine*	lire, île, bicyclette
ill or *il* when preceded by a vowel	y as in *your*	famille, travail (exceptions: ville, village)

Table 1.   Vowels and Their Sound (*continued*)

Vowel	Sound	
o (before se), *ô*, *au*, *eau* *o* (last pronounced sound of word)	o as in *no*	rose, jaune, beau, vélo, hôtel
o when followed by a pronounced consonant other than *s*	oh as in *love*	homme, opéra
ou, où, oû	oo as in *root*	boule, où, coûter
oi, oy	wah as in ***w**atch*	moi, voyage
u, ù, û	No equivalent: try saying *ew* with lips rounded.	tu, rue, sûr

Nasal Sounds

French nasal sounds occur when a vowel is followed by a single n or m in the same syllable.

Table 2.   Nasal Sounds

Nasal	Sound	
an, en, am, em	like *on* with minor emphasis on *n*	grand, souvent, lampe, temps
in, ain, im, aim	like *an* with minor emphasis on *n*	cinq, simple, pain, faim
ien	like *yan* in *yankee* with minor emphasis on *n*	bien
oin	like *wa* in *wag*	coin, moins
on, om	like *on* in *wrong*	non, nom, tomber
un, um	like *un* in *uncle*	lundi, parfum

The following combinations do not require nasalized vowel sounds:

- vowel + nn or mm   Example: bonne (pronounced like *bun* in English)
- vowel + n or m + vowel   Example: mine (pronounced like *mean* in English)

Consonants

The French consonants in Table 1–3 are pronounced the same way as they are in English: b, d, f, k, l, m, n, p, s, t, v, z. Most final French consonants remain unpronounced except for c, r, f, and l (think of the word **careful**) which are pronounced. When in doubt, consult a good dictionary.

Table 3.   Consonant Sounds

Consonant	Sound	
c + a,o,u	c as in *cat*	canal, cou, cuir
c + e, i	s as in *send*	celui
ch	sh as in *ma**ch**ine*	chat, chose

Table 3.   Consonant Sounds (*continued*)

Consonant	Sound	
g + a,o,u	g as in *go*	gare, gomme
g + e,i	zh as in *treasure*	bagage
gn	ny as in *onion*	oignon
j	zh as in *treasure*	jeu, jumeau
h	usually silent	l'heure, l'hiver
	sometimes 'aspirate' (a puff of air)	le haricot, le héro
q and qu	k as in *kind*	quille, queue
r	no equivalent: – the sound is slightly gutteral and pronounced at the back of the throat as if gargling.	rapide, grand, gros, peur
s between two vowels	z as in *zoo*	rose, vision, occasion
t in –tion	s as in *see*	action, collection
th	t as in *tea*	théâtre, théorie
x (before vowel)	eg as in *leg*	exact
x (before consonant)	xc as in *excellent*	excellent

[7] WEB SITES : UNE SÉLECTION D'ADRESSES SUR INTERNET

French Search Engines include:

http://www.msn.fr
http://www.google.fr
http://www.yahoo.fr
http://www.nomade.fiscali.fr
http://wanadoo.fr/

http://excite.fr/
http://lycos.fr
http://actu.voila.fr
http://francite.com

French Web sites include:

French online magazines and newspapers:

http://www.lemonde.fr
http://www.le figaro.fr
http://www.francenet.fr

http://www.liberation.fr
http://www.calvacom.fr
http://www.parismatch.com .fr

French learning programs and exercises:

http://francealacarte.org.uk
http://www.institut-francais.org.uk
http://www.francais.com

http://linguanet.org.uk/websites/
   Frenwww.htm
http://www.realfrench.net

French arts, culture, sports, travel, and leisure:

http://pariscope.fr

http://www.paris.org

http://globegate.utm.edu/french/globegate

http://www.culture.fr

http://www.francophonie.fr

http://www.arts-culinaires.com

http://www.baguette.com/ h

http://www.pratique.fr

French tourism

http://www.francetourism.com

http://www.travlang.com

http://www.paris.org/

French-English Vocabulary

The French-English Vocabulary is intended to be complete for the contexts of this book. Basic terms usually taught in first-level courses and obvious cognates are not included. For a more extensive dictionary we recommend consulting Roger Steiner, *French Dictionary,* 3rd ed., Amsco, New York, 2004.

Irregular feminine and plural forms are given in full [**amer** (*f.* **amère**), **œil** (*m.*) (*pl.* **yeux**)] or are indicated by showing the ending that is added to the basic form: **bon(ne), bateau(x),** or the ending that replaces the basic form ending: **généreux (-euse).**

An asterisk(*) indicates an aspirate **h : le haricot.**

ABBREVIATIONS

(*adj.*)	adjective	(*m.*)	masculine
(*f.*)	feminine	(*pl.*)	plural
(*inf.*)	infinitive	(*p.p.*)	past participle

abaisser to lower
abeille (*f.*) bee
abîmé damaged, ruined
abonnement (*m.*) subscription
abord: d'abord (at) first; **tout d'abord** first of all
abri (*m.*) shelter
abstrait abstract
accéder to reach, accede to
accidenté rough, uneven
accord (*m.*) agreement; **d'accord** agreed, OK
accorder to grant
accoster to approach
accueil: famille d'accueil (*m.*) host family
accueillir to welcome
achat (*m.*) purchase; **faire des achats** to go shopping
acheter to buy
achever to finish, complete
acier (*m.*) steel
acquis (*p.p.*) *of* **acquérir** to acquire
actionner to set in motion, activate
actualités (*f. pl.*) news

actuel: à l'heure actuelle at the present time
adroit skillful
aérien(ne) air, aerial
affaire (*f.*) affair; business; **affaires** (*pl.*) business; things; **avoir affaire à** to deal with
affectueux (-ueuse) affectionate
affiche (*f.*) poster
affreux (-euse) dreadful
afin de in order to
agacé annoyed
agir to act; **s'agir de** to be a question of, deal with
agréer to accept
agricole agricultural
aide-soignant (*m.*) nurse's aide
aider to help
aigu sharp
aiguille (*f.*) needle
ailleurs elsewhere; **d'ailleurs** besides, moreover
aimable friendly
aimer to like, love
aîné eldest; older (*family member*)

ainsi thus; **et ainsi de suite** and so on
ajouter to add
alimentation (*f.*) food
Allemagne (*f.*) Germany
aller to go; **s'en aller** to go away, leave
allié allied; **allié** (*m.*) ally
allumer to light
allumette (*f.*) match
alors so
alpinisme (*m.*) mountain climbing
âme (*f.*) soul
améliorer to improve
aménager to arrange, remodel
amener to bring; to lead
amer (*f.* **amère**) bitter
ami (*m.*) friend; **petit ami** (*m.*) boyfriend; **petite amie** (*f.*) girlfriend
amincir to slenderize
amitié (*f.*) friendship; **faire ses amitiés à** to give one's regards to
amour (*m.*) love

amoureux (-euse) in love

amusant amusing, fun

amuser to amuse; **s'amuser** to have fun, to have a good time

an (*m.*) year

ananas (*m.*) pineapple

ancien (-ne) old; former

anglais English

Angleterre (*f.*) England

année (*f.*) year

anniversaire (*m.*) birthday; anniversary

annulé cancelled

anorak (*m.*) windbreaker

apercevoir to notice; **s'apercevoir de** to become aware of

apparaître to appear

appareil (*m.*) appliance

appareil-photo (*m.*) (*pl.* **appareils-photo**) camera

appartenir to belong

appel (*m.*) call

appeler to call; **s'appeler** to call oneself, to be named

appliqué studious; applied

apporter to bring

apprendre to learn

approcher to approach

après after; **d'après** according to

après-midi (*m.*) afternoon

araignée (*f.*) spider

arbre (*m.*) tree

arcs-boutants (*m.*) flying buttresses

arc-en-ciel (*m.*) rainbow

arène (*f.*) arena, amphitheater

argent (*m.*) silver; money; **argent de poche** spending money

argenterie (*f.*) silverware

armoire (*f.*) wardrobe; **armoire à pharmacie** medicine cabinet

arracher to tear out

arrêt (*m.*) stop

(s') arrêter (de) to stop

arrière behind; **en arrière** backward(s)

arrière-grand-mère (*f.*) great-grandmother

arrière-grand-père (*m.*) great-grandfather

arrondissement (*m.*) district, borough

arroser to water

artère (*f.*) artery

ascenseur (*m.*) elevator

aspirateur (*m.*) vacuum cleaner

assaut (*m.*) assault; **prendre d'assaut** to seize by force

(s') asseoir to sit down

assez enough

assiette (*f.*) plate, dish

assister à to attend

assurance (*f.*) insurance

astronef (*m.*) spaceship

atelier (*m.*) studio; workshop

atteindre to reach

attendre to wait; **s'attendre à** to expect

attente (*f.*) wait

atterrir to land

attirer to attract

attraper to catch

aucun(e) not any, no

au-dessous below, beneath

au-dessus above, over

aujourd'hui today

auparavant before, previously

auprès de close, near

auquel to which, to whom

aussitôt que as soon as

autant as much, as many

autoroute (*f.*) highway

autour around

autrefois formerly

Autriche (*f.*) Austria

avancer to advance; to introduce; to move ahead; **s'avancer vers** to move toward; **d'avance** in advance,

early; **en avance** beforehand; fast (*clocks*)

avant-hier (*m.*) day before yesterday

avare stingy, miserly

avenir (*m.*) future

avertir to warn

aveugle blind

avion (*m.*) airplane

avis (*m.*) opinion

avocat (*m.*) lawyer

avoir to have

avoisinant neighboring, near

bac (*m.*), **baccalauréat** (*m.*) **bachot** (*m.*) high-school diploma

bague (*f.*) ring

baigner to wash; **se baigner** to go bathing

bain (*m.*) bath

bal (*m.*) ball, dance

baladeur (*m.*) (portable) transistor radio

balai (*m.*) broom

balayer to sweep

ballon (*m.*) balloon, ball

balnéaire: station balnéaire (*f.*) seaside resort

banc (*m.*) bench

bande dessinée, B.D. (*f.*) comic strip

banlieue (*f.*) suburb

bannir to banish, exile

banque (*f.*) bank

bas (*m.*) stocking;

bas (*f.* **basse**) low; softly, down; **là-bas** down there

bas-relief (*m.*) sculptural relief

bataille (*f.*) battle

bateau(x) (*m.*) boat; **bateau à voiles** sailboat; **faire du bateau à voiles** to go sailing

bateau-mouche (*m.*) (*pl.* **bateaux-mouches**) excursion boat

bâtiment (*m.*) building
bâtir to build
batterie (*f.*) battery
battre to beat; **se battre** to fight
bavard talkative
bavarder to chat
beau(x), bel(le) beautiful;
   faire beau to be nice out
   (*weather*)
beaux-arts (*m. pl.*) fine arts
belge Belgian
Belgique (*f.*) Belgium
berceau(x) cradle
berger (*m.*) shepherd
besoin (*m.*) need; **avoir**
   besoin de to need
bétail (*m.*) livestock
bêtise (*f.*) foolishness, stupidity
betterave (*f.*) beet
beurre (*m.*) butter
bibliothécaire (*m. & f.*)
   librarian
bibliothèque (*f.*) library
bienfaiteur (*m.*) (*f.*
   bienfaitrice) benefactor
bientôt soon
bière (*f.*) beer
bijou(x) (*m.*) jewel
bijouterie (*f.*) jewelry; jewelry
   shop
billet (*m.*) ticket
blague (*f.*) joke
blanc (*f.* **blanche**) white
blé (*m.*) wheat
blesser to hurt, injure; **se**
   blesser to hurt oneself
bloquer to block
bœuf (*m.*) beef, ox
boire to drink
bois (*m.*) wood; woods
boisson (*f.*) drink
boîte (*f.*) box, can; **boîte aux**
   lettres mailbox
bol (*m.*) bowl
bonbon (*m.*) candy
bonheur (*m.*) happiness
bonté (*f.*) goodness, kindness

bord (*m.*) edge, border
borner to mark out the
   boundary
botte (*f.*) boot
boucher (*m.*) (*f.* **bouchère**)
   butcher
boucherie (*f.*) butcher shop
boucle d'oreille (*f.*) earring
bouclé curly
bouger to move
bougie (*f.*) candle
boulanger (*m.*) (*f.* **boulangère**)
   baker
boulangerie (*f.*) bakery
boule (*f.*) ball
bouleversé upset
boum (*f.*) party
bouquiniste (*m./f.*)
   secondhand bookdealer
bourse (*f.*) scholarship
bout (*m.*) end
bouteille (*f.*) bottle
bouton (*m.*) button
bras (*m.*) arm; **bras de mer**
   sound, inlet
brancher to plug in
bref (*f.* **brève**) brief
bricoleur (*m.*) (*f.* **-euse**) jack-
   of-all-trades
briller to shine
briser to break
broder to embroider
brosser to brush
bruit (*m.*) noise
brûler to burn
bruyant noisy
buissonnière: faire l'école
   buissonnière to play hooky
bureau(x) (*m.*) desk; office
but (*m.*) aim, goal, purpose

cabine (*f.*) cabin; booth
cacher to hide
cadeau(x) (*m.*) gift
cadet(te) youngest. younger,
   (*family member*)

caillou (*m.*) (*pl.* **cailloux**)
   pebble
caissier (*m.*) (*f.* **caissière**)
   cashier
cambrioler to burglarize,
   break into
camion (*m.*) truck
camionnette (*f.*) van
campagne (*f.*) country;
   campaign
canard (*m.*) duck
caoutchouc (*m.*) rubber
car because
carnet (*m.*) notebook; memo
   pad
carré (*m.*) square
carrefour (*m.*) intersection
cartable (*m.*) schoolbag
carte (*f.*) menu; card; map;
   carte d'embarquement
   boarding pass; **carte**
   d'identité I.D. card; **carte**
   du jour menu of the day
cas (*m.*) case, event; **en cas de**
   in the event of; **en tout cas**
   in any case
(se) casser to break
ceci this
ceinture (*f.*) belt; **ceinture de**
   sécurité seat belt
cela that
célibataire single
cellule (*f.*) cell
celui (*f.* **celle**) the one
cependant however
cercle (*m.*) club; circle
cerf-volant (*m.*) kite
cerise (*f.*) cherry
cerveau(x) (*m.*) brain
cesser (de) to stop; **sans**
   cesse incessantly
chacun each, every
chambre (*f.*) room; chamber
championnat (*m.*)
   championship
champ (*m.*) field; **champ de**
   courses racetrack

chanceux (-euse) lucky

chanson (*f.*) song

chanter to sing

chapeau(x) (*m.*) hat

chaque each, every

charbon (*m.*) coal

charcuterie (*f.*) delicatessen

charger (de) to entrust with, assign

charmant charming

charrette hippomobile (*f.*) horse-drawn wagon

chasse (*f.*) hunt

château(x) (*m.*) castle

chaud warm, hot

chaussette (*f.*) sock

chaussure (*f.*) shoe

chauve bald

chef(s)-d'oeuvre (*m.*) masterpiece

chemin (*m.*) way, road: **chemin de fer** railroad

cheminée (*f.*) fireplace

cher (*f.* **chère**) dear, expensive

chercher to look for

chercheur (*m.*) researcher

cheval (*m.*) (*pl.* **chevaux**) horse; **à cheval** on horseback

cheveux (*m. pl.*) hair

cheville (*f.*) ankle

chèvre (*f.*) goat

chez at the house (business) of

chimie (*f.*) chemistry

chinois (*m.*) Chinese

choisir to choose

choix (*m.*) choice

chômage (*m.*) unemployment

chose (*f.*) thing

chou(x) (*m.*) cabbage

choucroûte (*f.*) sauerkraut

cicatrice (*f.*) scar

ciel (*m.*) (*pl.* **cieux**) sky

cimetière (*m.*) cemetery

circulation (*f.*) traffic

cirque (*m.*) circus

ciseaux (*m.*) (*pl.*) scissors

citer to quote

citoyen(ne) (*m.*) citizen

citronnade (*f.*) lemonade

clarté (*f.*) clearness, brightness

classer to file

classeur (*m.*) file; looseleaf binder

clavecin (*m.*) harpsichord

clé (*f.*) **clef** (*f.*) key

climatisation (*f.*) air conditioning

cloche (*f.*) bell

clou(x) (*m.*) nail

cœur (*m.*) heart; **de bon cœur** willingly, gladly

coffre-fort (*m.*) safe

coiffer to style hair; **se coiffer** to do one's hair

coiffeur (-euse) hairdresser

coiffure (*f.*) hairstyle

colère (*f.*) anger; **en colère** angry

colis (*m.*) package

collier (*m.*) necklace

colline (*f.*) hill

colonie de vacances (*f.*) summer camp

colonne (*f.*) column

combattre to fight

combien how much, how many

commander to order; **(faire) sur commande** (to make) to order

comme like, as

comment how

commérage (*m.*) gossip

complet (*m.*) suit

comportement (*m.*) behavior

(se) comporter to behave

composer to dial; compose

compositeur (*m.*) composer

comprendre to understand; to include

compris including

comptable (*m. & f.*) accountant

compte (*m.*) account; **se rendre compte** to realize

compter to count; to number, have; to intend

comte (*m.*) count

concours (*m.*) contest

conduire to drive, conduct; **se conduire** to behave

conduite (*f.*) conduct

confiance (*f.*) confidence

congé (*m.*) leave, vacation

congédier to fire

connaissance (*f.*) acquaintance; knowledge; **faire la connaissance de** to meet (*for the first time*)

connaître to know; to be acquainted with

conquête (*f.*) conquest

consacrer to consecrate; to devote, dedicate

conseil (*m.*) advice

conseiller to advise, recommend; (*m.*) (*f.* **conseillère**) counselor

construire to construct

conte (*m.*) short story

conte de fées (*m.*) fairy tale

contenir to contain

contravention (*f.*) traffic ticket

contre against

contredire to contradict

convenable appropriate

copain (*m.*) (*f.* **copine**) friend

coq (*m.*) rooster

coquillage (*m.*) shell

cordonnier (*m.*) (*f.* **cordonnière**) shoemaker

corriger to correct

costume (*m.*) suit; costume

côte (*f.*) coast; **Côte d'Azur** French Riviera

coucher to put to bed; **se coucher** to go to bed

couler to flow; to run

couloir (*m.*) corridor, hallway

coup (*m.*) blow; stroke; **coup de feu** shot, gunshot; **coup de poing** punch; **coup de téléphone** telephone call; **coup de vent** gust of wind; **du coup** as a result; **tout à (d'un) coup** suddenly

coupable guilty

couper to cut

couramment fluently

courant (*m.*) current; **au courant** informed, up to date; **mettre au courant** to inform

courir to run

couronne (*f.*) crown

courrier (*m.*) mail

cours (*m.*) course

course (*f.*) race; **champ de courses** (*m.*) racetrack; **faire les courses** to go shopping

court short

couteau(x) (*m.*) knife

coûter to cost

coutume (*f.*) custom

couvert covered; (*m.*) flatware; **mettre le couvert** to set the table

couverture (*f.*) cover, blanket

couvrir to cover

craindre to fear

crâne (*m.*) skull

crapaud (*m.*) toad

cravate (*f.*) tie

créer to create

crier to scream

croire to believe

croisière (*f.*) cruise

croix (*f.*) cross

croyance (*f.*) belief

cueillir to pick

cuillère (*f.*) spoon

cuir (*m.*) leather

cuire to cook

cuisine (*f.*) kitchen; cooking; **faire la cuisine** to cook

cuit cooked

culpabilité (*f.*) guilt

d'abord at first

dactylo (*f.*) typist

dame (*f.*) lady; **jouer aux dames** to play checkers

davantage more

débarquer to land

déborder to overflow

debout standing, upright

début (*m.*) beginning

décerner to award, confer

décevoir to disappoint

déchets (*m.pl.*) waste products

déchiffrer to decipher

décoiffé with disheveled hair

découper to cut up

découvrir to discover

décrire to describe

décrocher to take off the hook (*telephone*)

dedans (*adv.*) within, inside

dédier to dedicate

défaite (*f.*) defeat

défaut (*m.*) defect

défendre to defend; to prohibit, forbid

défenseur (*m.*) defendant

défilé (*m.*) parade

définir to define

(se) déguiser to disguise oneself

dehors outside

déjà already

déjeuner to eat (have) lunch; (*m.*) lunch; **petit déjeuner** breakfast

déluge (*m.*) flood

demain tomorrow

demander to ask; **se demander** to wonder

démarrer to start

déménager to move

demeurer to live, reside

demi half

démissioner to resign

dentelle (*f.*) lace

dépasser to exceed

(se) dépêcher to hurry

dépenser to spend (*money*)

déposer to drop, leave off

déprimé depressed

depuis since; for

déranger to bother, disturb

dérisoire derisive, ridiculous

dernier (*f.* **dernière**) last

derrière behind

dès since; **dès que** as soon as

(se) déshabiller to undress

désolé sorry

desservir to serve

dessiner to draw; **bande dessinée** (*f.*) cartoon strip

dessous beneath, under

dessus above

détaillé detailed

(se) détendre to relax

dette (*f.*) debt

devant in front of

devenir to become

devoir to have to; to owe

Dieu (*m.*) God

diriger to direct

discours (*m.*) speech

disparaître to disappear

disque (*m.*) record

distrait distracted, absent-minded

divan (*m.*) sofa, couch

divers varied; different, several, diverse

divertissement (*m.*) amusement, diversion

diviser to divide

dizaine (*f.*) about ten

doigt (*m.*) finger

dommage (*m.*) shame, pity

don (*m.*) gift

donc therefore

donner to give

dont of which, of whom, whose

dormir to sleep

dos (*m.*) back; **sac à dos** (*m.*) backpack

douane (*f.*) customs, duty

doucement softly, quietly

doué talented

douleur (*f.*) pain

douter to doubt; **se douter de** to suspect

doux (*f.* **douce**) soft, gentle, sweet

douzaine (*f.*) dozen

doyen (*m.*) (*f.* **doyenne**) dean

dramaturge (*m. & f.*) dramatist

drap (*m.*) sheet

drapeau(x) (*m.*) flag

(se) dresser to stand

droit straight; (*m.*) right; law

droite: à droite to the right

drôle funny, strange

duc (*m.*) duke

dur hard

durant during

durée (*f.*) duration

eau (*f.*) water

eau-de-vie (*f.*) brandy

échanger to exchange

(s') échapper to escape, run away

écharpe (*f.*) scarf

échec (*m.*) defeat; *pl.* chess; **jouer aux échecs** to play chess

échelle (*f.*) ladder

éclair (*m.*) lightning

éclaircir to clear up

éclairer to light; to illuminate

éclat (*m.*) ray, burst

éclater to break out; **éclater de rire** to burst out laughing

école (*f.*) school

économe thrifty

Écosse (*f.*) Scotland

écouter to listen (to)

écraser to crush

s'écrier to cry out, exclaim

écrire to write

écrivain (*m. & f.*) writer

s'écrouler to collapse

édifice (*m.*) building

effacer to erase

effet (*m.*) effect

s'efforcer de to strive

effrayant frightening

égal equal

également likewise

égalité (*f.*) equality

égard: à l'égard de with regards to

égoïsme (*m.*) selfishness

(s') élargir to stretch, widen

électro-aimant (*m.*) electromagnet

élevage (*m.*) breeding, rearing, raising

élevé high, elevated

élever to bring up, raise; **mal élevé** ill-bred

élire to elect

(s') éloigner to move away

emballage (*m.*) wrapping

embarquement: carte d'embarquement (*f.*) boarding pass

embarras de circulation (*m.*) traffic jam

embaucher to hire

embêter to annoy, bother

embouchure (*f.*) mouth (*of river*)

embouteillage (*m.*) traffic jam

embrasser to kiss

émetteur (*m.*) transmitter

emmener to lead away; to take away

empêcher to prevent

emploi (*m.*) use; job; **emploi du temps** program, schedule

emporter to take (away)

empreinte digitale (*f.*) fingerprint

s'empresser de to hasten, be attentive to

emprunter to borrow

ému moved

en in; by; at

encore still, yet, again

endormir to put to sleep: **s'endormir** to fall asleep

endroit (*m.*) place

énerver to annoy, bother

enfer (*m.*) hell

enfermer to lock up

enfin finally

s'enfuir to flee

enlever to take off; to remove

ennui (*m.*) boredom

ennuyer to bore; to bother; **s'ennuyer** to get bored

énoncer to state

enquête (*f.*) inquiry; **faire une enquête** to conduct an investigation

enregistrer to tape; to check

enrhumé having a cold

enseignement (*m.*) teaching; education

enseigner to teach

ensemble (*m.*) ensemble; whole, totality; together

ensoleillé sunny

ensuite then

entendre to hear; **s'entendre** to get along

entendu understood; **bien entendu** of course

entier (*f.* **entière**) entire

entourer to surround

entracte (*m.*) intermission

s'entraider to help one another

(s') entraîner to train, practice

entre between

entreprendre to undertake

envahir to invade

envers towards

envie (*f.*) desire; **avoir envie
de** to feel like; to want
environ about
envisagé envisioned; expected
s'envoler to fly away
épaisseur (*f.*) thickness
épargner to save
épatant terrific
épice (*f.*) spice
épicerie (*f.*) grocery store
épingle (*f.*) pin
époque (*f.*) epoch; time; period
épouser to marry
épreuve (*f.*) test; ordeal
épuisant exhausting
équipe (*f.*) team
ériger to erect
érudit scholarly
escalader to scale; to climb
escalier (*m.*) stairs, staircase
escargot (*m.*) snail
esclave (*m. & f.*) slave
espace (*f.*) space
Espagne (*f.*) Spain
espèce (*f.*) species
espérer to hope
espion(ne) (*m.*) spy
espoir (*m.*) hope
esprit (*m.*) spirit; mind;
intelligence; wit
essai (*m.*) essay; trial, test
essayer to try, attempt
essence (*f.*) essence; gasoline
essuyer to wipe
est (*m.*) east
étage (*m.*) story, floor (*of building*)
étagère (*f.*) set of shelves
étalage (*m.*) display
état (*m.*) state; **homme/
femme d'état** statesman/
stateswoman
États-Unis (*m. pl.*) United
States
été (*m.*) summer
éteindre to extinguish; turn off
étendue (*f.*) expanse, spread
étoffe (*f.*) fabric, material

étoile (*f.*) star
étonner to astonish; **s'étonner**
to become astonished
étrange strange
étranger foreign; (*m.*)
(*f.* **étrangère**) foreigner;
stranger; **à l'étranger** abroad
être to be; **être à** to belong to
étroit narrow
étude (*f.*) study
s'évanouir to faint
éveillé awake
éviter to avoid
exclure to exclude
s'exercer (à) to practice
exiger to demand
expliquer to explain
exprès on purpose
extrait (*m.*) extract

fabriquer to manufacture
fabuliste (*m.*) fabulist, person
who writes fables
(se) fâcher to anger; to
become angry
facile easy
façon (*f.*) way, manner; **de
façon que** so that
facteur (*m.*) mail carrier
facture (*f.*) bill
facultatif (-ive) optional
faculté (*f.*) faculty, capacity,
power
faible weak
faillir + *inf* to almost do
something
faillite (*f.*) bankruptcy; **faire
faillite** to go bankrupt
faim (*f.*) hunger; **avoir faim**
to be hungry
faire to make, to do; **faire +
*inf.*** to have (make) + *inf.*; **ça
ne fait rien** it doesn't matter
fait (*m.*) fact; **en fait** in fact, as
a matter of fact; **tout à fait**
entirely; quite

falloir to be necessary
farce (*f.*) trick, joke; **faire des
farces** to play tricks
farine (*f.*) flour
fatigué tired
fauché broke
faute (*f.*) mistake
faux (*f.* **fausse**) false
fécond fertile
fée (*f.*) fairy; **conte de fées**
(*m.*) fairytale
féliciter to congratulate
femelle (*f.*) female
fente (*f.*) slot
féodal feudal
fer (*m.*) iron; **chemin de fer**
(*m.*) railroad
fermer to close
fermier (*m.*) (*f.* **fermière**)
farmer
ferroviaire railway
fête (*f.*) party
fêter celebrate
feu(x) (*m.*) fire; **feu (rouge)**
traffic light; **coup de feu**
(*m.*) shot, gunshot; **feu
d'artifice** fireworks; **feu de
joie** bonfire
feuille (*f.*) leaf; sheet (*of paper*)
feuilleton (*m.*) soap opera
fiançailles (*f. pl.*) engagement
fiche (*f.*) form; **fiche d'hôtel**
hotel registration form
fidèle faithful
fier (*f.* **fière**) proud
fier: se fier à to trust
fièvre (*f.*) fever
figurer to appear
fil (*m.*) thread; **fil de fer** metal
wire
filant: étoile filante (*f.*)
shooting star
file (*f.*) line; **file d'attente**
waiting line
filet (*m.*) net shopping bag
fille (*f.*) girl; daughter
fils (*m.*) son

fin (*f.*) end; **à la fin** finally
finir to finish
fleur (*f.*) flower
fleurir to flourish; bloom
fleuve (*m.*) river
florissant flourishing
flotter to float
fluvial river
foi (*f.*) faith
foie (*m.*) liver; **foie gras** goose liver
foire (*f.*) fair
fois (*f.*) time; **à la fois** at the same time
foncé dark, deep
fondant (*m.*) melting
fondateur (*m.*) **(-trice)** founder
fontaine (*f.*) fountain
fort strong; high (*fever*); large (*sum, quantity*); very; **parler fort** to speak loudly
fou, fol (*f.* **folle**) crazy; **fou** (*m.*) madman; **folle** (*f.*) madwoman
fouiller to dig, search
foule (*f.*) crowd
fourchette (*f.*) fork
fournir to furnish, supply
fourrure (*f.*) fur
foyer (*m.*) home
frais (*f.* **fraîche**) fresh, cool; **crème fraîche** (*f.*) heavy cream; (*m.*) (*pl.*) expenses; **frais compris** expenses included
fraise (*f.*) strawberry
franc (*f.* **franche**) frank, sincere; (*m.*) **franc** (*old unit of currency*)
français French
francophone French-speaking
frapper to hit, knock, strike
frère (*m.*) brother
frigo (*m.*) refrigerator
frites (*f. pl.*) french fries

froid cold; **avoir froid** to feel cold; **faire froid** to be cold
fromage (*m.*) cheese
frotter to rub
fumer to smoke
fusée (*f.*) rocket

gagner to win; to earn
gant (*m.*) glove
garantir to guarantee
garçon (*m.*) boy; waiter
garder to keep; to guard; **garder le lit** to stay in bed; **se garder de** to take care not to
gare (*f.*) station
gargouille (*f.*) gargoyle
garnir to garnish; to decorate
gaspiller to waste
gâteau(x) (*m.*) cake
gauche: à gauche to the left
gaulois Gallic; (*m.*) Gaul
gaz (*m.*) gas
géant (*m.*) giant
geler to freeze
gêner to bother
génie (*m.*) genius
genou(x) (*m.*) knee
gens (*m. pl.*) people
gérant (*m.*) (*f.* **gérante**) manager
geste (*m.*) gesture; **chanson de geste** (*f.*) medieval epic song
glace (*f.*) ice cream; mirror
gomme (*f.*) eraser
gorge (*f.*) throat; **mal à la gorge** (*m.*) sore throat
goût (*m.*) taste
goûter to taste
grâce (*f.*) grace, charm
gracieux (-euse) graceful
grandir to grow up
gras (*f.* **grasse**) fatty; greasy; **en caractères gras** bold-faced; **foie gras** (*f.*) goose liver

gratte-ciel (*m.*) skyscraper
gratter to scratch
gratuit free of charge
gré (*m.*) will; **à son gré** to one's liking
grec ((*f.*) **grecque**) Greek
greffe (*f.*) grafting, graft
grenier (*m.*) attic
grenouille (*f.*) frog
grève (*f.*) strike; **faire grève** to go on strike
grimper to climb
gris gray
gronder to scold
gros (*f.* **grosse**) fat
grotte (*f.*) cave
guère hardly
guérir to cure
guerre (*f.*) war
gui (*m.*) mistletoe

habile skillful, clever
habiller to dress
habituer to accustom; **s'habituer à** to become accustomed to
haine (*f.*) hate, hatred
hameau(x) (*m.*) hamlet
haricot (*m.*) bean
hasard (*m.*) chance; **par hasard** by chance
hâte (*f.*) haste; **avec hâte** hurriedly
haut high; **à haute voix** out loud; **en haut** upstairs
hauteur (*f.*) height
heure (*f.*) hour; time; **à l'heure** on time; **à tout à l'heure** see you later
heureux (-euse) happy
hibou(x) (*m.*) owl
hier yesterday
hiver (*m.*) winter
homme (*m.*) man

*honte (*f.*) shame; **avoir
honte** to be ashamed
horaire (*m.*) schedule
horloge (*m.*) clock
hors out, outside
*hors-d'œuvre (*m.*) appetizer
huile (*f.*) oil
humeur (*f.*) mood

ici here; **par ici** this way
idiome (*m.*) idiom; language
île (*f.*) island
illustre famous
immatriculation: plaque
d'immatriculation (*f.*)
license plate
immeuble (*m.*) apartment
building
imperméable (*m.*) raincoat
impôt (*m.*) tax
inaugurer to inaugurate,
open
incendie (*m.*) fire
inconnu unknown
inconstant fickle
indice (*m.*) clue
infirmier (*m.*) (**-ière**) nurse
inonder to inundate, flood
inoubliable unforgettable
(s') inquiéter to worry
inscription (*f.*) inscription;
enrollment
instituteur (*m.*) (**-trice**)
schoolteacher
interdire to forbid, prohibit
intitulé entitled
invité (*m.*) guest
Irlande (*f.*) Ireland

jaloux (*f.* jalouse) jealous
jamais never; ever; **à jamais**
forever
jambe (*f.*) leg
jardin (*m.*) garden
jeter to throw

jeton (*m.*) token
jeu(x) (*m.*) game; **jeu de cartes**
card game; **jeu d'échecs**
chess
jeune young; **jeune fille** (*f.*)
girl
jeunesse (*f.*) youth
joie (*f.*) joy
joindre to join
joli pretty
jongleur (*m.*) juggler
joue (*f.*) cheek
jouer to play; to act; **jouer à** to
play (*game, sport*); **jouer de**
to play (*instrument*)
jouet (*m.*) toy
joueur (*m.*) player
jouir to enjoy
joujou(x) (*m.*) toy
jour de congé (*m.*) day off
journée (*f.*) day
jumeau(x) (*m.*) (*f.* jumelle)
twin
jupe (*f.*) skirt
jurer to swear
jus (*m.*) juice
jusqu'à until

kiosque (*m.*) newsstand

là there; **là-bas** down there
lac (*m.*) lake
laid ugly
laine (*f.*) wool
laisser to leave; to let,
allow; **laisser tomber**
to drop
lait (*m.*) milk
laitier dairy
(se) lamenter to complain
lancer to throw
langue (*f.*) tongue; language
lapin (*m.*) rabbit
large wide
larme (*f.*) tear

lavabo (*m.*) sink
laver to wash
lave-vaisselle (*m.*) dishwasher
lecteur (*m.*) (*f.* lectrice)
reader
léger (**-ère**) light
légume (*m.*) vegetable
lentement slowly
lenteur (*f.*) slowness
lessive (*f.*) laundry; **faire la
lessive** to do the laundry
lever to raise; **se lever** to
get up
librairie (*f.*) bookstore
libre free
lier to tie, bind
lieu (*m.*) place; **avoir lieu**
to take place; **au lieu de**
instead of
ligne (*f.*) line
linge (*m.*) linen
Lion Leo
lire to read
lit (*m.*) bed
livraison (*f.*) delivery
livre (*m.*) book; (*f.*) pound
livreur (*m.*) (**-euse**) delivery
person
loger to lodge
loi (*f.*) law
loisir (*m.*) leisure; (*pl.*)
diversions
lors de at the time of
lorsque when
louer to rent
lourd heavy
lumière (*f.*) light
lune (*f.*) moon; **lune de miel**
honeymoon
lunettes (*f. pl.*) glasses
lutter to fight
luxe (*m.*) luxury
lycée (*m.*) high school

mâcher to chew
machin (*m.*) thingamajig

machinal mechanical, unconscious

maçon (*m.*) mason

magasin (*m.*) store; **grand magasin** department store

magnétoscope (*m.*) video cassette recorder

maigrir to become thin

maillot (*m.*) tee shirt; **maillot de bain** bathing suit

maintenant now

maire (*m.*) mayor

mairie (*f.*) town hall

maison (*f.*) house

maître (*m.*) master, teacher

maîtresse (*f.*) teacher

maîtrise (*f.*) mastery

mal bad; badly; **mal elevé** ill-bred; (*m.*) (*pl.* **maux**) ache; harm; **avoir du mal à** + *inf.* to have a hard time; **avoir mal à** to hurt; **se faire mal** to hurt oneself

malade sick

maladroit clumsy

malchance (*f.*) bad luck

malentendu (*m.*) misunderstanding

malgré despite

malheur (*m.*) misfortune

malheureux (-euse) unfortunate; unhappy

malle (*f.*) trunk

manche (*f.*) sleeve

manger to eat

manière (*f.*) manner

mannequin (*m.*) fashion model

manquer to lack, be short of; to miss; **manquer de** to lack

manteau(x) (*m.*) coat

maquillage (*m.*) make-up

(se) maquiller to put on make-up

marbre (*m.*) marble

marchand (*m.*) merchant

marché aux puces (*m.*) flea market

marcher to walk

marée (*f.*) tide

mari (*m.*) husband

marié (*m.*) groom; **jeunes mariés** *pl.* newlyweds

mariée (*f.*) bride

marin seagoing; (*m.*) sailor; marine

marine (*f.*) navy

marmite (*f.*) pot

marque (*f.*) brand

marquer to mark

marraine (*f.*) godmother

marron chestnut (brown)

marteau(x) (*m.*) hammer

matelas (*m.*) mattress

matière (*f.*) matter; subject, matter

matin (*m.*) morning

mauvais bad; **faire mauvais (temps)** to be bad weather

méchant wicked, naughty

mécontent unhappy

médaille (*f.*) medal

médecin (*m.*) doctor

médicament (*m.*) medication

se méfier de to distrust

meilleur best

mélange (*m.*) mixture

mêler to mix

même same, even; **tout de même** nevertheless

mémoire (*m.*) report, thesis; (*f.*) memory

ménage (*m.*) household; **faire le ménage** to do housecleaning

mener to lead

mensonge (*m.*) lie

mentir to lie

mer (*f.*) sea; seaside; **bras de mer** sound, inlet

méridional southern, south

merveille (*f.*) marvel, wonder; **à merveille** wonderfully

messe (*f.*) mass

météo (*f.*) weather forecast

métier (*m.*) trade, craft

métro (*m.*) subway

metteur en scène (*m.*) director (*movie, theater*)

mettre to put, set; to put on (*clothes*); **se mettre à** to begin to

meuble (*m.*) piece of furniture; (*pl.*) furniture

meurtre (*m.*) murder

micro-onde (*m.*) microwave

micro-ordinateur (*m.*) desktop computer

midi (*m.*) noon; south

miel (*m.*) honey

mieux better

mignon(ne) cute

milieu (*m.*) middle

mille (*m.*) thousand; mile

milliard (*m.*) billion

millier (*m.*) thousand

minceur (*f.*) thinness, slimness

minuit (*m.*) midnight

minutieux (-ieuse) meticulous

mode (*m.*) method; (*f.*) style, fashion

mœurs (*f.*) (*pl.*) customs

moindre least

moins less

mois (*m.*) month

moitié (*f.*) half

monde (*m.*) world; **tout le monde** everyone

mondial worldwide

moniteur (*m.*) (**-trice**) counselor

monnaie (*f.*) change, small change

mont (*m.*) mountain

montagne (*f.*) mountain; **montagnes russes** roller coaster

monter to climb; **monter à cheval** to go horseback riding

montre (*f.*) watch
montrer to show
se moquer de to mock, to make fun of
moquette (*f.*) wall-to-wall carpet
morceau(x) (*m.*) piece
mort (*f.*) death
mosquée (*f.*) mosque
mot (*m.*) word; note
mou, mol (*f.* **molle**) soft; limp
mouche (*f.*) fly
mouchoir (*m.*) handkerchief
mouillé wet
moulin (*m.*) mill
mourir to die
mousquetaire (*m.*) musketeer
mouton (*m.*) sheep
moyen (*m.*) means
moyenne (*f.*) average
mur (*m.*) wall
mural mural; **carte murale** (*f.*) wall map; **peinture murale** (*f.*) mural painting
musée (*m.*) museum
musulman Muslim, Moslem

nager to swim
naïf (*f.* **naïve**) naive
naissance (*f.*) birth
naître to be born
nappe (*f.*) tablecloth
natal native
natation (*f.*) swimming; **faire de la natation** to swim, go swimming
navette (*f.*) shuttle
navire (*m.*) ship
néanmoins nonetheless
neige (*f.*) snow
nettoyer to clean
neuf (*f.* **neuve**) new
neveu (*m.*) nephew
nez (*m.*) nose
nièce (*f.*) niece

n'importe it doesn't matter
niveau(x) (*m.*) level
noces (*f. pl.*) wedding; **voyage de noces** (*m.*) honeymoon
nœud (*m.*) knot
noir black
nom (*m.*) name
nombre (*m.*) number
nombreux(-euse) numerous
nord (*m.*) north
Norvège (*f.*) Norway
notamment notably
nourrir to nourish
nourriture (*f.*) food
nouveau, nouvel (*f.* **nouvelle**) new; **de nouveau** again
nouvelles (*f. pl.*) news
nuit (*f.*) night
nulle part nowhere
numéro (*m.*) number

obéir to obey
obstiné stubborn
obtenir to obtain, get
occasion (*f.*) opportunity; **d'occasion** used
occident (*m.*) west
s'occuper de to be busy with; to take care of
œil (*m.*) (*pl.* **yeux**) eye
œuf (*m.*) egg
œuvre (*f.*) work
offrir to offer
oie (*f.*) goose
oiseau(x) (*m.*) bird
olivier (*m.*) olive tree
ombre (*f.*) shade; shadow
onde (*f.*) wave
ongle (*m.*) nail
or (*m.*) gold
orage (*m.*) storm
ordinateur (*m.*) computer
ordonner to order
oreille (*f.*) ear

oreiller (*m.*) pillow
orgue (*m.*) organ
orgueil (*m.*) pride
orné adorned
orphelin (*m.*) orphan
oser to dare
oublier to forget
ouest (*m.*) west
outil (*m.*) tool
outre-mer overseas
ouvert open
ouverture (*f.*) opening
ouvrage (*m.*) work
ouvreur (*m.*) **(-euse)** usher
ouvrier (*m.*) **(-ière)** worker
ouvrir to open

pain (*m.*) bread; **petit pain** roll
paix (*f.*) peace
palais (*m.*) palace
panier (*m.*) basket
panne (*f.*) breakdown; **tomber en panne** to have a breakdown
pantalon (*m.*) pants
pape (*m.*) pope
papier (*m.*) paper; document
papier-peint (*m.*) wallpaper
Pâques (*f.*) (*pl.*) Easter
paquet (*m.*) package
paraître to seem; to appear
parapluie (*m.*) umbrella
pardessus (*m.*) overcoat
paresseux (-euse) lazy
parfait perfect
parfois sometimes
parfum (*m.*) flavor; perfume
parler to speak
parmi among
partager to share
partie (*f.*) part; game
partir to leave
partout everywhere
pas (*m.*) step

passer to pass (by); to take (*test*); to spend (*time*); **se passer** to happen; **se passer de** to do without

passionnant exciting

pastoral pastoral; country

pâtes (*f.*) (*pl.*) pasta, noodles

patiner to skate

pâtisserie (*f.*) pastry; pastry shop

patrie (*f.*) home country, homeland

patron(ne) (*m.*) boss; patron; patron saint

pâturage (*m.*) pasture

pauvre poor

paysage (*m.*) countryside

paysagiste (*m.*) landscape painter

paysan(ne) (*m.*) peasant

peau (*f.*) skin

pêche (*f.*) fishing; **faire de la pêche** to fish; **pêche sous-marine** deep-sea fishing

(se) peigner to comb (one's) hair

peindre to paint

peine (*f.*) pain; difficulty; **à peine** hardly; **cela vaut la peine** it's worthwhile

peintre (*m.*) painter

peinture (*f.*) painting

pèlerinage (*m.*) pilgrimage

pelote (*f.*) ball

pelouse (*f.*) lawn

pendant during

penser to think

percer to pierce, break through

perdre to lose

père (*m.*) father

perle (*f.*) pearl

perruque (*f.*) wig

personnage (*m.*) character

peser to weigh

peste (*f.*) plague

pétanque (*f.*) *French ball game*

petit small; **petit déjeuner** (*m.*) breakfast; **petit pain** (*m.*) roll; **petit pois** (*m.*) pea

petits-enfants (*m. pl.*) grand-children

peu few; little; **à peu près** nearly, about; **peu à peu** little by little

peuplade (*f.*) small tribe

peur (*f.*) fear; **avoir peur** to be afraid; **faire peur** to scare

phare (*f.*) headlight

pic (*m.*) peak

pièce (*f.*) play; room

pied (*m.*) foot

pierre (*f.*) stone

pieux (*f.* **pieuse**) pious, religious

pile sharp

pilier (*m.*) pillar

pion (*m.*) pawn

pique-nique (*m.*) picnic; **faire un pique-nique** to go on a picnic

piquer to sting

piqûre (*f.*) injection

pire worse

piscine (*f.*) swimming pool

pittoresque picturesque

place (*f.*) city square; seat; position; room; **à la place de** instead of

placeur (*m.*) (*f.* **placeuse**) usher

plage (*f.*) beach

plaindre to pity; **se plaindre de** to complain about

plainte (*f.*) complaint

plaire to please; **se plaire à** to enjoy

plaisir (*m.*) pleasure

planche (*f.*) board; **faire de la planche à voile** to windsurf

plancher (*m.*) floor

plaque (*f.*) plate; bar (*chocolate*); **plaque d'immatriculation** license plate

plat (*m.*) dish

plateau(x) (*m.*) plateau; tray

plein full; **plein de** a lot of; **en plein air** outdoor

pleurer to cry; **pleurer à chaudes larmes** to cry one's eyes out

pleurnicher to whine

pleuvoir to rain; **pleuvoir à verse** to rain cats and dogs

plombier (*m.*) plumber

plonger to dive

pluie (*f.*) rain

plupart (*f.*) most, majority

plusieurs several

plutôt rather

pneu (*m.*) (*pl.* **pneus**) tire

poche (*f.*) pocket; **lampe de poche** (*f.*) flashlight;

poêle (*f.*) frying pan

poids (*m.*) weight

poing (*m.*) fist; **coup de poing** (*m.*) punch

point (*m.*) period; point; **sur le point de** on the verge of, about to; **mettre au point** to develop, perfect; to tune up; **ne... point** not (at all)

pointe: vitesse de pointe (*f.*) maximum speed

pointu pointed

poire (*f.*) pear

poireau(x) (*m.*) leek

pois (*m. pl.*) peas

poisson (*m.*) fish

poivre (*m.*) pepper

Pologne (*f.*) Poland

pomme (*f.*) apple

pompier (*m.*) (*f.* **pompière**) fire fighter

pont (*m.*) bridge

porte (*f.*) door

portefeuille (*m.*) wallet

porte-monnaie (*m.*) change purse

porter to wear; to carry

portier (*m.*) doorman

poser to place; to ask

poste (*m.*) position, job; (*f.*) post office

potage (*m.*) soup

pou(x) (*m.*) louse

poubelle (*f.*) garbage can

pouce (*m.*) thumb; inch

poule (*f.*) chicken

poulet (*m.*) chicken

poupée (*f.*) doll

pourboire (*m.*) tip, gratuity

pourri rotten

poursuite (*f.*) pursuit

poursuivre to pursue

pourtant however

pourvu que provided that

pousse (*f.*) shoot (*of a plant*)

pousser to push, shove; to grow

poussière (*f.*) dust

poussin (*m.*) chick

pouvoir (*m.*) power; to be able to, can

(se) précipiter to hasten

prédire to predict

préfet (*m.*) prefect, chief (*of a département*)

premier (*f.* **première**) first; prime

prendre to take, take on; **prendre soin** to take care

près near; **à peu près** nearly, about

presque almost

pression (*f.*) pressure

prêt ready

prétendre to claim

prêter to lend; **prêter attention** to pay attention

prêtre (*m.*) priest

preuve (*f.*) proof

prévenir to warn

prier to beg, ask to; to pray

printemps (*m.*) spring

prise (*f.*) taking

privé private

prix (*m.*) price; prize

procédé (*m.*) process

prochain next

produire to produce

profond deep

promenade (*f.*) walk

promulguer to promulgate, enact

propos (*m.*) purpose; **à propos** by the way

propre clean; own

proprement dit specifically

propreté (*f.*) cleanliness

propriétaire (*m./f.*) owner

protéger to protect

prune (*f.*) plum

puis then

puisque since, as

puissamment powerfully

puits (*m.*) well

punir to punish

puy (*m.*) volcanic peak

quai (*m.*) embankment, wharf

quand when

quant à as for

quart (*m.*) quarter

quartier (*m.*) neighborhood

quel(le) which

quelque some, any; (*pl.*) a few

quelquefois sometimes

quelques-un(e)s a few

quelqu'un someone

queue (*f.*) line; **faire la queue** to stand in line, line up

quille (*f.*) (bowling) pin; **jouer aux quilles** to bowl

quitter to leave

quoi what; **il n'y a pas de quoi** you're welcome, don't mention it

quoique although

quotidien(ne) daily

rabais (*m.*) discount

raccrocher to hang up

raconter to tell

raffiné refined

ragoût (*m.*) stew

raison (*f.*) reason; **avoir raison** to be right

ramasser to pick up; to gather

rame (*f.*) oar

ramener to bring back

ramoner to sweep (*a chimney*)

rang (*m.*) rank; row

ranger to put in order

rappeler to call again; **se rappeler** to recall, remember

rapport (*m.*) report; relationship

rapprocher to bring closer together

se raser to shave

rasoir (*m.*) razor

ratatouille (*f.*) vegetable dish

rater to fail; to miss

ravi delighted

rayonner to sparkle, radiate

réagir to react

réalisable achievable, feasible

récemment recently

récepteur (*m.*) receiver

recette (*f.*) recipe

recevoir to receive

réchauffer to warm up, heat

recherche (*f.*) research; **à la recherche de** in search of

récit (*m.*) narrative

réciter to recite

récompenser to reward

réconforter to comfort

reconnaissant grateful

reconnaître to recognize

recouvrir to cover

reçu (*m.*) receipt

recueil (*m.*) collection; compilation

rédaction (*f.*) composition; editing

rédiger to write

réduire to reduce

réfléchir to reflect, think

reflet (*m.*) gleam, reflection

réfugier to take refuge

regarder to look at

régime (*m.*) diet; **suivre un régime** to be on a diet

règle (*f.*) rule; ruler

régner to rule

reine (*f.*) queen

rejeter to reject

réjouir to rejoice

relier to link

relire to reread

remarquer to notice

remercier to thank

remettre to put (give) back; to postpone

remonter to go up again; to date back

rempart (*m.*) rampart, fortification

remplaçant (*m.*) substitute, replacement

remplir to fill (out)

rencontrer to meet

rendre to return; **se rendre compte (de)** to realize

renfermer to lock (shut) in; to contain

renommé renowned

renouveler to renew

rénover to renovate

renseignements (*m. pl.*) information

rentrer to return; to go, come home

renverser to knock over; to spill; to overthrow

renvoyer to fire

répandu widespread

réparer to repair

répartir to divide, share

repas (*m.*) meal

repasser to review; to iron

répéter to repeat; to rehearse, practice

réplique (*f.*) reply

répondeur (*m.*) answering machine

répondre to answer

(se) reposer to rest

repousser to push back

reprendre to take back; to take up again; to correct

reproche (*f.*) reproach; **faire des reproches** to reproach

réputé reputed, well-known

réseau(x) (*m.*) network, system

résolu resolved

résoudre to resolve

ressentir to feel

rester to remain, to stay

restes (*m. pl.*) leftovers

résumé (*m.*) summary

retard (*m.*) delay; **en retard** late

retenir to retain; to hold, keep back

retentir to ring

retirer to withdraw

retour (*m.*) return; **être de retour** to be back

retourner to return

retraite (*f.*) retreat; retirement; **prendre sa retraite** to retire

réussir to succeed

rêve (*m.*) dream

réveil (*m.*) alarm clock

réveille-matin (*m.*) alarm clock

(se) réveiller to wake up

réveillon (*m.*) Christmas/New Year's Eve party

révéler to reveal

revenir to come back

rêver to dream

réviser to revise; to review

révoquer to cancel, revoke

revue (*f.*) magazine

rhume (*m.*) cold

rideau(x) (*m.*) curtain

rien nothing, not anything; **ça ne fait rien** it doesn't matter; **de rien** your're welcome, don't mention it

rigueur: de rigueur (*socially*) obligatory

rire to laugh; (*m.*) laughter

rive (*f.*) bank (*river*)

riz (*m.*) rice

roche (*f.*) rock

rocheux (-euse) rocky

roi (*m.*) king

romain Roman

roman (*m.*) novel

romancé in novel form

romancier (-ière) novelist

rompre to break; to break off

ronger to bite

rôtir to roast

roue (*f.*) wheel

rouge red

rougir to blush

rouler to roll along; to ride

roumain Rumanian

route (*f.*) road, route; **se mettre en route** to start out

routier (-ière) (*adj.*) road

royaume (*m.*) kingdom

royauté (*f.*) royalty

rue (*f.*) street

russe Russian

sabot (*m.*) wooden shoe

sac (*m.*) pocketbook, bag; **sac à provisions** shopping bag; **sac de couchage** sleeping bag

sacré holy, sacred

sacrer to crown

sage wise; well-behaved

sain healthy; **sain et sauf** safe and sound

saisir to seize, capture, catch

saison (*f.*) season

sale dirty

salle (*f.*) room; hall; **salle d'attente** waiting room

salon (*m.*) living room;
    exhibition; **salon de beauté**
    beauty parlor
saluer to greet
salut hi
sans-abri (*m.*) homeless
    person
santé (*f.*) health
saucisse (*f.*) sausage
sauf except
sauver to save
savant (*m.*) scientist
savoir to know (how)
savon (*m.*) soap
scénariste (*m. & f.*)
    script/screen writer
scène (*f.*) scene; stage; **mettre
    en scène** to direct, produce
scolaire school
sec (*f.* **sèche**) dry
secours (*m.*) help, aid
seigneur (*m.*) lord, noble
séjour (*m.*) stay, visit; **carte de
    séjour** (*f.*) residency
    document
selon according to
semaine (*f.*) week
sembler to seem
sens (*m.*) sense; meaning
sensible sensitive
sentir to smell; to feel; **se
    sentir** to feel
serrure (*f.*) lock
serveur (-euse) waiter
serviette (*f.*) napkin; towel
servir to serve; **se servir de** to
    use
seul alone, only
siècle (*m.*) century
siège (*m.*) seat
siffler to whistle
sinon or else
sobre sober; subdued
sœur (*f.*) sister
soi oneself, himself, herself,
    itself
soie (*f.*) silk

soif (*f.*) thirst; **avoir soif** to be
    thirsty
soigner to take care of
soigneux (-euse) careful,
    meticulous
soin (*m.*) care
soir (*m.*) evening
soirée (*f.*) evening; evening
    party
sol (*m.*) soil; ground
solde (*f.*) sale; **en solde** on sale
soleil (*m.*) sun
sommeil (*m.*) sleep; **avoir
    sommeil** to be sleepy
sommet (*m.*) summit, top
somptueux (-euse) lavish
sondage (*m.*) opinion poll
songer à to think of, to dream
    of
sonner to ring
sonnette (*f.*) doorbell
sonorité (*f.*) resonance,
    sound
sorte (*f.*) sort, kind
sortie *f.* exit
sortir to leave, go out; to take
    out
sot (*f.* **sotte**) stupid
souci (*m.*) anxiety, worry
se soucier de to be
    concerned, worry about
soucoupe (*f.*) saucer
soudain suddenly
souffrir to suffer
souhaiter to wish
soulagement (*m.*) relief
soulier (*m.*) shoe
souligner to underline
soumettre to submit
sourire to smile; (*m.*) smile
sous under
sous-marin underwater
souterrain (*m.*) underground
se souvenir de to remember
souvent often
souverain sovereign
spatial space

squelette (*m.*) skeleton
stade (*m.*) stadium
stage (*m.*) training period
standardiste (*f.*) switchboard
    operator
statut (*m.*) statute, regulation
stylo (*m.*) pen
subventionné subsidized
sucer to suck
sucette (*f.*) lollypop
sucré sweet
sucrier (*m.*) sugar bowl
sud (*m.*) south
Suède (*f.*) Sweden
suffire to be enough
suffisant sufficient
suggérer to suggest
suisse Swiss
suite (*f.*) continuation;
    et ainsi de suite and so on;
    tout de suite at once,
    immediately
suivant following; next
suivre to follow
superficie (*f.*) area
superflu superfluous
supporter to tolerate
sur on
sûr sure; **bien sûr** of course
surnom (*m.*) nickname
surprendre to surprise
surtout especially
surveiller to watch over
survivre to survive
sympathique nice

tableau(x) (*m.*) painting;
    chalkboard
tâcher to try
taille (*f.*) size
(se) taire to keep quiet
tandis que while; whereas
tant so much, so many; **tant
    bien que mal** rather badly,
    so-so; **tant mieux** so much
    the better; **tant pis** too bad

tante (*f.*) aunt
taper à la machine to type
tapis (*m.*) rug, carpet
tapisser to wallpaper
tapisserie (*f.*) tapestry
tapoter to tap
tard late; **plus tard** later; **il se fait tard** it's getting late
tartine (*f.*) slice of bread and butter
tas (*m.*) pile; **un tas de** a lot of
tasse (*f.*) cup
tel(le) such; **tel que** as
témoin (*m.*) witness
tempéré tempered, moderate
tempête (*f.*) storm
temps (*m.*) weather; time; tense; **à temps** on time **combien de temps** how long; **de temps à autre, de temps en temps** from time to time
tenir to hold; **tenir à** to insist on; to value; **tenir de** to take after
terminer to finish
terrain (*m.*) field; ground
terre (*f.*) earth; ground
terrine (*f.*) potted meat; dish
tête (*f.*) head; **mal à la tête** (*m.*) headache; **faire à sa tête** to do as one pleases
têtu stubborn
thé (*m.*) tea
thèse (*f.*) thesis
thon (*m.*) tuna fish
tiers (*m.*) third
tirer to pull; to draw
tiroir (*m.*) drawer
tissu (*m.*) material
titre (*m.*) title
toile (*f.*) linen; cloth
tombeau(x) (*m.*) tomb
tomber to fall, fall down; **laisser tomber** to drop
tonalité (*f.*) dial tone

tonnerre (*m.*) thunder
tôt soon; early
toujours always; still
tour (*m.*) tour; turn; **faire le tour** to go around; **jouer des tours** to play tricks; (*f.*) tower
tourner to turn; to shoot (*film*)
tousser to cough
tout all; very; **pas du tout** not at all; **tout à coup, tout d'un coup** suddenly; **tout à fait** quite; completely; **tout de même** nevertheless; **tout de suite** right away; **tout le monde** everyone; **à tout à l'heure** see you in a little while
traducteur (*m.*) (*f.* **traductrice**) translator
traduire to translate
trahir to betray
train (*m.*) train; **être en train de** to be in middle of (*doing something*)
traîneau(x) (*m.*) sled
traîner to drag
traité (*m.*) treaty
traitement de texte (*m.*) word-processing program
trajet (*m.*) trip, journey
travail (*m.*) work
travailler to work
travers: à travers across
traverser to cross
trembler to shake, to quake
très very
trésor (*m.*) treasure
tribu (*f.*) tribe
triste sad
tromper to deceive; **se tromper** to be mistaken
trop too much, too many
trottoir (*m.*) sidewalk
trou (*m.*) hole
trousse (*f.*) pencil case

trouver to find; **se trouver** to be found, be located
tuyau(x) (*m.*) tube, pipe

(s') unir to unite, come together
unité de valeur (*f.*) school credit
urgence (*f.*) emergency
usine (*f.*) factory
utile useful
utiliser to use

vacances (*f. pl.*) vacation
vache (*f.*) cow
vaincre to defeat, conquer
vainqueur (*m.*) victor
vaisselle: faire la vaisselle to do the dishes
valeur (*f.*) value, worth
valoir to be worth; to cost
valse (*f.*) waltz
(se) vanter to boast
vapeur (*m.*) boat; (*f.*) steam
varicelle (*f.*) chicken pox
varié varied
varier to vary, change
vase (*m.*) vase; (*f.*) mud
vaut: il vaut mieux it is better; **cela vaut la peine** it's worth while
veau (*m.*) veal
vedette (*f.*) film star
vélo (*m.*) bicycle
vendre to sell
venir to come; **venir de** to have just
vent (*m.*) wind; **faire du vent** to be windy; **coup de vent** (*m.*) gust of wind
vente (*f.*) sale; **vente aux enchères** auction
ventre (*m.*) stomach; **mal au ventre** (*m.*) stomach ache

véritable true, real
vérité (*f.*) truth
verre (*m.*) glass; **verre de contact** contact lens
vers toward; about
verser to pour
vert green
vêtements (*m. pl.*) clothing
veuillez please
viande (*f.*) meat
vide empty
vider to empty
vie (*f.*) life
vieillard (*m.*) old man
vierge virgin
vieux (*f.* **vieille**) old
vif (*f.* **vive**) lively; alive
vigne (*f.*) vine
vignoble (*m.*) vineyard
vigueur (*f.*) vigor: **en vigueur** in force
vilain nasty; ugly

ville (*f.*) city
vin (*m.*) wine
virage (*m.*) turn
vite quickly, fast
vitesse (*f.*) speed; **faire de l'excès de vitesse** to go over the speed limit; **vitesse de pointe** maximum speed
viticulture (*f.*) wine growing
vitrail (*m.*) (*pl.* **vitraux**) stained-glass window
vitrine (*f.*) store window
vivant alive, living
vivre to live
vœu(x) (*m.*) wish; **carte de vœux** (*f.*) greeting card
voici here is (are)
voilà there is (are)
voile (*f.*) sail; **faire de la voile** to go sailing
voir to see

voisin (*m.*) neighbor; neighboring
voiture (*f.*) car
voix (*f.*) voice; **à haute voix** aloud
vol (*m.*) theft, robbery; flight
volaille (*f.*) poultry
volant (*m.*) steering wheel
voler to steal; to fly
volonté (*f.*) will
voué dedicated, devoted
vouloir to want; **veuillez +** (*inf.*) kindly, please
voûte (*f.*) vault, arch
voyager to travel
voyant (*m.*) clairvoyant
vrai true
vue (*f.*) view

yaourt (*m.*) yogurt

The English-French Vocabulary includes words that might be needed for exercises requiring students to answer in their own words. For a more extensive dictionary we recommend consulting Roger Steiner, *French Dictionary,* 3rd ed., Amsco, 2004.

Irregular feminine and plural forms are given in full [**amer** (*f.* **amère**), **œil** (*m.*) (*pl.* **yeux**)] or are indicated by showing the ending that is added to the basic form: **bon(ne), bateau(x),** or the ending that replaces the basic form ending: **généreux (-euse).**

ABBREVIATIONS

(*adj.*)	adjective	(*m.*)	masculine
(*adv.*)	adverb	(*pl.*)	plural
(*f.*)	feminine	(*p.p.*)	past participle
(*inf.*)	infinitive		

a lot beaucoup

able: to be able to pouvoir + (*inf.*)

about de; **about +** *number* environ; **at about** vers

accept accepter

accompany accompagner

acquaintance connaissance (*f.*)

act agir

active actif (-ive)

advice conseil (*m.*)

affectionately affectueusement

after après

afternoon après-midi (*m.*)

again de nouveau

age âge (*m.*)

airport aéroport (*m.*)

alarm clock réveil (*m*)

all tout; **at all** du tout

allow permettre

alone seul

also aussi

always toujours

A.M. du matin

ambitious ambitieux (-euse)

amusement park parc d'attractions (*m.*)

angry fâché; **to get angry** se fâcher

announcement annonce (*f.*)

another un(e) autre

answer répondre

any aucun; **at any price** à n'importe quel prix

anymore ne... plus

anyone quelqu'un, ne... personne

anything quelque chose, ne... rien

appear apparaître, paraître

April avril

argument dispute (*f.*)

arm bras (*m.*)

as comme; **as well** aussi bien; **as . . . as** aussi... que (*adv.*)

ask (for) demander

asleep: to fall asleep s'endormir

at à, chez

attack attaquer

attend assister à

attention: to pay attention faire/prêter attention

attract attirer

August août (*m.*)

aunt tante (*f.*)

average moyen(ne)

avoid éviter

awful affreux (-euse)

bakery boulangerie (*f.*)

basement sous-sol (*m.*)

basket corbeille (*m.*)

bathing suit maillot de bain (*m.*)

battle bataille (*f.*)

be être

beautiful beau, bel (*f.* belle)

because parce que, car; **because of** à cause de

become devenir

begin commencer

believe croire

best meilleur

better meilleur (*adj.*), mieux (*adv.*)

bird oiseau (*m.*)

birthday anniversaire (*m.*)

bite mordre

black noir

blue bleu

bone os (*m.*)

book livre (*m.*)

bookstore librairie (*f.*)

bore: to bore ennuyer; **to get bored** s'ennuyer

born (*p.p.*): **to be born** naître

bother gêner, énerver

box boîte (*f.*)

boyfriend petit ami (*m.*)

break casser; **to break one's arm/leg** se casser le bras/la jambe

breakfast petit déjeuner (*m.*); **to eat/have breakfast** déjeuner, prendre le petit déjeuner

bring amener (*people*), apporter (*things*); **to bring back** rapporter

broken cassé

brother frère (*m.*)

brush brosse (*f.*)

bus autobus (*m.*)

but mais

buy acheter

by par; (*+time*) avant

cafeteria cantine (*f.*)

cake gâteau(x) (*m.*)

call appeler; téléphoner

calorie calorie (*f.*)

Canadian canadien(ne)

car voiture (*f.*); **sports car** voiture de sport

carrot carotte (*f.*)

chair chaise (*f.*)

chalkboard tableau(x) (*m.*)

change monnaie (*f.*)

charming charmant

chat bavarder

check chèque (*m.*); **traveler's check** chèque de voyage

chicken poulet (*m.*)

child enfant (*m./f.*)

childhood enfance (*f.*).

choose choisir

city ville (*f.*)

claim réclamer; prétendre

classmate camarade de classe (*m./f.*)

clean propre; **to clean** nettoyer

close près de; **to close** fermer

clothes vêtements (*m. pl.*)

coat manteau(x) (*m.*)

coffee café (*m.*)

college université (*f.*); **college degree** diplôme universitaire (*m.*)

come venir; **to come back** rentrer; **to come out** sortir

complain se plaindre

computer ordinateur (*m.*)

confident confiant; sûr

cook cuisiner

correct corriger

cost coûter

counselor (*school*) conseiller (*m.*), (*camp*) moniteur (*m.*) (*f.* monitrice)

country pays (*m.*)

course cours (*m.*); **take a course** suivre un cours

creative inventif (–ive)

credits (*school*) unités de valeur (*f. pl.*)

cup tasse (*f.*)

curtain rideau(x) (*m.*)

custom coûtume (*f.*)

customer client (*m.*)

day jour (*m.*), journée (*f.*)

dear cher (*f.* chère)

degree diplôme (*m.*); **college degree** diplôme universitaire

demand exiger

describe décrire

deserve mériter

desk bureau (*m.*); **student's desk** pupitre (*m.*)

destroy détruire

dictionary dictionnaire (*m.*)

dining room salle à manger (*f.*)

dinner dîner (*m.*); **to eat/have diner** dîner

dirty sale

disappear disparaître

discover découvrir

discuss discuter

dish plat (*m.*)

divide diviser

do faire; **to do one's best** faire de son mieux; **to do without** se passer de

dog chien(ne)

dormitory dortoir (*m.*)

down: to go down descendre; **to sit down** s'asseoir

dozen douzaine (*f.*)

dream rêver

drink boire

drive conduire

during pendant

each chaque; **each one** chacun (*m.*)

early tôt, de bonne heure

earn gagner

easy facile

eat manger; **to eat lunch** déjeuner

either... or soit... soit; **not... either** non plus; **not... either... or** ni... ni

end fin (*f.*)

energetic énergique

English anglais

enjoy aimer; **to enjoy oneself** s'amuser

enough assez

entire entier (*f.* entière), tout
erase effacer
essential essentiel(le)
establish établir
even même; **even if** même si
evening soir (*m.*)
ever jamais
every chaque, tout; **every day** tous les jours; **everyone** tout le monde; **everything** tout
exchange rate cours de change (*m.*)
expect s'attendre à
expenses frais (*m. pl.*)
expensive cher (*f.* chère)
explain expliquer
extremely extrêmement
eye œil (*m.*) (*pl.* yeux)

face: to make a face faire une grimace
faithful fidèle
fall automne (*m.*); **to fall** tomber; **to fall asleep** s'endormir
family famille (*f.*).
father père (*m.*)
favorite favori(te)
fear avoir peur, craindre
few peu (de); **a few** quelques, quelques-un(e)s
fewer moins de
finally enfin, à la fin
find trouver
finish finir
fire incendie (*m.*), feu (*m.*); **to fire** renvoyer
first premier (*f.* première)
fish poisson (*m.*); **to fish** pêcher
fix réparer
follow suivre
following suivant
food nourriture (*f.*)
foot pied (*m.*); **on foot** à pied
for pour, pendant

forget oublier
former ancien(ne); celui-là
fortunately heureusement
free libre
French français
Friday vendredi (*m.*)
friend ami(e); copain (*m.*), copine (*f.*)
friendly aimable
from de; parmi
fun: to have fun s'amuser; **to make fun of** se moquer de

gain gagner
gentle doux (*f.* douce)
get obtenir; devenir; **to get up** se lever
gift cadeau (*m.*)
girl fille (*f.*), jeune fille (*f.*)
girlfriend amie (*f.*); petite amie (*f.*)
give donner
glass verre (*m.*)
go aller; **to go out** sortir
good bon(ne).
grandfather grand-père (*m.*)
grandmother grand-mère (*f.*)
grandparents grands-parents (*m. pl.*)
great formidable
green vert

hair cheveux (*m. pl.*)
half moitié (*f.*)
happen arriver, se passer
happy heureux (-euse), content
hard dur
hardly à peine; ne... guère
hat chapeau(x) (*m.*)
hate détester
have avoir; **to have to** devoir, falloir; **to have just** venir de

healthy sain
hear entendre
help aide (*m.*); **to help to** aider à; **to help one another** s'entraider
here ici; **here is/are** voici
home: to return home rentrer (à la maison)
homework devoirs (*m. pl.*)
honest honnête
hope espérer
hour heure (*f.*)
house maison (*f.*)
how comment; **how much/many** combien (de); **how long** depuis quand
hungry: to be hungry avoir faim

ice cream glace (*f.*)
idea idée (*f.*)
if si
immediately tout de suite, immédiatement
increase augmenter
independent indépendant
interesting intéressant
island île (*f.*)
Italy Italie (*f.*)

jeans jean (*m.*)
job poste (*m.*)
joy joie (*f.*)
July juillet (*m.*)
jump sauter
June juin (*m.*)
just: to have just venir de

kind aimable
king roi (*m.*)
kitchen cuisine (*f.*)
know connaître; savoir; **to know how to** savoir

lake lac (*m.*)

land terre (*f.*)

large grand

last dernier (-ère), passé

later plus tard

latter celui-ci (*m.*), celle-ci (*f.*)

laugh rire

learn apprendre

least: at least au moins

leave partir, quitter

leg jambe (*f.*)

less moins

lesson leçon (*f.*)

let laisser

library bibliothèque (*f.*)

lie mentir

lightning foudre (*f.*)

like comme; **to like** aimer

line queue (*f.*)

listen écouter

live habiter; vivre

long long (*f.* longue)

look regarder; **to look for**
   chercher

lose perdre

lot: a lot beaucoup

love aimer

lunch déjeuner (*m.*); **to
   eat/have lunch** déjeuner

mail carrier facteur (*m.*),
   factrice (*f.*)

man homme (*m.*)

manager gérant (*m.*)
   manufacturer fabricant
   (*m.*)

many beaucoup de, plusieurs;
   how many combien de

map carte (*f.*)

market marché (*m.*)

marry épouser, se marier avec

May mai (*m.*)

meal repas (*m.*)

meet rencontrer; **to meet**
   (*for the first time*) faire la
   connaissance de

memory mémoire (*f.*)

menu carte (*f.*); menu (*m.*)

middle milieu (*m.*)

Monday lundi (*m.*)

money argent (*m.*)

month mois (*m.*)

more plus

morning matin (*m.*)

most le plus; la plupart de +
   noun

mother mère (*f.*)

movies cinéma (*m.*)

Mr. monsieur

Mrs. madame

much beaucoup; **how much**
   combien; **as much as** autant
   que

name nom (*m.*); **to name**
   nommer

necklace collier (*m.*)

need besoin (*m.*); **to need**
   avoir besoin de

neighbor voisin (*m.*)

neither non plus; **neither...
   nor** ni... ni

never jamais; ne... jamais

nevertheless cependant

new nouveau (*f.* nouvelle)

news nouvelles (*f. pl.*)

newspaper journal (-aux)
   (*m.*)

next prochain

nice sympathique, aimable

night nuit (*f.*); soir (*m.*); **last
   night** hier soir

no: no longer ne... plus; **no
   one** ne... personne

none aucun; ne... aucun

noon midi (*m.*)

nor non plus

nothing rien; ne... rien

novel roman (*m.*)

now maintenant

number numéro (*m.*);
   (*quantity*) nombre (*m.*)

obey obéir

office bureau(x) (*m.*); (*of doctor*)
   cabinet (*m.*)

often souvent

old vieux, vieil, (*f.* vieille)

on dans, sur

once une fois (*f.*)

one un; on

oneself soi-même

only seulement, ne... que

open ouvrir

or ou

order commander; **to put in
   order** mettre en ordre

other autre

ourselves nous-mêmes

over plus de

owe devoir

owner propriétaire (*m./f.*)

paint peindre

painting tableau (*m.*)

pair paire (*f.*)

paper papier (*m.*)

past passé (*m.*)

pay payer; **to pay attention**
   faire/prêter attention

people gens (*m. pl.*)

per par

person personne (*f.*)

picture photo (*f.*)

pineapple ananas (*m.*)

place endroit (*m.*)

plate assiette (*f.*)

play jouer; **to play** (*sport,
   game*) jouer à; (*instrument*)
   jouer de

please s'il vous plaît; veuillez +
   (*inf.*); **to please** plaire à

P.M. du soir

pound livre (*f.*)

practical pratique

prefer préférer

present cadeau(x) (*m.*)

pretty joli

price prix *m.*

principal directeur (*m.*), directrice (*f.*)
prize prix (*m.*)
problem problème (*m.*)
proud fier (*f.* fière)
provided that pourvu que
punish punir
put mettre; **to put on** mettre

quickly vite
quiet silencieux (-ieuse)

rain pluie (*f.*); **to rain** pleuvoir
raise augmenter
react réagir
read lire
really vraiment
receive recevoir
remain rester
remember se rappeler, se souvenir de
resolve résoudre
rest se reposer
return retourner; revenir
ring sonner
river fleuve (*m.*)
room pièce (*f.*); (*space*) place (*f.*); **dining room** salle à manger (*f.*)
rule règle (*f.*)

sad triste
salesclerk vendeur (-euse)
salt sel (*m.*)
same même (*m. /f.*)
satisfied satisfait
Saturday samedi (*m.*)
say dire
scare effrayer
scholarship bourse (*f.*)
school école (*f.*)
scream crier
second deuxième; second
see voir

seem paraître
sell vendre
send envoyer
sensitive sensible
September septembre (*m.*)
several plusieurs
share partager
shoe chaussure (*f.*)
shopkeeper marchand
show montrer
shower douche (*f.*)
since puisque; depuis
sing chanter
sister sœur (*f.*)
sit: to sit down s'asseoir
sleep dormir; **to fall asleep** s'endormir
small petit
smart intelligent
smile sourire (*m.*)
soap savon (*m.*)
some quelque(s), du, **some of them** quelques-un(e)s
someone quelqu'un
something quelque chose
sometimes quelquefois
son fils (*m.*)
soon bientôt; **as soon as** aussitôt que, dès que
Spain Espagne (*f.*)
speak parler
spend (*time*) passer; (*money*) dépenser
spring printemps (*m.*)
star étoile (*f.*)
start commencer
stay rester
steak bifteck (*m.*)
stocking bas (*m.*)
stop arrêter; **bus stop** arrêt d'autobus (*m.*)
store magasin (*m.*)
storm orage (*m.*), tempête (*f.*)
story histoire (*f.*)
street rue (*f.*)
strict sévère
strong fort

stubborn obstiné, têtu
study étudier
succeed réussir
success succès (*m.*)
such si
suggest suggérer
suit costume (*m.*); **bathing suit** maillot de bain (*m.*)
suitcase valise (*f.*)
summer été (*m.*)
sun soleil (*m.*)
Sunday dimanche (*m.*)
surprise surprendre
swim nager
sympathetic compatissant

take prendre
talk parler
teacher professeur (*m. /f.*)
tell dire
that cela; ça
theater théâtre (*m.*)
then puis, ensuite, alors
there là; y; **there is /are** il y a
thing chose (*f.*)
think penser
thirsty: to be thirsty avoir soif
this ce; ceci
those ces; ceux-là
thousand mille
throw jeter
Thursday jeudi (*m.*)
ticket billet (*m.*); **lottery ticket** billet de loterie (*m.*)
time fois (*f.*); heure (*f.*); temps (*m.*); **at what time** à quelle heure; **free time** temps libre (*m.*); **from time to time** de temps en temps; **to have a good time** s'amuser; **to spend time** passer **du temps**
today aujourd'hui
together ensemble
tomorrow demain
too trop; aussi

toward vers; (*in regard to*) envers
travel voyager
tree arbre (*m.*)
trip voyage (*m.*); **to take a trip** faire un voyage
trust se fier à
try essayer (de)
Tuesday mardi (*m.*)
turn on allumer

understand comprendre
until jusqu'à
upon en
use employer, utiliser, se servir de
useful utile
usually d'habitude, généralement

vacation vacances (*f. pl.*)
vegetable légume (*m.*)
very très
visit (*place*) visiter; (*people*) rendre visite à
vocabulary vocabulaire (*m.*)

wait (for) attendre
waiter garçon (*m.*), serveur (*m.*)
waitress serveuse (*f.*)
wake up se réveiller
walk: to take a walk faire une promenade
want vouloir, désirer
war guerre (*f.*)
warn prévenir
wash laver; **to wash oneself** se laver
watch regarder
water eau (*f.*)
wear porter
weather temps (*m.*)
week semaine (*f.*)
weight poids (*m.*); **to lose weight** perdre du poids
well bien
what que, qu'est-ce que; ce que; quel; **at what time** à quelle heure
when quand
where où
which quel; lequel
while pendant

who qui, qui est-ce qui
whole entier, tout
whose à qui; dont, de qui; duquel
why pourquoi
wife femme (*f.*)
willing: to be willing vouloir bien
win gagner
wish désirer; souhaiter
without sans; **to do without** se passer de
woman femme (*f.*)
wonder se demander
wonderful formidable, magnifique
work travail (*m.*); **to work** travailler; (*operate*) marcher, fonctionner; **volunteer work** travail bénévole (*m.*)
write écrire

year an (*m.*), année (*f.*)
yesterday hier
young jeune

Glossary of Grammatical Terms

active voice The subject performs the action represented by the verb.

adjective A word that modifies a noun or a pronoun.

adverb A word that modifies a verb, an adjective, or another adverb.

agent Indicates who does the action of a verb in the passive.

antecedent A word or group of words to which a relative pronoun refers.

articles Words that precede nouns. Articles usually indicate the number and gender of the noun.

auxiliary verb One of two elements needed to form a compound tense. Also called a **helping verb.** *Avoir* and *être* are the auxiliary verbs in French.

cardinal numbers The numbers we use for counting.

cognates Words that are the same or similar in both French and English.

conditional A mood that expresses what a subject *would* do under certain circumstances.

conjugation The action of changing the ending of the verb so that it agrees with the subject noun or pronoun performing the task.

definite article (*the*) An article that indicates a specific person or thing: the house.

demonstrative adjective An adjective that precedes nouns to indicate or point out the person, place, or thing referred to (*this, that, these,* or *those*).

demonstrative pronoun A pronoun that stands alone to indicate or point out the person or thing referred to (*this one*).

direct object Answers the question *whom* or *what* the subject is acting upon and may refer to people, places, things, or ideas. May be a noun or pronoun, or sometimes a clause.

exclamation A word or phrase used to show surprise, delight, incredulity, emphasis, or other strong emotion.

false friends Words that are spelled the same or almost the same in both languages but have entirely different meanings and can be different parts of speech.

future A tense that expresses what the subject *will do* or *is going to do* or what action *will take place* in a future time.

future perfect A tense that expresses what the subject *will have done* by a future time.

gender Indicates that a word is masculine or feminine.

603

idiom A particular word or expression whose meaning cannot be readily understood by either its grammar or the words used.

imperative A verb form used to give commands or make requests.

imperfect A past tense that expresses a continuous, repeated, habitual or incomplete action, situation, or event in the past that *was* going on at an indefinite time or what *used to* happen in the past.

indefinite article Refers to persons and objects not specifically identified.

independent (stress) pronoun A pronoun used to emphasize and to highlight or replace nouns or pronouns.

indicative A verb mood that states a fact.

indirect object Answers the question *to* or *for whom* the subject is doing something and refers only to people. May be a noun or pronoun.

infinitive The basic "*to*" form of the verb.

intonation A way of asking a question by inserting a rising inflection at the end of the statement.

inversion A way of asking a question by reversing the word order of the subject pronoun and the conjugated verb within the sentence.

noun A word used to name a person, place, thing, idea, or quality.

partitive An article indicating an indefinite quantity (part of a whole: *some* or *any*).

passé composé A tense that expresses an action or event completed in the past.

passé simple A past tense that occurs primarily in formal, literary, and historical writings expressing a completed action.

passive voice The action of the verb is performed upon the subject.

past conditional A tense that expresses what the subject *would have done* under certain conditions.

past participle A verb form expressing an action or a condition that has occurred in the past.

pluperfect A tense that expresses what the subject *had* done.

preposition A word used to relate elements in a sentence: noun to noun, verb to verb, or verb to noun/pronoun.

present participle A verb form ending in *–ing* that expresses an action that is taking place.

present tense A tense that expresses what is happening now.

pronoun A word that is used to replace a noun (a person, place, thing, idea, or quality).

reflexive verb A verb that shows that the subject is performing the action upon itself.

relative pronoun (*who, which, that*) A pronoun that joins a main clause (a clause that can stand alone) to a dependent clause.

subject The noun or pronoun performing the action of the verb.

subjunctive A mood expressing wishing, command, emotion, doubt, denial.

verb A word that shows an action or state of being.

Index

NOTE: For specific verb conjugations, see the Verb Charts.